Sarah Waters

# De nachtwacht



VERTALING MARION OP DEN CAMP

NIJGH & VAN DITMAR
AMSTERDAM 2006

Voor Lucy Vaughan

De vertaalster ontving voor deze vertaling een werkbeurs
van de Stichting Fonds voor de Letteren

Oorspronkelijke titel *The Night Watch*. Virago Press, Londen

Omslag Nanja Toebak
Foto omslag © The Image Bank
Foto auteur Charlie Hopkinson
NUR 302 / ISBN 90 388 8443 5

# 1947

# I

Zo iemand ben je dus geworden, zei Kay bij zichzelf: iemand bij wie geen klok of horloge meer loopt en die moet kijken welke invalide er bij haar huisbaas op de stoep staat om te weten hoe laat het is.

Ze stond voor het open raam een sigaret te roken, in een overhemd zonder boord en een grijzige onderbroek, en sloeg het komen en gaan van meneer Leonards patiënten gade. Stipt op tijd kwamen ze – zo stipt dat ze door hen echt wist hoe laat het was: maandag om tien uur de vrouw met de kromme rug; donderdag om elf uur de gewonde militair. Dinsdag om één uur kwam er een bejaarde man, met een zonderlinge jongen om hem te helpen; Kay verheugde zich op hun komst. Ze keek graag naar hen als ze langzaam de straat in kwamen lopen: de man keurig in een donker pak, als een begrafenisondernemer, de jongen geduldig, ernstig, knap om te zien – net een allegorie van jeugd en ouderdom, dacht ze, van Stanley Spencer of zo'n andere moderne fijnschilder. Na hen kwam er een vrouw met haar zoon, een jongetje dat mank liep en een bril droeg; daarna een bejaarde Indiase dame met reumatiek. Het manke jongetje stond soms met zijn grote schoen mos en aarde van de kapotte tegels van het tuinpad te schrapen, terwijl zijn moeder in de hal met meneer Leonard sprak. Onlangs had hij een keer naar boven gekeken en Kay zien staan, en toen had ze hem op de trap heibel horen maken omdat hij niet in zijn eentje naar de wc wilde.

'Gaat het om die engelen op de deur?' had ze zijn moeder horen vragen. 'Hemel, dat zijn maar plaatjes! Zo'n grote jongen als jij!'

Kay vermoedde dat het niet de griezelige negentiende-eeuwse engelen van meneer Leonard waren die hem angst inboezemden, maar het idee dat hij haar tegen zou komen. Hij moest wel gedacht hebben dat ze een spookverschijning was of een krankzinnige die op de zolder rondwaarde.

In zekere zin had hij gelijk. Soms liep ze inderdaad rusteloos heen en weer, zoals men zei dat krankzinnigen deden. En andere keren zat ze urenlang doodstil – stiller dan een schaduw, want ze zag de schaduwen over het vloerkleed kruipen. En dan kreeg ze het gevoel dat ze misschien wel echt een spookverschijning was, dat ze zou opgaan in de vervallen structuur van het huis, oplossen in de duisternis die zich als stof verzamelde in de scheve hoeken.

Er reed een trein voorbij, twee straten verderop, op weg naar Clapham Junction; ze voelde het trillen en sidderen in de vensterbank onder haar armen. Het peertje in een lamp achter haar sprong aan, knipperde even als een geïrriteerd oog, en ging weer uit. De sintels in de haard – een akelige kleine haard: dit was ooit een dienstbodekamer geweest – zakten langzaam in elkaar. Kay nam een laatste trekje van haar sigaret en kneep de gloeiende punt uit tussen haar duim en wijsvinger.

Ze had meer dan een uur voor het raam gestaan. Het was dinsdag: ze had een man met een wipneus en een verlamde arm zien aankomen, en had vagelijk staan wachten op het echtpaar Spencer. Maar nu had ze het opgegeven. Ze had besloten de deur uit te gaan. Het was tenslotte een mooie dag: een dag midden in een warme septembermaand, de derde septembermaand na de oorlog. Ze liep naar de aangrenzende kamer, die ze als slaapkamer gebruikte, en begon zich om te kleden.

De kamer was schemerig. Een deel van het vensterglas was verdwenen, en meneer Leonard had het vervangen door linoleum. Het bed was hoog en bedekt met een chenille sprei die kaal begon te worden: het soort bed dat onprettige gedachten opriep aan de vele mensen die er in de loop der jaren hadden geslapen, de liefde hadden bedreven, waren geboren en gestorven, koortsig hadden liggen woelen. Het rook een beetje zuur, zoals de voetzolen van versleten kousen. Maar Kay was dat gewend en merkte het niet. De kamer was voor haar alleen een plek om te slapen of wakker te liggen. De wanden waren nog precies even kaal en leeg als toen ze er kwam wonen. Ze had nooit een schilderij opgehangen of boeken neergezet; ze had geen schilderijen of boeken; ze had überhaupt niet veel. Wel had ze in een hoek een stuk ijzerdraad gespannen, en daar, op houten hangertjes, bewaarde ze haar kleren.

De kleren waren in elk geval heel netjes. Na enig zoeken vond ze een paar keurig gestopte sokken en een nauwsluitende lange broek. Ze verwisselde haar overhemd voor een schoner exemplaar, met een slappe witte boord die ze bij de hals open kon laten, zoals een vrouw zou doen.

Maar haar schoenen waren herenschoenen; ze nam even de tijd om ze op te poetsen. En ze deed zilveren manchetknopen aan, bracht haar korte bruine haar met twee borstels in model en maakte het netjes met een likje vet. Voorbijgangers op straat die haar niet aandachtig bekeken, zagen haar dikwijls voor een mooie jongen aan. Ze werd geregeld 'jongeman' en zelfs 'vent' genoemd door oudere dames. Maar wie haar echt aankeek, zag onmiddellijk de eerste sporen van ouderdom op haar gezicht, zag de grijze haren; en ze zou dan ook zevenendertig worden op haar volgende verjaardag.

Ze liep zo voorzichtig als ze kon de trap af, om meneer Leonard niet te storen; maar het was moeilijk om geen lawaai te maken, want de trap kraakte en knapte. Ze ging naar de wc en bracht een paar minuten in de badkamer door, waar ze haar gezicht waste en haar tanden poetste. Haar gezicht werd nogal groenig verlicht, want het raam was overwoekerd met klimop. Het water klopte en sputterde in de buizen. Er hing een moersleutel naast de geiser, omdat het water soms volledig bleef steken – en dan moest je een beetje op de buizen slaan totdat hij aansprong.

Naast de badkamer zat de behandelkamer van meneer Leonard, en Kay kon, ondanks het geluid van de tandenborstel in haar mond en het gespetter van water in de wastafel, zijn gedreven, monotone stem horen terwijl hij de man met de wipneus en de verlamde arm behandelde. Toen ze uit de badkamer kwam en zachtjes langs zijn deur liep, werd de stem luider. Het leek op het gedreun van een machine.

'Eric,' ving ze op, 'je moet *hmm-hmm*. Hoe kan *zoem-zoem* als *hmm-zoem* weer heel is?'

Ze liep heel steels de trap af, opende de niet vergrendelde voordeur en bleef even op de stoep staan – bijna aarzelend nu. De lucht was zo wit dat ze met haar ogen knipperde. De dag leek plotseling verwelkt: niet zozeer mooi, maar eerder dor, uitgeput. Ze dacht dat ze het stof al voelde neerslaan op haar lippen, haar wimpers, in haar ooghoeken... Maar ze wilde niet omkeren. Ze moest als het ware haar eigen geborstelde haar waarmaken, haar gepoetste schoenen, haar manchetknopen. Ze daalde de stoeptreden af en ging op weg. Ze liep als iemand die precies wist waar ze heen ging, en waarom – al had ze in feite niets te doen en niemand om bij langs te gaan. Haar dag was leeg, zoals al haar dagen. Het leek wel of ze de grond waarop ze liep zelf moest uitvinden, moeizaam, stap voor stap.

Ze zette koers naar het westen, en liep door aangeveegde, verwoeste straten, de kant van Wandsworth op.

'Vandaag geen spoor van de kolonel, oom Horace,' zei Duncan, opkijkend naar de zolderramen toen hij en meneer Mundy het huis naderden.

Hij was een beetje teleurgesteld. Hij vond het leuk om de huurster van meneer Leonard te zien. Hij vond haar stoere kapsel leuk, haar mannelijke kleren, haar scherpe, gedistingeerde profiel. Hij dacht dat ze misschien ooit pilote was geweest, sergeant bij de WAAF, iets dergelijks: een van die vrouwen, kortom, die tijdens de oorlog vrolijk hun gang waren gegaan en daarna waren overgeschoten. 'De kolonel' noemde meneer Mundy haar. Hij vond het ook leuk haar daar te zien staan. Bij Duncans woorden keek hij op, en knikte; maar toen boog hij zijn hoofd weer en liep door, te zeer buiten adem om iets te kunnen zeggen.

Hij en Duncan waren helemaal vanuit White City naar Lavender Hill gekomen. Dat ging langzaam, ze moesten bussen nemen en af en toe stoppen om uit te rusten; het kostte bijna de hele dag om hier te komen en daarna weer naar huis te gaan. Duncan had dinsdag altijd vrij, en op zaterdag haalde hij de uren in. Daar waren ze heel coulant in, op de fabriek waar hij werkte. 'Die jongen is verknocht aan zijn oom!' had hij ze dikwijls horen zeggen. Ze wisten niet dat meneer Mundy niet echt zijn oom was. Ze hadden geen idee wat voor behandeling hij bij meneer Leonard kreeg; waarschijnlijk dachten ze dat hij naar een ziekenhuis ging. Van Duncan mochten ze denken wat ze wilden.

Hij liep met meneer Mundy de schaduw van het scheve huis in. Het huis zag er altijd het gevaarlijkst uit, vond hij, als het zo boven je oprees. Het was het enige gebouw dat gespaard was gebleven in wat vroeger, voor de oorlog, een lange straat was geweest; het droeg aan weerskanten, waar het aan zijn buren had vastgezeten, nog de littekens, de zigzaglijn van fantoomtrappen en de uitholling van verdwenen haarden. Wat het overeind hield was voor Duncan een raadsel; als hij met meneer Mundy de hal betrad, kon hij zich nooit helemaal aan het gevoel onttrekken dat hij de deur op een dag net iets te hard zou dichttrekken en dat het hele gebouw dan zou instorten.

Daarom deed hij de deur zachtjes dicht, en daarna leek het huis normaler. De hal was schemerig en stil; er stonden rechte stoelen, een kapstok zonder jassen en een paar verlepte planten; de vloer had een patroon van zwart-witte tegels, waarvan sommige ontbraken, zodat je het grijze cement eronder zag. De lampenkap was een prachtige schaal van roze porselein, waarschijnlijk bedoeld voor een gaslamp, maar nu voorzien van een peertje in een bakelieten fitting en een rafelig bruin snoer.

Duncan had oog voor zulke kleine gebreken en details; het was voor hem een van de genoegens van het leven. Hoe vroeger ze bij het huis arriveerden, hoe liever het hem was, want dan had hij tijd om meneer Mundy in een stoel te helpen en daarna op zijn gemak door de hal te lopen en alles te bekijken. Hij bewonderde de fraai gevormde trapleuning, en de traproeden met de dof geworden koperen uiteinden. Hij vond de verkleurde ivoren knop op een kastdeur mooi, en de verf op de plinten, die was gekamd om de structuur van hout na te bootsen. Maar achter in de gang die naar het souterrain leidde, op een bamboe tafel vol met prullige siervoorwerpen, tussen de gipsen honden en katten, de presse-papiers en majolica-vazen, stond zijn grote favoriet: een oude gelustreerde kom, beeldschoon, met een dessin van slangen en vruchten. Meneer Leonard bewaarde er stoffige walnoten in, met daarbovenop een ijzeren notenkraker, en Duncan naderde de kom nooit zonder tot in het merg van zijn botten de fatale barst te voelen die zou ontstaan als iemand achteloos de notenkraker zou pakken en daarmee het porselein zou raken.

De walnoten lagen vandaag echter net als anders in de kom, het laagje stof bovenop was donzig, onaangeroerd, en Duncan had ook tijd om heel aandachtig naar een paar schilderijen te kijken die scheef aan de muur hingen – want alles hing scheef in dit huis. Ze bleken vrij alledaags te zijn, met heel gewone Oxfordlijsten. Maar ook dat deed hem genoegen, een ander soort genoegen – het genoegen om naar iets te kijken dat niet bijzonder mooi was en te bedenken: je bent niet van mij, en ik hoef je ook niet!

Toen er in de kamer boven geluid klonk, ging hij vlug weer naast meneer Mundy staan. Er was op de overloop een deur opengegaan, en hij hoorde stemmen: het was meneer Leonard, die de jonge man uitliet die altijd het uur vóór hen had. Duncan vond het leuk om deze man te zien, bijna net zo leuk als hij het vond om de kolonel en de gelustreerde kom te zien, want de man was vrolijk. Hij had wel een zeeman kunnen zijn. 'Alles goed, maatjes?' zei hij vandaag, met een knipoogje naar Duncan. Hij vroeg wat voor weer het ging worden en informeerde naar de artritis van meneer Mundy, terwijl hij ondertussen een sigaret uit een pakje haalde en in zijn mond stak, een doosje lucifers pakte en de sigaret aanstak: alles even soepel en vloeiend met één hand, terwijl de andere, verlamde arm langs zijn lichaam hing.

Waarom kwam hij, vroeg Duncan zich altijd af, als hij zich toch al zo goed kon redden? Hij dacht dat de jonge man misschien graag een vriendinnetje wilde, want die arm was natuurlijk iets waar een meisje bezwaar tegen kon hebben.

De jonge man stopte het doosje lucifers weer in zijn zak en vertrok. Meneer Leonard nam Duncan en meneer Mundy mee naar boven – langzaam lopend, natuurlijk, aangepast aan het tempo van meneer Mundy.

'Wat een ellende,' zei meneer Mundy. 'Wat moet u nog met me? Gooi me maar op de schroothoop.'

'Nou, nou!' zei meneer Leonard.

Hij en Duncan hielpen meneer Mundy de behandelkamer in. Ze zetten hem op een rechte stoel neer, trokken zijn jasje uit, zorgden ervoor dat hij gemakkelijk zat. Meneer Leonard haalde een zwart notitieboekje tevoorschijn en keek er even in; daarna ging hij tegenover meneer Mundy zitten, ook op een harde stoel. Duncan liep naar het raam en nam plaats op een soort lage, beklede kist die daar stond, met meneer Mundy's jasje op zijn schoot. Voor het raam hing bitter ruikende vitrage, aan een roe die een beetje was doorgezakt. Op de wanden zat linoleumbehang, glanzend chocoladebruin geverfd.

Meneer Leonard wreef zich in de handen. 'Zo,' zei hij. 'Hoe voelen we ons, sinds de vorige keer?'

Meneer Mundy boog zijn hoofd. 'Niet zo best,' zei hij.

'Nog steeds het idee dat u pijn heeft?'

'Ik kom er maar niet van af.'

'Maar u heeft niet uw heil gezocht bij valse remedies?'

Meneer Mundy bewoog zijn hoofd weer, ongemakkelijk. 'Nou ja,' gaf hij een tel later toe, 'misschien een aspirientje.'

Meneer Leonard trok zijn kin in en keek meneer Mundy aan alsof hij wilde zeggen: ach, ach. 'U weet heel goed, nietwaar,' zei hij, 'wat er gebeurt met iemand die tegelijk valse remedies en een spirituele behandeling toepast? Zo iemand is als een ezel waaraan door twee meesters wordt getrokken; hij komt geen stap verder. U weet dat toch wel?'

'Maar,' zei meneer Mundy, 'het doet zo vreselijk zeer...'

'Zeer!' zei meneer Leonard, met een mengeling van vrolijkheid en grote minachting. Hij schudde aan zijn stoel. 'Heeft deze stoel pijn, omdat hij mijn gewicht moet torsen? Waarom niet, terwijl het hout waarvan hij is gemaakt toch even stoffelijk is als de botten en spieren van uw been, dat volgens u pijn doet door het dragen van uw gewicht? Omdat niemand gelooft dat een stoel pijn kan hebben. Als u maar niet gelooft dat uw been pijn doet, zal dat been even onbetekenend voor u worden als hout. Weet u dat niet?'

'Jawel,' zei meneer Mundy gedwee.

'Jawel,' herhaalde meneer Leonard. 'Laten we dan beginnen.'

Duncan zat heel stil. Het was tijdens de hele sessie noodzakelijk om heel stil en rustig te zijn, maar vooral nu, terwijl meneer Leonard zijn gedachten verzamelde, zijn kracht verzamelde, zijn aandacht concentreerde, zodat hij de strijd kon aanbinden met het valse idee van meneer Mundy's artritis. Hij deed dit door zijn hoofd iets naar achteren te houden en zijn blik te fixeren, niet op meneer Mundy, maar op een schilderij dat boven de schoorsteen hing, het portret van een vrouw met zachte ogen en een hooggesloten victoriaanse japon, de oprichtster, wist Duncan, van de Christian Science-beweging, mevrouw Mary Baker Eddy. Op de zwarte lijst van het schilderij had iemand – misschien meneer Leonard zelf – een tekst geschreven, tamelijk onbeholpen, met emaillak. De tekst luidde: *Sta altijd op wacht bij de poort van het denken.*

Die woorden maakten Duncan elke keer bijna aan het lachen: niet omdat hij ze bijzonder komisch vond, maar gewoon omdat het zo erg zou zijn om te lachen, juist nu; en op dit punt raakte hij altijd in paniek bij de gedachte dat hij zo lang zo stil moest zitten: hij voelde dat hij wel een geluid, of een beweging, móest maken – opspringen, gaan gillen, een toeval krijgen... Maar het was al te laat. Meneer Leonard was van houding veranderd – hij leunde nu voorover en keek meneer Mundy doordringend aan. En toen hij weer sprak, sprak hij fluisterend, intens geconcentreerd, met een enorme gedrevenheid en overtuigingskracht.

'Beste Horace,' zei hij, 'je moet naar me luisteren. Alles wat je over je artritis denkt, is onwaar. Je hebt geen artritis. Je hebt geen pijn. Je bent niet onderworpen aan die gedachten en opvattingen die ziekte en pijn als een wet en voorwaarde van de materie zien... Beste Horace, luister. Je bent niet bang. Geen enkele herinnering jaagt je angst aan. Geen enkele herinnering laat je denken dat je weer tegenspoed zult ondervinden. Je hebt niets te vrezen, beste Horace. Er is liefde om je heen. De liefde vult en omringt je...'

Het ging maar door – als een regen van zachte klappen van een strenge minnaar. Het was onmogelijk, dacht Duncan – die vergeten was dat hij moest lachen – om niet te willen zwichten voor die gepassioneerde woorden, onmogelijk om niet onder de indruk, geroerd, overtuigd te willen raken. Hij dacht aan de jonge man met de verlamde arm; hij stelde zich voor dat de man zat waar meneer Mundy nu zat, en te horen kreeg: 'De liefde vult je,' en: 'Je moet niet bang zijn,' en dat hij uit alle macht wilde dat zijn arm langer werd, vleziger werd. Kon zoiets? Duncan wilde graag geloven dat het kon, voor meneer Mundy en voor de jonge man. Hij wilde niets liever.

Hij keek naar meneer Mundy. Kort na het begin van de behandeling had deze zijn ogen gesloten; nu begon hij, terwijl het gefluister doorging, heel zacht te huilen. De tranen sijpelden over zijn wangen, ze kwamen samen in zijn hals en maakten zijn boord nat. Hij deed geen poging ze weg te vegen, maar hield zijn handen losjes op zijn schoot; zijn verzorgde, stompe vingers trilden af en toe, en zo nu en dan hield hij zijn adem in en slaakte dan een diepe, sidderende zucht.

'Beste Horace,' zei meneer Leonard nadrukkelijk, 'het denken heeft geen macht over jou. Ik ontzeg gedachten aan ziekte de macht over jou. Ziekte bestaat niet. Ik bevestig de macht van de harmonie over jou, over elk van je organen: je armen, je benen, je ogen en oren, je lever en nieren, je hart en hersenen en maag en lendenen. Die organen zijn volmaakt. Horace, luister naar me...'

Hij hield het drie kwartier vol; daarna leunde hij achterover, nog lang niet moe. Meneer Mundy haalde eindelijk zijn zakdoek voor de dag, snoot zijn neus en veegde zijn gezicht af. Maar zijn tranen waren al opgedroogd; hij ging zonder hulp staan, en scheen wat gemakkelijker te lopen en wat minder zwaarmoedig te zijn. Duncan bracht hem zijn jasje. Meneer Leonard kwam overeind, rekte zich uit, nam een slok water uit een glas. Toen meneer Mundy hem betaalde, nam hij het geld met een zeer verontschuldigende houding aan.

'En vanavond,' zei hij, 'zal ik je natuurlijk betrekken in mijn dagelijkse zegening. Zul je dat niet vergeten? Laten we zeggen om half tien.' Want hij had veel patiënten, wist Duncan, die hij nooit zag: patiënten die hem geld stuurden en die hij op afstand behandelde, of per brief en telefoon.

Hij gaf Duncan een hand. Zijn palm was droog, zijn vingers zacht en glad als van een meisje. Hij glimlachte, maar zijn blik leek naar binnen gekeerd, als die van een mol. Hij had op dat moment wel blind kunnen zijn.

En wat zou het lastig voor hem zijn, dacht Duncan plotseling, als hij echt blind was!

Bij dat idee kreeg hij opnieuw de neiging om te lachen. Toen hij en meneer Mundy weer op het tuinpad voor het huis stonden, lachte hij echt; en meneer Mundy nam zijn vrolijkheid over en begon ook te lachen. Het was een soort nerveuze reactie, op de kamer, de stilte, de stortvloed van milde woorden. Ze keken elkaar aan terwijl ze de schaduw van het scheve huis verlieten en in de richting van Lavender Hill liepen, en lachten als kinderen.

'Ik wil geen wispelturig type,' zei de man. 'Daar heb ik met mijn vorige meisje al genoeg ellende van gehad, dat mag u best weten.'

Helen zei: 'We raden onze cliënten altijd aan om in dit stadium zoveel mogelijk een open blik te houden.'

De man zei: 'Hmm. En een open portemonnee, denk ik zo.'

Hij droeg een donkerblauw demobilisatiepak, dat op de ellebogen en manchetten al glimmende plekken vertoonde, en het tropische kleurtje op zijn gezicht was vaal geworden. Zijn haar was onwaarschijnlijk netjes gekamd, de scheiding kaarsrecht en wit als een litteken; maar in de haarolie zaten allemaal huidschilfertjes, waar Helen steeds naar moest kijken.

'Ik ben eens uit geweest met een luchtmachtvrouw,' zei hij verbitterd. 'Elke keer als we langs een juwelierszaak kwamen, verzwikte ze toevallig net d'r enkel...'

Helen haalde een ander vel tevoorschijn. 'Wat dacht u van deze dame? Eens even kijken. Vindt het leuk om zelf kleding te maken en gaat graag naar de bioscoop.'

De man bekeek de foto, schudde zijn hoofd en ging meteen weer achterover zitten. 'Ik moet geen meisje met een bril.'

'Kom, weet u nog wat ik zei over die open blik?'

'Ik wil niet onaardig zijn,' zei hij, met een vlugge blik op Helen, die zelf vrij degelijk gekleed was, in het bruin. 'Maar een meisje met een bril – nou ja, die heeft de moed al opgegeven. Je vraagt je af wat ze daarna laat varen.'

Zo gingen ze nog twintig minuten door; van de lijst met vijftien vrouwen die Helen aanvankelijk had opgesteld, bleven er uiteindelijk vijf over.

De man was teleurgesteld, maar verborg zijn ongenoegen achter een vertoon van agressie. 'Zo, en wat gaat er nu gebeuren?' vroeg hij, aan zijn glimmende manchetten trekkend. 'Deze dames krijgen mijn lelijke smoel te zien, neem ik aan, en dan moeten ze zeggen of het hun wel of niet bevalt. Ik zie al hoe dat gaat aflopen. Misschien had ik me moeten laten fotograferen met een briefje van vijf pond achter mijn oor.'

Helen stelde zich voor hoe hij die ochtend thuis een das had uitgezocht, zijn jasje had afgenomen met een spons, de scheiding in zijn haar steeds rechter had getrokken.

Ze liep met hem mee de trap af om hem uit te laten. Toen ze weer terugkwam in de wachtkamer, keek ze haar collega Viv aan en blies haar wangen op.

Viv zei: 'Was het zo'n type? Ik dacht het al. Hij is zeker niet geschikt voor die mevrouw uit Forest Hill?'

'Hij wil een jonger iemand.'

'Dat willen ze allemaal.' Viv onderdrukte een geeuw. Op het bureau voor haar lag een agenda. Ze tikte tegen haar mond terwijl ze de pagina bekeek. 'We hebben nu bijna een half uur niemand,' zei ze. 'Zullen we een kop thee drinken?'

'Ja, laten we dat doen,' zei Helen.

Ze bewogen zich plotseling energieker dan ze ooit deden in de omgang met cliënten. Viv trok de onderste la van een archiefkast open en haalde een handig klein elektrisch keteltje en een theepot tevoorschijn. Helen liep met het keteltje naar de wc op de overloop en vulde het bij het fonteintje. Ze zette het op de grond, stak de stekker in een stopcontact in de plint en ging staan wachten. Het duurde een minuut of drie voordat het water kookte. Het behang boven het stopcontact bolde op, door de stoom die er in het verleden tegenaan was gekomen. Ze streek het glad, zoals ze elke dag deed; het lag een ogenblik plat en kwam toen langzaam weer omhoog.

Het bemiddelingsbureau was gevestigd in twee kamers boven een pruikenmakerij, in een straat achter Bond Street Station. Helen ontving de cliënten, een voor een, in de voorkamer; Viv zat aan haar bureau in de wachtkamer en begroette hen bij het binnenkomen. Er stond een bank, met stoelen die er niet bij pasten, waar mensen konden zitten als ze te vroeg waren. Een kerstcactus in een pot was onverwachts in bloei geschoten. Op een laag tafeltje lagen redelijk recente nummers van *Lilliput* en *Reader's Digest*.

Helen was hier vlak na de oorlog komen werken; ze had het beschouwd als een tijdelijk baantje – iets luchtigs, als tegenwicht tegen haar vroegere baan op de afdeling Hulp bij Schade in het gemeentehuis van Marylebone. De werkzaamheden waren vrij eenvoudig; ze probeerde haar best te doen voor de cliënten en wenste ze oprecht alle goeds, maar het was soms moeilijk om positief te blijven. De mensen waren op zoek naar een nieuwe geliefde, maar dikwijls – die indruk kreeg ze althans – wilden ze eigenlijk alleen maar praten over de geliefde die ze hadden verloren. De laatste tijd deed het bureau natuurlijk goede zaken. Militairen die terugkeerden uit het buitenland ontdekten dat hun vrouw of vriendin onherkenbaar was veranderd. Ze keken nog steeds verbijsterd als ze het bureau binnenkwamen. Vrouwen klaagden over hun ex-man. 'Hij wilde dat ik de hele dag binnen bleef.' 'Hij zei dat hij mijn vriendinnen niet mocht.' 'We gingen terug naar het hotel waar we tijdens onze huwelijksreis waren geweest, maar het was niet hetzelfde.'

Het water kookte. Helen zette thee op Vivs bureau en liep met de kopjes de wc in; Viv was er al en had het raam opengeschoven. Aan de achterkant van het gebouw was een brandtrap: als ze naar buiten klommen konden ze op een roestig metalen platform komen, met een laag hekje eromheen. Het platform trilde wanneer ze er op liepen, de ladder schoof heen en weer langs de bouten; maar het was een zonnig plekje, en ze gingen er zitten zodra ze de kans kregen. Ze konden de deurbel en de telefoon daar horen, en hadden, net als hordenlopers, een perfecte manier ontwikkeld om razendsnel en efficiënt over de vensterbank te stappen.

Op dit uur van de dag stond de zon vrij laag, maar hij had de hele ochtend geschenen en de bakstenen en het metaal hielden de warmte nog vast. De lucht was parelgrijs van de benzinedampen. Uit Oxford Street kwam het gestage gedreun van verkeer, en het gehamer van werklieden die daken repareerden.

Viv en Helen gingen zitten en trokken voorzichtig hun schoenen uit, strekten hun benen en wikkelden hun rok eromheen – voor het geval de mannen van de pruikenmakerij naar buiten kwamen en omhoogkeken – en lieten hun voeten draaien en bewegen. Hun kousen waren gestopt bij de tenen en de hielen. Hun schoenen waren afgetrapt; iedereen droeg afgetrapte schoenen. Helen haalde een pakje sigaretten tevoorschijn en Viv zei: 'Het is mijn beurt.'

'Dat maakt niet uit.'

'Dan hou je er nog een te goed.'

Ze deden samen met een lucifer. Viv leunde met haar hoofd achterover en blies met een zucht rook uit. Toen keek ze op haar horloge.

'God! Er zijn al tien minuten voorbij. Waarom gaat de tijd nooit zo snel als we cliënten hebben?'

'Ik denk dat ze de klokken beïnvloeden,' zei Helen. 'Net als magneten.'

'Dat moet wel. Net zoals ze het leven uit jou en mij wegzuigen – zuig, zuig, zuig, als grote dikke vlooien... Echt, als je me op mijn zestiende verteld had dat ik uiteindelijk in zo'n baan terecht zou komen – nou, ik weet niet wat ik dan gedacht zou hebben. Het was totaal niet wat ik van plan was. Ik wilde secretaresse worden op een advocatenkantoor...'

De woorden losten op in een nieuwe geeuw, alsof Viv niet eens de energie had om verbitterd te zijn. Ze tikte tegen haar mond met een van haar slanke, bleke, mooie, ringloze handen.

Ze was een jaar of zes jonger dan Helen, die tweeëndertig was. Haar teint was donker, en haar gezicht had nog het stralende van de jeugd; haar lange haar had een warme, diepbruine kleur. Het lag nu dubbelgevouwen achter haar hoofd tegen de warme stenen muur, als een fluwelen kussen.

Helen was jaloers op Vivs haar. Haar eigen haar was licht – of kleurloos, zoals ze het zelf noemde – en het deed iets onvergeeflijks: het hing steil omlaag. Ze liet het voortdurend permanenten en watergolven, en door de permanent droogde het uit en werd het broos. Ze had het pas nog laten doen; elke keer als ze haar hoofd omdraaide, rook ze de vage stank van de chemicaliën.

Ze dacht na over wat Viv had gezegd, dat ze secretaresse op een advocatenkantoor had willen worden. Ze zei: 'Toen ik jong was, wilde ik stalmeisje worden.'

'Stalmeisje?'

'Je weet wel, bij paarden of pony's. Ik had nog nooit van mijn leven op een paard gezeten. Maar ik had er iets over gelezen, denk ik, in een jaarboek voor meisjes of zo. Ik draafde de straat op en neer en maakte klepperende geluiden met mijn tong.' Ze herinnerde zich nog heel goed hoe opwindend het was geweest, en kreeg zin om op te staan en de brandtrap op en neer te galopperen. 'Mijn paard heette Fleet. Hij was heel snel en heel gespierd.' Ze trok aan haar sigaret en vervolgde op zachtere toon: 'God mag weten wat Freud daarvan zou zeggen.'

Zij en Viv lachten, en bloosden een beetje.

Viv zei: 'Toen ik heel jong was wilde ik verpleegster worden. Maar dat ging over toen ik mijn moeder in het ziekenhuis zag... Mijn broer wilde goochelaar worden.' Haar blik werd wazig; ze begon te glimlachen. 'Ik zal het nooit vergeten. Mijn zus en ik maakten een cape voor hem, van een oud gordijn, en die verfden we zwart – maar we wisten natuurlijk niet hoe het moest, we waren nog kinderen, en het zag er vreselijk uit. We maakten hem wijs dat het een speciale tovercape was. En toen gaf mijn vader hem een goocheldoos voor zijn verjaardag. Die moet trouwens een fortuin gekost hebben! Hij kreeg alles wat hij wilde, mijn broer; hij was tot in de grond verwend. Het was zo'n kind dat altijd iets wilde hebben als je hem meenam naar een winkel. Mijn tante zei weleens: "Als je Duncan meeneemt naar een wolwinkel, wil hij een knot wol hebben."'

Ze nam een slok thee en lachte weer. 'Toch was het een schat van een kind. Toen hij die doos van mijn vader kreeg, kon hij het niet geloven. Hij zat uren in het boek te lezen om uit te zoeken hoe de trucs werkten, maar uiteindelijk legde hij alles weg. Dus wij vroegen: "Wat is er? Vond je het toch geen leuk cadeau?" En hij zei dat het best aardig was, maar hij had gedacht dat hij écht zou leren toveren, en dit waren alleen maar trucs.' Ze beet op haar lip en schudde haar hoofd. 'Alleen maar trucs! Het arme joch. Hij was pas acht of zo.'

Helen glimlachte. 'Dat moet leuk zijn geweest, een klein broertje hebben. Mijn broer en ik scheelden te weinig in leeftijd; wij maakten alleen maar ruzie. Eén keer bond hij mijn vlecht aan een deurknop en gooide de deur dicht.' Ze betastte haar schedel. 'Ik verging van de pijn. Ik kon hem wel vermoorden! Ik geloof dat ik het gedaan zou hebben ook, als ik had geweten hoe. Ik denk dat kinderen echt perfecte moordenaartjes zouden zijn, jij niet?'

Viv knikte – maar ditmaal een beetje vaag. Ze rookte haar sigaret op, en ze bleven een paar minuten zwijgend zitten.

Het scherm is weer neergelaten, dacht Helen; want ze was eraan gewend dat Viv zo deed: kleine confidenties doen, herinneringen ophalen, en zich dan ineens terugtrekken, alsof ze te veel had onthuld. Ze werkten al bijna een jaar samen, maar wat Helen over Vivs huiselijk leven wist had ze zelf bijeen moeten schrapen, stukje bij beetje, uit opmerkingen die Viv zich had laten ontvallen. Ze wist bijvoorbeeld dat ze uit een heel gewoon milieu kwam; dat haar moeder jaren geleden was gestorven; dat ze bij haar vader in Zuid-Londen woonde, voor hem kookte als ze 's avonds uit haar werk kwam, en zijn was deed. Ze was niet getrouwd of verloofd, wat Helen vreemd vond voor zo'n mooi meisje. Ze had nooit gezegd dat ze in de oorlog een geliefde had verloren, maar ze had iets... iets teleurgestelds over zich, vond Helen. Een soort grauwheid. Een laagje verdriet, zo fijn als as, net onder de oppervlakte.

Maar het grootste mysterie was die broer van haar, Duncan. Er was iets raars met hem, of hij was bij een of ander schandaal betrokken geweest – Helen had er niet achter kunnen komen wat het was. Hij woonde niet thuis, bij Viv en hun vader; hij woonde bij een oom of zoiets. En hoewel hij blijkbaar heel gezond was, werkte hij – had ze begrepen – in een bijzondere fabriek, voor gebrekkigen en hulpbehoevenden. Viv sprak altijd op een heel merkwaardige manier over hem; ze zei bijvoorbeeld vaak: 'Arme Duncan', zoals net nog. Maar haar toon kon ook geërgerd zijn, dat lag aan haar stemming: 'O, díe redt zich wel.' 'Hij heeft geen flauw benul.' 'Die jongen leeft volkomen in zijn eigen wereld.' En dan ging het scherm weer omlaag.

Helen respecteerde dat soort schermen echter; ze had in haar eigen leven ook een paar dingen die ze liever verborgen hield...

Ze dronk nog wat thee, deed toen haar handtas open en haalde haar breiwerk tevoorschijn. Ze was tijdens de oorlog sokken en sjaals gaan breien voor soldaten; nu stuurde ze elke maand een pakje met diverse bobbelige, modderkleurige breisels naar het Rode Kruis. Op het moment werkte ze aan een bivakmuts voor een kind. Het was uitgehaalde wol, met vreemde krinkels; voor in de zomer was het een warm werkje, maar de wisselingen in het patroon waren intrigerend. Ze bewoog haar vinger en duim snel langs de naald en telde binnensmonds de steken.

Viv opende haar eigen tas. Ze haalde er een tijdschrift uit en begon het door te bladeren.

'Wil je je horoscoop weten?' vroeg ze na een tijdje aan Helen. En toen Helen knikte: 'Daar gaan we dan. "Pisces, Vissen: Vandaag is voorzichtigheid geboden. Uw plannen vallen bij anderen wellicht niet in goede aarde." Dat is die meneer uit Harrow, eerder op de dag. Waar staat de mijne? "Virgo, Maagd: Pas op voor onverwachte bezoekers." Dat klinkt net alsof ik luizen krijg! "De kleur rood brengt geluk."' Ze trok een gezicht. 'Het is gewoon een vrouw ergens op een kantoortje, hè? Ik wou dat ik haar baan had.' Ze sloeg nog een paar bladzijden om en liet het tijdschrift toen aan Helen zien. 'Wat vind je van zo'n kapsel?'

Helen zat weer steken te tellen. 'Zestien, zeventien,' zei ze, en wierp een blik op de foto. 'Niet gek. Al zou ik geen zin hebben om het elke keer weer in model te brengen.'

Viv geeuwde weer. 'Nou, dat heb ik tenminste wel: tijd.'

Ze bekeken de modepagina's nog even, wierpen toen een blik op hun horloge en zuchtten. Helen zette een streepje op het breipatroon en rolde haar breiwerk op. Ze trokken hun schoenen aan, klopten hun rok af, klommen weer over de vensterbank. Viv spoelde de kopjes om. Ze haalde haar poederdoos en lippenstift tevoorschijn en liep naar de spiegel.

'Even de oorlogskleuren bijwerken, dat zal wel nodig zijn.'

Helen deed ook iets aan haar gezicht, liep toen langzaam naar boven en ging de wachtkamer in. Ze legde de stapel *Lilliputs* recht, borg de theespullen en de ketel op. Ze keek de agenda op Vivs bureau door, sloeg de bladzijden om, las de namen. De heer Symes, de heer Blake, mejuffrouw Taylor, mejuffrouw Heap... Ze kon al raden welke teleurstellende ervaringen hen tot een afspraak hadden bewogen: de bons gekregen, bedrogen, een knagend wantrouwen, liefdeloosheid.

De gedachte maakte haar rusteloos. Wat was werken eigenlijk vreselijk! Wat was het afschuwelijk, ondanks Viv, die het draaglijk maakte, om hier te zijn, terwijl alles wat belangrijk voor je was, alles wat echt was en betekenis had, ergens anders was, buiten je bereik...

Ze ging haar kamer in en keek naar de telefoon op haar bureau. Ze moest eigenlijk niet bellen op dit uur van de dag, want Julia had er een hekel aan om gestoord te worden als ze werkte. Maar nu ze eraan gedacht had, liet het haar niet meer los: er ging een huivering van ongeduld door haar heen, ze begon bijna te trillen, zo graag wilde ze de hoorn oppakken.

Ach, wat zou het ook, dacht ze. Ze griste de hoorn van de haak en draaide haar eigen nummer. De telefoon ging één keer over, twee keer – en toen kwam Julia's stem.

'Hallo?'

'Julia,' zei Helen zacht. 'Ik ben het maar.'

'Helen! Ik dacht dat het mijn moeder was. Ze heeft al twee keer gebeld vandaag. Vóór haar had ik de telefoniste, er was een of ander probleem met de verbinding. En dáárvoor was er een man aan de deur die vlees verkocht.'

'Wat voor vlees?'

'Dat heb ik niet gevraagd. Waarschijnlijk kattenvlees.'

'Arme Julia. Heb je nog iets kunnen schrijven?'

'Nou ja, een beetje.'

'Iemand afgemaakt?'

'Ja, toevallig wel.'

'Ja?' Helen duwde de hoorn wat beter tegen haar oor. 'Wie? Mevrouw Rattigan?'

'Nee, mevrouw Rattigan heeft uitstel van executie gekregen. Het was zuster Malone. Een speer door het hart.'

'Een speer? In Hampshire?'

'Een van de trofeeën van de kolonel.'

'Ha! Dat zal hem leren. Was het erg goor?'

'Heel erg.'

'Veel bloed?'

'Emmers vol. En wat heb jij gedaan? Mensen in het huwelijksbootje geholpen?'

Helen geeuwde. 'Niet erg, nee.'

Ze had eigenlijk niets te zeggen. Ze had alleen Julia's stem willen horen. Er volgde een van die rumoerige telefoonstiltes, gevuld met een blikkerige elektrische mengelmoes van andere gesprekken op de lijn. Toen kwam Julia weer, bruusker nu.

‘Hoor eens, Helen. Ik moet helaas ophangen. Ursula zei dat ze zou bellen.’

‘O,’ zei Helen, plotseling op haar hoede. ‘Ursula Waring? Zei ze dat?’

‘Gewoon wat gezeur over de uitzending, denk ik.’

‘Ja. Nou, goed.’

‘Ik zie je straks.’

‘Ja, natuurlijk. Dag Julia.’

‘Dag.’

Puffende geluiden, en daarna legde Julia neer. Helen hield de hoorn nog even bij haar oor en luisterde naar de zwakke, vlagerige echo, het enige dat overbleef van de verbroken verbinding.

Toen hoorde ze Viv uit de wc komen, en ze legde de hoorn snel en geruisloos op de haak.

‘Hoe is het met Julia?’ vroeg Viv attent, toen zij en Helen aan het eind van de dag heen en weer liepen om de asbakken te legen en hun spullen bij elkaar te zoeken. ‘Heeft ze haar boek af?’

‘Nog niet helemaal,’ zei Helen, zonder op te kijken.

‘Ik zag laatst haar vorige boek. Hoe heet het ook weer? *De donkere ogen van...?*’

‘*De glinsterende ogen,*’ zei Helen, ‘*van het gevaar.*’

‘Precies. *De glinsterende ogen van het gevaar.* Ik zag het zaterdag in een winkel, en ik heb het helemaal vooraan op de plank gezet. Daarna ging een andere vrouw het ook bekijken.’

Helen glimlachte. ‘Je zou commissie moeten krijgen. Ik zal het beslist aan Julia vertellen.’

‘Als je het maar laat!’ Het idee was gênant. ‘Maar ze verkoopt heel goed, hè?’

‘Ja, zeker,’ zei Helen. Ze hees zich in haar mantel. Even leek ze te aarzelen, toen vervolgde ze: ‘Weet je, er staat deze week een stuk over haar in de *Radio Times*. Haar boek komt in het programma *Armchair Detective.*’

‘Echt?’ zei Viv. ‘Had me dat verteld! De *Radio Times*! Ik moet er een kopen op weg naar huis.’

‘Het is maar een kort stukje,’ zei Helen. ‘Er... Er staat wel een leuke foto bij.’

Op de een of andere manier leek ze niet zo opgewonden als ze had moeten zijn. Misschien was ze aan het idee gewend. Voor Viv was het onvoorstelbaar dat je een vriendin had die boeken schreef en met haar foto in een blad als de *Radio Times* stond, een blad dat door zo veel mensen gelezen werd.

Ze deden de lichten uit en gingen naar beneden, en Helen sloot de voordeur af. Zoals meestal bleven ze nog even staan kijken naar de pruiken in de etalage van de pruikenmaker, wezen aan welke zij zouden kopen als ze er een nodig hadden, en lachten om de rest. Toen liepen ze samen tot aan de hoek van Oxford Street, waar ze geeuwend afscheid namen en gekke gezichten trokken bij het idee dat ze morgen terug moesten komen en dan weer een hele dag voor de boeg hadden.

Viv liep daarna langzaam verder, bijna treuzelend, en bekeek de etalages; ze wachtte tot de ergste drukte van het spitsuur voorbij was voor ze de trein nam. Meestal nam ze de bus voor de lange rit naar huis, in Streatham. Vandaag was het echter dinsdag, en op dinsdagavond nam ze altijd de metro naar White City, om bij haar broer te eten. Maar ze had een hekel aan de ondergrondse: aan het gedrang, de stank, de roetdeeltjes, de plotselinge, warme windvlagen. Bij Marble Arch ging ze in plaats van het station het park in, en wandelde over het voetpad naast de weg. Het park zag er prachtig uit in het late zonlicht, met de lange, koel ogende, blauwige schaduwen. Ze bleef bij de fonteinen staan en keek naar het spel van het water; ze ging zelfs even op een bankje zitten.

Er kwam een meisje met een baby naast haar zitten, zuchtend, blij dat ze even uit kon rusten. Ze droeg een hoofddoek die nog uit de oorlog stamde, met verschoten afbeeldingen van tanks en Spitfires. De baby sliep, maar moest aan het dromen zijn: hij bewoog zijn gezichtje – soms streng kijkend, soms verbaasd – alsof hij alle uitdrukkingen oefende die hij nodig zou hebben als hij later groot was, dacht Viv.

Ze ging uiteindelijk bij Lancaster Gate de ondergrondse in; dan hoefde ze nog maar vijf haltes naar Wood Lane. Meneer Mundy's huis was tien minuten lopen vanaf het station, langs de achterkant van de hondenrenbaan. Als er races waren, kon je de menigte horen schreeuwen – een gek, hard geluid, haast beangstigend: het leek of het door de straten achter je aan spoelde, als een grote, onzichtbare vloedgolf. Vanavond was het stil op de renbaan. Er waren kinderen op straat – drie reden er samen op een oude fiets, slingerend, zodat het stof opwaaide.

Het tuinhek van meneer Mundy sloot met een tuttige kleine klink, die Viv op de een of andere manier aan meneer Mundy zelf deed denken. In de voordeur zaten glazen panelen. Ze stond nu bij de deur en klopte zachtjes, en even later verscheen er een gestalte in de gang. Hij naderde langzaam, trekkend met zijn been. Viv plooide haar mond tot een glimlach, en stelde zich voor hoe meneer Mundy, aan de andere kant, hetzelfde deed.

'Dag, Vivien. Hoe gaat het met je, liefje?'

'Dag, meneer Mundy. Met mij gaat het goed. En met u?'

Ze stapte naar binnen en veegde haar voeten op de kokosmat.

'Ik mag niet klagen,' zei meneer Mundy.

De gang was smal, en er was altijd even een onhandig moment wanneer hij ruimte maakte om haar te laten passeren. Ze liep naar de voet van de trap en ging naast de paraplubak staan om haar mantel los te knopen. Het duurde altijd een paar minuten voor ze gewend was aan het donker. Ze keek rond, knipperend met haar ogen. 'Is mijn broer er?'

Meneer Mundy sloot de deur. 'Hij is in de woonkamer. Ga maar naar binnen, liefje.'

Maar Duncan had hen al horen praten. Hij riep: 'Is dat Vivien? V, je moet hier komen! Ik kan niet opstaan.'

'Hij is vastgepind aan de vloer,' zei meneer Mundy met een glimlach.

Ze duwde de kamerdeur open en ging naar binnen. Duncan lag op zijn buik op het haardkleed met een opengeslagen boek voor zich, en onder op zijn rug zat het cyperse katje van meneer Mundy. Het katje bewoog zijn twee voorpoten alsof het deeg kneedde, tenen en klauwen buigend en weer intrekkend, spinnend dat het een aard had. Toen het Viv in de gaten kreeg, kneep het zijn ogen half dicht en trappelde nog sneller.

Duncan lachte. 'Wat vind je ervan? Ze geeft me een massage.'

Viv voelde meneer Mundy schuin achter zich. Hij was komen kijken, en lachte mee met Duncan. Zijn lach was licht en droog, een oudemannenlachje. Er zat niets anders op dan ook te lachen. Ze zei: 'Je bent geschift.'

Duncan begon zich op te drukken, alsof hij gymnastiekoefeningen ging doen. 'Ik ben haar aan het trainen.'

'Waarvoor?'

'Het circus.'

'Straks haalt ze je overhemd open.'

'Dat kan me niet schelen. Kijk.'

De kat trappelde als een bezetene door terwijl Duncan zich hoger oprichtte. Hij begon overeind te komen. Hij probeerde het zo te doen dat de kat op zijn rug kon blijven zitten – over zijn lichaam omhoog kon lopen, zelfs. Terwijl hij daarmee bezig was, lachte hij aan één stuk door. Meneer Mundy moedigde hem aan. Maar op het laatst kreeg de kat er genoeg van, en sprong op de grond. Duncan veegde over zijn broek.

'Soms,' zei hij tegen Viv, 'gaat ze op mijn schouders zitten. Dan loop ik rond – ja toch, oom Horace? – met haar om mijn nek gedrapeerd. Net zoals jouw kraag, eigenlijk.'

Viv had een kraagje van namaakbont op haar mantel. Hij kwam naar haar toe en voelde eraan. Ze zei: 'Ze heeft toch je overhemd opengehaald.'

Hij probeerde op zijn rug te kijken. 'Het is maar een overhemd. Ik hoef er niet chic uit te zien zoals jij. Ziet Viv er niet chic uit, oom Horace? Een chique secretaresse.'

Hij schonk haar een van zijn charmante lachjes, liet zich toen omhelzen en op de wang kussen. Zijn kleren hadden een geparfumeerd luchtje – dat kwam van de kaarsenfabriek, wist ze – maar afgezien daarvan rook hij net als een jongen; en toen ze haar handen op zijn schouders legde, leken die belachelijk smal en benig. Ze dacht aan het verhaal dat ze Helen die middag had verteld, over de goocheldoos, en zag hem weer levendig voor zich toen hij klein was: hoe hij altijd bij haar en Pamela in bed kroop en tussen hen in ging liggen. Ze kon zijn magere armen en benen nog voelen, en zijn voorhoofd, dat zo ging gloeien dat het donkere, zijdezachte haar eraan bleef plakken... Even wenste ze dat ze allemaal weer kinderen waren. Ze kon nog steeds nauwelijks geloven dat alles zo gelopen was.

Ze trok haar mantel uit en zette haar hoed af, en ze gingen zitten. Meneer Mundy was naar de keuken gegaan. Even later hoorden ze aan de geluiden dat hij bezig was met theezetten.

'Ik moet hem een handje gaan helpen,' zei ze. Dat zei ze elke keer als ze kwam. En Duncan antwoordde altijd, net zoals nu: 'Hij doet het liever in zijn eentje. Zo meteen begint hij te zingen. Hij heeft vanmiddag weer een behandeling gekregen; hij voelt zich iets beter. Trouwens, ik doe de afwas. Vertel eens hoe het met je gaat.'

Ze wisselden wat nieuwtjes uit.

'Je moet de groeten van pa hebben,' zei ze.

'O ja?' Het interesseerde hem niet. Hij was nog maar net gaan zitten, maar stond nu al weer opgewonden op en pakte iets van een plank om het haar te laten zien. 'Kijk eens,' zei hij. Het was een koperkleurig kannetje, met een deuk in de zijkant. 'Heb ik zondag op de kop getikt, voor drieënhalve shilling. Die man vroeg zeven shilling, maar ik heb afgedongen. Ik denk dat het achttiende-eeuws is. Stel je voor, V, theedrinkende dames die hier room uit schonken! Toen was het natuurlijk verzilverd. Zie je waar het zilver heeft losgelaten?' Hij liet haar de restjes zilver zien bij de naad van het handvat. 'Is het niet mooi? Drieënhalve shilling! Dat deukje stelt niets voor. Dat kan ik eruit slaan als ik wil.'

Hij draaide het kannetje opgetogen rond in zijn handen. In Vivs ogen was het rommel. Maar elke keer als ze kwam had hij iets nieuws dat hij haar wilde tonen: een kapot kopje, een geëmailleerd doosje waar stukjes af waren, een versleten fluwelen kussen. Ze moest altijd denken aan de monden die het porselein hadden aangeraakt, de groezelige handen en bezwete hoofden die de kussens kaal hadden gewreven. Meneer Mundy's huis deed haar trouwens ook griezelen: een oudemensenhuis was het, de kleine kamers volgestouwd met grote donkere meubels, de muren volgehangen met schilderijen. Op de schoorsteenmantel lagen wasbloemen en stukjes koraal onder vlekkerige glazen stolpen. Er waren nog gaslampen, met vleermuisbranders. Er waren vergeelde, fletse foto's: een van meneer Mundy als slanke jongeman, een andere van hem als jongetje, met zijn moeder en zusje, zijn moeder in een stijve zwarte jurk, net koningin Victoria. Het was allemaal zo vreselijk doods, en toch voelde Duncan, met zijn levendige donkere ogen en zijn heldere jongenslach, zich hier helemaal thuis.

Ze pakte haar tas. 'Ik heb iets voor je meegebracht.'

Het was een blik ham. Hij zag het en zei: 'Zo!' Hij zei het op de liefkozende, ietwat plagerige manier waarop hij eerder 'chique secretaresse' had gezegd; en toen meneer Mundy binnen kwam hinken met het theeblad, hield hij het blik hoog in de lucht.

'Kijk eens, oom Horace! Kijk eens wat Viv voor ons heeft meegebracht.'

Er stond al cornedbeef op het blad. Dat had ze de vorige keer meegebracht. Meneer Mundy zei: 'Gossie, nu zijn we goed voorzien, hè?'

Ze trokken de zijkanten van de tafel uit en zetten alles neer: de borden en kopjes, de sandwiches met tomaat, de slablaadjes en creamcrackers. Ze schoven hun stoel bij, schudden hun servet open en tastten toe.

'Hoe is het met je vader, Vivien?' vroeg meneer Mundy beleefd. 'En met je zus? Hoe is het met dat kleine dikkerdje?' Hij bedoelde Graham, Pamela's baby. 'Wat een klein dikkerdje, hè? Moddervet! Net als de kinderen die je zag toen ik een jongen was. Daarna raakte het blijkbaar uit de mode.'

Al pratend maakte hij het blik ham open: hij draaide met zijn grote, stompe vingers het sleuteltje rond en legde een streepje vlees bloot dat aan een smalle roze wond deed denken. Viv zag Duncan kijken; ze zag hem zijn ogen dichtknijpen en zijn hoofd afwenden. Hij zei, met gespeelde opgewektheid: 'Zijn er dan modes in baby's, net als bij rokken?'

'Ik zal je één ding vertellen,' zei meneer Mundy, terwijl hij de ham uit het blik schudde en de gelei eruit schepte. 'Wat je vroeger nooit zag, dat waren kinderwagens. Als je hier in de buurt een kinderwagen zag, dan was dat iets geweldigs. Dat was iets voor rijke lui. We reden mijn neefjes en nichtjes rond in een kolenkarretje. Kinderen konden toen wel lopen. Kinderen verdienden in die tijd hun eigen kostje.'

'Bent u ooit een schoorsteen in gejaagd, oom Horace?' vroeg Duncan.

'Een schoorsteen?' Meneer Mundy keek verbaasd.

'Door een grote gemene bruut, die uw tenen in brand stak om er vaart achter te zetten?'

'Ga toch weg!'

Ze lachten. Het lege hamblik werd opzij gezet. Meneer Mundy haalde zijn zakdoek tevoorschijn en snoot zijn neus, kort en hard, als een trompetstoot, schudde de zakdoek weer in de plooi en stopte hem netjes terug in zijn zak. Zijn sandwiches en slablaadjes sneed hij in tuttige kleine stukjes voor hij ze opat. Toen Viv de deksel van het mosterdpotje omhoog liet staan, deed hij het omlaag. Maar de flintertjes vlees en gelei die aan het eind van de maaltijd op zijn bord achterbleven, gaf hij aan de kat: hij liet ze door haar van zijn hand likken – hij liet zijn knokkels en nagels helemaal aflikken.

Toen het op was, miauwde ze om meer. Het was een iel, hoog geluidje.

'Het lijken wel spelden,' zei Duncan.

'Spelden?'

'Het is net of ze me prikt.'

Meneer Mundy begreep het niet. Hij legde zijn hand op de kop van de kat. 'Ze gaat je krabben als ze kwaad wordt, pas maar op. Ja toch, katje?'

Daarna was er nog cake; maar zodra de cake op was, stonden meneer Mundy en Duncan op en ruimden ze de tafel af. Viv zat er een beetje gespannen bij en keek hoe ze heen en weer liepen; even later gingen ze samen naar de keuken en lieten haar alleen. De deuren in het huis waren dik en dempten al het geluid; het was stil en vreselijk bedompt in de kamer, de gaslampen suisden, een staande klok in de hoek liet een gestaag getik horen. Het klonk moeizaam, vond ze – alsof het mechanisme stroef was geworden, net als meneer Mundy; of anders, alsof het zich terneergedrukt voelde door de ouderwetse sfeer, net als zij. Ze vergeleek de wijzerplaat met haar horloge. Tien over half acht... Wat ging de tijd hier langzaam. Even langzaam als op haar werk. Wat was het toch oneerlijk! Want ze wist dat hij later, als ze graag wilde dat hij langzaam ging, voorbij zou vliegen.

Vanavond was er in elk geval afleiding. Meneer Mundy kwam binnen en ging in zijn leunstoel naast het vuur zitten, zoals hij na het eten altijd deed, maar Duncan wilde dat Viv zijn haar knipte. Ze gingen naar de keuken. Hij spreidde kranten uit op de vloer en zette een stoel in het midden. Hij vulde een kom met warm water, sloeg een handdoek om en stopte die in zijn hemdsboord.

Viv doopte een kam in het water, maakte zijn haar nat en begon te knippen. Ze gebruikte een oude kleermakersschaar; God mocht weten waarom meneer Mundy die in huis had. Waarschijnlijk deed hij zijn eigen naaiwerk, ze achtte hem ertoe in staat. Het krantenpapier knisperde onder haar schoenen terwijl ze heen en weer liep.

'Niet te kort,' zei Duncan, toen hij haar hoorde knippen.

Ze draaide zijn hoofd om. 'Stilzitten.'

'Vorige keer was het te kort.'

'Ik doe het op mijn manier. Je kunt ook naar de kapper gaan, hoor.'

'Ik wil niet naar de kapper. Ik denk altijd dat hij me in stukken gaat snijden om me in een pastei te stoppen.'

'Doe niet zo raar. Waarom zou hij dat doen?'

'Zou je van mij geen lekkere pastei kunnen maken?'

'Je hebt niet genoeg vlees op je botten.'

‘Dan maakt hij een sandwich van me. Of hij stopt me in zo’n blikje. En dan...’ Hij draaide zich om en keek haar ondeugend aan.

Ze draaide zijn hoofd weer terug. ‘Straks zit het scheef.’

‘Dat hindert niet, er is toch niemand die het ziet. Alleen Len, op de fabriek. Ik heb geen bewonderaars. Ik ben niet zoals jij...’

‘Hou je nou je mond?’

Hij lachte. ‘Oom Horace kan het niet horen. Hij zou het trouwens niet erg vinden. Hij maakt zich niet druk om zulke dingen.’

Ze hield op met knippen en zette de punt van de schaar op zijn schouder. ‘Je hebt het hem toch niet verteld, Duncan?’

‘Natuurlijk niet.’

‘Waag het niet!’

‘Erewoord.’ Hij likte aan zijn vinger, raakte zijn borst aan en sloeg zijn ogen naar haar op, nog steeds glimlachend.

Ze lachte niet terug. ‘Het is niet iets om grappen over te maken.’

‘Als je er geen grappen over kunt maken, waarom doe je het dan?’

‘Als pa het hoorde...’

‘Je denkt altijd aan pa.’

‘Wie moet er anders aan hem denken?’

‘Het is toch jouw leven?’

‘Ja? Ik vraag het me weleens af.’

Zwijgend knipte ze door, van haar stuk gebracht. Toch wilde ze nog meer zeggen; ze hoopte bijna dat hij door zou gaan met plagen, want ze had niemand anders om mee te praten, hij was de enige aan wie ze het had verteld... Maar ze wachtte er te lang mee; hij werd ongedurig, boog zijn hoofd opzij en keek naar de vochtige zwarte lokken op de kranten onder zijn stoel. Ze waren als krullen neergekomen, maar nu het haar opdroogde viel het in losse strengen uit elkaar en werd het pluizig. Ze zag hem een vies gezicht trekken.

‘Is het niet raar,’ zei hij, ‘dat je haar zo mooi is als het op je hoofd zit, en dat het afschuwelijk wordt zodra het is afgeknipt? Je zou zo’n krul mee moeten nemen en in een medaillon stoppen, V. Dat zou een echte zus doen.’

Ze draaide zijn hoofd weer recht, minder zachtzinnig dan eerst. ‘Ik zal je eens leren wat echte zussen doen, als je niet stilzit.’

Hij zette een malle cockneystem op. ‘Ik weet wat echte zussen doen!’

Daar moesten ze om lachen. Toen ze klaar was met knippen, schoof hij de stoel opzij en zette hij de achterdeur open. Zij pakte haar sigaretten en ze gingen samen op de stoep zitten roken en kletsen. Hij vertelde over zijn bezoek aan meneer Leonard; over de bussen die hij en meneer Mundy hadden moeten nemen, hun kleine avonturen... De lucht leek op water met blauwe inkt erin, de schemering daalde neer, sterren verschenen een voor een. De maan was een slanke, volmaakte sikkel, bijna nieuw. Het katje kwam aanlopen, wikkelde zich om hun benen, wierp zich op zijn rug en kronkelde weer, in vervoering.

Toen kwam meneer Mundy de woonkamer uit – hij kwam kijken wat ze deden, dacht Viv; misschien had hij hen door het raam horen lachen. Hij zag Duncans haar en zei: 'Tjonge! Nou, dat is heel wat beter dan zoals meneer Sweet je altijd knipte!'

Duncan stond op en begon de keuken op te ruimen. Hij maakte een pakketje van de kranten en het haar. 'Meneer Sweet,' zei hij, 'prikte je altijd met zijn schaar, gewoon voor de lol.' Hij wreef over zijn nek. 'Ze zeiden dat hij een keer iemands oor had afgeknipt!'

'Dat waren maar praatjes,' zei meneer Mundy opgewekt. 'Gevangenispraatjes, meer was het niet.'

'Nou, toch heeft iemand me dat verteld.'

Ze kibbelden er nog een paar minuten over door; Viv had het gevoel dat ze het bijna met opzet deden – dat ze zich op een rare manier uitsloofden, omdat zij er was. Was meneer Mundy maar niet gekomen! Hij kon Duncan geen moment met rust laten. Ze had het leuk gevonden om op de stoep te zitten en te kijken hoe de hemel langzaam donker werd. Maar ze kon er niet tegen als ze zo luchtig over de gevangenis en dergelijke begonnen te praten; dat irriteerde haar. De verbondenheid met Duncan, de genegenheid die ze net nog voor hem had gevoeld, begon weg te ebben. Ze dacht aan haar vader. Ze hoorde zichzelf denken met haar vaders stem. Duncan liep gracieus door de keuken, en ze keek naar zijn elegante donkere hoofd, zijn slanke hals, zijn gezicht, dat zo mooi was als dat van een meisje, en ze zei bij zichzelf, bijna bitter: Alle ellende die hij ons bezorgd heeft, moet je zien, en hij heeft geen schrammetje!

Ze ging terug naar de woonkamer en rookte haar sigaret daar op, in haar eentje.

Maar het was zinloos om je erover op te winden. Dat sloopte je – ze zag het aan haar vader. En ze had andere dingen aan haar hoofd. Duncan zette nog een pot thee, en ze luisterden naar een programma op de radio; om kwart over negen trok ze haar mantel aan. Ze ging elke week rond dezelfde tijd weg. Duncan en meneer Mundy keken haar bij de voordeur na, als een oud echtpaar.

'Moet je broer niet met je meelopen naar het station?' vroeg meneer Mundy altijd, en dan antwoordde Duncan achteloos, voordat zij iets kon zeggen: 'O, ze redt zich wel. Ja toch, Viv?'

Maar vanavond gaf hij haar ook een kus, alsof hij wist dat ze zich aan hem geërgerd had. 'Bedankt voor het knippen,' zei hij zacht. 'Bedankt voor de ham. Ik plaagde je maar.'

Ze keek twee keer om bij het weggaan, en ze stonden haar nog steeds na te kijken; toen ze weer keek, was de deur dicht. Ze stelde zich meneer Mundy voor met zijn hand op Duncans schouder; ze zag hen in gedachten langzaam teruglopen naar de woonkamer – Duncan naar de ene leunstoel, meneer Mundy naar de andere. Ze voelde weer de bedompte, muffe huislucht op haar huid en stapte sneller door, en opeens werd ze een beetje opgewonden; ze genoot van de koele avondlucht en het vinnige geklik van haar hakken op het trottoir.

Door het harde lopen was ze echter te vroeg bij het station. Ze moest in de hal wachten terwijl de treinen kwamen en gingen, en voelde zich vreselijk te kijk staan in het harde, doodse licht. Een jongen probeerde haar aandacht te trekken. 'Hé, schoonheid,' zei hij telkens. Hij liep steeds langs haar heen, al zingend. Om aan hem te ontkomen ging ze naar de kiosk, en pas toen ze het rek met tijdschriften bekeek, herinnerde ze zich wat Helen die middag had gezegd over de *Radio Times*. Ze haalde een exemplaar uit het rek en sloeg het open, en vond vrijwel direct een artikel onder de kop:

> Gevaarlijke blikken
>
> Ursula Waring introduceert Julia Standings spannende nieuwe roman *De glinsterende ogen van het gevaar*, die op vrijdagavond om 10.10 uur zal worden besproken in *Armchair Detective* (Lichte Progr.).

Het artikel besloeg enkele kolommen, en er werd in zeer lovende termen gesproken over de roman. Bovenaan stond een foto van Julia zelf: haar hoofd schuin, haar ogen neergeslagen, haar handen geheven en samengevouwen naast haar kin.

Viv bekeek de foto met lichte tegenzin: ze had Julia een keer op straat ontmoet, voor het kantoor, en toen vond ze haar niet sympathiek. Ze kwam te bijdehand over – ze had Viv een hand gegeven toen Helen hen aan elkaar voorstelde, maar niet gezegd: 'Hoe maak je het?' of 'Leuk om kennis met je te maken' of iets dergelijks; in plaats daarvan had ze achteloos gevraagd, alsof ze Viv al jaren kende: 'Goeie dag gehad vandaag? Een hoop mensen in het huwelijksbootje geholpen?' 'Zo dom zijn ze wel,' had Viv geantwoord, en toen had ze gelachen alsof ze zelf een grapje had gemaakt, en gezegd: 'Ja, inderdaad...' Haar stem was erg beschaafd, en toch had ze ruwe taal gebruikt: 'je plannen verzieken', 'die is geschift'. Wat Helen, die zelf zo aardig was, in haar zag en zo leuk aan haar vond, was Viv niet duidelijk. Maar enfin, dat waren hun zaken. Viv hield zich daar niet mee bezig.

Ze zette het tijdschrift terug in het rek en liep verder. Er was geen spoor meer van de jongen die haar had toegezongen. De klok wees twee minuten voor half elf aan. Ze liep de hal door – niet in de richting van de perrons, maar terug naar de ingang. Ze ging bij een pilaar staan en keek de straat in, terwijl ze haar mantel dichter om zich heen trok, want van al dat rondhangen had ze het koud gekregen.

Een moment later kwam een auto langzaam naar de stoeprand rijden; hij stopte een paar meter verderop, waar het licht van het station niet meer zo fel was. Ze kon de bestuurder zien toen hij langsreed, hij boog zijn hoofd, zocht haar. Hij zag er bezorgd, knap, mismoedig uit: ze voelde voor hem ongeveer hetzelfde wat ze eerder op de avond voor Duncan had gevoeld, dezelfde mengeling van liefde en ergernis. Maar dat sprankje opwinding was er ook nog: het kwam nu weer opzetten en werd sterker. Ze keek de straat in en holde toen naar de passagierskant van de auto. Reggie leunde opzij en deed het portier open, en terwijl ze instapte legde hij zijn hand om haar gezicht en kuste haar.

In Lavender Hill liep Kay nog steeds te wandelen. Ze had bijna de hele middag en avond gelopen. Ze had een soort grote cirkel gemaakt, van Wandsworth Bridge naar Kensington, dan naar Chiswick, over de rivier naar Mortlake en Putney, en nu was ze weer op weg naar het huis van meneer Leonard; het was nog maar twee of drie straten. De laatste paar minuten was ze opgelopen, en aan de praat geraakt, met een blond meisje. Het meisje was echter niet veel bijzonders.

'Het verbaast me dat je zo vlug kunt lopen, op zulke hoge hakken,' zei Kay.

'Daar wen je aan, denk ik,' antwoordde het meisje onverschillig. 'Zo moeilijk is het niet. Dat valt reuze mee.' Ze keek Kay niet aan, ze keek recht voor zich uit, de straat in. Ze had afgesproken met een vriendin, zei ze.

'Ik heb gehoord dat het net zo'n goede oefening is,' hield Kay vol, 'als paardrijden. Dat je er mooie benen van krijgt.'

'Ik zou het echt niet weten.'

'Nou, je vriendje misschien wel.'

'Ik zal het hem eens vragen.'

'Het verbaast me dat hij het niet al tegen je heeft gezegd.'

Het meisje lachte. 'Jij bent wel gauw verbaasd, hè?'

'Het komt vanzelf bij me op, als ik naar je kijk.'

'O ja?'

Het meisje keek Kay heel even van opzij aan, met gefronste wenkbrauwen – ze begreep het niet, ze begreep er niets van... 'Daar is mijn vriendin!' zei ze toen, en ze stak haar arm op naar een meisje aan de overkant. Ze liep snel naar de stoeprand, keek vlug naar links en naar rechts en stak rennend de straat over. Haar hooggehakte schoenen waren van onderen vaalwit; ze deden Kay denken aan de witte pluimstaarten van rennende konijnen.

Ze had geen 'Dag' of 'Tot kijk' of zo gezegd, en ze keek ook niet om. Ze was Kay al vergeten. Ze gaf het andere meisje een arm, ze sloegen samen een zijstraat in en waren verdwenen.

# 2

'Waar is je meisje?' vroeg Len aan Duncan vanaf de andere kant van de werkbank, in de kaarsenfabriek in Shepherd's Bush. Hij bedoelde mevrouw Alexander, de eigenares van de fabriek. 'Ze is laat vandaag. Hebben jullie gekibbeld?'

Duncan glimlachte en schudde zijn hoofd, alsof hij wilde zeggen: Doe niet zo gek.

Maar Len negeerde hem. Hij stootte de vrouw die naast hem zat aan en zei: 'Duncan en mevrouw Alexander hebben ruzie gehad. Mevrouw Alexander zag Duncan lonken naar een ander meisje!'

'Duncan is een echte hartenbreker,' zei de vrouw goedmoedig.

Duncan schudde zijn hoofd weer en ging door met zijn werk.

Het was zaterdagochtend. Ze zaten met hun twaalven aan de werkbank, en ze waren allemaal bezig waxinelichtjes te maken: ze trokken een pit met een metalen steuntje door een stompje was en deden de stompjes dan in vuurvaste houders, klaar om te worden verpakt. Over het midden van de bank liep een band, die de voltooide lichtjes naar een gereedstaande kar vervoerde. De band bewoog met een rollend geluid en piepte regelmatig; veel lawaai maakte het niet, maar in combinatie met het gesis en geratel van de kaarsenmachines in de andere helft van de ruimte toch wel zo veel dat je je stem iets meer moest verheffen dan prettig was wanneer je met je buren wilde praten. Duncan vond het gemakkelijker om te glimlachen en te gebaren. Vaak zei hij urenlang geen woord.

Len daarentegen kon niet stil zijn. Nu er aan Duncan geen plezier te beleven viel, begon hij restjes was te verzamelen; Duncan zag hoe hij er een klomp van maakte en die kneedde en vormde tot wat even later een vrouwenfiguur bleek te zijn. Hij deed het heel vaardig, zijn voorhoofd aandachtig gefronst, zijn onderlip naar voren gestoken. Het figuurtje werd gladder en ronder in zijn handen. Hij gaf het overdreven grote borsten en brede heupen, en golvend haar. Hij liet het eerst aan Duncan zien. 'Dit is mevrouw Alexander!' Toen bedacht hij zich. Hij riep naar een van de meisjes aan de werkbank: 'Winnie! Dit ben jij, kijk!' Hij hield het figuurtje naar voren en liet het lopen en met de heupen wiegen.

Winnie gierde het uit. Het was een meisje met een misvormd gezicht, een platgedrukte neus en een geknepen mond, en een bijpassend geknepen, nasaal stemgeluid. 'Moet je zien wat-ie gedaan heeft!' zei ze tegen haar vriendinnen. De andere meisjes keken en schoten in de lach.

Len voegde nog meer was toe aan het figuurtje, aan de borsten en billen. Hij liet het nuffiger lopen. 'O, baby! O, baby!' zei hij, op een dwaze, vrouwelijke manier. 'Zo doe jij,' riep hij tegen Winnie, 'als je bij meneer Champion bent!' Meneer Champion was de voorman van de fabriek, een zachtaardige man die een beetje geterroriseerd werd door de meisjes. 'Zo praat je. Ik hoorde je! En dit doet meneer Champion.' Hij hield het figuurtje in de kromming van zijn arm en kuste het hartstochtelijk; daarna legde hij zijn nagel op het punt waar de benen samenkwamen en deed of hij het figuurtje kietelde.

Winnie gierde het weer uit. Len ging door met kietelen, en lachen, tot een van de oudere vrouwen hem op scherpe toon gebood op te houden. Zijn lach ging over in een soort gegniffel. Hij gaf Duncan een knipoog. 'Ze wou dat zij het was, dat is het gewoon,' zei hij, maar zo zacht dat de vrouw het niet kon horen. Hij maakte weer een vormeloze klomp van het figuurtje en wierp die in de afvalkar.

Hij zat altijd op te scheppen over meisjes als hij met Duncan alleen was. Het was het enige waar hij ooit over praatte. 'Ik kan die Winnie Mason zo krijgen als ik wil,' had hij meer dan eens gezegd. 'Maar hoe zou het voelen als je haar mond zoent? Net of je de reet van een hond zoent, denk ik.' Hij beweerde dat hij 's avonds dikwijls meisjes meenam naar Holland Park en daar met hen vrijde. Hij beschreef het uitgebreid, met geweldige grimassen en vette knipogen. Hij praatte altijd tegen Duncan alsof hij, Len, de oudste van de twee was. Hij was pas zestien. Hij had een bruin zigeunergezicht vol sproeten, en een roze, vlezige, glanzende mond. Als hij lachte, leken zijn tanden heel wit en regelmatig, naast de donkere, gespikkelde wangen.

Nu leunde hij achterover met zijn handen achter zijn hoofd, wiebelend op de twee achterpoten van zijn kruk. Hij keek lui de kaarsenkamer rond, van het ene ding naar het andere, op zoek naar afleiding. Na een minuut schoot hij opgewonden naar voren. Hij riep langs de werkbank: 'Kijk, daar komt mevrouw A. Ze heeft twee kerels bij zich!'

Terwijl ze doorgingen met waxinelichtjes maken, draaiden de vrouwen zich om om te kijken. Ze waren blij met elke onderbreking van de dagelijkse sleur. De week ervoor was een duif het gebouw binnengevlogen en toen hadden ze bijna een uur gillend rondgelopen, zoveel mogelijk profiterend van alle opwinding. Nu stonden een paar vrouwen zelfs op om de mannen bij mevrouw Alexander beter te kunnen zien.

Duncan zag hen turen, en ten slotte werd hun nieuwsgierigheid onweerstaanbaar. Hij draaide zich om op zijn kruk en keek ook. Hij zag mevrouw Alexander naar de grootste kaarsenmachine lopen, gevolgd door een lange, blonde man en een tweede, die kleiner en donkerder was. De blonde man stond, met zijn rug naar Duncan, te knikken. Af en toe maakte hij aantekeningen in een boekje. De andere man had een camera: hij was niet geïnteresseerd in hoe de machine werkte; hij liep voortdurend heen en weer en probeerde de machine en de man die hem bediende zo goed mogelijk in beeld te krijgen. Hij maakte een foto, en daarna nog een. De camera flitste als een bom.

'*Time and Motion*,' zei Len gezaghebbend. 'Ik wed dat ze van *Time and*... Pas op, daar komen ze!'

Hij leunde weer naar voren, pakte een stompje was en een pit en begon met overdreven veel ijver en concentratie een waxinelichtje in elkaar te zetten. De meisjes aan de werkbank zwegen en werkten door, net zo vlug als eerst. Maar toen ze de fotograaf aan zagen komen lopen, een eind voor mevrouw Alexander en de andere man uit, lichtten ze een voor een vrijmoedig hun hoofd op. De fotograaf was bezig een sigaret op te steken, zijn camera zwaaide heen en weer aan de riem om zijn schouder.

Winnie riep naar hem: 'Gaat u geen foto van ons maken?'

De fotograaf bekeek haar. Hij keek naar de meisjes die naast haar zaten – een van hen had glanzende littekens van brandwonden op haar gezicht en handen, een ander was bijna blind. 'Goed,' zei hij. Hij wachtte tot ze dichter bij elkaar waren gaan zitten en glimlachten, hield toen zijn camera omhoog en keek door de zoeker. Maar hij deed maar alsof hij de sluiter losliet. Hij drukte de knop een eindje in en maakte een klikkend geluid met zijn tong.

De meisjes klaagden: 'Het lampje flitste niet!'

De fotograaf zei: 'Jawel, het flitste wel. Het is een speciale, onzichtbare flits. Net zoiets als röntgenstralen. Het kijkt door kleren heen.'

Dit was zo duidelijk een opmerking die hij had verzonnen om lelijke meisjes die om een foto zeurden te complimenteren, dat Duncan zich bijna geneerde. Maar Winnie zelf, en de andere meisjes, gierden allemaal van het lachen. Zelfs de oudere vrouwen lachten. Ze lachten nog steeds toen mevrouw Alexander aan kwam lopen met de blonde man.

'Zo, dames,' zei ze toegeeflijk, met haar beschaafde, aristocratische stem, 'wat is hier aan de hand?'

De meisjes giechelden. 'Niets, mevrouw Alexander.' De fotograaf knipoogde waarschijnlijk of maakte een gebaar, want ze barstten allemaal weer in lachen uit.

Mevrouw Alexander wachtte, maar begreep uiteindelijk wel dat ze haar geen deelgenoot zouden maken van de grap. Ze richtte haar aandacht dus maar op Duncan: 'Hoe gaat het met je, Duncan?'

Duncan veegde zijn handen aan zijn voorschoot af en kwam langzaam overeind. Hij stond in de hele fabriek bekend als een van de lievelingetjes van mevrouw Alexander. De mensen zeiden hardop tegen elkaar, zodat hij het zou horen: 'Mevrouw Alexander gaat Duncan al haar geld nalaten! Je kunt maar beter aardig zijn tegen Duncan Pearce, want hij wordt later je baas!' Soms buitte hij het uit, dan deed hij er nog een schepje bovenop om de lachers op zijn hand te krijgen. Maar hij voelde altijd een soort spanning wanneer mevrouw Alexander hem eruit pikte, en vandaag was dat nog erger omdat ze gasten bij zich had en hem kennelijk aan hen wilde voorstellen alsof hij de ster van de fabriek was.

Ze keek achterom naar de blonde man, die nog steeds aantekeningen stond te maken over de kaarsenmachine. Ze stak haar hand uit en raakte heel even zijn arm aan. 'Mag ik u iets laten zien...?' Aan de werkbank waren de meisjes opgehouden met giechelen, en ze keken nu allemaal verwachtingsvol op. De man kwam dichterbij en liet zijn notitieboekje zakken. 'Hier is onze afdeling waxinelichtjes,' zei mevrouw Alexander tegen hem. 'Misschien kan Duncan u uitleggen hoe het in zijn werk gaat. Duncan, dit is...'

De man was echter stokstijf blijven staan en staarde Duncan aan alsof hij zijn ogen niet kon geloven. Hij begon te grijnzen. 'Pearce!' zei hij, voor mevrouw Alexander verder kon gaan. En toen, bij het zien van Duncans wezenloze blik: 'Ken je me niet meer?'

Duncan keek hem recht in het gezicht, en herkende hem uiteindelijk. De man heette Fraser – Robert Fraser. Hij was Duncans celgenoot geweest in de gevangenis.

Duncan was in eerste instantie zo verbijsterd dat hij geen woord kon uitbrengen. Hij voelde zich in een oogwenk teruggeworpen in hun oude wereld: de stank, de chaotische, galmende geluiden, de schrijnende ellende, de angst en de verveling... Zijn gezicht werd koud en toen heet. Hij besefte dat iedereen naar hem keek, en voelde zich betrapt – enerzijds door Fraser, anderzijds door mevrouw Alexander en Len en de meisjes.

Fraser was echter in lachen uitgebarsten. Hij keek alsof hij de situatie net zo vreemd vond als Duncan, maar blijkbaar was hij in staat het als een geweldige grap op te vatten. 'We hebben elkaar al eens eerder ontmoet!' zei hij tegen mevrouw Alexander. 'We kenden elkaar... nou ja' – hij keek Duncan aan – 'jaren geleden.'

Mevrouw Alexander leek een beetje uit het veld geslagen, vond Duncan. Fraser merkte het niet. Hij stond nog steeds naar Duncan te grijnzen. Hij stak zijn hand uit, heel formeel; maar met de andere hand greep hij Duncan bij de schouder en schudde hem speels door elkaar. 'Je bent geen haar veranderd!' zei hij.

'Jij wel,' wist Duncan eindelijk uit te brengen.

Want Fraser was volwassen geworden. Toen Duncan hem voor het laatst had gezien, was hij tweeëntwintig geweest: mager, bleek en hoekig, met puistjes op zijn wangen. Nu moest hij bijna vijfentwintig zijn – iets ouder dan Duncan zelf, met andere woorden, maar hij was zo anders dan Duncan als je je maar kon voorstellen: breedgeschouderd, terwijl Duncan tenger was; gebruind, en zo te zien waanzinnig fit en gezond. Hij droeg een corduroy broek, een overhemd met open boord en een bruin tweed jasje met leren stukken op de mouwen. Hij had een tas omhangen met de riem over zijn borst, alsof hij een trektocht ging maken. Zijn blonde haar was lang – Duncan had hem natuurlijk nooit anders dan kortgeknipt gezien – en er zat geen spoortje vet in: door zijn energieke gebaren viel er af en toe een lok over zijn voorhoofd, die hij steeds weer met een hand naar achteren streek. Zijn handen waren net zo door de zon gebruind als zijn gezicht. Zijn nagels waren stomp afgeknipt, maar glansden alsof ze gepolijst waren.

Hij zag er zo volwassen en zelfverzekerd uit en leek zo op zijn gemak in zijn gewone kleren, dat Duncan, afgezien van al het andere, plotseling verlegen werd. Van de zenuwen moest hij bijna lachen, en mevrouw Alexander, die hem zag glimlachen, glimlachte ook.

'Meneer Fraser,' zei ze, 'is hier om over jou te schrijven, Duncan.'

Maar de schrik stond blijkbaar op zijn gezicht te lezen, want Fraser zei vlug: 'Ik ben gewoon bezig met een artikel over de fabriek, voor een geïllustreerd weekblad. Dat soort werk doe ik op het moment. Mevrouw Alexander is zo vriendelijk geweest om me rond te leiden. Ik had geen idee...'

Voor het eerst verflauwde zijn grijns. Hij scheen eindelijk te beseffen wat hij bij Duncans werkbank deed, en wat Duncan was. 'Ik had geen idee,' voltooide hij zijn zin, 'dat ik jou hier zou aantreffen. Hoe lang werk je hier al?'

'Duncan is nu bijna drie jaar bij ons,' zei mevrouw Alexander, toen Duncan aarzelde.

Fraser knikte nadenkend.

'Hij is een van onze bekwaamste medewerkers. Duncan, als jij en meneer Fraser zulke goede vrienden zijn, laat hem dan maar eens zien wat je werk inhoudt. Meneer Fraser, misschien kan uw assistent een foto maken?'

Fraser keek een beetje afwezig om zich heen, en de fotograaf stapte naar voren. Hij liep heen en weer, hield de camera voor zijn oog en stelde het beeld in, terwijl Duncan met tegenzin een stompje was pakte en aan Fraser uitleg begon te geven over de pit, het metalen steuntje, de vuurvaste huls. Het ging hem slecht af. Toen de camera flitste, knipperde hij met zijn ogen en was hij even de draad van zijn verhaal kwijt. Fraser knikte en glimlachte intussen, hij deed zijn best om te luisteren en staarde met een gefixeerde, verstrooide blik naar elk nieuw ding dat hem werd aangewezen; een paar keer streek hij die losse haarlok van zijn voorhoofd. 'Ik zie hoe het gaat,' zei hij, en: 'Ja, ik snap het. Natuurlijk.'

Het kostte maar een minuut om alles uit te leggen. Duncan zette het waxinelichtje dat hij had gemaakt op de lopende band in het midden van de werkbank, en het werd meegevoerd naar de kar aan het eind. 'Meer stelt het niet voor,' zei hij.

Mevrouw Alexander deed een stap naar voren. Ze was al die tijd in de buurt gebleven en zag er een beetje teleurgesteld uit, zoals ouders die hun kind zijn tekst hebben horen verhaspelen tijdens het schooltoneel. Maar ze zei, alsof ze heel tevreden was: 'Ja. Een heel eenvoudig procedé. Al onze waxinelichtjes, begrijpt u, moeten met de hand worden gemaakt... Je hebt zeker geen idee hoeveel jij er in elkaar hebt gezet sinds je hier werkt, Duncan?'

'Niet echt,' antwoordde Duncan.

'Nee... Maar je vindt het hier nog steeds prettig, hoop ik? En hoe' – ze had een manier bedacht om de situatie te redden – 'hoe is het met je verzameling?' Ze wendde zich tot Fraser. 'U weet denk ik wel, meneer Fraser, dat Duncan een antiekverzamelaar is?'

Fraser, die niet helemaal op zijn gemak leek, maar het blijkbaar toch wel vermakelijk vond, bekende dat hij dit niet wist. 'O!' zei mevrouw Alexander met groot enthousiasme, 'o, maar het is echt een liefhebberij van hem! Al die mooie dingen die hij vindt! Ik noem hem altijd de plaag van de handelaren. Wat is je laatste aanwinst, Duncan?'

Duncan zag dat er niet aan te ontkomen viel. Hij vertelde haar, op een nogal vormelijke manier, over het roomkannetje dat hij Viv eerder die week had laten zien bij meneer Mundy.

Mevrouw Alexander zette grote ogen op. Afgezien van het feit dat ze met stemverheffing sprak om boven de herrie in de fabriek uit te komen, had ze net zo goed op theevisite kunnen zijn.

'Drieënhalve shilling, zeg je? Dat moet ik mijn vriendin juffrouw Martin vertellen. Antiek zilver is haar grote passie, ze zal razend jaloers zijn. Je moet het kannetje meebrengen, Duncan, en het me laten zien. Doe je dat?'

'Goed,' zei Duncan. 'Als u dat wilt.'

'Ja, graag. En hoe is het trouwens met je oom? Duncan zorgt zo goed voor zijn oom, meneer Fraser...'

Duncan hoorde wat ze zei, maakte een krampachtige beweging en deed een stap naar voren, bijna in paniek. Mevrouw Alexander zag de uitdrukking op zijn gezicht en begreep het verkeerd. 'Kijk nou,' lachte ze, terwijl ze hem op de schouder klopte, 'je wordt er verlegen van. Ga dan maar weer verder met je waxinelichtjes.' Ze knikte de werkbank langs. 'Len, hoe is het met jou? Alles goed, Winnie? Mabel, heb je met meneer Greening over je stoel gesproken? Goed zo.' Ze legde haar hand weer even op Frasers arm. 'Wilt u me nu naar de pakkamer volgen, meneer Fraser?'

Fraser zei dat hij zo meteen zou komen. 'Ik wil hier eerst nog even een aantekening van maken,' zei hij. Hij wachtte tot ze wegliep en begon iets in zijn boekje te krabbelen. Intussen kwam hij weer dicht bij Duncan staan, en hij zei verontschuldigend: 'Ik moet gaan, Pearce, zoals je ziet. Maar hoor eens. Hier is mijn adres.' Hij scheurde het blaadje eruit en gaf het aan Duncan. 'Bel je me een keer? Van de week? Doe je dat?'

'Als je dat wilt,' zei Duncan weer.

Fraser grijnsde tegen hem. 'Goed zo. Dan kunnen we echt praten. Ik wil weten wat je allemaal gedaan hebt.' Schoorvoetend liep hij weg. 'Ik wil alles weten!'

Duncan boog zijn hoofd om zijn kruk naar achteren te trekken. Toen hij weer opkeek, liepen Fraser, de fotograaf en mevrouw Alexander net de deur uit die toegang gaf tot het volgende gebouw.

De meisjes schoten weer in de lach zodra de deur dicht was. Winnie riep, met haar geknepen stem: 'Wat heeft-ie je gegeven, Duncan? Is het zijn adres? Ik geef je er vijf shilling voor!'

'Ik zes!' zei het meisje naast haar.

Zij en een ander meisje stonden op en probeerden het papier uit zijn hand te grissen. Hij weerde hen af en begon te lachen – opgelucht dat ze de hele zaak zo benaderden en niet op een andere manier. Len zei, over Fraser: 'Zag je hoe hij tegen je stond te slijmen, Duncan? Hij heeft gehoord dat jij misschien promotie gaat maken. Waar ken je hem van?'

Duncan was nog bezig de meisjes af te weren en gaf geen antwoord. Toen ze eindelijk ophielden met plagen en overgingen op iets anders, was het papiertje met Frasers adres bijna verfrommeld tot een prop. Hij stopte het in de zak van zijn voorschoot, helemaal onderin, zodat het er niet uit kon vallen, maar in het uur daarop raakte hij het telkens stiekem even aan met zijn hand, als om zichzelf gerust te stellen dat het er nog was. Wat hij eigenlijk wilde was het tevoorschijn halen en het goed bekijken; met zo veel mensen in de buurt durfde hij dat echter niet. Ten slotte hield hij het niet meer uit. Toen meneer Champion voorbijkwam, vroeg hij toestemming om naar de wc te gaan. Hij liep een van de hokjes in, deed de deur op slot, haalde het papiertje uit zijn zak en streek het glad.

Zijn gevoel van opwinding daarbij was veel groter dan toen hij met Fraser had staan praten; hij was op dat moment te verlegen geweest, maar nu vond hij het geweldig dat Fraser daar ineens had gestaan, en zo aardig had gedaan – de moeite had genomen zijn adres op te schrijven, te zeggen: 'Bel je me? Doe je dat?' Het adres was ergens in Fulham, niet al te ver weg. Duncan keek ernaar en begon te fantaseren hoe het zou zijn als hij daar heen ging – op een avond, bijvoorbeeld. Hij stelde zich voor dat hij de reis maakte. Hij dacht aan de kleren die hij zou aantrekken – niet de kleren die hij nu droeg, die naar stearine en parfum roken, maar de mooie pantalon die hij had, en een overhemd met open boord, en een leuk jasje. Hij fantaseerde hoe hij tegen Fraser zou doen als die de deur opendeed. 'Hallo Fraser,' zou hij nonchalant zeggen, en Fraser zou vol verbazing en bewondering roepen: 'Pearce! Eindelijk zie je eruit als een echte man, nu je weg bent uit die ellendige fabriek!' 'O, de fabriek,' zou Duncan zeggen, met een verachtelijk gebaar. 'Daar kom ik alleen om mevrouw Alexander een plezier te doen...'

Zo bleef hij nog vijf of tien minuten dagdromen – steeds dezelfde scène herhalend, waarin hij bij Frasers huis aankwam, volstrekt niet in staat zich voor te stellen wat er zou gebeuren als Fraser hem eenmaal binnen had gevraagd. Hij ging maar door, ook al was hij niet werkelijk van plan ooit naar Frasers huis te gaan; ook al zei een stem in zijn hoofd: Fraser wil je niet echt zien. Hij heeft je zijn adres uit beleefdheid gegeven. Hij is zo'n type dat zich heel even enorm verheugt over kleine dingen, en ze dan meteen weer vergeet...

Hij hoorde de deur van de wasruimte openzwaaien en meneer Champion vragen: 'Alles goed daar, Duncan?'

'Ja, meneer Champion!' riep hij, en trok door.

Hij keek weer naar het papiertje in zijn hand. Hij wist niet wat hij er nu mee moest doen. Ten slotte scheurde hij het in kleine stukjes en gooide ze in het kolkende water in de wc-pot.

'Wat zit je toch te wriemelen, schat,' zei Julia.

Helen bewoog haar schouder. Ze zei kribbig: 'Het komt door die kranen. Deze is steenkoud, en aan de andere brand je bijna je oor.'

Ze zaten samen in bad. Dat deden ze iedere zaterdagochtend; ze mochten om beurten aan de gladde kant zitten, en deze week was Julia de gelukkige. Ze lag met haar armen uitgestrekt, haar hoofd achterover, haar ogen gesloten; ze had een handdoek om haar haar gebonden, maar een paar slierten waren losgeraakt en hechtten zich aan haar kaak en hals toen het water eroverheen klotste. Met een frons duwde ze ze terug achter haar oor.

Helen bewoog weer, vond toen een houding die min of meer comfortabel was en bleef stil zitten, eindelijk genietend van het warme water dat heerlijk in haar oksels kroop, haar liezen, alle plooien en holtes van haar lichaam. Ze legde haar handen plat op het water, testte de weerstand, voelde het water als een huid. 'Kijk hoe onze benen helemaal door elkaar liggen,' zei ze zacht.

Zij en Julia spraken altijd zachtjes wanneer ze een bad namen. Ze deelden de badkamer met het gezin dat in het souterrain van hun huis woonde; ze gingen allemaal op vaste tijden in bad, zodat er niet veel gevaar bestond om betrapt te worden; maar de tegels op de muren schenen het geluid te versterken, en Julia had het idee dat hun stemmen, het gespetter, het schuren van hun ledematen in de badkuip misschien te horen waren in de kamers beneden.

'Kijk hoe donker jouw huid is, vergeleken met de mijne,' ging Helen verder. 'Echt, je bent zo zwart als een Griek.'

'Ik lijk donkerder in het water, denk ik,' antwoordde Julia.

'Ik niet,' zei Helen. Ze priemde in het roze en gelige vlees van haar eigen buik. 'Ik lijk op vlees in blik.'

Julia opende haar ogen en tuurde even naar Helens dijen. 'Je lijkt op een meisje op een schilderij van Ingres,' zei ze opgewekt.

Ze zat vol met dit soort dubbelzinnige complimenten. 'Je lijkt op een vrouw op een Russische muurschildering,' had ze laatst gezegd, toen Helen met twee uitpuilende boodschappennetten terugkwam van het winkelen; Helen had zich daarbij spieren, een vierkante kaak, een behaarde bovenlip voorgesteld. Nu dacht ze aan odalisken met weelderige achterwerken. Ze legde een hand op Julia's been. Het been was bedekt met kleine haartjes en voelde ruw aan, wat interessant was voor de palm; de scheen was slank en prettig om vast te pakken. Op het bot van de enkel puilde een ader uit, gezwollen van de hitte. Ze bekeek hem, drukte erop en zag hem meegeven; ze dacht aan het bloed dat door de ader gutste, en rilde even. Ze liet haar hand van Julia's enkel naar haar voet glijden en begon te wrijven. Julia glimlachte. 'Dat is lekker.'

Julia's voeten waren breed en lelijk – Engelse voeten, dacht Helen, en het enige echt onaantrekkelijke deel van Julia's hele lichaam; ze had er een speciaal soort waardering voor, om die reden. Ze trok langzaam aan de tenen, wurmde haar vingers ertussen, legde haar handpalm erop en duwde ze voorzichtig naar achteren. Julia zuchtte van genot. Er was weer een haarstreng losgeraakt, en die kleefde weer aan haar hals – donker, plat, en glanzend als zeewier, of een lok van een zeemeermin. Waarom, vroeg Helen zich af, waren de zeemeerminnen die je in boeken en films zag altijd goudblond? Ze wist zeker dat een echte zeemeermin donker zou zijn, zoals Julia. Een echte zeermeermin zou vreemd en afschrikwekkend zijn, en niets weghebben van een filmster of glamourgirl.

'Ik ben blij dat je voeten hebt, Julia, en geen staart,' zei ze, met haar duim Julia's voetzool masserend.

'Ja, schat? Nou, ik ook.'

'Je borsten zouden er anders wel mooi uitzien in een beha van schelpen.' Ze glimlachte. Er was haar een grapje te binnen geschoten. 'Wat,' vroeg ze aan Julia, 'zei de beha tegen de hoed?'

Julia dacht na. 'Ik weet het niet. Wat dan?'

'Ga maar vast naar boven, dan geef ik deze twee een lift.'

Ze lachten – niet omdat het zo leuk was, maar omdat Helen zo'n flauwe grap had verteld. Julia lag nog steeds met haar hoofd achterover: haar lach, die in haar keel bleef steken, klonk borrelend, kinderlijk, leuk – heel anders dan haar conventionele 'society-lach', die Helen altijd nogal afstandelijk vond. Ze sloeg een hand voor haar mond om het geluid te smoren. Haar buik schudde van het lachen, haar navel trok samen.

'Je navel knipoogt naar me,' zei Helen, nog steeds lachend. 'Hij ziet er vreselijk brutaal uit. De Brutale Navel: dat klinkt als de naam van een kroeg, vind je niet?' Geeuwend bewoog ze haar benen. Ze had geen zin meer om Julia's voet te strelen; ze liet hem vallen. 'Hou je van me, Julia?' fluisterde ze, terwijl ze van houding veranderde.

Julia sloot haar ogen weer. 'Natuurlijk,' zei ze.

Daarna bleven ze een tijdje zwijgend liggen. De waterleidingbuizen kraakten terwijl ze afkoelden. Uit een verborgen deel van het afvoersysteem kwam een gestaag gedruppel. In het souterrain klonken dreunende geluiden toen de man die er woonde met zware stappen van de ene kamer naar de andere liep; even later hoorden ze hem tegen zijn vrouw of dochter schreeuwen: 'Nee, stomme trut die je bent!'

Julia klakte met haar tong. 'Wat een walgelijke kerel.' Toen opende ze haar ogen en zei zachtjes: 'Helen, hoe kun je?' Want Helen had haar hoofd over de rand van het bad gehangen om te luisteren. Ze gebaarde met haar hand dat Julia stil moest zijn. 'Stop het maar in je reet!' hoorden ze de man zeggen, een uitdrukking die hij graag en vaak gebruikte. Daarna klonk het zeurderige muggengezoem, het enige geluid dat ze ooit opvingen als zijn vrouw iets terugzei.

'Foei, Helen,' zei Julia afkeurend. Helen trok gedwee haar hoofd binnenboord. Soms, als het schreeuwen begon en ze alleen was, knielde ze zelfs op het vloerkleed, duwde haar haar naar achteren en legde haar oor tegen de grond. 'Jij wordt later net als die manwijven boven!' had ze de man op een dag horen schreeuwen terwijl ze in die houding zat. Ze had het nooit aan Julia verteld.

Vandaag gromde hij nog wat en gaf het toen op. Een deur werd dichtgeslagen. De dingen die Helen en Julia hadden meegenomen naar de badkamer – het schaartje en het pincet, het veiligheidsscheermes in het etui – maakten een sprongetje.

Het was half twaalf. Ze waren van plan de dag luierend door te brengen in Regent's Park, met boeken en een picknickmand; ze woonden er vlakbij, in een straat net ten oosten van de Edgeware Road. Helen bleef nog even liggen, tot het water begon af te koelen; toen ging ze rechtop zitten en waste zich, waarbij ze zich moeizaam omdraaide, zodat Julia haar rug kon inzepen en afspoelen; en ze deed hetzelfde voor Julia toen die zich had omgedraaid. Toen ze overeind was gekomen en uit bad was gestapt, liet Julia zich weer omlaag glijden, om zich uit te strekken in de extra ruimte, grijnzend als een kat.

Helen bekeek haar even, bukte zich toen en kuste haar – genietend van Julia's gladde, warme, naar zeep geurende mond.

Ze trok haar peignoir aan en opende de deur, nadat ze eerst had geluisterd of er niemand in de hal was. Toen rende ze op haar tenen naar de trap. Hun zitkamer was op deze verdieping, naast de badkamer. Hun keuken en slaapkamer waren een verdieping hoger.

Ze was net klaar met aankleden, en stond voor de slaapkamerspiegel haar haar te kammen, toen Julia binnenkwam. Helen bekeek haar in de spiegel: ze bestoof zichzelf nonchalant met talkpoeder, trok de handdoek van haar hoofd en liep naakt door de kamer om een onderbroek, kousen, jarretels en een beha te pakken. Haar handdoek gooide ze op een hoop kledingstukken op de kussens van het zitje in de vensterbank; hij gleed bijna meteen op de grond, een sok en een onderjurk meenemend.

Dat zitje was een van de dingen geweest waardoor ze zich tot het huis aangetrokken hadden gevoeld toen ze het voor het eerst hadden bekeken. 'Daar kunnen we samen zitten op lange zomeravonden,' hadden ze gezegd. Helen keek naar de berg kleren waar de vensterbank nu onder schuilging; ze keek naar het onopgemaakte bed, en naar de kopjes en mokken, en de stapels gelezen en ongelezen boeken die overal lagen. Ze zei: 'Deze kamer is niet om aan te zien. Twee vrouwen van middelbare leeftijd, en we leven als een stel slonzen. Ik kan het niet geloven. Toen ik jong was, en nadacht over het huis waar ik zou wonen als ik groot was, stelde ik het me altijd vreselijk netjes en opgeruimd voor – net als het huis van mijn moeder. Ik dacht altijd dat een net huis vanzelf kwam, zoals – ik weet het niet.'

'Zoals verstandskiezen?'

'Ja,' zei Helen, 'precies.' Ze ging met haar mouw langs de spiegel, en hij was grijs van het stof.

Andere mensen van hun leeftijd en klasse hadden natuurlijk een werkster. Zij konden dat niet doen, omdat ze samen een bed deelden. Een verdieping hoger hadden ze nog een klein kamertje, dat aan buren en bezoekers werd gepresenteerd als 'Helens kamer'; het bevatte een ouderwetse divan en een sobere victoriaanse garderobekast waar ze hun mantels, truien en kaplaarzen bewaarden. Maar het leek hun te veel gedoe om tegenover een werkster te moeten doen alsof Helen daar elke nacht sliep; ze zouden het vast vergeten. En hadden werksters trouwens geen zesde zintuig voor dat soort dingen? Nu Julia's boeken zo goed liepen, moesten ze voorzichtiger zijn dan ooit.

Julia kwam naar de spiegel toe. Ze had een gekreukte, donkere linnen jurk aangetrokken en haar vingers even door haar haar gehaald; maar zij kon uit de grootste chaos tevoorschijn komen, dacht Helen, en er toch, net als nu, absurd verzorgd en knap uitzien. Ze boog zich dichter naar de spiegel toe, om lippenstift op te doen. Haar mond was vol, een beetje te weelderig. Maar ze had een gezicht dat zo regelmatig en symmetrisch was, dat het in spiegelbeeld exact hetzelfde was als in het echt. Helens gezicht daarentegen zag er nogal raar en scheef uit als je het in een spiegel bekeek. 'Je ziet eruit als een mooie ui,' had Julia een keer tegen haar gezegd.

Ze legden de laatste hand aan hun make-up en gingen toen naar de keuken om eten bij elkaar te zoeken. Ze vonden brood, sla, appels, een stukje kaas en twee flesjes bier. Helen haalde ergens een oude geruite lap vandaan die ze als stoflaken hadden gebruikt toen ze het huis verfden; ze stopten het allemaal in een canvas tas en deden hun boeken, handtassen en sleutels erbij. Julia rende de trap op naar haar studeerkamer om haar sigaretten en lucifers te halen. Helen stond bij het keukenraam en keek naar het plaatsje. Ze kon de humeurige man zien lopen en bukken. Hij hield daar konijnen, in een zelfgetimmerd hokje: hij gaf ze nu water of eten, of misschien voelde hij of ze al dik genoeg waren om de pan in te gaan. Ze vond het altijd een naar idee dat ze zo met z'n allen op elkaar geperst zaten. Ze liep weg en hing de tas om haar schouder. De flesjes rinkelden tegen de sleutels. 'Julia,' riep ze, 'ben je klaar?'

Ze gingen naar beneden, de straat op.

Hun huis maakte deel uit van een rij vroeg negentiende-eeuwse huizen tegenover een parkje. De muren waren wit – van dat Londense wit, eigenlijk meer streperig, grijzig geel; de groeven en holtes in de gestuukte gevels waren donker geworden door alle mist, roet en – meer recent – steengruis. Alle huizen hadden statige voordeuren en portieken – het moesten ooit zelfs deftige woningen geweest zijn: misschien hadden er tijdens het regentschap van prins George lichtekooien gewoond, meisjes met namen als Fanny, Sophia, Skittles. Julia en Helen vonden het leuk om te fantaseren hoe ze in hun empirejurk en op schoenen met zachte zolen de stoeptreden af trippelden, hun paard bestegen en uit rijden gingen in Rotten Row.

Bij slecht weer kon het verkleurde stucwerk er somber uitzien. Vandaag was de straat een en al licht, en de gevels staken als gebleekte beenderen af tegen de blauwe hemel. Londen zag er goed uit, vond Helen. De trottoirs waren stoffig – maar stoffig op de manier waarop zeg maar de vacht van een kat stoffig is, als hij uren in de zon heeft gelegen. Deuren stonden open, ramen waren opgeschoven. Er was zo weinig verkeer dat Helen en Julia, terwijl ze liepen, het geroep van verschillende kinderen konden onderscheiden, het geprevel van radio's, het rinkelen van telefoons in lege kamers. En toen ze dichter bij Baker Street kwamen, begonnen ze de muziek van de Regent's Park Band te horen, een soort vaag gekletter en getoeter, opzwellend en inzakkend op onmerkbare windvlagen, als wasgoed aan een lijn.

Julia pakte Helens pols, ging zich kinderlijk gedragen, deed of ze haar meetrok. 'Kom mee! Kom gauw! Anders missen we de optocht!' Haar vingers streken langs Helens palm, gleden toen weg. 'Zo'n gevoel krijg je ervan, hè? Wat is dat voor melodietje, denk je?'

Ze hielden hun pas in en luisterden aandachtiger. Helen schudde haar hoofd. 'Ik heb geen idee. Iets moderns, vol dissonanten?'

'Vast niet.'

De muziek zwol aan. 'Gauw!' zei Julia weer. Ze glimlachten als volwassenen, maar liepen door, sneller dan eerst. Ze gingen bij Clarence Gate het park in en volgden het pad langs het meer waar je boten kon huren. Ze naderden de muziektent en de muziek werd harder en minder onregelmatig. Ze liepen verder, en eindelijk herkenden ze de melodie.

'O!' zei Helen, en ze lachten, want het was gewoon 'Yes! We Have No Bananas'.

Ze verlieten het pad en vonden een aardig plekje, half in de zon, half in de schaduw. De grond was hard, het gras erg geel. Helen zette de tas neer en pakte het kleed; ze spreidden het uit, schopten hun schoenen uit en haalden toen het eten uit de mand. Het bier was nog koud van de frigidaire, de flesjes gleden heerlijk in Helens warme hand. Maar ze ging terug naar de tas en keek na even zoeken op.

'We zijn de flessenopener vergeten, Julia.'

Julia sloot haar ogen. 'O, verdraaid. En ik snak naar een biertje. Wat doen we nu?' Ze pakte een flesje en begon aan de kroonkurk te peuteren. 'Weet jij geen vreselijk slimme manier om de dop eraf te krijgen?'

'Met mijn tanden, bedoel je?'

'Jij hebt toch op de padvinderij gezeten?'

'Ja, maar ze waren in mijn groep niet zo happig op Pale Ale.'

Ze draaiden de flesjes om en om.

'Dat wordt niks,' zei Helen ten slotte. Ze keek rond. 'Daar zijn jongens. Ga eens vragen of ze een mes hebben of zoiets.'

'Dat durf ik niet!'

'Vooruit. Alle jongens hebben messen.'

'Doe jij het maar.'

'Ik heb de tas gedragen. Vooruit, Julia.'

'God,' zei Julia. Ze kwam overeind, niet erg elegant, nam in elke hand een flesje en liep over het gras in de richting van een stel jongens die daar rondhingen. Ze liep stijfjes, nogal gebogen, misschien alleen uit verlegenheid, maar Helen zag haar heel even zoals een vreemde haar zou zien: zag hoe mooi ze was, maar ook hoe volwassen, hoe matroneachtig bijna; want je kon al iets bespeuren van het hoekige figuur met de brede heupen en smalle borstkas dat ze over tien jaar zou hebben. De jongens daarentegen waren praktisch nog schooljochies. Ze hielden hun hand boven hun ogen, tegen de zon, toen ze haar zagen aankomen; ze kwamen lui van hun plaats, voelden in hun zakken; een van hen drukte een flesje tegen zijn maag terwijl hij met iets aan de dop morrelde. Julia stond met haar armen over elkaar, verlegener dan ooit, onnatuurlijk glimlachend; toen ze terugkwam met de geopende flesjes waren haar gezicht en hals roze.

'Ze hebben gewoon een sleutel gebruikt,' zei ze. 'Dat hadden wij ook kunnen doen.'

'Dat weten we dan voor de volgende keer.'

'Ze zeiden tegen me: "Rustig maar, mevrouw".'

'Trek het je niet aan,' zei Helen.

Ze hadden porseleinen kopjes meegebracht om uit te drinken. Het bier kwam wild schuimend omhoog naar de gewelfde rand. Onder het schuim was het koel, bitter, verrukkelijk. Helen sloot haar ogen, genietend van de warme zon op haar gezicht; het gaf haar een roekeloos, vakantieachtig gevoel om zomaar in het openbaar bier te drinken. Maar ze verstopte de flesjes wel, in een plooi van de canvas tas.

'Stel dat een van mijn cliënten me zou zien?'

'Die cliënten van jou kunnen me wat,' zei Julia.

Ze richtten hun aandacht op het eten dat ze hadden meegebracht, braken het brood, sneden plakjes van de kaas. Julia strekte zich uit, met de opgevouwen canvas tas onder haar hoofd als kussen. Helen ging plat op haar rug liggen en sloot haar ogen. De muziekkapel had weer een ander deuntje ingezet. Ze kende de tekst en begon zachtjes mee te zingen.

*'There's something about a soldier! Something about a soldier! Something about a soldier that is fine! – fine! – fine!'*

Ergens huilde een baby in een kinderwagen; ze hoorde het kind over zijn adem struikelen. Een hond blafte, terwijl zijn baas hem plaagde met een stok. Vanaf het meer kwam het piepen en plonzen van roeispanen, het dollen van jongens en meisjes; en uit de straten langs het park kwam natuurlijk het gestage geraas van auto's. Als ze zich concentreerde, leek ze elk onderdeel van het tafereeltje afzonderlijk te horen: alsof elk geluid apart was opgenomen en daarna met de andere was samengevoegd tot een wat kunstmatig geheel: 'Een septembermiddag in Regent's Park'.

Er liepen twee tienermeisjes voorbij. Ze hadden een krant, en praatten over iets wat ze gelezen hadden. 'Lijkt het je niet afschuwelijk om gewurgd te worden?' hoorde Helen een van hen vragen. 'Word jij liever gewurgd, of getroffen door een atoombom? Ze zeggen dat het met een atoombom tenminste snel gaat...'

Hun stemmen stierven weg, overspoeld door een volgende golf muziek.

*'There's something about his bearing! Something to what he's wearing! Something about his buttons all a-shine! – shine! – shine!'*

Helen deed haar ogen open en staarde naar het lichtende blauw van de hemel. Was het gek, vroeg ze zich af, om zo dankbaar te zijn als ze zich nu voelde, voor dit soort momenten, in een wereld waar atoombommen bestonden – en concentratiekampen, en gaskamers? Mensen scheurden elkaar nog steeds aan stukken. Er was nog steeds moord, hongersnood, onrust, in Polen, Palestina, India – God mocht weten waar nog meer. Engeland zelf was haast bankroet en raakte steeds meer in verval. Was het idioot of egoïstisch om je te willen overgeven aan kleine genoegens: het getoeter van de Regent's Park Band, de zon op je gezicht, het gekriebel van gras onder je hielen, de beweging van troebel bier in je aderen, de geheime nabijheid van je geliefde? Of waren die kleine genoegens het enige wat je had? Moest je die niet juist koesteren? Er kristallen kraaltjes van maken, die je kon bewaren, als bedeltjes aan een armband, om het gevaar af te weren als het zich weer aandiende?

Ze bewoog haar hand terwijl ze dit dacht – raakte met haar knokkels Julia's dij aan, waar niemand het kon zien.

'Is dit niet heerlijk, Julia?' zei ze zacht. 'Waarom komen we hier niet vaker? De zomer is al bijna voorbij, en wat hebben we ermee gedaan? We hadden hier elke avond kunnen komen.'

'Dat doen we volgend jaar,' antwoordde Julia.

'Ja,' zei Helen. 'We zullen het onthouden. Afgesproken? Julia?'

Maar Julia luisterde niet meer. Ze had haar hoofd opgelicht om met Helen te praten, en iets anders had haar aandacht getrokken. Ze keek het park in. Met een hand schermde ze haar ogen af, en terwijl Helen haar gadesloeg, richtte ze haar blik op iets en begon ze te glimlachen. Ze zei: 'Ik denk dat het... Ja, inderdaad. Wat grappig!' Ze stak haar hand in de lucht en zwaaide. 'Ursula!' riep ze, zo hard dat het pijn deed aan Helens oren. 'Hierzo!'

Helen duwde zich met haar ellebogen op en tuurde in de richting waarin Julia zwaaide. Ze zag een slanke, elegante vrouw lachend door het gras naar hen toe lopen.

'Allemachtig,' zei de vrouw, toen ze dichterbij kwam. 'Dat ik jou hier zie, Julia!'

Julia was gaan staan en streek haar linnen jurk glad. Zij lachte ook. Ze vroeg: 'Waar ga je heen?'

'Ik heb geluncht met een vriendin,' zei de vrouw, 'in St. John's Wood. Ik ben op weg naar Broadcasting House. Wij hebben geen tijd voor picknicks en dat soort dingen, bij de BBC. Maar wat hebben jullie het hier gezellig gemaakt! Echt een arcadisch tafereeltje!'

Ze keek naar Helen. Haar ogen waren donker, een beetje ondeugend.

Julia draaide zich om, stelde hen aan elkaar voor. 'Dit is Ursula Waring, Helen. Ursula, dit is Helen Giniver...'

'Helen, natuurlijk!' zei Ursula. 'Ik mag je toch wel Helen noemen, hè? Ik heb zoveel over je gehoord. Kijk maar niet zo angstig! Het was allemaal positief.'

Ze bukte om Helen een hand te geven, en Helen kwam half overeind. Ze voelde zich in het nadeel, omdat zij zat terwijl Julia en Ursula stonden; maar ze was zich ook erg bewust van haar zaterdagse uiterlijk – van haar blouse, die ze ooit uit elkaar had gehaald en vermaakt, in een poging tot zuinigheid, en haar oude tweed rok, die van achteren flink wat doorzitplekken had. Ursula daarentegen zag er netjes, welgesteld, verzorgd uit. Haar haar was weggestopt onder een chic, nogal mannelijk hoedje. Ze droeg zachte, leren handschoenen zonder slijtplekken, en schoenen met een lage hak en een lip met leren franje – het soort schoenen dat je zou verwachten op een golfbaan of in de Schotse Hooglanden, een dure, sportieve omgeving. Ze was heel anders dan Helen zich had voorgesteld, afgaande op de dingen die Julia de laatste weken over haar had verteld. Julia had een oudere, bijna slonzige vrouw beschreven. Waarom zou Julia dat gedaan hebben?

'Heb je gisteravond de uitzending gehoord?' vroeg Ursula.

'Natuurlijk,' zei Julia.

'Best goed, hè? Vond je ook niet, Helen? Ik vind dat we het ontzettend goed gedaan hebben. En was het niet geweldig om Julia's gezicht midden in de *Radio Times* te zien?'

'O, nee, afschuwelijk,' zei Julia, voor Helen antwoord kon geven. 'Die foto is zo vreselijk katholiek! Het lijkt wel of ze op het punt staan om me op de pijnbank te leggen of mijn ogen uit te steken.'

'Onzin!'

Ze lachten samen. Toen zei Julia: 'Hoor eens, Ursula. Waarom kom je niet bij ons zitten?'

Ursula schudde haar hoofd. 'Als ik eenmaal zit, wil ik niet meer opstaan, zo simpel is het. Ik zal wel de hele dag vreselijk jaloers zijn als ik aan je denk. Het is gewoon zo walgelijk slim bedacht van jullie. Maar goed, jullie wonen natuurlijk vlakbij. En in zo'n alleraardigst huis nog wel!' Ze sprak weer tegen Helen. 'Ik zei tegen Julia: je zou nooit denken dat er zulke huizen bestonden, zo dicht bij de Edgware Road.'

'Heb je het gezien?' vroeg Helen verbaasd.

'O, heel even maar...'

Julia zei: 'Ursula is vorige week een keer langs geweest. Dat heb ik je toch verteld, Helen?'

'Het is me zeker ontschoten.'

'Ik wilde een kijkje nemen,' zei Ursula, 'in Julia's studeerkamer. Het is altijd zo fascinerend, vind ik, om te zien waar schrijvers werken. Al weet ik niet of ik jou wel benijd, Helen. Ik weet niet hoe ik me zou voelen als mijn vriendin boven mijn hoofd driftig zat te pennen hoe ze haar volgende slachtoffer het beste uit de weg kan ruimen – met vergif, of de strop!'

Ze sprak het woord 'vriendin' op een bijzondere manier uit, vond Helen, alsof ze wilde zeggen: Wij begrijpen elkaar natuurlijk. Alsof ze eigenlijk wilde zeggen: Wij zijn allemaal 'vriendinnen' samen. Ze had haar handschoenen uitgetrokken om een zilveren sigarettenkoker uit haar zak te halen, en toen ze de koker opende, zag Helen haar korte, gemanicuurde nagels en de discrete kleine zegelring aan de pink van haar linkerhand.

Ze bood hun een sigaret aan. Helen schudde haar hoofd. Julia liep echter naar voren, en zij en Ursula stonden even te hannesen met een aansteker, want het was gaan waaien en het vlammetje ging telkens uit.

Ze praatten verder over *Armchair Detective* en de *Radio Times*; over de BBC en Ursula's baan daar. 'Zo, lieverds,' zei Ursula, toen haar sigaret op was. 'Ik moet er vandoor. Het was me een genoegen. Jullie moeten een keer samen naar Clapham komen. Kom maar eten – of, nog beter, ik zou natuurlijk ook een feestje kunnen geven.' Haar blik werd weer ondeugend. 'Dan vragen we alleen meisjes. Wat vinden jullie daarvan?'

'Natuurlijk, dolgraag,' zei Julia, toen Helen niets zei.

Ursula glunderde. 'Dat is dan geregeld. Ik zal het jullie laten weten.' Ze schudde Julia speels de hand. 'Ik heb een paar vriendinnen die het fantastisch zouden vinden om je te ontmoeten, Julia. Het zijn echte fans van je!' Ze begon haar handschoenen aan te trekken en richtte zich weer tot Helen. 'Tot ziens, Helen. Ik vond het erg leuk om kennis met je te maken.'

'Zo,' zei Julia, toen ze weer was gaan zitten. Ze keek Ursula na terwijl die met snelle, kwieke passen door het park liep, in de richting van Portland Place.

'Ja,' zei Helen, nogal zuinig.

'Leuk mens, hè?'

'Vast wel. Het is natuurlijk meer jouw type dan het mijne.'

Julia keek lachend om. 'Wat bedoel je daarmee?'

'Ze is erg levendig, bedoel ik... Wanneer heb je haar mee naar huis genomen?'

'Vorige week. Ik heb het je verteld, Helen.'

'Ja?'

'Je denkt toch niet dat ik het stiekem heb gedaan?'

'Nee,' zei Helen vlug. 'Nee.'

'Het was maar heel even.'

'Ze is anders dan ik me voorstelde. Ik dacht dat je zei dat ze getrouwd was.'

'Ze is ook getrouwd. Haar man is advocaat. Ze wonen apart.'

'Ik wist niet dat ze... nou ja.' Helen dempte haar stem. 'Net zo was als wij.'

Julia haalde haar schouders op. 'Ik weet eigenlijk niet wat ze is. Een beetje een eigenaardig type, denk ik. Maar dat feestje kan best leuk zijn.'

Helen keek haar aan. 'Je wou toch niet echt gaan?'

'Ja, waarom niet?'

'Ik dacht dat je het gewoon uit beleefdheid zei. "Alleen meisjes." Je weet wat dat betekent.' Ze sloeg haar ogen neer en kleurde een beetje. 'God weet wie wie daar allemaal komen.'

Julia zweeg even. Toen zei ze, ongeduldig of geërgerd: 'Nou en? Daar gaan we niet dood van. Misschien is het zelfs wel leuk. Stel je voor!'

'Het zal in elk geval leuk zijn voor Ursula Waring,' zei Helen, voordat ze zich kon inhouden. 'Dan kan ze met je pronken, als een soort trofee...'

Julia zat naar haar te kijken. Ze zei koeltjes: 'Wat is er met jou aan de hand?' En daarna, toen Helen geen antwoord wilde geven: 'Toch niet... O, nee.' Ze schoot in de lach. 'Nee toch, Helen? Niet vanwege Úrsula?'

Helen schoof weg. 'Nee,' zei ze, en ze ging weer liggen, met een vinnige, onelegante beweging. Ze legde haar arm over haar ogen, om de zon en Julia's blik af te weren. Even later voelde ze dat Julia ook ging liggen. Ze moest haar boek uit de tas hebben gepakt, want Helen hoorde haar bladeren, zoekend waar ze gebleven was.

Maar wat Helen zag, in de verschuivende bloedrode diepten achter haar oogleden, was Ursula Warings ondeugende, donkere blik. Ze zag hoe Ursula en Julia bij elkaar hadden gestaan om hun sigaret aan te steken. Ze zag Ursula weer speels Julia's hand schudden. Toen gingen haar gedachten terug. Ze herinnerde zich hoeveel haast Julia had gehad om in het park te komen: Kom mee! Kom gauw! – in haar ongeduld had ze haar vingers uit die van Helen laten glippen. Had ze Ursula willen zien? Was dat het? Hadden ze dit allemaal afgesproken?

Haar hart ging sneller kloppen. Tien minuten eerder had ze net zo gelegen, genietend van de vertrouwde, geheime nabijheid van Julia's lichaam. Ze had dat moment willen vasthouden, er een kristallen kraal van willen maken. Nu leek het of de kraal in scherven lag. Want wat had ze eigenlijk met Julia? Ze kon niet opzij buigen en haar kussen. Wat kon ze doen om de wereld duidelijk te maken dat Julia van haar was? Wat had ze om ervoor te zorgen dat Julia haar trouw bleef? Ze had alleen zichzelf: haar vlees-in-blik-dijen, haar uiengezicht...

Die gedachten raasden als een donkere stroom door haar bloed, terwijl Julia doorlas; terwijl de muziekkapel nog een laatste keer toeterde en de instrumenten toen weglegde; terwijl de zon traag langs de hemel kroop en de schaduwen zich rekten over de gele grond. Maar ten slotte zakte de afschuwelijke paniek. De duisternis slonk, vouwde zich op. Ze zei tegen zichzelf: wat ben je toch een idioot! Julia houdt van je. Ze haat alleen dat beest in je, dat lachwekkende monster...

Ze bewoog haar pols weer, zodat ze Julia's dij net raakte. Julia lag even stil en schoof toen haar eigen pols naar de hare. Ze legde haar boek neer en ging overeind zitten. Ze pakte een appel en een mesje. Ze schilde de appel in één lange reep, sneed hem in vieren en gaf twee stukken aan Helen. Ze aten samen, en keken naar de rondrennende honden en kinderen, zoals ze eerder ook hadden gedaan.

Toen keken ze elkaar aan. Julia zei, nog een tikkeltje koeltjes: 'Is het weer over?'

Helen kleurde. 'Ja, Julia.'

Julia glimlachte. Toen ze de appel op had, ging ze weer liggen en pakte ze haar boek; en Helen sloeg haar gade terwijl ze las. Haar ogen gleden van het ene woord naar het andere, maar afgezien daarvan was haar gezicht roerloos, gesloten, smetteloos als was.

'Je lijkt wel een filmster,' zei Reggie, toen Viv in zijn auto stapte. Hij bekeek haar omstandig. 'Mag ik je handtekening?'

'Ga nou maar, ja,' zei ze. Ze had een halfuur in de zon op hem staan wachten. Ze schoven naar elkaar toe en zoenden even. Hij deed de handrem omlaag en de auto reed weg.

Ze droeg een dunne katoenen jurk en een pruimkleurig vest, en een witte plastic zonnebril; in plaats van een hoed had ze een witte zijden sjaal, die ze onder haar kin had vastgeknoopt. De sjaal en de zonnebril staken mooi af bij haar donkere haar en rode lippenstift. Ze trok haar rok recht, maakte het zich gemakkelijk; daarna draaide ze haar raampje omlaag, legde haar elleboog op de rand en hield haar gezicht in de wind – als een meisje in een Amerikaanse film, precies zoals Reggie had gezegd. Terwijl hij remde voor een stoplicht, legde hij zijn hand op haar dij en prevelde bewonderend: 'O, als de jongens in Hendon me nu eens konden zien!'

Maar natuurlijk bleef hij een flink eind uit de buurt van Noord-Londen. Hij had haar opgepikt bij Waterloo Station, en toen hij de rivier was overgestoken en bij de Strand was gekomen, ging hij naar het oosten. Ze kenden leuke plekjes, een uur rijden van de stad: dorpen in Middlesex en Kent, waar pubs en tearooms waren; strandjes langs de kust. Vandaag gingen ze de kant van Chelmsford op; ze wilden gewoon een eindje rijden, tot ze een mooi plekje vonden. Ze hadden de hele middag samen. Ze had haar vader verteld dat ze met een vriendin ging picknicken. De avond tevoren had zij aan het ene eind van de keukentafel boterhammen staan smeren, terwijl hij aan het andere eind zijn schoenen zat te verzolen.

Ze reden dwars door de City en Whitechapel; toen ze op een bredere, vlakkere weg kwamen, schakelde Reggie naar een hogere versnelling en legde hij zijn hand weer op haar dij. Hij vond de lijn van haar jarretelle en begon die te volgen; omdat haar jurk dun was, voelde ze de druk van zijn aanraking – zijn duim, handpalm en strelende vinger – even duidelijk als wanneer ze naakt was geweest.

Maar ze was op de een of andere manier niet in de stemming. Ze zei: 'Niet doen,' en pakte zijn hand.

Hij kreunde als een man die hevige pijnen lijdt en deed alsof hij zich tegen haar greep verzette. 'Wat ben jij gemeen! Mag ik de auto stilzetten? Anders raak ik van de weg, het is maar dat je het weet.'

Hij zette de auto niet stil. Hij ging harder rijden. De straten werden leger. Er verschenen reclameborden langs de weg, met advertenties voor 'Player's, Please!' en Wrigley's, 'Jiffy' textielverf en Vim. Ze ging wat gemakkelijker zitten en keek hoe de stad werd afgepeld: de gebombardeerde victoriaanse hoofdstraten maakten plaats voor rode bakstenen villa's, de villa's voor nette huisjes die aan kantoorklerken met bolhoeden deden denken, de huisjes werden op hun beurt bungalows en prefabwoningen. Het was of je achteruit door de tijd raasde – zij het dat de bungalows en prefabwoningen overgingen in groene landerijen, en als je daarna je ogen tot spleetjes kneep, en niet naar dingen zoals telegraafpalen of vliegtuigen keek, kon je je in elke tijd wanen, of in geen enkele.

Ze passeerden een pub, en Reggie bewoog zijn mond alsof hij dorst had. Hij had zijn jasje op de achterbank gelegd, maar liet haar een heupflacon Scotch uit de zak pakken. Ze keek hoe hij de fles aan zijn mond zette. Zijn lippen waren zacht en glad; zijn kin en hals waren pas geschoren, maar alweer donker van de stoppels. Hij dronk onhandig, kijkend naar de weg. Eén keer liep de whisky uit zijn mondhoek en moest hij het straaltje opvangen met de rug van zijn getaande hand.

'Kijk nou,' zei ze, half speels, half kribbig. 'Je kwijlt.'

Hij zei: 'Dat komt omdat ik naast jou zit.'

Ze trok een vies gezicht. Ze reden min of meer in stilte verder. Hij bleef bijna een uur de grote weg volgen, maar bij een splitsing zonder wegwijzer koos hij de rustigste afslag, en daarna namen ze de weggetjes die ze leuk vonden. Londen werd plotseling bijna onvoorstelbaar – zo hard, zo droog, zo vuil. De heggen langs de weg waren hoog en vochtig en, hoewel het herfst was, nog vol kleur; soms ging Reggie dicht naar de kant om een andere automobilist te laten passeren, en dan dwarrelden de bloemblaadjes door het raam op Vivs schoot. Eén keer vloog een witte vlinder de auto in en spreidde zijn vliesdunne, poederige vleugels uit op de ronding van de stoel naast haar schouder.

Haar stemming verbeterde. Ze begonnen elkaar dingen aan te wijzen – ouderwetse kerken, schilderachtige cottages. Ze haalden herinneringen op aan een dag, jaren geleden, toen ze ergens op het platteland bij een cottage waren gestopt en met de eigenaar hadden gesproken; hij had hen voor een getrouwd stel aangezien en hen uitgenodigd om in de mooie kamer een glas melk te komen drinken... Reggie zei, terwijl hij vaart minderde bij een cottage die de kleur had van romige Franse kaas: 'Kijk, achter het huis is ruimte voor varkens en kippen. Ik zie jou het varkensvoer al in de trog gooien, Viv. Ik zie je appels plukken in een boomgaard. Je zou appeltaarten voor me kunnen maken, en levensgrote niervetpuddingen.'

'Dan zou je veel te dik worden,' zei ze lachend, in zijn maag porrend.

Hij ontweek haar. 'Dat geeft niet. Je hoort dik te zijn op het platteland, ja toch?' Hij hield één oog op de weg, maar trok zijn hoofd in om naar het bovenraam te kijken. Hij liet zijn stem dalen. 'Ik wed dat er in de kamer boven een fantastische veren matras ligt.'

'Is dat het enige waar je aan denkt?'

'Als jij in de buurt bent wel. Oeps.'

Hij maakte een zwenking om de heg te ontwijken, en trapte het gaspedaal weer in.

Ze zochten een plekje om de auto neer te zetten en te picknicken, en namen een pad dat tussen weilanden door naar een bos liep. Eerst leek het pad goed onderhouden, maar hoe verder ze kwamen, hoe ruiger en smaller het werd. De auto hobbelde voort, gestriemd door braamstruiken, en hoog gras zwiepte en knisperde langs de onderkant als snelstromend water onder een boot. Viv hotste op haar stoel en lachte. Reggie leunde met een frons voorover en trok aan het stuur. 'Als er een tegenligger komt, zijn we de sigaar,' zei hij. En ze wist dat hij dacht aan wat er zou gebeuren als ze een ongeluk kregen, de auto in puin reden, vast kwamen te zitten...

Maar het pad ging omlaag, maakte een bocht en ze bevonden zich plotseling op een weelderig groene open plek naast een riviertje, adembenemend mooi. Reggie trok de handrem aan en zette de motor uit; ze bleven even zitten, verbaasd en geïmponeerd door de stilte. Zelfs toen ze de portieren hadden geopend en wilden uitstappen, aarzelden ze nog; ze voelden zich indringers, want het enige wat ze hoorden was het geklater van het riviertje, het roepen van vogels, het geritsel van bladeren.

'Jezus, dit is niet bepaald Piccadilly,' zei Reggie, die eindelijk uitstapte.

'Het is prachtig,' zei Viv.

Ze spraken bijna fluisterend. Ze rekten zich uit en liepen over het gras naar de rand van het water. Toen ze langs de oever keken zagen ze, half verscholen tussen de bomen, een oud stenen gebouw met verbrijzelde ramen en een kapot dak.

'Dat is een watermolen,' zei Reggie, terwijl hij Vivs hand pakte en erheen begon te lopen. 'Zie je de as van het schoepenrad? Dit moet vroeger een echte rivier zijn geweest.'

Ze trok hem terug. 'Misschien is er wel iemand.'

Maar er was niemand. Het gebouw stond al jaren leeg. Er groeide gras in de spleten tussen de plavuizen. Duiven fladderden onder de balken, en de vloeren waren bedekt met vogelpoep en gebroken leisteen en glas. Iemand had op een gegeven moment een plek vrijgemaakt en een vuur aangelegd; er lagen blikjes en flessen en op de muren stonden schunnige teksten. Maar de blikjes waren verroest, de flessen zilvergrijs van ouderdom.

'Zwervers,' zei Reggie. 'Zwervers, of deserteurs. En vrijende stelletjes.' Ze gingen terug naar het riviertje. 'Ik wil wedden dat dit een echte Lovers' Lane is.'

Ze kneep hem. 'Die moet jij natuurlijk weer vinden.'

Hij hield nog steeds haar hand vast. Hij bracht haar vingers naar zijn lippen, gemaakt schuchter kijkend, bescheidenheid veinzend. 'Wat zal ik zeggen? Sommige mannen hebben die gave nu eenmaal.'

Ze praatten nu op een normale toon, hun eerdere ontzag en behoedzaamheid waren ze kwijt en ze hadden het gevoel gekregen dat dit plekje van hen was: dat het pittoresk had liggen wachten tot zij het kwamen opeisen. Ze volgden het riviertje de andere kant op en vonden een brug. Ze liepen naar het midden en rookten een sigaret; Reggie sloeg zijn arm om haar middel en legde zijn hand op haar achterste, zijn duim bewegend zodat haar jurk en onderjurk langs de zijden stof van haar broekje gleden.

Ze gooiden hun sigarettenpeuken in het water en zagen ze snel wegdrijven. Toen tuurde Reggie aandachtiger omlaag.

'Er zitten daar vissen,' zei hij. 'Grote joekels, moet je kijken!' Hij liep omlaag naar de oever, deed zijn horloge af en stak zijn hand in het water. 'Ik voel ze knabbelen!' Hij was zo opgewonden als een kind. 'Het is net een troep meisjes die me allemaal zoenen! Ze denken dat mijn hand een mannetjesvis is. Ze denken dat ze boffen!'

'Ze denken dat jij hun lunch bent,' riep Viv terug. 'Straks pakken ze je vinger, als je niet uitkijkt.'

Hij grijnsde wellustig. 'Dat doen meisjes ook.'

'Het soort meisjes dat jij kent misschien.'

Hij stond op en gooide water naar haar toe. Ze lachte en rende weg. Het water raakte haar zonnebril en toen ze de glazen afveegde, werden ze vlekkerig.

'Kijk nou wat je gedaan hebt!'

Ze gingen terug naar de auto om te picknicken; de portieren lieten ze openstaan. Reggie haalde een geruite plaid uit de kofferbak, die ze uitspreidden op het gras. Hij haalde ook een fles gin met sinaasappelsap tevoorschijn, en twee bekers, een roze en een groene. Het waren kinderbekers, wist Viv: ze voelden ruw aan doordat er in gebeten en mee gegooid was. Maar ze was gewend aan dat soort dingen; het had domweg geen zin om je eraan te storen. De gin was lauw geworden in de auto: ze nam een slok en voelde bijna onmiddellijk de warme gloed, waardoor ze ontspande. Ze pakte de boterhammen uit. Reggie at de zijne met grote, vlugge happen; hij slikte het brood door zonder te kauwen en nam dan weer een hap, en praatte met volle mond.

'Dit is Canadese ham, hè? Hij is beter dan ik dacht.'

Hij had zijn das losgetrokken, het knoopje van zijn overhemd opengemaakt. De zon scheen in zijn gezicht en deed hem fronsen, zodat de groeven in zijn voorhoofd en naast zijn neus zichtbaar werden. Hij was zesendertig, maar hij begon er de laatste tijd wat ouder uit te zien, vond Viv. Zijn gezicht was vaal – dat kwam door zijn Italiaanse bloed – en zijn hazelnootbruine ogen waren nog erg mooi, maar hij werd kaal, en dat beperkte zich niet tot een klein rond plekje; het haar werd over de hele linie dunner, zijn hoofdhuid schemerde er hier en daar doorheen. Zijn tanden, die heel recht en regelmatig waren, en die volgens Viv vroeger verblindend wit waren geweest, begonnen geel te worden. Het vlees in zijn hals werd losser; er zaten plooien in de huid voor zijn oren. Hij lijkt op zijn vader, dacht ze, terwijl ze hem zag kauwen. Hij had haar ooit een foto laten zien. Hij zou minstens veertig kunnen zijn.

Toen keek hij haar aan en gaf haar een knipoog; en in haar hart laaide weer iets van haar vroegere oprechte genegenheid voor hem op. Toen ze hun boterhammen op hadden trok hij haar naar zich toe en gingen ze op de plaid liggen, hij op zijn rug, met zijn arm om haar heen, zij met haar wang in de stevige, warme holte tussen zijn schouder en borst. Zo nu en dan kwam ze een eindje overeind om onhandig een slokje te nemen; uiteindelijk dronk ze alles in één teug op en liet de lege beker vallen. Hij wreef met zijn gezicht langs haar hoofd, en zijn ruwe kin trok aan haar haren.

Ze keek naar de lucht. Het uitzicht werd omlijst door takken, door rusteloze boomtoppen. De takken zaten nog volop in het blad, maar de bladeren waren rossig, of goudkleurig, of groen-geel als legeruniformen. De lucht zelf was volmaakt wolkeloos: blauw als de blauwste zomerhemel.

'Wat is dat voor vogel?' vroeg ze, wijzend.

'Dat? Dat is een gier.'

Ze gaf hem een por. 'Wat is het echt?'

Hij hield zijn hand boven zijn ogen. 'Het is een torenvalk. Zie je hoe hij zweeft? Zo meteen duikt hij. Hij heeft een muis op het oog.'

'Arme muis.'

'Daar gaat-ie!' Hij hief zijn hoofd, de spieren in zijn borst en hals spanden zich onder haar wang. De vogel was omlaag gesuisd, maar steeg nu weer op met lege klauwen. Hij ging liggen. 'Hij is hem kwijt.'

'Goed zo.'

'Het is gewoon een ander soort lunch. Hij heeft toch ook recht op een hap eten?'

'Het is wreed.'

Hij lachte. 'Ik wist niet dat je zo teerhartig was. Kijk, hij probeert het nog een keer.'

Ze keken nog even naar de vogel, terwijl ze zich samen verwonderden over het gemak waarmee hij zweefde, de gratie waarmee hij neersuisde en weer opsteeg. Toen Viv haar zonnebril afzette om hem beter te kunnen zien, keek Reggie niet naar de valk, maar naar haar.

'Dat is beter,' zei hij. 'Het was net of ik tegen een blinde praatte.'

Ze ging weer op de plaid liggen en sloot haar ogen. 'Dat ben je natuurlijk gewend.'

'Ha, ha.'

Hij bleef even stil zitten, reikte toen over haar heen en raapte iets op. Een seconde later voelde ze iets kriebelen op haar gezicht, en ze veegde over haar wang, denkend dat er een vlieg was neergestreken. Maar hij was het: hij streelde haar met het uiteinde van een lange grasspriet. Ze sloot haar ogen weer en liet hem begaan. Hij volgde de lijnen van haar voorhoofd en haar neus, de welving van haar mond; hij trok de halm over haar slapen.

'Je haar zit anders, hè?' zei hij.

'Ik heb het laten knippen, tijden geleden al. Je kietelt me.'

Hij oefende wat meer druk uit met de grasspriet. 'Hoe voelt dat?'

'Dat is beter.'

'Ik vind het leuk.'

'Wat vind je leuk?'

'Je haar.'

'Ja? Het gaat wel.'

'Het staat je goed... Doe je ogen eens open, Viv.'

Ze deed ze open, maar kneep ze snel weer dicht. 'De zon is te fel.'

Hij hief zijn hand op – hield hem een eindje boven haar gezicht, om schaduw te maken. 'Doe ze nu maar open,' zei hij.

'Waarom?'

'Ik wil in je ogen kijken.'

Ze lachte. 'Waarom?'

'Zomaar.'

'Ze zijn nog hetzelfde als de vorige keer dat je erin keek.'

'Dat denk jij. Vrouwenogen zijn nooit hetzelfde. Jullie zijn net katten.'

Hij kietelde haar gezicht tot ze deed wat hij vroeg en haar ogen weer opende. Heel wijd, voor de grap.

'Niet zo,' zei hij. Dus keek ze hem echt aan. 'Dat is beter.' Zijn blik was zacht. 'Je hebt mooie ogen. Je hebt prachtige ogen. Je ogen waren het eerste wat me aan je opviel.'

'Ik dacht dat mijn benen je het eerst opvielen.'

'Je benen ook.'

Hij bleef haar aankijken, gooide toen de grasspriet weg, bukte zich en kuste haar. Hij deed het langzaam, duwde haar lippen met de zijne uit elkaar, drukte zachtjes op haar mond. Hij smaakte nog naar ham; naar ham en gin met sinaasappel. Ze veronderstelde dat zij ook zo smaakte. Terwijl de kus voortduurde, kwam er een kruimeltje van het een of ander – vlees, of brood – tussen hun tongen, en hij maakte zich los om het uit zijn mond te halen. Daarna kuste hij haar harder, en hij begon zwaarder tegen haar aan te leunen. Hij liet zijn hand over haar lichaam glijden, van haar wang naar haar heup; daarna streelde hij van beneden naar boven en omvatte haar borst. Zijn hand was warm en hij pakte haar zo stevig vast dat het bijna pijn deed. Toen hij zijn hand weghaalde en aan de knoopjes op de voorkant van haar jurk begon te frunniken, hield ze zijn vingers tegen en lichtte haar hoofd op.

'Misschien komt er iemand, Reg.'

'Er is hier in de wijde omtrek geen mens te bekennen!' zei hij.

Ze keek naar zijn hand, die nog steeds aan de knoopjes plukte. 'Niet doen. Je kreukt de stof.'

'Maak jij ze dan voor me los.'

'Goed. Wacht even.'

Ze keek om zich heen, zich ervan bewust dat er best iemand kon zitten kijken, verborgen in de schaduw van de bomen. De zon was zo fel als een schijnwerper, de plek waar ze lagen was vlak en helemaal open. De enige geluiden kwamen echter van het riviertje, de vogels, de rusteloze bladeren. Ze maakte twee knoopjes van haar jurk los, en even later nog twee. Reggie trok het lijfje open, zodat haar beha zichtbaar werd; hij legde zijn mond op de zijden stof, zocht naar haar tepel en trok aan haar borst. Ze bewoog onder zijn aanraking. Maar het gekke was dat ze meer naar hem had verlangd toen ze nog in de auto zaten, midden in Stepney; ze had meer naar hem verlangd terwijl ze op die brug stonden.

Hij hield zijn mond stijf tegen haar borst gedrukt, en liet zijn hand weer langs haar lichaam naar haar dij glijden. Toen hij haar rok beetpakte en omhoog begon te schuiven, hield ze zijn vingers weer tegen en zei ze weer: 'Misschien ziet iemand het.'

Hij liet haar los, veegde zijn mond af. Hij gaf een rukje aan de plaid. 'Ik zal deze over ons heen leggen.'

'Dan zien ze het nog.'

'Jezus, Viv, ik ben nu zo ver dat ik me niet meer zou laten afschrikken al kwam er een troep padvindsters voorbij! Ik sta op springen, ik zweer het je. Ik sta door jou al de hele dag op springen.'

Ze geloofde het niet. Ondanks al zijn praatjes, ondanks alle onzin die hij had uitgekraamd – hier en in de auto – geloofde ze niet dat het waar was, en ze had er nu minder zin in dan ooit. Hij trok de plaid over haar heen, stak zijn arm eronder en probeerde weer tussen haar benen te voelen. Maar ze hield haar dijen tegen elkaar, en toen hij haar aankeek, schudde ze haar hoofd – hij moest maar denken wat hij wilde. Ze zei: 'Laat me...' en ging met haar eigen hand naar de knopen van zijn gulp, wurmde ze een voor een open en gleed naar binnen.

Hij kreunde toen hij haar naakte vingers voelde. Hij schokte tegen haar handpalm. Hij zei: 'O, Viv. Christus, Viv.'

De naden van zijn onderbroek zaten strak tegen haar pols en belemmerden haar; na een tijdje haalde hij hem er helemaal uit en legde zijn eigen hand losjes om de hare. Hij liet de hand daar terwijl ze bezig was, en hield zijn ogen de hele tijd stijf dicht; op het laatst had ze het gevoel dat hij het net zo goed zelf had kunnen doen. De geruite plaid ging op en neer boven hun vuisten. Een paar keer lichtte ze haar hoofd op en keek rond, nog steeds ongerust.

Ze herinnerde zich, terwijl ze bezig was, de andere keren, van jaren terug, toen hij in het leger zat. Ze hadden moeten afspreken in hotelkamers – morsige hotelkamers, maar het morsige was niet belangrijk geweest. Bij elkaar zijn, daar ging het om. Je eigen lichaam tegen dat van de ander drukken, elkaars huid en spieren en adem voelen. Dat betekende op springen staan. Niet dit. Niet van die grapjes over veren bedden en Lovers' Lanes.

Op het allerlaatste moment drukte hij haar hand dicht, om het zaad op te vangen. Toen ging hij achterover liggen, blozend en bezweet en lachend. Ze hield hem nog wat langer vast voordat ze haar vingers weghaalde. Hij hief zijn hoofd op, waarbij het vel van zijn hals in elkaar frommelde. Hij maakte zich zorgen om zijn broek.

'Heb je het allemaal?'

'Ik denk het wel.'

'Voorzichtig.'

'Ik ben voorzichtig.'

'Goed zo.'

Hij borg hem weer op en knoopte zijn gulp dicht. Ze keek rond, zoekend naar een zakdoek of iets dergelijks, en veegde haar hand ten slotte maar af aan het gras.

Hij zag het goedkeurend aan. 'Dat is goed voor de grond,' zei hij. Hij was nu vol levenslust. 'Daar gaat straks een boom groeien. Daar komt een boom te staan, en op een dag komt er een meisje zonder onderbroek en die klimt erin, en dan raakt ze van mij in verwachting.' Hij stak zijn armen uit. 'Kom hier en geef me een zoen, verrukkelijk schepsel!'

Zijn simpelheid, dacht ze, was ronduit verbijsterend. Maar het waren altijd zijn fouten en tekortkomingen geweest waar ze het meest van had gehouden. Ze had haar leven verspild aan zijn zwakheden – zijn verontschuldigingen, zijn beloften... Ze ging weer in zijn armen liggen. Hij stak nog een sigaret op, die ze samen oprookten, terwijl ze weer omhoog tuurden naar de bomen. De torenvalk was verdwenen; ze wisten niet of hij zijn muis te pakken had gekregen of achter een andere aan was gegaan. Het blauw van de hemel leek wateriger geworden.

Het was dan ook september – eind september – en geen zomer: weldra rilde ze van de kou. Hij wreef over haar armen, maar ze gingen al gauw weer zitten, dronken de rest van de gin op, kwamen overeind en veegden hun kleren af. Hij keerde zijn broekomslagen binnenstebuiten, om het gras eruit te schudden. Hij leende haar zakdoek en veegde haar lippenstift en poeder van zijn mond. Hij liep een eindje weg, draaide zijn rug naar haar toe, en plaste.

Toen hij terugkwam zei ze: 'Blijf hier,' en ze liep zelf de bosjes in, trok haar rok op, schoof haar broekje omlaag en ging op haar hurken zitten. 'Pas op voor brandnetels!' riep hij haar na; maar hij riep het in het wilde weg, hij zag niet waar ze heen was gegaan en kon haar niet zien toen ze zich eenmaal gebukt had. Ze zag hem de zijspiegel van de auto verbuigen en zijn haar kammen. Ze zag hem de bekers afspoelen in het riviertje. Toen keek ze naar haar hand. Het zaad op haar vingers was opgedroogd tot een ragfijn kantwerkje; toen ze erover wreef, werden het gewone witte schilfers, die naar de grond dwarrelden en verdwenen.

Hij moest om zeven uur thuis zijn, en het was al half vijf. Ze liepen weer naar het bruggetje en keken omlaag in het water. Ze slenterden terug naar de vervallen molen; hij raapte een glasscherf op en kerfde hun initialen in het pleisterwerk, naast de schunnige teksten. RN, VP en een hart met een pijl erdoor.

Toen hij de scherf had weggegooid, keek hij op zijn horloge.

'We moeten maar gaan, lijkt me.'

Ze gingen terug naar de auto. Zij schudde de plaid uit, en hij vouwde hem op en legde hem in de kofferbak, met de bekers. Waar de plaid had gelegen was een vierkant stuk gras platgedrukt. Ze vond het zonde, op zo'n mooie plek: ze liep erheen en schopte het gras weer omhoog.

De auto had al die tijd in de zon gestaan. Toen ze instapte, brandde ze bijna haar been aan de hete leren stoel. Reggie ging naast haar zitten en gaf haar zijn zakdoek – spreidde hem uit onder haar knieholten, om te voorkomen dat ze zich brandde.

Toen hij dat gedaan had, boog hij voorover en kuste haar dij. Ze raakte zijn hoofd aan: de donkere, met olie ingesmeerde krullen, waar de witte hoofdhuid bleekjes doorheen scheen. Ze keek weer naar de weelderig groene open plek en zei zacht: 'Ik wou dat we hier konden blijven.'

Hij liet zijn hoofd zakken tot hij op haar schoot lag. 'Ik ook,' zei hij. De woorden klonken gesmoord. Hij draaide zijn hoofd opzij, om haar aan te kijken. 'Je weet... Je weet dat ik het vreselijk vind, hè? Je weet dat als ik het anders had kunnen doen... Alles, bedoel ik.'

Ze knikte. Er viel niets te zeggen dat ze niet al eerder hadden gezegd. Hij liet zijn hoofd nog even op haar schoot liggen, kuste toen nogmaals haar dij en kwam overeind. Hij draaide het contactsleuteltje om en de motor sloeg aan. Het klonk akelig hard, in de stilte – net zoals de stilte vreemd en onnatuurlijk had geleken toen ze net gearriveerd waren.

Hij keerde de auto, reed langzaam terug over het hobbelige pad en kwam weer op de weg waar ze vandaan gekomen waren; ze passeerden de kaaskleurige cottages zonder vaart te minderen, en namen toen de grote weg naar Londen. Er was nu veel meer verkeer. Mensen kwamen terug, net als zij, van een dagje uit. De voortrazende auto's maakten een hoop lawaai. Ze reden tegen de zon in, zodat ze hun ogen tot spleetjes knepen; af en toe maakte de weg een bocht, of zaten ze tussen bomen, en waren ze hem even kwijt, maar daarna verscheen hij weer, nog groter dan eerst, roze, gezwollen, laag aan de hemel.

Viv voelde zich doezelig van de zon en de warmte, en misschien van de gin die ze had gedronken. Ze legde haar hoofd op Reggies schouder en sloot haar ogen. Hij wreef zijn wang weer langs haar haren, en af en toe draaide hij zijn hoofd opzij om haar te kussen. Slaperig zongen ze samen ouderwetse liedjes: 'I Can't Give You Anything But Love' en 'Bye Bye Blackbird'.

*Make my bed and light the light,*
*I'll arrive late tonight.*
*Blackbird, bye bye.*

Toen ze de buitenwijken van Londen bereikten, geeuwde ze en ging ze met tegenzin rechtop zitten. Ze haalde haar poederdoos tevoorschijn, poederde haar gezicht en werkte haar lippen bij. Het verkeer leek plotseling erger dan ooit. Reggie probeerde een andere route, door Poplar en Shadwell, maar daar was het ook erg druk. Ten slotte kwamen ze bij Tower Hill vast te zitten in een verkeersopstopping. Ze zag hem op zijn horloge kijken en zei: 'Laat me er hier maar uit.' Maar hij bleef zeggen: 'Laten we nog even wachten.' Hij had er een hekel aan om andere automobilisten voorrang te geven. 'Als die sukkel voor ons nou gewoon... Christus! Het komt door dat soort gasten dat...'

Ze reden door. Toen kwamen ze opnieuw vast te zitten, op het punt waar Fleet Street overging in de Strand. Hij zocht naar een manier om eruit te komen, maar de zijstraten waren versperd door automobilisten met hetzelfde idee. Hij trommelde vloekend met zijn vingers op het stuur: 'Verdomme, verdomme.' Hij keek weer op zijn horloge.

Viv zat gespannen op haar stoel, aangestoken door zijn stemming, een beetje in elkaar gedoken voor het geval iemand haar zou zien; maar ze dacht nog steeds aan hun plekje in het bos, wilde het nog niet opgeven: de molen, het riviertje met de brug, de stilte. Het is niet bepaald Piccadilly... Reggie had, voor ze teruggingen, de auto uitgeveegd en alle bloemblaadjes en grassprietjes verwijderd die uit de heggen naar binnen waren gedwarreld. Hij had de vlinder zachtjes aangestoten met zijn vingers tot die met een trilling was weggevlogen.

Ze draaide haar hoofd opzij en keek naar de verlichte etalages, naar de dozen met namaakbonbons en namaakfruit, naar de parfumflessen en drankflessen – waarschijnlijk werd voor Nights of Parma en Ierse whisky hetzelfde gekleurde water gebruikt. De auto reed stapvoets. Ze kwamen in de buurt van een bioscoop, Tivoli. Buiten stonden mensen in de rij voor een kaartje, en ze keek een beetje weemoedig naar hen, naar de meisjes met hun vriendjes, de echtparen. Aan de gevel hingen gekleurde lichtjes, en die leken feller en helderder te branden omdat ze in de schemering brandden in plaats van in het donker. Ze zag allerlei kleine, losse details: het fonkelen van een oorring, het glimmende haar van een man, de glinstering van kristal in de straatstenen.

Toen remde en toeterde Reggie. Iemand was vlak voor hem de straat op gelopen en slenterde rustig verder. Hij wierp zijn handen in de lucht. 'Let maar niet op mij hoor, jongen! Jezus Christus!' Verontwaardigd volgde hij de slenterende figuur met zijn ogen, maar toen veranderde zijn gezicht. Bij het trottoir aangekomen had de gestalte blijkbaar iets prijsgegeven. Reggie schoot in de lach. 'Foutje,' zei hij, Viv aanstotend. 'Wat denk je daarvan? Het is geen man, het is een meisje.'

Viv draaide haar hoofd om – en zag Kay, in een jasje en een broek. Ze trok net een sigaret uit een koker en tikte die met een stijlvol, gedachteloos gebaar zachtjes tegen het zilver voor ze hem naar haar lippen bracht.

'Wat is er in jezusnaam aan de hand?' vroeg Reggie verbaasd.

Want Viv had een kreet geslaakt. Haar maag had zich samengetrokken alsof ze een stomp had gekregen. Ze hief een hand op om haar gezicht te verbergen , dook nog verder omlaag op haar stoel en zei op dringende toon tegen Reggie: 'Schiet op. Rij door!'

Hij gaapte haar aan. 'Wat is er?'

'Rij nou door, ja? Alsjeblieft!'

'Doorrijden? Ben je stapelgek geworden?'

Voor hen zat het verkeer nog helemaal vast. Viv wrong zich in bochten alsof ze gepijnigd werd. Ze keek achterom, naar Fleet Street. Ze zei radeloos: 'Ga die kant dan op!'

'Welke kant?'

'Zoals we gekomen zijn.'

'Zoals we gekomen zijn? Ben je...?' Nu had ze zowaar het stuur gegrepen. 'Jezus!' zei Reggie, haar hand wegduwend. 'Oké! Oké!' Hij keek over zijn schouder en begon moeizaam te keren. De wagen achter hem toeterde luid. De automobilisten die de andere kant opgingen, naar Ludgate Circus, staarden hem aan alsof hij krankzinnig was. Zwetend en vloekend zat hij te schakelen, en langzaam lukte het hem de auto te keren.

Viv hield haar hoofd omlaag, maar keek nog één keer achterom. Kay was in de rij voor de bioscoop gaan staan; ze hield een aansteker bij haar sigaret, en het vlammetje dat opsprong in de schemering verlichtte haar vingers en haar gezicht. Sst, Vivien, herinnerde Viv zich dat ze had gezegd. De herinnering was indringend, na al die tijd – indringend en vreselijk: de greep van haar hand, de nabijheid van haar mond. Vivien, sst.

'Goddank!' zei Reggie, toen ze weer stapvoets de andere kant op reden. 'Over aandacht trekken gesproken. Waar was dat nou allemaal voor nodig? Gaat het wel goed met je?'

Ze gaf geen antwoord. Ze had het knarsen van de versnellingen, het naar voren en naar achteren schokken van de auto als het ware in al haar spieren en botten gevoeld. Ze sloeg haar armen om haar bovenlijf, alsof ze zichzelf bij elkaar probeerde te houden.

'Wat is er?' vroeg Reggie.

'Gewoon, ik zag iemand die ik kende,' zei ze ten slotte.

'Iemand die je kende? Wie dan?'

'Zomaar iemand.'

'Zomaar iemand. Nou, ik neem aan dat diegene jou en mij ook verdomd goed heeft kunnen zien. Jezus, Viv.'

Hij reed mopperend verder. Ze luisterde niet. Hij stopte uiteindelijk in een straat in de buurt van Blackfriars Bridge; ze zei dat ze vandaar wel een bus zou nemen, en hij sprak haar niet tegen. Hij parkeerde op een rustig plekje, en trok haar naar zich toe voor een kus; daarna leende hij nogmaals haar zakdoek en veegde zijn mond af. Hij veegde ook het zweet van zijn voorhoofd en zei: 'Wat een rit!' – alsof de middag een soort ramp was geweest; alsof hij alles al was vergeten, het riviertje en de vervallen molen, hun initialen op de muur. Het kon haar niet schelen. Het gevoel van zijn hand op haar arm, van zijn lippen tegen haar mond, was ineens afschuwelijk. Ze wilde naar huis, alleen zijn, weg van hem.

Toen ze haar portier opende, reikte hij weer naar haar. Uit het dashboardvakje haalde hij iets tevoorschijn. Het bleken twee blikken vlees te zijn: een met rundvlees, en een met varkensvlees.

Ze was zo verstrooid dat ze op het punt stond ze aan te nemen. Ze deed haar tas al open om ze op te bergen. Maar toen leek er iets in haar te knappen, en ze werd plotseling woedend. Ze duwde de blikken weer naar hem toe. 'Ik wil ze niet!' zei ze. 'Neem mee... Geef ze maar aan je vrouw!'

De blikken vielen stuiterend op de stoel. 'Viv!' zei Reggie, verbijsterd, gekwetst. 'Doe niet zo! Wat heb ik gedaan? Wat is er in jezusnaam aan de hand? Viv!'

Ze stapte uit, sloot het portier en liep weg. Hij leunde over de stoel en draaide het raampje omlaag, riep nog steeds haar naam – zei nog steeds, in stomme verbazing: 'Wat is er aan de hand? Wat heb ik gedaan? Wat...?' Toen kreeg zijn stem een harde klank – niet zozeer van boosheid, dacht ze, als wel gewoon van vermoeidheid. 'Wat heb ik dan in jezusnaam gedaan?'

Ze keek niet om. Ze sloeg een zijstraat in, en zijn stem stierf weg. Daarna moest hij de motor hebben gestart en zijn weggereden. Ze ging bij een bushalte in de rij staan en wachtte tien minuten op een bus, hij kwam haar niet achterna.

Toen ze thuiskwam, bleek er bezoek te zijn. Haar zus Pamela was er, met haar man Howard en hun drie zoontjes. Ze waren Vivs vader iets te eten komen brengen. Pamela had het opgewarmd op het fornuis, en in de smalle keuken was het heet en benauwd. Het wasrek was opgetakeld, maar het wasgoed dat eroverheen was gedrapeerd bungelde bijna op de grond; dat moest Pamela ook gedaan hebben. De radio stond keihard aan. Howard zat aan de keukentafel. De twee oudste jongens renden rond, en Vivs vader had de baby op schoot.

'Leuke dag gehad?' vroeg Pamela. Ze droogde haar handen af en duwde de handdoek in de plooien tussen haar vingers. Ze bekeek Viv. 'Je hebt in de zon gezeten. Sommige mensen kunnen dat goed hebben.'

Viv liep naar de gootsteen en tuurde in haar vaders scheerspiegel. Haar gezicht was vlekkerig roze. Ze trok haar haar naar voren. 'Het was heet,' zei ze. 'Dag pa.'

'Alles goed, liefje? Hoe was de picknick?'

'Best leuk. Hoe staan de zaken, Howard?'

'Goed, Viv. We doen ons best, nietwaar? Wat vind je van dit weer? Ik zal je vertellen...'

Howard hield nooit op met praten. De twee jongens waren net zo. Ze moesten haar dingen laten zien: lawaaiige proppenschieters; ze stopten de kurken erin en schoten ze weg. Haar vader las de woorden op alle monden – knikkend, glimlachend, zijn eigen lippen een beetje bewegend, want hij was vreselijk doof. De baby spartelde in zijn armen, probeerde de proppenschieters te pakken, wilde van zijn schoot. Toen Viv dichterbij kwam, reikte haar vader haar het kind aan, blij dat hij het kwijt kon. 'Hij wil naar jou, liefje.'

Maar ze schudde haar hoofd. 'Die is me te groot. Hij is loodzwaar.'

'Geef hem maar hier,' zei Pamela. 'Maurice... Howard, blijf daar niet zo onnozel zitten!'

De herrie was vreselijk. Viv zei dat ze haar schoenen en kousen even ging uittrekken. Ze verdween in haar slaapkamer en sloot de deur.

Even bleef ze staan, niet wetend wat ze moest beginnen, bang dat ze in huilen zou uitbarsten, ziek zou worden. Maar ze mocht niet huilen nu haar vader en zus in de keuken zaten. Ze ging op bed liggen, met haar handen op haar buik; dat maakte het echter nog erger. Ze kwam weer overeind. Ze stond op. Ze kon de schok, de ontsteltenis, niet van zich afzetten.

Sst, Vivien.

Ze deed een stap, hield toen haar hoofd scheef; boven het gedempte kabaal van de radio uit hoorde ze iets, en ze dacht dat Pamela of een van de jongens op de gang was. Maar het geluid bleek niets te betekenen. Ze stond bijna een minuut lang besluiteloos op haar hand te bijten.

Toen liep ze vlug naar haar klerenkast en trok de deur open.

De kast was een rommeltje. Naast haar jurken hingen nog oude schooluniformen van Duncan; er waren zelfs een paar antieke japonnen van haar moeder, die haar vader niet weg had willen gooien. Boven de roe was een plank waarop haar truien lagen. Achter de truien bewaarde ze fotoalbums, oude handtekeningenalbums, oude dagboeken, dat soort dingen.

Met haar hoofd scheef luisterde ze weer of ze voetstappen in de gang hoorde; toen stak ze haar hand in het donker achter de albums en haalde een tabaksblikje tevoorschijn. Ze deed het op een heel natuurlijke manier, alsof ze het elke dag pakte, maar in werkelijkheid had ze het er drie jaar geleden neergezet en er sindsdien niet meer naar omgekeken. Ze had de deksel toen heel stijf dichtgedrukt, en nu leek het alsof ze geen kracht meer had in haar polsen en haar vingers. Ze moest een muntstuk pakken en de deksel daarmee loswrikken. Daarna aarzelde ze weer – nog steeds luisterend, bang dat er iemand zou komen.

Toen trok ze de deksel eraf.

In het blik lag een stukje stof. In het stukje stof zat een ring: een gladde gouden ring, al behoorlijk oud, met deuken en krasjes. Ze pakte hem uit het blikje, hield hem even in de palm van haar hand, schoof hem toen aan haar vinger en sloeg haar handen voor haar ogen.

Om tien voor zes, toen de mannen die de kaarsenmachines bedienden de pompen uitzetten, deed de plotselinge stilte in de fabriek je oren tuiten. Het was alsof je uit het water kwam. De meisjes aan Duncans werkbank beschouwden het als een teken dat ze aanstalten konden maken om naar huis te gaan: ze haalden hun lippenstiften en hun poederdozen en dergelijke tevoorschijn. De oudere vrouwen begonnen een sigaret te rollen. Len pakte een kam uit zijn broekzak en haalde die door zijn haar. Hij droeg zijn haar een beetje fatterig, weggekamd achter zijn oren. Toen hij de kam opborg, zag hij Duncan kijken, en hij leunde naar voren.

'Raad eens wat ik vanavond ga doen,' zei hij, met een blik langs de werkbank. Hij liet zijn stem dalen. 'Ik ga met een meisje naar Wimbledon Common. Ze heeft zúlke prammen.' Hij gebaarde met zijn handen, liet zijn ogen rollen en floot. 'O, mama! Ze is zeventien. Ze heeft ook een zus. Dat is een mooie meid, maar van boven heeft ze minder. Wat denk je? Doe jij vanavond wat?'

'Vanavond?' zei Duncan.

'Zin om mee te gaan? De zus is een dotje, echt waar. Waar hou je van? Ik ken massa's meisjes. Dikke, dunne. Ik kan zo iemand voor je regelen!' Len knipte met zijn vingers.

Duncan wist niet wat hij moest zeggen. Hij probeerde zich een menigte meisjes voor te stellen. Maar elk meisje leek op het wassen figuurtje dat Len eerder had gemaakt, met rondingen en uitsteeksels en golvend haar, en een leeg, nietszeggend gezicht. Hij schudde zijn hoofd en glimlachte.

Len keek beledigd. 'Je weet niet wat je mist, ik zweer het je. Die meid is echt een stuk. Ze heeft een vriend, maar die zit in het leger. Ze is gewend om het geregeld te doen en nou komt ze niet aan haar trekken. Ik zal je vertellen, als die zus niet zo aardig was ging ik zelf achter haar aan...'

Zo ging hij door tot de fabriekssirene loeide; toen zei hij: 'Nou ja, je moet het zelf weten,' en stond op. 'Denk dan maar aan me, vanavond om tien uur!' Hij gaf Duncan een knipoogje met zijn bruine zigeuneroog en ging er haastig vandoor – een beetje schommelend, als een gezette oude dame, want zijn linkerbeen was te kort en de knie was stijf.

De meisjes en vrouwen gingen er ook snel vandoor. Ze riepen gedag terwijl ze wegliepen. 'Daag, Duncan!' 'Tot kijk, schat!' 'Tot maandag, Duncan!'

Duncan knikte. Hij kon niet tegen de stemming in de fabriek op dit moment van de dag – de geforceerde, uitbundige vrolijkheid, de stormloop naar de uitgang. De zaterdagavond was het allerergst. Sommige mensen zetten het letterlijk op een lopen, om het eerst de poort uit te zijn. De mannen die een fiets hadden maakten er een soort wedstrijd van: het fabrieksterrein was een kwartier lang net een gootsteen waar de stop uit was getrokken. Hij vond altijd wel een reden om te talmen of te treuzelen. Vanavond pakte hij een bezem en veegde de restjes was en de eindjes draad onder zijn kruk vandaan. Daarna liep hij heel langzaam naar het kleedhok en pakte zijn jasje; hij bracht een bezoek aan de wc en kamde zijn haar. Toen hij buiten kwam, had hij er zo lang over gedaan dat het terrein bijna verlaten was: hij bleef even op de stoep staan, om te wennen aan het gevoel van ruimte en de verandering van temperatuur. De kaarsenkamer werd koel gehouden vanwege de was, maar de avond was zoel. De zon daalde aan de hemel, en hij had een vaag, onplezierig gevoel dat er tijd verstreken was – echte tijd, van het goede soort, geen fabriekstijd – en dat hij alles was misgelopen.

Hij liep net met gebogen hoofd het terrein op toen hij zijn naam hoorde roepen: 'Pearce! Hé, Pearce!' Hij keek op – zijn hart sloeg over, want hij had de stem al herkend, maar kon het niet geloven. Bij de poort stond Robert Fraser. Hij zag eruit alsof hij hard gelopen had. Hij droeg geen hoed, net zomin als Duncan. Zijn gezicht was roze, en hij streek zijn haar naar achteren.

Duncan versnelde zijn pas en liep naar hem toe. Zijn hart maakte nog steeds rare slingerbewegingen. Hij zei: 'Wat doe jij hier? Sta je hier al de hele middag?'

'Ik ben teruggekomen,' zei Fraser buiten adem. 'Ik dacht dat ik je misgelopen was! Ik hoorde drie straten verderop de sirene al gaan. Je vindt het toch niet erg? Toen ik vanochtend weer buiten stond, bedacht ik hoe krankzinnig het was dat jij hier zat en... Nou ja. Heb je een uurtje? We zouden iets kunnen gaan drinken. Ik ken een pub, pal aan de rivier.'

'Een pub?' zei Duncan.

Fraser moest lachen om Duncans gezicht. 'Ja. Waarom niet?'

Duncan was in geen tijden meer in een pub geweest, en de gedachte om er nu heen te gaan, met Fraser – om naast Fraser aan een tafeltje te zitten en bier te drinken, als een echte kerel – was vreselijk opwindend, maar ook angstaanjagend. Hij dacht bovendien aan meneer Mundy, die thuis op hem zou wachten. Hij stelde zich de gedekte tafel voor: de messen en vorken netjes neergelegd, het zout en de peper, de mosterd al gemengd in het potje.

Fraser moest zijn besluiteloze blik gezien hebben. Hij zei, alsof hij teleurgesteld was: 'Je hebt andere plannen. Nou ja, geeft niet. Het was maar een idee. Welke kant ga je op? Dan kan ik met je meelopen...'

'Nee,' zei Duncan vlug. 'Het kan wel. Als het maar een uurtje is...'

Fraser sloeg hem op de arm. 'Goed zo!'

Ze gingen naar het zuiden, richting Shepherd's Bush Green; normaal zou Duncan precies de andere kant op zijn gegaan. Fraser liep nonchalant, op zijn gemak, met zijn handen in zijn zakken en zijn schouders naar achteren, en af en toe gaf hij een ruk met zijn hoofd om het haar uit zijn ogen te houden. Zijn haar leek heel blond in de avondzon; zijn gezicht was nog roze en een beetje bezweet. Toen ze zich een weg hadden gebaand door de ergste verkeersdrukte, haalde hij een zakdoek tevoorschijn en veegde zijn voorhoofd en nek af, terwijl hij zei: 'Ik snak naar een biertje! Naar een paar biertjes zelfs. Ik heb sinds twee uur vanmiddag in Ealing gezeten om een humoristisch stukje te schrijven over de varkensteelt. Mijn fotograaf is ruim een uur bezig geweest om een zeug een speelse blik te ontlokken. Ik zal je vertellen, Pearce, de volgende keer dat ik een varken zie, hoop ik dat het beest op een schaal ligt en dat er salie en ui uit zijn oren komt.'

Hij praatte maar door terwijl ze liepen. Hij vertelde Duncan over een paar andere klussen waarvoor hij onlangs op pad was gestuurd: een stukje over de verkiezing van de mooiste baby, een stukje over een spookhuis. Duncan luisterde net aandachtig genoeg om op het juiste moment te kunnen knikken en lachen. De rest van de tijd keek hij naar Fraser, want het was zo ongelooflijk hem op straat te zien, in gewone kleren. Maar Fraser deed blijkbaar iets soortgelijks, want na een poosje hield hij op met praten en keek Duncan aan, met een bijna spijtige blik.

'Dit is wel verdomd raar, vind je niet? Ik verwacht de hele tijd dat Chase of Garnish ineens verschijnt en ons begint af te blaffen. "Binnen blijven!" "Inrukken!" "Ga bij je deur staan!" Vorig jaar zag ik Eric Wainwright. Herinner je je die nog? Hij zag mij ook, dat weet ik zeker – maar hij deed alsof ik lucht was. Hij was in Piccadilly, met een vreselijke del van een meid. Ik ben die pedante vent Dennis Watling een paar maanden geleden ook tegengekomen, op een politieke bijeenkomst. Hij ging enorm tekeer over de gevangenis – alsof hij er twaalf jaar had gezeten in plaats van twaalf maanden. Ik denk dat hij het vervelend vond mij daar te zien opduiken. Hij vond waarschijnlijk dat ik het gras voor zijn voeten wegmaaide.'

Ze waren nu in Hammersmith en liepen door een vreugdeloze woonwijk; algauw sloegen ze echter, op aanwijzing van Fraser, een hoek om. Het karakter van de buurt begon te veranderen. De huizen maakten hier en daar plaats voor grotere gebouwen, pakhuizen en fabrieken; de lucht rook zuurder, donker en azijnachtig. Het modderige wegdek eindigde en er kwamen straatkeien tevoorschijn, en die waren glibberig, alsof er vet op lag. Duncan kende dit gebied helemaal niet. Fraser stapte zelfverzekerd door en hij moest zich haasten om hem bij te houden. Hij werd ineens een beetje zenuwachtig. Wat doe ik hier in vredesnaam? dacht hij. Hij keek naar Fraser en zag een vreemde. Het absurde idee kwam bij hem op dat Fraser misschien wel gek was; dat hij Duncan had meegelokt met de bedoeling hem te vermoorden. Hij wist niet waarom Fraser zoiets zou willen doen, maar zijn gedachten gingen onstuitbaar met hem op de loop. Hij zag zijn eigen lijk liggen, gewurgd of doodgestoken. Hij vroeg zich af wie het zou vinden. Hij dacht aan zijn vader en Viv die de politie op bezoek zouden krijgen; die zouden horen dat hij op deze vreemde plek was gevonden, en nooit zouden weten waarom.

Toen sloegen ze ineens weer een hoek om, kwamen uit de schaduw tevoorschijn, en waren bij de rivier. Hier was de pub waar Fraser naar toe wilde: een houten, bijzonder schilderachtig gebouwtje dat Duncan onmiddellijk aan Dickens deed denken, aan *Oliver Twist*. Hij was er verrukt van. Hij vergat zijn angst om doodgestoken of gewurgd te worden. Hij stond stil, legde zijn hand op Frasers arm en zei: 'Wat mooi!'

'Vind je?' zei Fraser, weer met een grijns. 'Ik dacht wel dat je het leuk zou vinden. Het bier is trouwens ook niet slecht. Kom mee.' Hij ging Duncan voor door de nauwe, scheve ingang.

Binnen zag het er niet zo aantrekkelijk uit als de buitenkant beloofde; de zaak was ingericht als een gewoon café, en er hingen onzinnige dingen aan de muren, paardenhoofdstellen en beddenpannen en blaasbalgen. Het was ook al vrij druk, hoewel het pas half zeven was. Fraser baande zich een weg naar de bar en kocht een kan met twee liter bier. Hij gebaarde naar deuren achterin, die uitkwamen op een pier met uitzicht op de rivier; maar op de pier was het nog drukker dan binnen. Ze draaiden zich om, baanden zich een weg terug door de menigte en gingen weer naar buiten. Er was daar een trap die naar de rivier leidde. Fraser ging op de bovenste tree staan en keek. Er was ruimte zat, zei hij, beneden op het strand. 'Het is eb. Perfect. Kom mee.'

Ze klommen de trap af, voorzichtig, vanwege de kan bier en de glazen. Het strand was modderig, maar de modder had 's middags zon gehad en was min of meer opgedroogd. Fraser vond een plekje aan de voet van de muur; hij trok zijn jasje uit en legde het neer, en ze gingen er samen op zitten, zij aan zij, zodat hun schouders elkaar bijna raakten. De muur was warm, en aangetast door de Thames: je kon heel duidelijk de streep zien, een meter of twee hoger, waar de groenige aanslag van het water plaatsmaakte voor het grijs van stenen die altijd blootlagen. Maar het was nu laag water; de rivier leek smal – absurd smal, alsof je heel gemakkelijk, op je tenen, even naar de overkant kon lopen. Duncan kneep zijn ogen tot spleetjes, zodat het zicht wazig werd; hij stelde zich een moment lang voor dat hij werd verzwolgen door het aanstormende water. De muur was warm tegen zijn rug, en hij kon Frasers arm heel licht tegen zijn eigen arm voelen stoten toen Fraser zijn manchetknopen losmaakte en zijn mouwen oprolde.

Fraser schonk bier in. 'Proost,' zei hij, zijn glas optillend. Hij dronk het in een paar teugen leeg, veegde toen zijn mond af. 'Christus! Dat is beter, hè?' Hij schonk nog meer bier in en dronk weer.

Toen stak hij zijn hand in zijn zak en haalde een pijp en een tabakszak tevoorschijn. Terwijl Duncan toekeek, begon hij zijn pijp te stoppen: met zijn lange bruine vingers peuterde hij draadjes tabak naar buiten, die hij daarna met zijn duim stevig aandrukte in de kop. Hij zag Duncan kijken en glimlachte. 'Wel een beetje anders dan vroeger, hè? Dit is het eerste wat ik kocht toen ik vrijkwam.' Hij stak de steel van de pijp in zijn mond, streek een lucifer af en hield het vlammetje bij de kop; zijn hals spande zich terwijl hij zoog, en zijn wangen gingen in en uit, in en uit – als de zijkanten van een warmwaterkruik, dacht Duncan; of, als je het romantischer wilde zien, als een Spaanse wijnzak. Hij zag de blauwige rook opstijgen uit Frasers mond en door de wind worden weggegrist.

Een tijdlang bleven ze zwijgend zitten, bier drinkend en met een hand boven hun ogen naar de zon kijkend, die onwaarschijnlijk roze en gezwollen leek in de late zomerhemel. De hitte accentueerde de stank van de rivier en het strand, maar het was moeilijk om je daaraan te storen op zo'n plek; er ging te veel bekoring uit van het tafereel. Duncan dacht aan zeelui, smokkelaars, lichterschippers, jolige matrozen... Fraser lachte. 'Moet je die gastjes zien,' zei hij.

Verderop langs het strand was een groep jongens verschenen. Ze hadden hun overhemd, schoenen en sokken uitgedaan, hun broekspijpen opgerold en renden nu naar het water. Ze renden op die voorzichtige, meisjesachtig manier waarop zelfs volwassen mannen over scherpe stenen moeten rennen, en toen ze bij de rivier kwamen begonnen ze met water te spetteren en te dollen. Ze waren jong – veel jonger dan Duncan en Fraser, misschien een jaar of veertien, vijftien. Hun handen en voeten waren te groot voor hun lichaam, dat slank en tenger was. Ze zagen eruit alsof ze te veel leven in zich hadden, alsof het leven wild door hen heen stroomde, zodat ze onhandige, hoekige bewegingen maakten.

De mensen die op de pier achter de pub zaten te drinken hadden de jongens ook gezien, en begonnen ze aan te moedigen. De jongens gingen met modder spetteren in plaats van met water; een viel er midden in en kwam helemaal zwart weer tevoorschijn, als een ding van klei

– als een sinistere ledenpop, bestemd om in een optocht door de straten te worden gedragen. Hij waadde verder de rivier in, nam een duik en kwam schoon weer boven, het water uit zijn haren schuddend.

Fraser lachte en leunde naar voren. Hij zette zijn hand aan zijn mond en joelde, zoals de mensen op de pier. Hij leek net zo vol leven als de jongens zelf, met zijn gebruinde, blote onderarmen en het lange haar dat over zijn voorhoofd danste.

Even later ging hij met een glimlach achterover zitten. Hij trok weer aan zijn pijp, streek nog een lucifer af en hield die bij de kop, zijn hand beschermend om het vlammetje. Maar intussen keek hij naar Duncan, vanonder zijn licht gefronste wenkbrauwen, en zodra de tabak weer behoorlijk brandde en de lucifer was uitgeschud, nam hij de pijp uit zijn mond en zei: 'Was dat nou niet vreemd, dat ik jou zo ineens tegen het lijf liep in de fabriek?'

Duncan kreeg een bedrukt gevoel. Hij gaf geen antwoord. Fraser vervolgde: 'Ik heb er de hele dag aan lopen denken. Het is gewoon helemaal niet het soort plek waar ik jou zou verwachten.'

'Nee?' zei Duncan, zijn glas optillend.

'Natuurlijk niet! Zulk werk doen, tussen zulke mensen? Het is weinig meer dan een sociale werkplaats, toch? Hoe houd je het uit?'

'Iedereen daar houdt het uit. Waarom ik dan niet?'

'Vind je het echt niet erg?'

Duncan dacht na. 'Ik vind de luchtjes niet zo prettig,' zei hij ten slotte. 'Die gaan in je kleren zitten. En soms krijg je hoofdpijn van alle herrie, of rare ogen van de lopende band.'

Fraser fronste zijn voorhoofd. 'Dat bedoelde ik niet precies,' zei hij.

Duncan wist wel dat hij dat niet bedoeld had. Maar hij trok een schouder op en vervolgde op dezelfde luchtige toon: 'Het is gemakkelijk werk. Eigenlijk net zoiets als canvas naaien. En je kunt intussen aan andere dingen denken. Dat vind ik prettig.'

Fraser leek nog steeds van zijn stuk gebracht. 'Zou je niet liever iets doen dat een beetje – nou ja – een beetje inspirerender is?'

Duncan snoof. 'Het maakt niet uit wat ik líever doe. Zie je het gezicht van die man van de reclassering al voor je, als ik zou zeggen dat ik líever dit of líever dat deed? Ik mag blij zijn dat ik een baantje heb, ook al stelt het niks voor. Voor jou was het anders. Als jij zo was als ik – als jij zo'n verleden had als ik, bedoel ik...' Hij had geen zin om het uit te leggen.

Hij begon te pulken aan de dingen die op het strand lagen: de steentjes en porseleinscherven, de oesterschelpen en botten. 'Ik wil er niet over praten,' zei hij, toen hij zag dat Fraser nog steeds zat te wachten. 'Het is niet interessant. Vertel maar liever wat jij gedaan hebt.'

'Ik wil eerst meer over jou weten.'

'Er valt niets te weten. Je weet alles al!' Hij glimlachte. 'Ik meen het. Vertel eens waar je geweest bent. Je hebt me een keer een brief geschreven, vanuit een trein.'

'Is dat zo?'

'Ja. Toen je net vrij was. Weet je dat niet meer? Natuurlijk mocht ik hem niet houden, maar ik heb hem wel vijftig keer gelezen. Je handschrift was schots en scheef en er zat een vlek op het papier – je zei dat het uiensap was.'

'Uiensap!' zei Fraser peinzend. 'Ja, nu weet ik het weer. Een vrouw in de trein had een ui bij zich, en wij hadden in geen drie jaar meer een ui gezien. Iemand haalde een mes voor de dag en we sneden hem in stukken en aten hem rauw op. Het was heerlijk!' Hij lachte, en dronk nog wat bier, waarbij zijn adamsappel als een vis op en neer sprong in zijn hals.

Dat moest de trein geweest zijn, zei hij, die hij naar Schotland had genomen; hij had daar met andere dienstweigeraars in een soort houthakkerskamp gezeten, tot het eind van de oorlog. 'Daarna ben ik naar Londen gegaan,' zei hij, 'en daar kreeg ik een baantje bij een hulporganisatie voor vluchtelingen – mensen die hier net waren wegwijs maken, woonruimte voor ze zoeken, zorgen dat hun kinderen naar school gingen.' Hij schudde zijn hoofd toen hij eraan terugdacht. 'De dingen die ik hoorde, de haren rezen je te berge, Pearce. Verhalen van mensen die alles kwijt waren. Russen, Polen, joden; verhalen over de kampen – ik kon het niet geloven. Wat je in de krant hebt gelezen is nog niets, helemaal niets... Ik heb het een jaar gedaan. Langer hield ik het niet vol. Als ik ermee door was gegaan, denk ik dat ik mezelf uiteindelijk een kogel door mijn kop had gejaagd!'

Hij glimlachte – realiseerde zich toen wat hij gezegd had, keek Duncan aan, bloosde, en begon onmiddellijk weer te praten, om zijn blunder te verdoezelen. Hij had tot vorig jaar herfst bij de hulporganisatie gezeten, zei hij; daarna had hij het in de journalistiek geprobeerd, met de bedoeling voor politieke bladen te gaan schrijven. Een vriend had hem het broodschrijversbaantje bezorgd dat hij nu had; hij bleef het doen in de hoop dat er iets serieuzers zou komen. Hij had een maand of twee iets met een meisje gehad, maar dat was niets geworden – hij kleurde weer toen hij Duncan dat vertelde. Zij had ook bij de vluchtelingenorganisatie gewerkt, zei hij.

Hij sprak ernstig, zonder haperingen, als een commentator op de radio. Zijn beschaafde accent was erg opvallend, en een paar keer kromp Duncan bijna in elkaar, want hij wist dat het geluid ver droeg over het strand en dat andere drinkers het zouden horen. Hij keek naar Fraser en zag hem, net als eerst, als een vreemde. Hij kon zich het leven dat Fraser had geleid niet voorstellen, eerst in het houthakkerskamp en toen in Londen, met een meisje; hij kon hem eigenlijk alleen maar zien, nog steeds, zoals hij hem vroeger iedere dag had gezien, in de kleine, kille cel in Wormwood Scrubs, met de ruwe gevangenisdeken over zijn schouders, zijn ochtendbrood soppend in zijn chocolademelk, of staande bij het raampje, zijn magere, bleke gezicht beschenen door maanlicht of door gekleurde lichtfakkels in de lucht.

Hij staarde weer in zijn glas, merkte toen dat Fraser was opgehouden met praten en hem gadesloeg.

'Ik weet wat je denkt,' zei Fraser, toen hij opkeek. Hij had zijn stem laten dalen en leek niet op zijn gemak. 'Je vraagt je af hoe ik het vond om met die vluchtelingen te werken, naar de verhalen te luisteren die ik moest aanhoren – wetend dat andere mannen hadden gevochten terwijl ik niets had gedaan.' Hij gooide een steentje weg, zodat het over het strand stuiterde. 'Ik werd er beroerd van, als je het weten wilt. Ik walgde van mezelf – niet omdat ik dienst had geweigerd, maar omdat dienstweigeren niet genoeg was geweest. Ik voelde me beroerd omdat ik eerder in de oorlog niet meer moeite had gedaan, niet had geprobeerd andere wegen te vinden – en anderen niet had aangezet om dat samen met mij te proberen. Beroerd, omdat ik gezond was. Beroerd, gewoon omdat ik nog leefde.' Hij bloosde weer, en wendde zijn blik af. Hij zei, nog zachter dan eerst: 'Ik moest aan jou denken.'

'Aan mij!'

'Ik herinnerde me... nou ja, dingen die jij gezegd had.'

Duncan staarde weer in zijn glas. 'Ik dacht dat je mij finaal vergeten was.'

Fraser leunde naar voren. 'Doe niet zo stom! Ik had het gewoon te druk. Jij niet dan?'

Duncan gaf geen antwoord. Fraser wachtte, wendde zich toen af alsof hij geïrriteerd was. Hij dronk nog wat bier en begon weer aan zijn pijp te frunniken, zuigend aan de steel, zijn wangen intrekkend als wijnzakken.

Hij wou dat hij me hier nooit mee naar toe had genomen, dacht Duncan, wrikkend aan een steen. Hij snapt niet waarom hij het gedaan heeft. Hij vraagt zich af hoe hij me zo snel mogelijk kan lozen. Hij dacht weer aan meneer Mundy, die thuis zat te wachten met het avondeten, op de klok keek, misschien de voordeur opendeed om ongerust de straat in te turen.

Opnieuw merkte hij dat Fraser hem gadesloeg. Hij keek opzij, en hun blikken ontmoetten elkaar. Fraser glimlachte en zei: 'Ik was vergeten hoe ondoorgrondelijk je kunt zijn, Pearce. Ik ben geloof ik gewend aan kerels die niets anders doen dan praten.'

'Sorry,' zei Duncan. 'We kunnen wel gaan, als je wilt.'

'O, in godsnaam, zo bedoelde ik het niet! Het is alleen... Kom, wil je niet iets over jezelf vertellen? Ik heb als een gek zitten ratelen, terwijl jij amper een woord gezegd hebt. Vertrouw je me niet?'

'Vertrouwen!' zei Duncan. 'Dat is het niet. Daar heeft het niets mee te maken. Er valt gewoon niets te vertellen.'

'Dat heb je al een keer gezegd. Onzin, Pearce! Kom op.'

'Er valt niets te zeggen!'

'Er moet toch iets zijn. Ik weet niet eens waar je woont. Waar woon je? In de buurt van die fabriek?'

Duncan schoof ongemakkelijk heen en weer. 'Ja.'

'In een huis? Op kamers?'

'Eh,' zei Duncan. Hij ging weer verzitten, maar zag geen uitweg. 'In een huis,' bekende hij na een ogenblik, 'in White City.'

Fraser staarde hem aan, precies zoals Duncan had verwacht. 'White City? Dat meen je niet! Zo dicht bij de Scrubs? Dat je dat uithoudt! Fulham was voor mij al dichtbij genoeg, dat kan ik je wel vertellen. White City...' Hij schudde ongelovig zijn hoofd. 'Maar waarom daar? Je familie...' Hij dacht na. 'Die woonde vroeger in... waar was het? Streatham?'

'O,' zei Duncan automatisch. 'Ik woon niet bij hén.'

'Nee? Waarom niet? Ze hebben toch goed voor je gezorgd? Je hebt toch zussen? Eentje in het bijzonder... Hoe heette ze? Valerie? Viv!' Hij trok aan zijn haar. 'God, het komt allemaal weer terug. Zij kwam je opzoeken. Ze was lief voor je. Ze was in elk geval liever dan die rotzus van mij! Is ze niet meer lief voor je?'

'Het ligt niet aan haar,' zei Duncan. 'Het ligt aan de rest. We konden nooit met elkaar opschieten, ook niet voordat... Nou ja, je weet wel. Toen ik vrijkwam, was het erger dan ooit. De man van mijn oudste zus heeft gruwelijk de pest aan me. Ik hoorde hem een keer over me praten, tegen een van zijn vrienden. Hij noemde me... Hij noemde me de kleine lord. Hij noemt me ook Mary Pickford. Niet lachen!' Maar hij begon zelf ook te lachen.

'Sorry,' zei Fraser, nog nalachend. 'Het lijkt me een echte charmeur.'

'Hij kan er gewoon niet tegen als mensen anders zijn dan hij. Zo zijn ze allemaal. Maar Viv niet. Zij begrijpt... nou ja, dat dingen niet volmaakt zijn. Dat mensen niet volmaakt zijn. Ze...' Hij aarzelde.

'Wat?' vroeg Fraser.

Ze hadden iets van hun oude saamhorigheid hervonden. Duncan liet zijn stem dalen. 'Nou ja, ze heeft een verhouding.' Hij keek vlug om zich heen. 'Met een getrouwde man. Het is al tijden aan de gang. Ik wist er niets van toen ik in de bak zat.'

Fraser keek nadenkend. 'Juist ja.'

'Kijk niet zo! Ze is geen... Nou ja, ze is geen sloerie, of wat je ook denkt.'

'Dat geloof ik graag. Toch spijt het me dat te horen. Ik herinner me haar; ze zag er leuk uit, vond ik. En dit soort dingen loopt bijna nooit goed af, weet je, vooral niet voor de vrouw.'

Duncan haalde zijn schouders op. 'Dat moeten ze toch zelf weten? En wat betekent "goed aflopen"? Trouwen, bedoel je? Als ze getrouwd waren, hadden ze nu waarschijnlijk een hekel aan elkaar.'

'Misschien. Maar wat doet hij? Wat is het voor type? Heb je hem ontmoet?'

Duncan was vergeten dat Fraser daar een handje van had, een onderwerp bij de kop pakken en het dan helemaal uitpluizen, gewoon voor zijn plezier. Hij zei, met meer tegenzin: 'Het is een soort handelsreiziger, dat is alles wat ik weet. Ze krijgt blikken vlees van hem. Massa's blikken, de hele tijd. Ze kan ze niet mee naar huis nemen, mijn pa zou vreemd opkijken. Ze geeft ze aan mij en oom Horace...'

Hij zweeg, in verwarring en verlegenheid gebracht door wat hij net had gezegd. Fraser merkte het niet; hij beet zich vast in Duncans woorden.

'Je oom,' zei hij. 'Dat klopt, mevrouw Alexander had het over hem, in de fabriek. Ze zei dat jij zo'n geweldige neef bent, of iets in die trant.' Hij glimlachte. 'Dus je familie valt uiteindelijk toch wel mee... Nou, ik wil je oom graag ontmoeten, Pearce. Ik wil Viv ook graag ontmoeten. Ik wil in elk geval zien waar je woont. Mag ik een keer op bezoek komen? Want we... Nou ja, niets weerhoudt ons er toch van om weer vrienden te worden? Nu we elkaar weer gevonden hebben?'

Duncan knikte, maar durfde niets te zeggen. Hij dronk het bier op dat nog in zijn glas zat en draaide zijn hoofd om, terwijl hij zich voorstelde wat voor gezicht Fraser zou trekken als hij ooit met hem mee naar huis ging en meneer Mundy daar zag.

Hij begon weer te wroeten tussen de dingen waarmee het strand bezaaid lag. Algauw werd zijn aandacht getrokken door iets bijzonders, en hij wrikte het omhoog. Het bleek, zoals hij al had gedacht, de steel en een deel van de kop van een oude stenen pijp te zijn. Hij liet hem aan Fraser zien, en begon toen met een ijzerdraadje de modder eruit te peuteren. Deels om van onderwerp te veranderen zei hij, terwijl hij bezig was: 'Misschien heeft hier driehonderd jaar geleden een man zitten roken, net als jij. Is dat geen grappig idee?'

Fraser glimlachte. 'Ja, hè?'

Duncan hield de pijp omhoog en bekeek hem. 'Ik vraag me af hoe die man heette. Vind je het geen kwelling dat we dat nooit zullen weten? Ik vraag me af waar hij woonde en wat hij deed. Hij kon natuurlijk niet weten dat zijn pijp in 1947 gevonden zou worden door mensen zoals wij.'

'Misschien bofte hij maar dat hij zich 1947 niet kon voorstellen.'

'Misschien vindt iemand over driehonderd jaar jóúw pijp.'

'Geen schijn van kans!' zei Fraser. 'Ik durf er alles om te verwedden dat mijn pijp, en de hele rest, tegen die tijd tot as is verbrand.' Hij dronk zijn glas leeg en stond op.

'Waar ga je heen?' vroeg Duncan.

'Meer bier halen.'

'Het is mijn beurt.'

'Dat geeft niet. Ik heb het meeste opgedronken. Ik moet ook naar de wc.'

'Zal ik meegaan?'

'Naar de wc?'

'Naar de bar!'

Fraser lachte. 'Nee, blijf maar hier. Anders pikt iemand ons plekje in. Ik ben zo terug.'

Al pratend liep hij weg over het strand, terwijl hij gedachteloos met de lege kan tegen zijn dijbeen sloeg. Duncan zag hem de kadetrap beklimmen en over de rand verdwijnen.

De pub was inderdaad nog voller dan eerst. De mensen hadden hun glas meegenomen, net als Fraser en Duncan, en waren de straat en het strand op gegaan; een paar mannen en vrouwen zaten of leunden op de muur boven Duncans hoofd. Hij had zich niet gerealiseerd dat ze daar waren. Hij vond het geen prettige gedachte dat ze van bovenaf naar hem keken, of misschien wel hadden geluisterd naar de dingen die hij had gezegd...

Hij stak de stenen pijp in zijn zak en tuurde naar de rivier. Het tij was aan het keren, het water leek in gevecht met zichzelf, als een nest slangen. De jongens die in de modder hadden lopen spetteren, waren allemaal aan de rand van het water gaan zitten; nu kwamen ze het strand weer op, verjaagd door de vloed. Ze leken jonger dan ooit. Ze grijnsden, maar rilden ook, als honden. Ze liepen nog behoedzamer: Duncan stelde zich voor dat ze hun voetzolen, die in het water zacht waren geworden, openhaalden aan stenen en schelpen. Hij probeerde niet meer naar hen te kijken toen ze de kadetrap beklommen; hij gruwde plotseling bij het idee van een blanke jongensvoet met bloed eraan.

Hij boog zijn hoofd en begon weer in de grond te wroeten. Hij vond een kam met gebroken tanden. Hij wrikte een porseleinscherf van een kopje omhoog, met het sierlijke oortje er nog aan.

En toen – hij wist niet waarom; misschien had iemand zijn naam genoemd en had hij de woorden opgevangen toen het rumoer van stemmen, gelach en water even luwde – draaide hij zijn hoofd weer om naar de pier en ontmoette hij de blik van een kale man die met een vrouw aan een van de tafeltjes zat. Duncan herkende de man onmiddellijk. Hij kwam uit Streatham; hij woonde vlak bij het huis waar Duncan was opgegroeid. Maar in plaats van Duncan toe te knikken, in plaats van te glimlachen of zijn hand op te steken, zei de kale man iets tegen de vrouw die bij hem was, iets in de trant van: 'Ja, dat is hem inderdaad'; en het tweetal staarde naar Duncan met een vreemdsoortige mengeling van boosaardigheid, gretigheid en wezenloosheid.

Duncan keek vlug de andere kant op. Toen hij weer opzij gluurde en zag dat de man en de vrouw hem nog steeds gadesloegen, veranderde hij van houding – hij draaide zijn hoofd om, verschoof zijn benen, verplaatste zijn gewicht naar zijn andere schouder. Hij bleef zich akelig bewust van het feit dat hij werd geobserveerd, doorgelicht, getaxeerd, geminacht. Moet je hem zien, hoorde hij de man en vrouw in gedachten zeggen. Hij vindt zichzelf heel wat. Hij denkt dat hij net zo is als jij en ik. Want hij probeerde zich voor te stellen hoe hij op hen overkwam, en hij zag zichzelf, zonder Fraser naast hem, als een soort rariteit of charlatan. Hij draaide zich weer om, steelser nu – en ja, ze zaten nog steeds naar hem te kijken: ze hadden een glas en een sigaret in de hand en sloegen hem gade met de lege maar intimiderende blik van mensen die zich in een bioscoopstoel hebben genesteld voor een avondje uit. Hij sloot zijn ogen. Boven hem liet iemand een rauwe lach horen. Hij meende dat het gelach alleen tegen hem gericht kon zijn – dat de drinkers buiten een voor een hun buurman aanstootten, knikkend en lachend, en rondbazuinden dat Pearce er was – Duncan Pearce was er, hij zat op het strand bier te drinken, alsof hij daar net zoveel recht op had als ieder ander!

Kwam Fraser maar! Hoe lang was het geleden dat hij er met de kan vandoor was gegaan? Duncan wist het niet precies. Het leek een eeuwigheid. Hij was waarschijnlijk aan de praat geraakt met iemand, met een normaal mens. Hij stond waarschijnlijk te flirten met het barmeisje. En stel dat hij om de een of andere reden nooit meer terugkwam? Hoe moest Duncan dan thuiskomen? Hij wist niet of hij de weg nog wel kon vinden. Het werd leeg en donker in zijn hoofd – hij probeerde zich te concentreren, maar het was net alsof hij geblinddoekt was en, wanneer hij zijn voet uitstak, zachte grond voelde die langzaam afbrokkelde... Nu raakte hij echt in paniek. Hij opende zijn ogen en keek naar zijn handen, want hij had een arts een keer horen zeggen dat het kalmerend kon werken om naar je handen te kijken als je bang was. Maar hij was zich te zeer bewust geworden van zichzelf: zijn handen kwamen hem vreemd voor, alsof het niet zijn eigen handen waren. Er leek met zijn hele lichaam iets mis te zijn: hij was zich plotseling bewust van zijn hart, zijn longen; hij had het gevoel dat ze, als hij zijn aandacht ook maar even van die organen afwendde, niet meer zouden functioneren. Hij zat op het strand met zijn ogen stijf dicht, zwetend en bijna hijgend van de vreselijke inspanning die het kostte om adem te halen, bloed door zijn aderen te pompen, te voorkomen dat hij kramp kreeg in zijn arm- en beenspieren.

Na nog eens vijf minuten – maar het hadden er net zo goed tien of zelfs twintig kunnen zijn – kwam Fraser terug. Duncan hoorde het geluid van de volle kan die op de steentjes werd gezet, en daarna voelde hij Frasers dijbeen tegen het zijne toen Fraser ging zitten.

'Binnen is het een gekkenhuis,' hoorde hij hem zeggen. 'Eén kluwen mensen. Ik... Wat is er aan de hand?'

Duncan kon geen antwoord geven. Hij opende zijn ogen en probeerde te glimlachen. Maar zelfs de spieren van zijn gezicht waren tegen hem: hij voelde zijn mond vertrekken en wist dat hij er vreselijk uitzag. Fraser zei nogmaals, dringender nu: 'Wat is er, Pearce?'

'Niks,' zei Duncan ten slotte.

'Niks? Je ziet er beroerd uit. Hier.' Hij gaf Duncan zijn zakdoek. 'Veeg je gezicht af, je bent helemaal bezweet... Is dat beter?'

'Ja, een beetje.'

'Je zit te trillen als een espenblad! Wat is er allemaal aan de hand?'

Duncan schudde zijn hoofd. Hij zei met onvaste stem: 'Het zal wel idioot klinken.' Zijn tong kleefde aan zijn gehemelte.

'Dat kan me niet schelen.'

'Het punt is, er zit daar een man...'

Fraser draaide zich om en keek. 'Wat voor man? Waar?'

'Pas op dat hij je niet ziet! Hij zit daarginds, op de pier. Een man uit Streatham. Met een kaal hoofd. Hij zat naar me te kijken, hij en zijn vriendin. Hij... hij weet alles over me.'

'Wat bedoel je? Dat je... in de bak hebt gezeten?'

Duncan schudde zijn hoofd weer. 'Dat niet alleen. Ook waarom ik gezeten heb. Over mij en... en Alec...'

Meer kon hij niet uitbrengen. Fraser keek nog een keer naar hem, draaide zich toen om en tuurde weer naar de mensen op de pier. Duncan vroeg zich af wat de man zou doen als hij Fraser zag kijken. Hij stelde zich voor dat hij een afschuwelijk gebaar maakte – of gewoon tegen Fraser knikte en lachte...

Na een tijdje draaide Fraser zich weer om. Hij zei kalm: 'Niemand kijkt naar je, Pearce.'

'Dat moet,' zei Duncan. 'Weet je het zeker?'

'Heel zeker. Niemand let op je. Kijk zelf maar.'

Duncan aarzelde, hield toen zijn hand voor zijn ogen en gluurde tussen zijn vingers door. En het was waar. De man en vrouw waren verdwenen en er zat een heel ander stel aan hun tafeltje. Deze man had zandkleurig haar; hij schudde kruimels uit een zak chips in zijn mond. De vrouw geeuwde, en tikte met een mollige blanke hand tegen haar lippen. De andere drinkers zaten met elkaar te praten, of keken achterom naar de bar, of recht vooruit naar het water – kortom, alle kanten op behalve in Duncans richting.

Duncan slaakte een zucht, en zijn schouders zakten omlaag. Hij wist niet meer wat hij ervan moest denken. Misschien had hij het zich allemaal maar ingebeeld. Het interesseerde hem niet. De paniek had hem uitgeput, leeggezogen. Hij veegde nogmaals zijn gezicht af en zei, beverig en ongelukkig: 'Ik moet naar huis.'

'Zo meteen,' zei Fraser. 'Drink eerst nog wat bier.'

'Goed. Maar jij... jij moet het inschenken.'

Fraser tilde de kan op en schonk hun glazen vol. Duncan nam een grote slok, en toen nog een. Hij moest het glas met twee handen vasthouden om niet te morsen. Gaandeweg kwam hij echter tot rust. Hij veegde zijn mond af en keek tersluiks naar Fraser.

'Je zult me wel een beetje een sukkel vinden.'

'Praat geen onzin! Weet je niet meer...?'

Duncan praatte er overheen. 'Ik ben het niet gewend, weet je, om zo in mijn eentje op stap te gaan. Ik ben niet zoals jij.'

Fraser schudde zijn hoofd, alsof hij boos of geprikkeld was. Hij keek naar Duncan en wendde toen zijn blik af. Hij veranderde van houding, dronk nog wat bier. Ten slotte zei hij, heel stuntelig: 'Ik wou, Pearce, dat ik contact met je had gehouden. Ik wou dat ik vaker had geschreven. Ik... ik heb het laten afweten. Dat zie ik nu in, en het spijt me. Ik heb het lelijk laten afweten. Maar dat jaar in de Scrubs: toen ik eenmaal vrij was, leek het – ik weet niet – leek het wel een droom.' Hij keek Duncan aan, en zijn oogleden trilden. 'Begrijp je wat ik bedoel? Het leek of iemand anders het had meegemaakt, niet ikzelf. Het was net alsof ik uit de tijd was geplukt en er toen weer in terug was gegooid, en weer verder moest waar ik gebleven was.'

Duncan knikte. Hij zei langzaam: 'Zo was het voor mij niet. Toen ik vrijkwam, was alles anders. Alles was veranderd. Dat had ik altijd wel geweten, en zo was het ook. Mensen zeiden: "Het komt wel goed met jou." Maar ik wist dat het nooit goed zou komen.'

Ze bleven zwijgend zitten, alsof ze allebei uitgeput waren. Fraser haalde zijn lucifers en zijn pijp tevoorschijn, en nu scheen het vlammetje helder, want het werd al donker. Hij rolde zijn mouwen omlaag en maakte zijn manchetknopen vast, en Duncan voelde hem rillen.

Ze keken naar de rivier. Binnen enkele minuten was er een eind gekomen aan de jachtige, rusteloze bewegingen van het water. De oever had zich nog verder versmald, het water kroop naar voren alsof het, als een ruwe kattentong, het land stukje bij beetje oplikte. Een sleepbootje voer snel voorbij, en maakte golven: ze kwamen aanzetten, werden teruggezogen, kwamen weer aanzetten; totdat ze uitgeput raakten en tot bedaren kwamen.

Fraser wierp een steentje weg. Hij zei: 'Hoe zegt Matthew Arnold het ook alweer? De eeuwige toon van droefheid... ja toch? En de hm-hm naakte kiezelstenen van de wereld.' Hij streek met zijn hand over zijn gezicht en lachte om zichzelf. 'Christus, Pearce, op het moment dat ik poëzie begin te citeren, is het einde echt nabij! Kom mee.' Hij duwde zichzelf op. 'Laat het bier maar zitten, we gaan. Ik loop met je mee naar huis. Tot aan de voordeur. En je mag me voorstellen aan je... oom Horace, toch?'

Duncan dacht aan meneer Mundy, die door de woonkamer liep te ijsberen en zou komen aanhinken om de deur open te doen. Maar hij had geen energie meer voor angst of gêne of wat dan ook. Hij kwam overeind en volgde Fraser langs de kadetrap omhoog; samen gingen ze op weg, naar het noorden, in de richting van White City, door de steeds donker wordende straten.

# 3

'Weet u niet dat de oorlog voorbij is?' vroeg de man achter de toonbank in de bakkerswinkel aan Kay.

Hij zei het vanwege haar broek en kapsel, in een poging grappig te zijn; maar ze had dit soort dingen al duizend keer gehoord en een glimlach kostte moeite. Zijn manier van doen veranderde trouwens toen hij haar accent hoorde. Hij reikte haar de zak aan en zei: 'Alstublieft, mevrouw.' Maar achter haar rug moest hij een gezicht hebben getrokken, want de andere klanten lachten toen ze de zaak verliet.

Ook daaraan was ze gewend. Ze stopte de zak onder haar arm en stak haar handen in haar broekzakken. Het beste wat je kon doen was je groot houden, het hoofd in de nek werpen, met stoere passen lopen, de excentriekeling spelen. Het was alleen wel vermoeiend soms, als je er de energie niet voor had.

Vandaag was ze toevallig vrij opgewekt. Ze had 's ochtends het idee gekregen om langs te gaan bij een vriendin. Ze was van Lavender Hill naar Bayswater gewandeld en liep nu door de Harrow Road. Haar vriendin, Mickey, werkte daar in een garage, als pompbediende.

Kay zag haar op het terrein voor de garage toen ze dichterbij kwam: Mickey had een canvas stoel neergezet en zat op haar gemak een boek te lezen. Ze zat met haar benen wijd, want ze was gekleed als een monteur, met een overall en laarzen aan, niet echt mannelijk, zoals Kay, maar eerder jongensachtig. Haar blonde haar had de kleur en de structuur van vuil touw; het stond recht overeind, alsof ze net uit bed was gestapt. Terwijl Kay naar haar keek, likte ze aan een vinger en sloeg een bladzijde om. Ze hoorde Kay niet aankomen, en Kay liep met een vreemd gevoel van ontroering naar haar toe. Het was gewoon fijn om een vriendin te zien, na wekenlang alleen vreemden te hebben gezien;

dat was alles. Maar Kay dacht heel even dat het gevoel haar naar de keel zou stijgen en dat ze zou gaan huilen. Ze stelde zich voor hoe belachelijk ze er in Mickeys ogen zou uitzien als ze plotseling vanuit het niets kwam opdagen, in tranen. En ze overwoog serieus om het plan te laten varen – om weg te sluipen voor Mickey haar zag.

Toen zakte het gevoel weer weg.

'Hallo, Mickey,' riep ze laconiek.

Mickey keek op, zag Kay, en lachte van plezier. Ze lachte voortdurend, op een ongedwongen, natuurlijke manier die mensen vreselijk innemend vonden. Haar stem was hees, met een chronisch kuchje. Ze rookte te veel. 'Hé!' zei ze.

'Wat lees je?'

Mickey liet het omslag zien. Ze las de boeken die mensen in hun auto lieten liggen als ze de auto naar de garage brachten om gerepareerd te worden. Dit was een paperback-uitgave van *De Onzichtbare Man* van Wells. Kay pakte het aan en glimlachte. 'Dat heb ik gelezen toen ik jong was. Ben je al bij dat stukje waarin hij de kat onzichtbaar maakt, op de ogen na?'

'Ja, grappig hè?' Mickey veegde haar vettige palm aan haar overall af, zodat ze Kay een hand kon geven. Ze was zo klein en tenger dat haar hand niet veel groter was dan die van een kind. Ze hield haar hoofd schuin, kneep één oog half dicht. Ze zag er gewiekst uit. Ze zei: 'Ik had je al bijna afgeschreven, ik heb je zo lang niet gezien! Hoe gaat het ermee?'

'Ik dacht dat je misschien lunchpauze had. Krijg je hier lunchpauze? Ik heb een paar zoete broodjes meegebracht.'

'Zoete broodjes!' zei Mickey, en ze pakte de zak en keek erin. Haar blauwe ogen werden groot. 'Met jam!'

'Met echte sacharine.'

Er kwam een auto aanrijden. 'Wacht even,' zei Mickey. Ze legde de broodjes neer en ging met de bestuurder praten, en even later begon ze de tank van de auto te vullen. Kay ging op de canvas stoel zitten, pakte het boek op en sloeg het zomaar ergens open.

> 'Maar je begint nu wel te beseffen,' zei de Onzichtbare Man, 'hoe uiterst nadelig mijn toestand was. Ik had geen dak boven mijn hoofd – niets om me mee te bedekken – als ik kleren aantrok zou ik al mijn

voordelen opgeven, een vreemd en afschrikwekkend ding worden. Ik moest vasten; want als ik at, als ik mezelf vulde met onverwerkte materie, zou ik op groteske wijze weer zichtbaar worden.'

'Daar had ik niet aan gedacht,' zei Kemp.

De pomp was intussen op gang gekomen en begon te bonken, te janken en te klikken, en de lucht van benzine, die eerst vaag te ruiken was geweest, werd bedwelmend. Kay legde het boek neer en keek naar Mickey. Ze stond er tamelijk nonchalant bij, één hand op het dak van de auto, de andere stijf om de greep van de benzineslang, haar ogen op de wijzers achter het ruitje van de pomp gericht. Ze was niet echt mooi, maar ze had stijl, en het was opmerkelijk hoeveel meisjes – zelfs normale meisjes – zich door zo'n houding lieten intrigeren en imponeren.

De bestuurder van deze auto was echter een man. Mickey tikte de laatste druppels benzine uit de slang, draaide de dop op de benzinetank, nam zijn distributiebonnen in ontvangst, en kwam teruggeslenterd naar Kay, terwijl ze een lelijk gezicht trok.

'Geen fooi?' vroeg Kay.

'Hij gaf me drie pence en zei dat ik er een lippenstift van moest kopen. Zijn wagen stelde ook niks voor. Wacht hier even, wil je? Dan ga ik met Sandy praten.'

Ze verdween in de garage. Toen ze een paar minuten later terugkwam, had ze haar overall uitgetrokken, en daaronder droeg ze een gewone blauwe lange broek en een grappig katoenen bloesje, vol kreukels en vlekken. Ze had haar gezicht gewassen en haar haar gekamd. 'Ik mag drie kwartier wegblijven. Zullen we naar de boot gaan?'

'Hebben we daar tijd voor?' vroeg Kay.

'Ik denk het wel.'

Ze liepen zo vlug als ze konden door een paar zijstraten tot ze bij het Regent's Canal kwamen. Langs het jaagpad lag over een afstand van honderd meter een rij woonboten en binnenschepen. Mickey had hier voor de oorlog al gewoond. Het was net een klein dorp. Het werd aan alle kanten omringd door pakhuizen en scheepswerven, maar de bewoners waren zowel kunstenaars en schrijvers als echte schippers – allemaal types die zichzelf tamelijk interessant en kleurrijk vonden, dacht Kay soms; allemaal bijzonder ingenomen met de indruk die ze maakten op mensen die in gewone flats en huizen woonden. Maar goed, misschien was daar niets op tegen. Mickeys boot, de *Irene*, was een plomp klein binnenschip met een spitse voorsteven, zodat Kay altijd aan een klomp moest denken. De romp was geteerd en op schrikbarend veel plaatsen opgelapt. Iedere ochtend moest Mickey minstens twintig minuten staan duwen en trekken aan de hendel van een gammel pompje. Haar wc was een emmer achter een canvas scherm. 's Winters kon de inhoud van de emmer bevriezen.

Maar vanbinnen zag de boot er heel aardig uit. De wanden waren betimmerd met gevernist hout, en Mickey had planken gemaakt om siervoorwerpen en boeken op te zetten. Als verlichting had ze Tilly-lampen, en kaarsen met gekleurde kappen. De kombuis leek op een reusachtige versie van de pennendoos van een kind, met geheime laatjes en schuifpanelen. De borden en kopjes werden met stangen en riemen op hun plaats gehouden. Alles was vastgemaakt alsof het tegen de golven van de oceaan bestand moest zijn; in werkelijkheid was de deining op het kanaal heel gering, en alleen verontrustend als je er niet aan gewend of niet meer op bedacht was.

Kay bukte altijd een beetje wanneer ze op Mickeys boot was. Als ze rechtop ging staan, kwam haar kruin net tegen het plafond aan. Mickey zelf liep zonder moeite rond – ze schoof een paar panelen in de kombuis opzij om thee, een theepot en twee geëmailleerde kroezen tevoorschijn te halen. 'Ik kan het water niet koken,' zei ze – het fornuis was uitgegaan en ze hadden niet genoeg tijd om het weer aan te steken – 'maar ik zal wat halen bij het meisje hiernaast.'

Ze vertrok met de theepot in haar hand, en Kay ging zitten. De boot schommelde en bonkte met een hol geluid tegen de kant toen er een reeks binnenschepen passeerde. Ze hoorde mannenstemmen, griezelig dichtbij: '...de kant van Dalston op. Ik zweer het je! Op en neer ging-ie, als een grote stomme aap op een...'

Mickey kwam terug met het water en zette blikken borden neer. Kay pakte haar broodje op, legde het weer terug en haalde in plaats daarvan haar sigaretten voor de dag – maar wachtte even, met de aansteker in haar hand. Ze wees naar de vlekken op Mickeys bloes.

'Mag ik wel roken in jouw buurt? Na al dat gedartel en gestoei met de benzineslang, bedoel ik. Je gaat niet ineens in vlammen op of zoiets?'

'Niet als je voorzichtig bent,' zei Mickey lachend.

'Nou, gelukkig maar. Ik zou het echt vervelend vinden als dat gebeurde, weet je.' Ze hield haar de sigaretten voor. 'Ook een saffie?'

Mickey nam er een. Kay gaf haar een vuurtje en stak toen haar eigen sigaret aan. Achter haar hoofd zat een schuifraam; ze duwde het open om de rook naar buiten te laten.

'Hoe gaat het bij Sandy?' vroeg ze, en draaide zich weer om.

Mickey haalde haar schouders op. Ze werkte eigenlijk alleen in de garage omdat het een van de weinige plekken was waar een vrouw tijdens het werk een broek mocht dragen. Ze moest een baantje hebben: ze had niet, zoals Kay, rijke familie en een eigen inkomen. Ze dacht erover, vertelde ze nu aan Kay, om een betrekking als chauffeur te zoeken. Ze had zin om weer te rijden en Londen uit te gaan.

Ze bespraken dit terwijl ze rookten. Mickey at haar broodje op, deed de zak open en at er nog een. Kay liet haar eigen broodje echter onaangeroerd liggen, en uiteindelijk vroeg Mickey: 'Eet je dat niet op?'

'Hoezo? Wil jij het?'

'Dat bedoelde ik niet.'

'Ik heb al gegeten.'

'Dat zal wel. Ik ken die maaltijden van jou. Thee en tabak.'

'En gin, als ik geluk heb!'

Mickey lachte weer. Het lachen ging over in hoesten. Maar ze zei: 'Eet op,' en veegde haar mond af. 'Vooruit. Je bent nog steeds te mager.'

'Nou en?' zei Kay. 'Iedereen is toch mager? Ik volg gewoon de mode.'

In werkelijkheid was ze bijna onpasselijk geworden bij het zien van het vettige, mierzoete broodje, maar om Mickey een plezier te doen pakte ze het nu van haar bord en begon eraan te knabbelen. Het gevoel van het deeg op haar tong en in haar keel was afschuwelijk, maar Mickey bleef kijken tot ze het helemaal op had.

'Zo goed, zuster?'

'Niet slecht,' zei Mickey, haar ene oog dichtknijpend, zodat ze er weer heel gewiekst uitzag. 'Volgende keer neem ik je mee uit eten.'

'Je wilt me vetmesten.'

'Waarom niet? We kunnen er een gezellige avond van maken, een stel mensen bij elkaar scharrelen.'

Kay deed alsof ze huiverde. 'Ik zou de feestvreugde maar bederven. Trouwens' – ze schudde als een debutante met haar hoofd – 'ik heb het tegenwoordig afgrijselijk druk. Ik ga voortdurend uit.'

'Je gaat naar rare plekken.'

'Ik ga naar de bioscoop,' zei Kay, 'daar is niets raars aan. Soms zit ik een film twee keer uit. Soms ga ik halverwege naar binnen en zie ik de tweede helft eerst. Dat doe ik eigenlijk het liefst – het verleden van mensen is veel interessanter dan hun toekomst, weet je. Of misschien vind ik dat alleen... Maar je kunt van alles uitspoken in de bioscoop, neem dat maar van mij aan. Je kunt zelfs...'

'Zelfs wat?'

Kay aarzelde. Zelfs een vrouw versieren, had ze plompverloren willen zeggen; want ze was laatst op een avond in de bioscoop aan de praat geraakt met een aangeschoten meisje, en uiteindelijk had ze het meisje meegetroond naar een lege wc en haar gekust en betast. Ze was nogal ruw te werk gegaan; ze schaamde zich nu ze eraan dacht. 'Zelfs niets,' zei ze ten slotte effen. 'Zelfs niets. Hoe dan ook, je kunt altijd bij mij op bezoek komen.'

'In het huis van meneer Leonard?' Mickey trok een gezicht. 'Ik vind hem een griezel.'

'Hij is best aardig. Hij is een wonderdoener. Een van zijn patiënten vertelde me dat. Hij heeft haar van gordelroos genezen. Hij zou jouw borst in orde kunnen maken.'

Mickey deinsde hoestend achteruit. 'Vergeet het maar!'

'Wat ben je toch een lieve pot,' zei Kay. 'Hij hoeft je niet echt te onderzoeken. Je zit gewoon op een stoel en hij fluistert tegen je.'

'Hij lijkt me behoorlijk pervers. Jij woont er al te lang, jij ziet niet meer hoe raar het is. En dat huis? Wanneer valt het om?'

'Dat gaat een keer gebeuren,' zei Kay, 'geloof me. Als de wind opsteekt, voel ik het deinen. Ik hoor het kreunen. Het is net of je op zee bent. Volgens mij is het alleen aan meneer Leonard te danken dat het nog rechtop staat. Volgens mij houdt hij het door pure wilskracht overeind.'

Mickey glimlachte. Maar ze zat Kay aan te kijken, en haar blik was ernstig geworden. En toen haar glimlach was verflauwd vroeg ze, op een andere toon: 'Hoe lang wil je daar nog blijven, Kay?'

'Tot de dag waarop het instort, hoop ik!'

'Ik meen het,' zei Mickey. Ze aarzelde, alsof ze ergens over nadacht. Toen leunde ze voorover en zei: 'Moet je horen. Waarom kom je niet hier bij mij wonen?'

'Hier?' zei Kay verrast. 'Op de Pittoreske Irene?' Ze keek om zich heen. 'Dit bootje is niet veel groter dan een schoenendoos. Voor een kleine scheepsjongen als jij is dat geen probleem.'

'Gewoon voor een tijdje,' zei Mickey. 'Als ik die chauffeursbaan krijg, ben ik 's nachts vaak weg.'

'En de rest van de tijd? Stel dat je een meisje meeneemt?'

'Daar vinden we wel wat op.'

'Een gordijn ophangen? Ik zou denken dat ik weer op kostschool zat! Trouwens, ik kan niet weg uit Lavender Hill. Je weet niet wat het voor me betekent. Ik zou meneer Leonard missen. Ik zou het jongetje met zijn grote logge schoen missen. Ik zou het stel missen dat zo weggelopen lijkt uit een schilderij van Stanley Spencer! Ik ben gehecht geraakt aan dat oude krot.'

'Dat weet ik wel,' zei Mickey. Ze zei het op een toon die betekende: Dat zit me juist dwars.

Kay wendde haar hoofd af. Ze had al die tijd luchtig zitten praten, komedie gespeeld, geprobeerd te verbergen dat er, net als eerst, echte emoties in haar opwelden, die haar verlegen en bang maakten. Want kijk nou naar Mickey, dacht ze, die ongeveer een pond per week verdiende en bereid was dat te delen – zomaar, zonder nadenken, uit pure goedhartigheid. En kijk dan naar Kay zelf, die geld had maar het niet uitgaf, die helemaal niets mankeerde maar leefde als een invalide, als een rat.

Ze leunde naar voren en pakte haar thee. Ze merkte tot haar afschuw dat haar handen beefden. Ze wilde de kroes niet terugzetten en de aandacht vestigen op het trillen; ze tilde hem hoger op en probeerde hem bij haar mond te brengen. Maar het trillen werd erger. Ze morste; ze zag hoe de thee een vlek maakte op een van Mickeys kussens. Abrupt zette ze de kroes weer neer en probeerde het ergste op te deppen met haar zakdoek.

Ze ving Mickeys blik op terwijl ze bezig was, en haar schouders zakten omlaag. Ze leunde voorover, met haar ellebogen op haar knieën en haar gezicht tussen haar handen.

'Moet je me zien, Mickey!' zei ze. 'Moet je zien wat er van me geworden is! Hebben we die dingen echt gedaan – jij en ik, toen het nog oorlog was? Soms kan ik 's ochtends niet eens uit bed komen. We droegen brancards, godbetert! Ik weet nog dat we' – ze spreidde haar handen – 'ik weet nog dat we de romp van een kind optilden. Wat is er in jezusnaam met me gebeurd, Mickey?'

'Je weet wat er gebeurd is,' zei Mickey zacht.

Kay ging achterover zitten en wendde haar hoofd af, boos op zichzelf. 'Niet meer dan wat er met duizenden anderen is gebeurd. Wie heeft er niet iets of iemand verloren? Ik kan door een willekeurige straat in Londen lopen, mijn arm uitsteken en een vrouw of man aanraken die een geliefde heeft verloren, of een kind, of een vriend. Maar ik – ik kan er niet overheen komen, Mickey. Ik kan er niet overheen komen.' Ze lachte triest. 'Overheen komen. Wat een rare uitdrukking is dat! Alsof je verdriet een ingestort huis is en jij over het puin moet klimmen om aan de andere kant te komen... Ik ben verdwaald in het puin, Mickey. Ik ben de weg kwijt. Ik denk dat ik niet aan de andere kant wíl komen, dat is het. Mijn hele leven ligt nog onder het puin...'

Even stokte haar stem. Ze keek de kajuit rond; toen ging ze zachter praten.

'Weet je nog die avond toen we allemaal hier waren? Die avond vlak voordat...? Ik denk weleens terug aan die tijd. Ik martel mezelf door terug te denken aan die tijd! Weet jij het nog?'

Mickey knikte. 'Ja, ik weet het nog.'

'Ik was naar die zaak in Bethnal Green geweest. Jij maakte cocktails – gin met citroensap.'

'Limoensap.'

Kay keek op. 'Limoensap? Weet je het zeker?'

Mickey knikte.

'Waren er geen citroenen?'

'Citroenen? Waar hadden we in hemelsnaam citroenen vandaan moeten halen? We hadden limoensap, weet je nog wel, uit een flesje van Binkie?'

Kay herinnerde het zich weer. Het feit dat ze het verkeerd onthouden had – zo verkeerd dat ze een beeld in haar hoofd had gehad van Mickey die de citroenen doorsneed en uitperste – maakte haar onzeker.

'Limoensap,' zei ze, haar voorhoofd fronsend, 'uit een flesje. Waarom zou ik dat vergeten zijn?'

'Niet aan denken, Kay.'

'Ik wil er niet aan denken! Maar ik wil het ook niet vergeten. Soms kan ik alleen nog aan zulke dingen denken. Er zitten weerhaakjes in mijn geheugen. Kleine weerhaakjes.'

Maar dat klonk bijna alsof ze niet goed snik was. Ze draaide haar hoofd weer om en keek uit het raam. Het zonlicht maakte patronen op het water. Een olievlek had allerlei kleuren, zilver en blauw... Ze draaide haar hoofd terug en zag Mickey op haar horloge kijken.

'Kay,' zei Mickey. 'Het spijt me, maatje, maar ik moet terug naar Sandy.'

'Natuurlijk.'

'Waarom blijf je niet hier tot ik thuiskom?'

'Doe niet zo mal. Ik red me wel, echt. Het is saai, dat is het enige.'

Ze dronk haar thee op. Haar hand was nu een stuk vaster. Ze veegde kruimels van haar schoot, stond op en hielp met afruimen.

'Wat ga je nu doen?' vroeg Mickey, toen ze over de Harrow Road liepen.

Kay hing weer de debutante uit. Ze maakte een frivool gebaar. 'O, ik heb van alles te doen.'

'Echt waar?'

'Ja, natuurlijk.'

'Ik geloof je niet. Denk eens na over wat ik zei – dat je bij mij kunt komen wonen. Doe je dat? Of ga een keer mee uit! We kunnen iets gaan drinken. We kunnen naar Chelsea gaan. Daar komt tegenwoordig niemand meer, het is heel ander publiek.'

'Goed,' zei Kay.

Ze haalde haar sigaretten weer tevoorschijn, nam er zelf een, gaf er een aan Mickey en stak er nog een achter een van Mickeys kleine, jongensachtige oren. Mickey pakte haar hand toen ze dat gedaan had en gaf er een kneepje in; even stonden ze elkaar glimlachend aan te kijken.

Ze hadden één keer gezoend, herinnerde Kay zich – jaren geleden, en het was geen succes geweest. Ze waren toen allebei dronken. Uiteindelijk waren ze in lachen uitgebarsten. Zo ging het natuurlijk wanneer je allebei, als het ware, aan dezelfde kant stond.

Mickey liep weg. 'Dag Kay,' zei ze. Kay keek haar na toen ze naar de garage rende. Ze zag haar één keer omkijken, om te zwaaien. Kay stak haar hand op en ging zelf de kant van Bayswater weer op.

Ze liep stevig door zolang ze dacht dat Mickey misschien nog keek; maar zodra ze de hoek om was, vertraagde ze haar pas. En toen ze bij Westbourne Grove kwam en het drukker werd op straat, ging ze op een stoep zitten in de schaduw van een kapotte muur. Ze dacht aan wat ze tegen Mickey had gezegd, dat je je hand maar hoefde uit te steken als je in een menigte stond… Ze bestudeerde de gezichten van de mensen die voorbijkwamen, en dacht: Wat heb jij verloren? En jij? Hoe houd je het uit? Wat doe je?

'Ik wist vanaf het moment dat ze binnenliep dat we last zouden krijgen met dat meisje uit Enfield,' zei Viv, terwijl ze Vim op een doekje strooide. 'Dat heb je altijd met die brutale types.'

Zij en Helen hadden net met hun boterhammen naar de brandtrap willen gaan, toen ze potloodkrabbels ontdekten op de muur van de wc.

Een lange dunne glijdt er zo in,
Maar een korte dikke is meer naar mijn zin!

had iemand op de muur geschreven, boven de rolhanddoek. Helen wist eerst niet waar ze kijken moest. Viv geneerde zich bijna net zo erg. 'Dat komt ervan,' zei ze nu, driftig boenend, 'als je in plaatselijke blaadjes adverteert.'

Ze deed een stap achteruit, blozend, knipperend met haar ogen. De muur was lichter waar ze hem had schoongemaakt, maar de woorden 'dikke' en 'naar mijn zin!' waren nog zichtbaar als dunne krassen in de verf. Ze boende nog eens, en daarna bekeken zij en Helen de plek van alle kanten, waarbij ze hun ogen tot spleetjes knepen en hun hoofd telkens in een andere stand hielden.

Plotseling beseften ze wat ze aan het doen waren. Ze keken elkaar aan en schoten in de lach.

'Lieve help,' zei Helen, op haar lip bijtend.

Viv spoelde het doekje uit en borg de Vim op, terwijl haar schouders schokten. Ze droogde haar handen af en hield haar knokkels bij haar ogen, vrezend voor haar mascara. 'Hou op!' zei ze.

Nog steeds lachend openden ze het raam en klauterden naar buiten. Ze gingen zitten en pakten hun boterhammen uit, namen slokjes thee en kwamen eindelijk tot bedaren; toen keken ze elkaar aan en barstten opnieuw in lachen uit.

Viv morste en zette haar kopje neer. 'O, wat zouden de cliënten wel niet denken?'

Haar mascara was toch doorgelopen. Ze haalde een zakdoek tevoorschijn, maakte een punt ervan nat met haar tong, hield een spiegeltje omhoog, sperde haar ogen open en begon te boenen, bijna net zo ruw, dacht Helen, als ze op de wc-muur had staan boenen. Door het bloed dat naar haar gezicht was gestroomd leek ze jonger dan anders. Haar haar was in de war geraakt van het lachen; ze zag er verfomfaaid en levenslustig uit.

Ze stopte de zakdoek in haar mouw en pakte haar boterham, en het lachen ging over in zuchten. Ze deed een hoekje van het brood omhoog, en toen ze het felroze vlees zag dat ertussen zat – en de smaak proefde, bij de eerste hap – leek dat een domper op haar stemming te zetten. De blos verdween van haar gezicht. Haar ogen werden droog. Ze kauwde heel langzaam, en ten slotte legde ze de boterham neer. Ze droeg een vest over haar jurk en begon het dicht te knopen.

Er waren bijna twee weken verstreken sinds die mooie zaterdag, toen Helen met Julia in Regent's Park had gelegen. Dat was de laatste warme zomerdag geweest, al hadden ze dat toen niet geweten. De herfst was begonnen. De zon verdween telkens achter de wolken. Viv hield haar hoofd achterover en keek naar de lucht.

'Het is niet zo warm vandaag,' zei ze.

'Nee, niet zo,' zei Helen.

'Straks lopen we allemaal weer te klagen over de kou.'

Helen zag de winter naderen als een lange, donkere tunnel, gezien vanuit een trein. Ze zei: 'Het wordt toch niet zo koud als vorig jaar, hè?'

'Ik hoop het niet.'

'Dat zal heus niet!'

Viv wreef over haar armen. 'In de *Evening Standard* schreef iemand dat onze winters steeds kouder en steeds langer zullen worden; dat we over tien jaar allemaal als eskimo's zullen leven.'

'Eskimo's!' zei Helen, en ze moest denken aan bontmutsen en brede, vriendelijke gezichten; het idee sprak haar wel aan.

'Dat stond er. Het had iets te maken met de stand van de aarde – we hebben de aarde uit balans gebracht met al die bommen. Dat klinkt logisch, als je erover nadenkt. Hij vond dat het ons verdiende loon was.'

'O,' zei Helen, 'mensen in kranten schrijven altijd dat soort dingen. Weet je nog dat iemand aan het begin van de oorlog beweerde dat het allemaal een straf was omdat we onze koning hadden laten aftreden?'

'Ja!' zei Viv. 'Ik vond dat altijd een beetje sneu voor de mensen in

Frankrijk en Noorwegen en dat soort landen. Ik bedoel, het was tenslotte niet hun koning.'

Ze draaide haar hoofd om. Beneden was de deur van de pruikenmakerij opengegaan, en een man was de binnenplaats opgekomen met een prullenmand onder zijn arm. De mand zat tot de rand toe vol met donkere vezels – waarschijnlijk een mengsel van gaas en haar. Viv en Helen zagen hem naar een vuilnisbak lopen, de deksel optillen en de berg vezels erin gooien. Daarna veegde hij zijn handen af en ging weer naar binnen. Hij keek niet omhoog. Toen de deur dichtging, trok Viv een gezicht.

Maar Helen dacht nog aan de oorlog. Ze nam weer een hapje van haar boterham en zei: 'Is het niet vreemd dat iedereen over de oorlog praat alsof het iets is van jaren geleden? Het doet bijna ouderwets aan. Het is net of we stiekem met z'n allen bij elkaar gekomen zijn en hebben gezegd: "Laten we het dáár in godsnaam niet meer over hebben!" Wanneer is dat gebeurd?'

Viv haalde haar schouders op. 'We waren het beu, denk ik. We wilden het vergeten.'

'Ja, dat denk ik ook. Ik had alleen nooit verwacht dat we het zo vlug zouden vergeten. Toen het oorlog was... Nou, toen was het toch het enige? Het enige waar je over praatte. Het enige dat ertoe deed. Je probeerde andere dingen belangrijk te vinden, maar je kwam altijd weer terug bij dat onderwerp.'

'Stel je voor dat het weer begon,' zei Viv.

'Christus!' zei Helen. 'Ik moet er niet aan denken! Dan konden we dit bureau in elk geval wel opdoeken. Zou je je oude werk weer oppakken?'

Viv dacht na. Ze had bij het ministerie van Voedselvoorziening gewerkt, vlak om de hoek, in Portman Square. 'Ik weet het niet,' zei ze. 'Misschien wel. Het leek... belangrijk. Dat vond ik prettig. Ook al deed ik eigenlijk niets anders dan typen... Ik had daar een vriendin, Betty heette ze; je kon ontzettend met haar lachen. Maar aan het eind van de oorlog trouwde ze met een jongen uit Australië, en hij heeft haar meegenomen. Nu benijd ik haar. Als de oorlog echt weer begon, zou ik misschien in dienst gaan. Ik wil graag reizen, hier weg.' Ze keek verlangend. 'En jij?' vroeg ze aan Helen. 'Zou jij je oude baantje weer oppakken?'

'Waarschijnlijk wel, al was ik maar wat blij toen ik weg kon. Het was raar werk – een beetje zoals dit, in zekere zin: ongelukkige mensen die allemaal het onmogelijke verwachtten. Je probeerde je best voor hen te doen, maar je werd er doodmoe van; of je had andere dingen aan je hoofd. Ik denk trouwens niet dat ik in Londen zou willen blijven. Londen gaat tegen de vlakte, toch, als het weer oorlog wordt? Maar goed, dan gaat alles tegen de vlakte. Het zal anders zijn dan de vorige keer. Zelfs midden in de Blitz, toen alles zo afschuwelijk was, wilde ik blijven – jij niet? Ik woonde hier nog niet zo lang, en toch voelde ik een soort... een soort verplichting tegenover de stad, denk ik. Ik wilde de stad niet in de steek laten. Nu lijkt dat idioot! Je verplicht voelen tegenover bakstenen en specie! En ik kende er natuurlijk mensen. Die wilde ik ook niet in de steek laten. Zij waren in Londen, en ik wilde bij hen zijn.'

'Mensen zoals Julia?' vroeg Viv. 'Was je toen al met haar bevriend? Woonde zij ook in Londen?'

'Zij woonde in Londen,' zei Helen, knikkend; 'maar ik heb haar pas aan het eind van de oorlog leren kennen. We deelden samen een flat, ook toen al – een heel klein flatje, in Mecklenburg Square. Dat staat me nog zo helder voor de geest! Al die meubels die niet bij elkaar pasten.' Ze sloot haar ogen, herinnerde zich vormen en geuren. 'Er zaten mica platen voor het raam. De zaak stond vrijwel op instorten. Boven woonde een man die altijd liep te ijsberen, en dan kraakte de vloer.' Ze schudde haar hoofd, opende haar ogen. 'Ik herinner me die flat het best van alle plekken waar ik heb gewoond; ik weet niet waarom. We hebben er maar een jaar of zo gezeten. Het grootste deel van de oorlog was ik...' Ze wendde haar blik weer af, pakte haar boterham. 'Nou ja, het grootste deel van de oorlog was ik ergens anders.'

Viv wachtte. Toen Helen bleef zwijgen, zei ze: 'Ik woonde in een meisjespension van het ministerie. Vlak bij de Strand.'

Helen keek op. 'Ja? Dat wist ik niet. Ik dacht dat je thuis woonde, bij je vader.'

'In de weekends. Maar door de week hadden ze ons liever daar, zodat we toch naar ons werk konden als het spoor gebombardeerd was. Het was vreselijk in dat pension. Zo veel meisjes bij elkaar! Iedereen rende de trappen op en af. Iedereen pikte je lippenstift en je kousen. Of iemand leende je blouse of zoiets, en als je hem terugkreeg was hij in een andere kleur geverfd of waren de mouwen eruit gehaald!'

Ze lachte. Ze zette haar voeten een tree hoger op de metalen ladder, trok haar knieën op, stopte haar rok in, liet haar kin op haar vuisten rusten. Toen verflauwde haar gelach, net als daarvoor. Haar blik werd afstandelijk, ernstig. Nu gaat het scherm weer omlaag, dacht Helen... Maar in plaats daarvan zei Viv: 'Het is raar als je eraan terugdenkt. Het is maar een paar jaar geleden, maar je hebt gelijk, het lijkt wel een eeuwigheid. Sommige dingen waren toen gemakkelijker. Je deed de dingen op een bepaalde manier, ja toch? Iemand anders had dat voor jou beslist, zei dat dat de beste manier was; en dat deed je dan. Destijds werd ik er niet vrolijk van. Ik verheugde me op de vrede, op alle dingen die ik dan zou kunnen doen. Ik weet niet wat voor dingen ik op het oog had. Ik weet niet wat ik dacht dat er anders zou worden. Je verwacht dat dingen veranderen, of dat mensen veranderen; maar dat is toch onzin? Mensen en dingen veranderen namelijk niet. Niet echt. Je moet gewoon aan ze wennen.'

Haar blik was nu zo leeg, zo ernstig, dat Helen even een hand op haar arm legde. 'Viv,' zei ze. 'Je kijkt zo vreselijk triest.'

Viv werd zich weer bewust van zichzelf. Ze bloosde, en lachte. 'O, let maar niet op mij. Ik heb de laatste tijd een beetje met mezelf te doen, dat is alles.'

'Wat is er dan? Ben je niet gelukkig?'

'Gelukkig?' Viv knipperde met haar ogen. 'Ik weet het niet. Wie is er nu gelukkig? Echt gelukkig, bedoel ik? Mensen doen maar alsof.'

'Ik weet het ook niet,' zei Helen na een moment. 'Geluk is tegenwoordig zo broos. Het lijkt wel of er niet genoeg is voor iedereen.'

'Alsof het op de bon is.'

Helen glimlachte. 'Ja, precies! En dus weet je, als je er wat van hebt, dat het gauw op zal zijn; en daardoor kun je er niet van genieten, want je vraagt je de hele tijd af hoe je je zult voelen als alles op is. Of je gaat denken aan degene die het zonder moet doen zodat jij jouw portie kon krijgen.'

Ze kreeg een neerslachtig gevoel toen ze dat bedacht. Ze begon aan verfbladders op het metalen platform te pulken, waar roestplekken onder bleken te zitten. Met zachte stem vervolgde ze: 'Misschien is het toch waar wat de onheilsprofeten in de krant zeggen: dat je je verdiende loon krijgt. Misschien hebben we ons recht op geluk verspeeld, door slechte dingen te doen, of door slechte dingen te laten gebeuren.'

Ze keek naar Viv. Ze hadden nooit eerder zo openhartig met elkaar gepraat, en het leek wel of ze zich nu pas realiseerde hoezeer ze op Viv gesteld was, en hoe graag ze dit deed: hier zitten praten, op dit roestige metalen platform. En ze bedacht nog iets. Was je toen al bevriend met Julia? had Viv luchtig gevraagd – alsof dat de gewoonste zaak van de wereld was; alsof het heel normaal was dat Helen tijdens de oorlog in Londen was gebleven, voor een vrouw...

Haar hart ging sneller kloppen. Ze verlangde er plotseling naar om Viv in vertrouwen te nemen. Ze wilde niets liever. Ze wilde zeggen: Hoor eens, Viv. Ik ben verliefd op Julia! Dat is heerlijk, maar ook vreselijk. Soms ben ik net een kind. Soms voelt het alsof ik er bijna aan kapot ga! Het maakt me hulpeloos. Het maakt me bang! Ik heb het niet onder controle! Kan dat goed zijn? Hebben andere mensen dat ook? Heb jij dat ooit gehad?

Ze had het gevoel dat haar adem gevangen zat in haar borstkas. Haar hart klopte nu als een razende, in haar wangen en vingertoppen. 'Viv...' begon ze.

Maar Viv had zich afgewend. Ze had haar handen in de zakken van haar vest gestopt en zei: 'O, verdraaid. Ik heb mijn sigaretten binnen laten liggen. Ik kom de middag niet door zonder een sigaret.' Ze wilde opstaan en greep zich aan het hekje vast, zodat het hele platform begon te schommelen. Ze vroeg: 'Wil je me even opduwen?'

Helen kwam vlugger overeind. 'Ik ben er dichter bij,' zei ze. 'Ik haal ze wel.'

'Weet je het zeker?'

'Ja, natuurlijk. Ik ben zo terug.'

Haar adem leek nog steeds samengedrukt te zitten in haar borstkas. Ze klauterde onhandig over de vensterbank en belandde met een plof naast de wc. Er was nog wel tijd, dacht ze, om iets te zeggen. Ze verlangde er nu meer naar dan ooit. En een sigaret zou haar zenuwen kalmeren. Ze trok haar rok recht. Viv riep door het raam: 'Ze zitten in mijn handtas!'

Helen knikte. Ze liep vlug de overloop over en de korte trap naar de wachtkamer op. Ze liep met gebogen hoofd, en keek pas op het laatste moment op.

Ze trof een man aan bij Vivs bureau, die gedachteloos naar de papieren stond te kijken.

Ze schrok zo erg toen ze hem zag, dat ze bijna een gil gaf. De man, zelf ook geschrokken, deed een stap achteruit. Toen schoot hij in de lach. 'Goeie God! Ben ik zo angstaanjagend?'

'Neem me niet kwalijk,' zei Helen, met haar hand op haar borst. 'Ik had geen idee... Maar we zijn gesloten.'

'Ja? De deur beneden was open.'

'Nou, dat was niet de bedoeling.'

'Ik ben gewoon naar binnen gegaan en de trap opgelopen. Ik vroeg me al af waar iedereen was. Het spijt me dat ik u heb laten schrikken, juffrouw...?'

Hij keek haar onbeschroomd aan terwijl hij dat zei. Hij was jong en welbespraakt, knap, blond, volkomen op zijn gemak – zo anders dan de cliënten die ze normaal over de vloer kregen, dat ze zich tegenover hem in het nadeel voelde. Ze was zich bewust van haar uiterlijk: buiten adem, een rood hoofd, ongekamd haar. Ze moest ook aan Viv denken, die op de brandtrap zat te wachten... Verdorie, dacht ze. Maar er was nog wel tijd.

Ze kalmeerde en draaide zich om naar de agenda op Vivs bureau. 'Goed,' zei ze. 'U hebt geen afspraak, neem ik aan?' Ze liet haar vinger over de bladzijde glijden. 'U bent niet meneer Tiplady?'

'Meneer Tiplady!' Hij glimlachte. 'Nee, en ik moet zeggen dat ik daar wel blij om ben.'

'Het punt is, we ontvangen niemand zonder afspraak.'

'Dat zie ik.' Hij had zich tegelijk met haar omgedraaid en stond over haar schouder in de agenda te kijken. 'U doet gouden zaken. Dat zal wel dankzij de oorlog zijn.' Hij sloeg zijn armen over elkaar en ging gemakkelijker staan. 'Gewoon uit belangstelling, hoeveel rekent u?'

Helen wierp een blik op de klok. Ga weg. Ga weg! Maar ze was te beleefd om iets te laten blijken. 'We rekenen in eerste instantie,' zei ze, 'een guinea...'

'Zoveel?' Hij keek verbaasd. 'En wat krijg ik voor mijn guinea? Ik neem aan dat u me een album met meisjes laat zien, hè? Of... u laat de meisjes toch niet echt hier opdraven?'

Zijn houding was veranderd. Hij leek werkelijk geïnteresseerd, maar glimlachte ook, alsof hij een binnenpretje had. Helen was op haar hoede. Hij kon best, dacht ze, een soort charmante gek zijn: een van die mannen – zoals Heathcliff – die door de tijdgeest tot waanzin waren gedreven. Ze wist niet of ze moest geloven wat hij over de deur had gezegd. Stel dat hij het slot geforceerd had? Ze had al vaak bedacht hoe kwetsbaar zij en Viv waren, zo dicht bij Oxford Street en toch geïsoleerd van de drukte op straat.

'Ik kan dit nu echt niet met u bespreken, vrees ik,' zei ze; haar ongerustheid en ongeduld maakten haar erg formeel. 'Als u tijdens kantoortijd terug zou willen komen, weet ik zeker dat mijn collega' – ze keek onwillekeurig in de richting van de trap, de wc – 'u met plezier de hele procedure zal uitleggen.'

Maar dat leek zijn belangstelling alleen maar nog meer te prikkelen. 'Uw collega,' zei hij, alsof hij zich in het woord vastbeet, en hij volgde haar blik met de zijne, hief zelfs zijn hoofd wat op en keek van de ene kant naar de andere, terwijl hij nadenkend zijn tong tegen zijn onderlip liet klakken. 'Ik neem aan dat uw collega niet beschikbaar is op dit moment?'

'We zijn nu helaas gesloten voor de lunch,' zei Helen ferm.

'Ja, natuurlijk. Dat zei u al. Wat jammer.' Hij zei het op een beetje afwezige manier. Hij stond nog steeds naar de trap te turen.

Ze sloeg een bladzijde in de agenda om. 'Als u morgen terug kunt komen, zeg om vier...'

Nu keek hij om, en besefte wat ze aan het doen was. Zijn houding veranderde opnieuw. Hij schoot bijna in de lach. 'Hoor eens, het spijt me. Ik denk dat ik u een verkeerde indruk heb gegeven.'

Op dat moment kwam Viv de trap op en de kamer in. Ze moest zijn stem toch hebben gehoord, en zich hebben afgevraagd wat er aan de hand was. Ze keek verbaasd naar hem; en toen, om wat voor reden dan ook, bloosde ze. Helen ving haar blik, en probeerde haar met een klein gebaar te waarschuwen en te alarmeren. Ze zei: 'Ik wilde net een afspraak maken met deze meneer. Blijkbaar was de deur beneden open...'

De man was echter lachend naar voren gelopen. 'Hallo,' zei hij, terwijl hij Viv toeknikte. Toen draaide hij zich weer naar Helen om. 'Ik ben bang,' zei hij verontschuldigend, 'dat ik u werkelijk op het verkeerde been heb gezet. Ik zoek geen echtgenote, ziet u. Ik zocht alleen mejuffrouw Pearce.'

Vivs blos was dieper geworden. Ze keek Helen aan alsof ze nerveus was. Ze zei: 'Dit is meneer Robert Fraser, Helen, een vriend van mijn broer. Meneer Fraser, dit is mejuffrouw Giniver... Is alles goed met Duncan?'

'O, dit heeft niets met Duncan te maken,' zei de man laconiek. 'Helemaal niets. Ik kwam toevallig langs, en besloot even naar binnen te gaan.'

‘Heeft Duncan u gevraagd om te komen?’

‘Ik hoopte eerlijk gezegd dat u vrij zou zijn. Het was gewoon... Nu ja, het was gewoon een opwelling.’

Hij lachte weer. Er viel even een pijnlijke stilte. Helen dacht aan het waarschuwende gebaar dat ze net nog naarViv had gemaakt, en voelde zich belachelijk. Want opeens was alles veranderd. Het was net of iemand een stuk krijt had gepakt en, snel maar resoluut, een streep op de grond had getrokken: Viv en die man, Robert Fraser, stonden aan de ene kant van de streep, en zijzelf aan de andere. Ze maakte een halfslachtige beweging. ‘Kom,’ zei ze, ‘ik moet weer eens aan het werk.’

‘Nee, het is oké,’ zei Viv vlug. Haar oogleden trilden. ‘Ik ga... ik ga even met meneer Fraser naar buiten. Meneer Fraser...?’

‘Natuurlijk,’ zei hij, met haar meelopend naar de trap. Hij knikte Helen vriendelijk toe in het voorbijgaan. ‘Tot ziens! Het spijt me dat ik u lastig heb gevallen. Als ik ooit van gedachten verander over die echtgenote, zal ik het u zeker laten weten!’

Hij liep vlug de trap af, met een jongensachtige, onregelmatige tred. Toen de deur beneden openging, hoorde ze hem tegen Viv zeggen, zachter maar duidelijk verstaanbaar: ‘Ik vrees dat ik u in moeilijkheden heb gebracht...’

De deur viel met een klap dicht.

Helen bleef even roerloos staan, liep toen haar kamer in en haalde haar sigaretten tevoorschijn, maar gooide het pakje ongeopend weer neer. Ze voelde zich nu belachelijker dan ooit. Ze herinnerde zich hoe ze, toen ze vanuit de wc de trap opkwam, bijna een gil had geslaakt – als een oude vrijster in een klucht!

Net toen ze dit dacht hoorde ze beneden op straat gelach. Ze liep naar het raam en keek naar buiten.

Tijdens de oorlog had iemand kaasdoek op het raam gevernist; een paar restjes stof en wat schraapsels vernis waren op het glas blijven zitten en belemmerden het uitzicht. Maar ze zag heel duidelijk de bovenkant van Frasers hoofd en zijn brede schouders, die op en neer gingen terwijl hij stond te gebaren. En ze zag ook de welving van Vivs roze wang en het puntje van haar oor, haar gespreide vingers op de mouw van haar gebogen arm.

Ze liet haar hoofd zakken, tot haar voorhoofd het geverniste glas raakte. Wat was het gemakkelijk, dacht ze bedroefd, voor mannen en vrouwen. Die konden op straat staan kibbelen en flirten – die konden zoenen, vrijen, doen wat ze maar wilden – en de wereld liet hen begaan. Terwijl zij en Julia...

Ze dacht aan wat ze van plan was geweest, buiten op de brandtrap. Ik ben verliefd op Julia, had ze willen zeggen. En ik ga bijna kapot aan mijn liefde!

Ze kon het zich nu niet meer voorstellen. Het leek nu absurd om zoiets te zeggen! Ze bleef bij het raam staan kijken, tot ze Fraser een stap naar voren zag doen om Viv een hand te geven, bij wijze van afscheid; toen ging ze vlug terug naar haar bureau en pakte een map met papieren.

Ze hoorde het klikje van de voordeur die op slot werd gedaan, en het geluid van voetstappen. Viv liep langzaam de trap op en de wachtkamer in. Ze bleef op de drempel van Helens kamer staan. Helen keek niet op. Viv zweeg even en zei toen onbeholpen: ‘Het spijt me.’

‘Dat is nergens voor nodig,’ zei Helen, die nu eindelijk haar hoofd ophief en geforceerd lachte. ‘Maar hij heeft me wel de stuipen op het lijf gejaagd! Was de deur echt niet op slot?’

‘Nee.’

‘Nou, dan kunnen we het hem denk ik niet kwalijk nemen dat hij naar boven kwam.’

‘Hij dacht gewoon dat hij hier wel even langs kon komen,’ zei Viv. ‘Ik ken hem eigenlijk helemaal niet. Hij kwam vorige week bij mijn broer aanzetten toen ik daar was. We hebben maar kort gepraat. Hij kent mijn broer nog van vroeger. Ik weet niet wat hij hier kwam doen.’

Ze stond op een vinger te bijten, op de huid naast de nagel. Ze keek naar de grond en haar dikke donkere haar hing een beetje voor haar gezicht. Helen sloeg haar een ogenblik gade en begon toen weer in de map te bladeren.

Ten slotte zei Viv, met een klein stemmetje: ‘Wil je nog naar buiten, Helen?’

Helen keek weer op. ‘Naar buiten? Hebben we daar tijd voor?’ Ze keek op de klok. ‘Nog maar tien minuten... Ik weet niet. Zullen we het doen?’

‘Nou ja,’ zei Viv, ‘niet als jij niet wilt.’

Ze staarden elkaar aan, alsof ze iets wilden zeggen; maar het moment voor bekentenissen was voorbij. Helen ordende de papieren. ‘Ik moet deze nog even bekijken, denk ik.’

En Viv zei meteen: 'Ja. Ja, prima.'

Ze bleef nog een poosje bij Helen in de deuropening staan, alsof ze nog meer wilde zeggen en liep toen de wachtkamer in. Even later hoorde Helen haar de tijdschriften op tafel rechtleggen, de kussens op de bank uitschudden.

Iedereen heeft tenslotte geheimen, dacht Helen. Die gedachte maakte haar vreselijk neerslachtig. Ze moest aan Julia denken. Ze legde de papieren neer en bleef aan haar bureau zitten, met haar hoofd in haar handen en haar ogen dicht. Was Julia nu maar hier! Ze begon te verlangen naar het geluid van Julia's stem, naar de troostende aanraking van haar hand. Wat zou ze doen, op dit uur van de dag? Helen probeerde haar beeld op te roepen. Ze drukte haar handen tegen haar oogkassen en stuurde haar gedachten door de straten van Marylebone totdat ze Julia's aanwezigheid bespeurde, onwaarschijnlijk duidelijk en levensecht. Ze zag haar thuis in haar studeerkamer zitten: zwijgend, alleen, misschien verveeld of rusteloos, misschien aan Helen denkend. Ze begon Julia zo erg te missen dat het gemis aanvoelde als pijn of een ziekte. Ze deed haar ogen open en zag de telefoon. Maar ze moest niet bellen, in zo'n stemming. Ze wilde het ook niet, nu Viv zo dichtbij was dat ze elk woord zou kunnen verstaan; en ze kon zichzelf er niet toe zetten om op haar tenen naar de deur te lopen en die geruisloos dicht te doen.

Als Viv naar de wc gaat, dacht ze, dan doe ik het. Eerder niet.

Ze zat gespannen te luisteren terwijl Viv stof van het tapijt veegde en stoelen verplaatste. Toen hoorde ze het geklik van hakken op de trap, steeds zachter. Viv moest naar beneden zijn gegaan om de theepot om te spoelen in de wasbak.

Onmiddellijk pakte ze de telefoon en draaide het nummer.

Er klonk een blikkerig elektrisch gesnor. Ze stelde zich de telefoon op Julia's bureau voor, die begon te rinkelen; stelde zich voor dat Julia schrok, haar pen neerlegde, haar hand ophief – misschien hield ze hem een paar tellen boven de hoorn, want natuurlijk liet iedereen de telefoon liever een poosje rinkelen dan meteen op te nemen. Maar het rinkelen ging door. Misschien was Julia beneden in de keuken, of nog een verdieping lager, op de wc. Nu zag Helen haar de smalle trap naar haar studeerkamer oprennen, met klapperende espadrilles; ze zag hoe ze een haarlok wegstopte die achter haar oor vandaan was gesprongen, hoe ze buiten adem naar de telefoon reikte...

Het rinkelen ging door. Misschien had Julia besloten om toch maar niet op te nemen. Helen wist dat ze dat weleens deed, als ze midden in een beschrijving zat. Maar als ze vermoedde dat het Helen was die belde, dan zou ze de hoorn toch wel oppakken? Als Helen de telefoon maar lang genoeg liet overgaan, zou Julia het begrijpen, zou Julia opnemen.

*Prrr, prrr. Prrr, prrr.* Het akelige geluid ging maar door. Ten slotte, na bijna een minuut, legde Helen de hoorn neer; ze kon het niet meer verdragen, het beeld van de telefoon die eenzaam en verlaten stond te snerpen in haar eigen lege huis.

'Ik heb niet veel tijd,' zei Viv, om zich heen kijkend.

'Het is erg vriendelijk,' antwoordde Fraser, 'dat u überhaupt tijd voor me vrijmaakt.'

Het was even na zessen. Ze had in de lunchpauze een afspraak met hem gemaakt en ze hadden elkaar hier ontmoet, in Oxford Street, voor het vernielde John Lewis-gebouw. Ze was bang dat Helen nog in de buurt was en hen zou zien; maar toen hij haar nerveus zag rondkijken, vatte hij het verkeerd op. Het trottoir was vol mensen die gehaast van hun werk naar huis gingen of op de bus stonden te wachten, en hij dacht dat ze last had van de drukte. Hij zei: 'Nee, hier kunnen we niet praten, hè? Laten we naar een tearoom gaan, ergens waar het rustig is.' Hij legde zijn hand even op haar arm.

Maar ze zei dat ze daar geen tijd voor had; dat ze over drie kwartier een afspraak had, in een ander deel van de stad. Daarom liepen ze de hoek om naar een van de bankjes op Cavendish Square. De bank lag vol met afgevallen bladeren, goudgeel en glanzend als flarden van een gele regenjas. Hij veegde ze weg zodat ze kon zitten.

Ze zat nogal stijfjes, met haar handen in haar zakken en haar mantel dichtgeknoopt. Toen hij haar een sigaret aanbood, schudde ze haar hoofd. Hij borg de sigaretten op en haalde een pijp tevoorschijn.

Ze keek hoe hij de tabak met zijn duim aandrukte. Net een kind, dacht ze, dat zit te knoeien. Ze zei met een strak gezicht: 'Ik wou dat u vandaag niet naar mijn kantoor was gekomen, meneer Fraser. Ik weet niet wat juffrouw Giniver ervan dacht.'

'Ze keek eerlijk gezegd alsof ze dacht dat ik haar op de vloer zou werpen en haar zou onteren!' zei hij. En daarna, toen er bij Viv geen lachje af kon: 'Het spijt me. Het leek me gewoon de simpelste manier om u te ontmoeten.'

'Ik weet nog steeds niet waarom u het nodig vond om me te ontmoeten. Heeft mijn broer u iets misdaan?'

'Om zoiets gaat het helemaal niet.'

'Heeft hij u dan niet gevraagd om te komen?'

'Het is precies zoals ik u eerder al vertelde. Uw broer heeft er niets mee te maken. Hij weet niet eens dat ik hier ben. Hij heeft me alleen terloops verteld waar u werkt. Maar hij praat zo hartelijk over u. Het is wel duidelijk' – hij hield een vlammetje bij de pijp, zuigend aan de steel – 'het is wel duidelijk dat u veel voor hem betekent. Dat was ook al zo, herinner ik me, toen we in de gevangenis zaten.'

Hij deed geen poging zijn stemgeluid te dempen, en Viv kromp ineen. Hij zag het, en ging zachter praten. 'Dat was ook al zo, had ik moeten zeggen, toen ik hem pas kende. Er was niets ter wereld waar hij zo naar uitkeek als naar uw bezoekjes.'

Ze wendde haar blik af. Bij het woord 'bezoekjes' had ze een haarscherp, onplezierig beeld gekregen van haarzelf, haar vader en Duncan aan een van de tafels in de bezoekruimte van Wormwood Scrubs. Ze herinnerde zich de drukte, het uiterlijk van de mannen, het afschuwelijke geroezemoes, de zure, bedompte lucht. Ze herinnerde zich Fraser ook uit die tijd, want ze had hem meerdere malen gezien. Ze hoorde weer zijn vrijpostige kostschooljongenslach; ze herinnerde zich dat een van de andere bezoekers had gezegd: 'Is het geen schande?' en dat een man tegen hem had geroepen: 'Kan je het niet aan, lafbek?' Toen had ze wel met hem te doen gehad. Ze had hem dapper gevonden, maar dapper op een zinloze manier. Hij had tenslotte niets veranderd. Ze had meer sympathie gevoeld voor zijn ouders. Ze kon zich zijn moeder nog voor de geest halen, aan de bekraste gevangenistafel: een elegante, aardige vrouw, met een zachte stem, die er vreselijk gekwetst en bleek uitzag.

Duncan had Fraser natuurlijk geweldig gevonden, ook toen al. Hij vond iedereen geweldig die intelligent kon praten en een beschaafde stem had. Viv was op dinsdagavond bij het huis van meneer Mundy gearriveerd en Duncan had haar binnengelaten, zijn donkere ogen stralend van opwinding. 'Raad eens wie ik tegenkwam? Dat raad je nooit! Hij komt straks op bezoek.' Hij had de hele avond op Fraser zitten wachten, en toen Fraser na enige tijd inderdaad was komen opdagen, was hij opgesprongen en naar de deur gerend...

Viv was ontzet geweest. Zij en meneer Mundy hadden erbij gezeten, verlegen, slecht op hun gemak, nauwelijks wetend waar ze kijken moesten.

Ze sloeg Fraser gade terwijl hij met de pijp zat te spelen en zei: 'Ik weet nog steeds niet wat u van me wilt.'

Hij lachte. 'Ik ook niet, om heel eerlijk te zijn.'

'U zei dat u voor een krant of zoiets schrijft. U gaat toch niet over Duncan schrijven, hè?'

Hij keek alsof het idee nooit bij hem was opgekomen. 'Nee,' zei hij. 'Natuurlijk niet.'

'Want als het u daar om te doen is...'

'Het is me nergens om te doen. Wat bent u argwanend!' Hij schoot weer in de lach. Maar toen zij ernstig bleef kijken, streek hij zijn haar naar achteren en sloeg een andere toon aan.

'Luister,' zei hij. 'Ik weet dat het vreemd is dat ik zomaar uit de lucht kom vallen. Ik neem aan dat u het merkwaardig vindt dat ik na al die tijd weer belangstelling toon voor uw broer. Ik weet zelf niet goed waarom het me zo bezighoudt. Alleen, toen ik hem die dag plotseling tegenkwam in de kaarsenfabriek; het idee dat iemand als hij daar moest werken! En toen – mijn God! Toen zag ik hem bij meneer Mundy! Ik kon het niet geloven. Hij had me verteld waar hij woonde en ik dacht dat hij een grapje maakte! Ik kan u niet zeggen hoe erg ik schrok, de eerste keer dat ik met hem mee naar huis liep. Ik ben sindsdien een paar keer teruggeweest, maar ik raak nog steeds van mijn stuk. Heeft uw broer daar echt altijd gewoond sinds zijn vrijlating? Meteen vanaf de eerste dag? Het is bijna niet te geloven.'

'Hij wilde het zelf,' zei Viv. Ze voegde eraan toe: 'Meneer Mundy is erg aardig geweest.'

Het klonk zwak, zelfs in haar eigen oren. Fraser trok zijn wenkbrauwen op. 'Hij heeft het daar heel leuk en gezellig, dat is zeker. Ik moet alleen terugdenken aan de tijd dat we in de cel zaten. Hij was toen natuurlijk gewoon meneer Mundy. Niet dat gedoe met "oom Horace". Ik dacht dat ik het verkeerd verstaan had, de eerste keer dat ik dat hoorde!'

'Het is toch niet erg?'

'Heeft uw familie er geen bezwaar tegen?'

'Hoezo?'

'Ik weet het niet. Het lijkt me gewoon een vreemd soort leven, voor een jongen als Duncan. Hij is trouwens geen jongen meer, hè? En toch kun je hem onmogelijk anders zien. Misschien is hij blijven steken. Ik denk dat hij is blijven steken. Ik denk dat hij daar zelf voor gezorgd heeft, als een soort... een soort straf voor alles wat er jaren geleden is gebeurd, alles wat hij heeft gedaan en nagelaten... Ik denk dat meneer Mundy er alles aan doet om het zo te houden, en – als u me niet kwalijk neemt dat ik het zeg – sinds ik gezien heb hoe u met hem omging op dinsdagavond, geloof ik niet dat iemand anders moeite doet om hem weer op gang te helpen. Die obsessie van hem voor dingen uit het verleden, bijvoorbeeld.'

'Dat is gewoon een hobby,' zei Viv.

'Een beetje een morbide hobby, vindt u niet? Voor een jongen als hij?'

Ze verloor opeens haar geduld. '"Een jongen als hij,"' zei ze. '"Een jongen als hij." Dat hebben mensen altijd over Duncan gezegd, vanaf dat hij klein was. "Zo'n jongen zou niet op zo'n school moeten zitten, daar is hij te gevoelig voor." "Zo'n jongen zou naar de universiteit moeten."'

Fraser keek haar met gefronste wenkbrauwen aan. 'Heeft u nooit bedacht dat die mensen misschien wel gelijk hadden?'

'Natuurlijk hadden ze gelijk! Maar wat maakte dat uit? En kijk eens wat hij ermee opgeschoten is! Het kwam allemaal op ons neer, meneer Fraser – op mijn familie en mij, niet op u. Vier jaar lang op en neer naar dat afschuwelijke gebouw. Vier jaar, en nog langer, zitten tobben. Het is bijna mijn vaders dood geworden! Misschien als Duncan zo was geweest als u toen hij jong was – de dingen had gehad die u had, bedoel ik, hetzelfde soort mensen om zich heen, dezelfde start in het leven – misschien was het dan anders geweest. Hij ging naar meneer Mundy toen hij vrijkwam omdat hij nergens anders heen kon. Waar was u toen? Als u zo'n goede vriend van hem bent, waar was u dan?'

Fraser wendde zijn hoofd af, liet de pijp zakken, draaide hem in zijn vingers rond, en gaf geen antwoord. Ze vervolgde op zachtere toon: 'Hoe dan ook, het maakt nu niet meer uit. Maar dat u weer bent opgedoken vind ik eigenlijk... Ik bedoel, waar zal het toe leiden? Toen Duncan me vertelde dat hij u ontmoet had, ik zeg het u maar eerlijk, vond ik dat jammer. Wat heeft het voor nut? Hij schiet er niets mee op. Het zal hem alleen maar weer op ideeën brengen; het zal alleen maar onrust geven en hem van streek maken.'

Hij zocht in zijn zakken naar lucifers, en zei stroef: 'Dat kunt u hem natuurlijk zelf laten beslissen.'

'Maar u weet hoe hij is. U zei het net zelf. Hij heeft een soort... een soort wijsheid als het om bepaalde dingen gaat; maar in veel andere opzichten is hij nog min of meer een jongen. Hij kan worden aangezet tot dingen, net als een jongen. Hij kan...'

Ze zweeg. Fraser had zich met het doosje lucifers in zijn hand omgedraaid, en zat haar aan te kijken. 'Waar zal ik hem toe aanzetten, denkt u?' vroeg hij langzaam.

Ze slikte en sloeg haar ogen neer. 'Dat weet ik niet.'

Hij ging verder: 'U denkt aan die jongen, hè? De jongen die gestorven is? Alec?' En toen ze opkeek, knikte hij. 'Ja. Daar weet ik alles van, ziet u... Maar u denkt toch niet dat ik zo ben?' Ze gaf geen antwoord. Hij kleurde, van boosheid, leek het. 'Denkt u dat? Want als u dat denkt... Nou, ik kan u wel een lijst met meisjes geven, hoor, die u wat dat betreft uit de droom kunnen helpen!'

Hij zei het in ernst, maar hoorde toen blijkbaar de felheid in zijn stem. Hij bloosde nog erger, streek zijn haar weer naar achteren en trok zijn kin in. Dat gebaar, spontaan en een beetje onhandig, was het aantrekkelijkste wat hij tot dusver had gedaan. Ze liet nu pas tot zich doordringen hoe leuk hij eruitzag, hoe glad en gaaf zijn gezicht was. Hij was tenslotte nog jong; jonger dan zij.

Hij had de pijp en de lucifers nog in zijn hand, maar zat stil, met zijn handen losjes op zijn schoot. Hij zei: 'Het spijt me. Ik wilde u gewoon spreken om uw broer te kunnen helpen.'

'Tja, ik denk dat u hem het beste helpt door hem gewoon met rust te laten.'

'Maar wilt u dat echt? Wilt u hem daar laten, bij meneer Mundy, in die rare situatie?'

'Daar is niets raars aan!'

'Weet u dat wel zeker?' Hij bleef haar aankijken, en toen ze haar hoofd afwendde zei hij langzaam: 'Nee, dat weet u niet, hè? Ik zag het vorige week aan uw gezicht. En die baan dan, in die fabriek? Wilt u dat hij dat de rest van zijn leven doet? Waxinelichtjes maken, voor kinderkamers?'

'Mensen werken in fabrieken; het doet er niet toe wat ze maken. Mijn vader heeft dertig jaar in een fabriek gewerkt!'

'Moet uw broer dat daarom ook?'

'Als hij maar gelukkig is,' zei ze. 'Dat schijnt u niet te begrijpen. Ik wil gewoon dat Duncan gelukkig is. Dat willen we allemaal.'

Het klonk weer niet erg overtuigend. En in haar hart wist ze dat hij gelijk had. Ze wist dat ze onder andere zo ontzet was geweest toen ze hem vorige week bij meneer Mundy zag verschijnen, omdat ze het huis toen als het ware door zijn ogen had gezien... Maar ze was moe. Ze zei bij zichzelf, zoals ze uiteindelijk altijd deed als het om Duncan ging: Het is niet mijn schuld. Ik heb mijn best gedaan. Ik heb zelf al genoeg aan mijn hoofd.

En op het moment dat deze woorden vertrouwd haar gedachten binnengleden, hoorde ze een naburige klok het kwartier slaan, en dacht ze weer aan de tijd.

'Meneer Fraser...'

'O, zeg maar Robert, wil je?' zei hij, terwijl hij weer begon te glimlachen. 'Ik weet zeker dat je broer dat graag zou willen. Ik in elk geval wel.'

Dus zei ze: 'Robert...'

'En mag ik jou Vivien noemen? Of, zoals Duncan je noemt, Viv?'

'Als je wilt,' zei ze, en ze voelde dat ze bloosde. 'Het kan me echt niet schelen. Het is aardig van je dat je Duncan probeert te helpen. Maar ik kan er nu niet over praten. Ik heb geen tijd.'

'Geen tijd voor je broer?'

'Ik heb wel tijd voor mijn broer, maar niet voor dit gesprek.'

Hij kneep zijn ogen een beetje samen. 'Je vertrouwt mijn motieven niet erg, hè?'

Ze zei: 'Ik weet nog steeds niet wat je motieven zijn.' En ze voegde eraan toe: 'Weet je het zelf eigenlijk wel?'

Daar kreeg hij weer een kleur van. Even bleven ze zwijgend zitten, allebei blozend. Toen veranderde ze van houding, maakte aanstalten om weg te gaan, stopte haar handen in haar mantelzakken. In de zakken zaten oude buskaartjes, losse munten en papieren wikkels – toen vonden haar vingers iets anders: dat stukje stof, met de zware gouden ring erin.

Haar hart sloeg over. Ze stond abrupt op. 'Ik moet weg,' zei ze. 'Het spijt me, meneer Fraser.'

‘Robert,’ corrigeerde hij en kwam overeind.

‘Het spijt me, Robert.’

‘Geeft niet. Ik moet ook weg. Maar hoor eens. Ik wil niet dat je me verkeerd begrijpt. Laat me met je meelopen, dan kunnen we onderweg praten.’

‘Ik zou eigenlijk liever...’

‘Welke kant ga je op?’

Ze wilde het hem niet vertellen. Hij zag haar aarzelen, en vatte dat voor het gemak maar op als een uitnodiging, veronderstelde ze. Hij kwam naast haar lopen; eenmaal streek zijn arm langs de hare, en hij verontschuldigde zich omstandig en ging wat verder van haar af lopen. Maar er was iets vreemds tussen hen gebeurd. Op de een of andere manier had ze, door hem met haar mee te laten gaan, een iets andere draai aan hun relatie gegeven. Toen ze terugliepen naar Oxford Street moesten ze wachten met oversteken, naast een etalage; ze zag hun spiegelbeeld in de ruit, en ontmoette zijn blik via het glas. Hij glimlachte, want hij zag wat zij zag: dat ze net een stel leken – gewoon een leuk, verliefd jong stel.

Zijn manier van doen veranderde. Toen ze zich in Oxford Circus een weg door het verkeer baanden had hij moeite om haar bij te houden en hij zei, op een toon die hij nog niet eerder tegen haar had gebezigd: ‘Je weet in elk geval waar je heen wilt. Dat mag ik wel bij een vrouw. Heb je met een vriendin afgesproken?’

Ze schudde haar hoofd.

‘Een vriendje dan?’

‘Met niemand,’ zei ze, om hem het zwijgen op te leggen.

‘Heb je met niemand afgesproken? Nou, dat moet lukken, in een stad als deze... Luister eens, je hebt een volkomen verkeerd beeld van me, weet je. Zullen we opnieuw beginnen – ditmaal met een drankje?’

Ze waren in de buurt gekomen van een pub aan de rand van Soho. Ze schudde haar hoofd en liep door. ‘Ik heb geen tijd.’

Hij raakte haar arm aan. ‘Een kwartiertje maar.’

Ze voelde de druk van zijn vingers en ging langzamer lopen, en keek hem aan. Hij zag er weer jong en ernstig uit. Ze zei: ‘Ik heb echt geen tijd. Het spijt me. Ik moet iets doen.’

‘Kan ik het niet samen met je doen?’

‘Liever niet.

'Nou, dan wacht ik wel.'

Blijkbaar stond op haar gezicht te lezen hoe opgelaten ze zich voelde. Hij keek rond, niet wetend wat te doen. Hij vroeg: 'Waar ga je dan in vredesnaam heen? Heb je soms een bijbaantje als cancan-danseres? Je hoeft niet zo verlegen te zijn, als dat het is. Je zult wel merken dat ik ruim van opvatting ben. Ik kan tussen het publiek gaan zitten en de herrieschoppers uit je buurt houden.' Hij duwde zijn lange haar naar achteren en glimlachte. 'Laat me dan tenminste nog een eindje met je meelopen. Ik zou mezelf geen heer vinden als ik je alleen achterliet in zo'n buurt.'

Ze aarzelde en zei toen: 'Goed dan. Ik ga naar de Strand. Je mag meelopen, als je echt wilt, tot aan Trafalgar Square.'

Hij boog. 'Trafalgar Square. Afgesproken.'

Hij bood haar zijn arm aan. Ze wilde niet, maar dacht aan de minuten die voorbij tikten. Ze legde haar hand lichtjes in de kromming van zijn elleboog, en ze liepen samen verder. Zijn arm voelde verbazend stevig aan, de spieren bewogen onder haar vingers in het ritme van zijn pas.

Zoals hij al had gesuggereerd waren ze inmiddels in een vrij sjofele buurt terechtgekomen: een mengelmoes van dichtgetimmerde huizen en omheinde terreinen, vervallen nachtclubs, pubs en Italiaanse koffiehuizen. Het rook er naar rottende groente, steenstof, knoflook, Parmezaanse kaas; hier en daar schalde muziek uit een open deur of raam. Gisteren had ze hier in haar eentje gelopen, en toen had een man aan haar arm getrokken en met een nep New Yorks accent gezegd: 'Hé, lekker stuk, wat kost een wip?' Hij had het zelfs als een soort compliment bedoeld. Vanavond keken er wel mannen, maar ze riepen niet, omdat ze veronderstelden dat zij Frasers meisje was. Het was aan de ene kant grappig, aan de andere kant irritant. Misschien viel het haar meer op omdat ze er niet aan gewend was. Met Reggie kwam ze nooit in zulke buurten. Ze gingen nooit naar nachtclubs of restaurants. Het enige wat ze ooit deden was van het ene stille plekje naar het andere gaan; of ze zaten in zijn auto met de radio aan. Ze bedacht dat ze wel iemand tegen het lijf kon lopen die ze kende, en werd nerveus. Toen besefte ze dat ze geen enkele reden had om nerveus te zijn.

Onder het lopen praatte Fraser over Duncan. Hij praatte alsof hij en zij het volledig eens waren; alsof ze niets anders hoefden te doen dan de koppen bij elkaar te steken, er wat tijd aan te besteden, en dan kwam het vanzelf wel weer goed met Duncan. Ze moesten om te beginnen iets doen, zei hij, aan zijn baan in die fabriek. Hij had een vriend die bij een drukkerij in Shoreditch werkte; hij dacht dat die vriend misschien wel een baantje voor Duncan kon vinden, om het vak te leren. Of anders kende hij nog een man die een boekhandel had. Het betaalde heel slecht, maar misschien zou dat soort werk Duncan meer aanspreken. Wat dacht zij daarvan?

Ze fronste haar voorhoofd, want ze luisterde niet echt; ze was zich nog steeds bewust van de ring in haar zak, en dacht aan de tijd. 'Waarom vraag je dat niet aan Duncan,' zei ze ten slotte, 'in plaats van aan mij?'

'Ik wilde graag jouw mening horen, dat is alles. Ik dacht dat we misschien... Nou ja, ik hoopte dat we vrienden konden worden. We zullen elkaar hoe dan ook weer tegenkomen bij meneer Mundy, en...'

Ze hadden de noordwestelijke hoek van Trafalgar Square bereikt en waren langzamer gaan lopen. Viv draaide haar hoofd om, zoekend naar een klok. Toen ze Fraser weer aankeek, zag ze hem met een vreemde blik op zijn gezicht naar haar staren.

'Wat is er?' vroeg ze.

Hij glimlachte. 'Je lijkt soms zo op je broer. Net ook weer. Je lijkt echt sprekend op hem, hè?'

'Dat zei je ook toen we bij meneer Mundy waren.'

'Vind jij van niet dan?'

'Ik denk dat je zoiets zelf niet goed kunt zien.' Ze kreeg de klok van de St. Martinskerk in het oog: tien over half zeven. 'Nu moet ik echt gaan.'

'Goed. Maar wacht even.'

Hij voelde in zijn jaszak en haalde een papiertje en een potlood tevoorschijn. Hij schreef vlug iets op: het telefoonnummer van het huis waar hij woonde. 'Zul je me bellen,' zei hij, toen hij het haar gaf, 'als je me ooit persoonlijk wilt spreken? Niet alleen over je broer, bedoel ik.' Hij glimlachte. 'Ook over andere dingen.'

'Ja,' zei ze, het papiertje in haar zak stoppend. 'Ja, goed. Ik...' Ze gaf hem een hand. 'Het spijt me, meneer Fraser. Ik moet nu weg. Tot ziens!'

Ze draaide zich om en liet hem staan, stak haastig het plein verder over, zonder om te kijken. Waarschijnlijk keek hij haar na en zag hij haar hollen, benieuwd met wie ze in vredesnaam had afgesproken, en waarom; het interesseerde haar niet. Ze holde verder, door een opening in het verkeer, en ging de Strand in.

De dagen werden al korter. Het was donkerder op straat dan toen ze er die keer met Reggie doorheen was gereden: de dichte schemering maakte alle gezichten vlak en onopvallend, en ze betrapte zich erop dat ze met een mengeling van frustratie, opwinding en vrees naar mensen tuurde terwijl ze zich voorthaastte. Het was niet waar wat ze Fraser had verteld. Ze had geen afspraak. Ze was op zoek naar Kay, dat was alles. Dit was de vijfde of zesde keer in twee weken dat ze hier kwam. Ze hoopte haar te zien; hoopte haar eruit te kunnen pikken in de drukte...

Ze was nu vlak bij Tivoli, de bioscoop, en bleef aan de noordkant van de straat, waar het uitzicht het best was. Ze vertraagde haar pas en ging in een portiek staan, uit de weg.

Ze moest een rare indruk hebben gemaakt op iemand die toekeek, zo gretig als ze van het ene gezicht naar het andere tuurde. Er waren telkens mensen die ze voor Kay aanzag; ze kwam telkens met bonzend hart het portiek uit. Maar elke keer als de persoon in kwestie dichterbij kwam, bleek het heel iemand anders te zijn; de meest onwaarschijnlijke types zaten ertussen, opgeschoten jongens of mannen van middelbare leeftijd.

De rij voor de bioscoop slonk. Ze vermoedde dat de voorstelling al begonnen was. Maar eerst zou het bioscoopjournaal komen en dan iets als Mickey Mouse. Misschien was het onzin om hier te staan. Misschien was ze Kay al misgelopen. Al dat gedoe met Fraser ook! Ze tikte met haar voet op de grond. Ze kon beter oversteken, een kaartje kopen, naar binnen gaan; de gangpaden op en neer lopen, of een plekje zoeken waar ze de laatkomers aandachtiger kon bekijken als ze binnenkwamen.

Maar, dacht ze plotseling, wat had het eigenlijk voor zin? Hoe waarschijnlijk was het dat Kay hier terug zou komen? Misschien was ze alleen die ene keer geweest, voor die ene film. Ze kon overal in Londen zijn! Hoe groot was de kans eigenlijk dat Viv haar zou zien?

De rij was nu tot niets geslonken. Een stel jongens en meisjes liep nog vlug naar de deuren, en dat was het. Viv stak haar hand weer in haar zak, betastte de ring in het stukje stof, draaide hem telkens om met haar vingers; ze wist dat het dom was om te blijven wachten, maar ze wilde niet weggaan, ze kon het niet zomaar opgeven, naar huis gaan...

Toen klonk vlak naast haar een mannenstem.

'Nog steeds op zoek naar niemand, neem ik aan?'

Ze schrok op. Het was Fraser.

'God!' zei ze. 'Wat wil je nu weer?'

Hij stak zijn handen op. 'Ik wil niets! Nadat je weg was heb ik op Trafalgar Square naar de duiven zitten kijken. Buitengewoon kalmerend voor de zenuwen, die duiven. Ik verloor de tijd helemaal uit het oog. Toen besloot ik om Burlington Bertie na te doen en over de Strand te lopen. Ik had niet verwacht dat jij hier nog zou zijn, echt niet. En ik zie wel aan je gezicht hoe welkom ik ben. Maak je geen zorgen, je zult merken dat ik een echte heer ben in dit soort zaken. Ik zal niet blijven rondhangen en je kansen bij die andere vent bederven.'

Viv stond over zijn schouder te kijken, nog steeds speurend naar de gezichten van voorbijgangers. Toen drong het tot haar door wat hij had gezegd – en het contrast tussen wat hij dacht en de werkelijke reden waarom ze hier was, deed haar plotseling alle moed verliezen. Ze boog haar hoofd en zei: 'Het maakt niet uit. Die persoon komt toch niet.'

'Komt niet? Hoe weet je dat?'

'Dat weet ik gewoon,' zei ze bitter. 'Het was stom dat ik hier heb staan wachten.'

Ze draaide zich om. Hij stak zijn hand uit, raakte haar arm even aan. 'Hoor eens,' zei hij zachtjes, ernstig. 'Het spijt me.'

Ze haalde diep adem. 'Niks aan de hand.'

'Dat zou je niet zeggen. Kan ik je niet ergens een drankje aanbieden?'

'Doe maar geen moeite.'

'Het is geen moeite.'

'Je zult toch wel ergens heen moeten?'

Hij keek berouwvol. 'Nou ja, ik had eigenlijk gezegd dat ik je broer zou gaan opzoeken, bij meneer Mundy. Maar hij vindt het vast niet erg om nog een uurtje te wachten. Kom mee.'

Hij trok aan haar arm. Ze was weer om zich heen gaan kijken; ze kon het niet laten. Maar ze liet zich door hem meetronen. Hij zei: 'Iets verderop is een pub.'

Ze schudde haar hoofd. 'Geen pub.'

'Geen pub, goed. Een tearoom? Kijk, hier is er een, met een raam aan de straatkant. Hier gaan we naar binnen. En als die persoon dan toch nog komt opdagen...'

Ze gingen de tearoom in en vonden een tafeltje bij de deur. Hij bestelde koffie en een schaal taartjes. Toen er een paar minuten later een ander tafeltje vrijkwam, pal naast het raam, gingen ze daar zitten.

Het was druk. De deur van de tearoom ging telkens open en dicht om mensen in en uit te laten. Achter de toonbank klonk regelmatig het gekletter van serviesgoed, het gesis van stoom. Viv zat met haar hoofd omgedraaid, zodat ze de straat kon zien. Fraser keek soms met haar mee; meestal was zijn blik echter op haar gezicht gevestigd. Hij zei een keer, om haar aan het lachen te maken: 'Ik ben van gedachten veranderd. Volgens mij ben je helemaal geen cancan-danseres. Volgens mij ben je een privé-detective. Zit ik in de buurt?'

Ze liet haar koffie koud worden. De taartjes arriveerden; ze zagen er smerig uit, alsof ze met lichtgevende verf waren bespoten, met bovenop een klodder namaakslagroom die alweer in water veranderde. Ze had geen trek. Vanuit haar ooghoeken zag ze de hele tijd mensen van wie ze dacht dat het Kay zou kunnen zijn. Ze vergat Fraser bijna, was zich alleen vagelijk bewust van het feit dat hij was opgehouden met praten. Maar na een paar minuten begon hij weer, en zijn stem klonk ditmaal heel vlak.

Hij zei: 'Nou, ik hoop dat hij het waard is.'

Ze keek hem niet-begrijpend aan. 'Wie?'

'Die vent waar je op wacht. Voor zover ik het kan bekijken denk ik eigenlijk van niet, om je de waarheid te zeggen. Gezien alle last die hij je heeft bezorgd...'

'Jij denkt natuurlijk dat het een hij is,' zei ze, zich weer omdraaiend naar het raam. 'Echt iets voor een man om dat te denken.'

'Nou, is het dan geen hij?'

'Nee. Het is een vrouw, als je het per se weten wilt.'

Hij geloofde het eerst niet. Maar ze zag hem nadenken. En toen leunde hij achterover, knikte, en zijn gezicht veranderde. 'Aha,' zei hij. 'Ik snap het. De echtgenote.'

Hij zei het op zo'n cynische, veelbetekenende manier, en zijn opmerking was zo ver bezijden de waarheid – en kwam aan de andere kant toch zo dicht in de buurt – dat ze zich gegriefd voelde. Ze vroeg zich af wat Duncan hem had verteld over haar en Reggie. Haar gezicht werd warm. Ze zei: 'Het is niet... Het is niet wat je denkt.'

Hij spreidde zijn vingers. 'Ik zei het al, ik ben ruim van opvatting.'

'Maar zoiets is het helemaal niet. Het is gewoon...'

Zijn ogen waren op haar gericht. Ze waren blauw, nog steeds een beetje insinuerend, maar afgezien daarvan volkomen argeloos; en terwijl ze hem aankeek, bedacht ze dat hij de eerste was in vele jaren met wie ze langer dan een minuut had gepraat zonder een of andere leugen te vertellen.Toen de deur van de tearoom openging en er twee jongens binnenkwamen die grappen begonnen te maken met de man achter de toonbank, zei ze zacht, onder de dekmantel van hun gelach: 'Ik heb hier iemand gezien. Twee weken geleden heb ik hier iemand gezien, en nu hoop ik haar weer te zien. Dat is het hele verhaal.'

Hij zag dat ze het meende. Hij boog zich weer dichter naar de tafel toe en zei: 'Een vriendin?'

Ze sloeg haar ogen neer. 'Gewoon een vrouw. Een vrouw die ik van vroeger ken, toen het oorlog was.'

'En je hebt een afspraak met haar gemaakt voor vanavond?'

'Nee. Ik heb haar alleen maar gezien, buiten voor de bioscoop. Ik ben op verschillende avonden hier teruggekomen en heb op haar gewacht. Ik dacht, als ik dat doe...' Ze werd verlegen. 'Het klinkt geschift hè? Ik weet het. Het ís ook geschift. Maar toen ik haar hier zag, die ene keer, ben ik min of meer... gevlucht. Daar had ik later spijt van. Ze is aardig voor me geweest. Ontzettend aardig. Ze heeft iets voor me gedaan.'

'Ben je haar uit het oog verloren?' vroeg Fraser, in de korte stilte die volgde. 'Dat gebeurde constant tijdens de oorlog.'

'Nee, dat was het niet. Ik had kunnen achterhalen waar ze was als ik gewild had; dat zou heel eenvoudig zijn geweest. Maar wat ze voor me had gedaan deed me aan iets anders denken, snap je, dat ik liever wilde vergeten.' Ze schudde haar hoofd. 'Stom eigenlijk, want ik kon het natuurlijk toch niet vergeten.'

Hij drong niet verder aan. Ze zaten met de malle taartjes tussen hen in; hij roerde in het restant van zijn afgekoelde koffie alsof hij nadacht over wat ze had verteld. Toen zei hij, nog steeds een beetje peinzend: 'In oorlogstijd zijn mensen meestal aardig voor elkaar. We zijn geneigd dat te vergeten. Ik heb de afgelopen maanden met mensen gewerkt die uit Duitsland en Polen hierheen zijn gekomen. Hun verhalen – God! Ze hebben me vreselijke dingen verteld, afgrijselijke dingen; ik kon niet geloven dat een gewoon mens, in gewone kleren, in de wereld die ik kende, me zulke dingen zou kunnen vertellen... Maar ze vertelden ook prachtige dingen. De moed van mensen, de onvoorstelbare goedheid. Ik denk dat het door die verhalen kwam dat ik, toen ik je broer weer zag... ik weet het niet. Hij was aardig voor me, in de gevangenis, dat kan ik je wel vertellen. Net zoals jouw vriendin, die vrouw, zo te horen aardig was voor jou.'

Viv zei: 'Ze was eigenlijk niet eens een vriendin. We waren vreemden voor elkaar.'

'Tja, soms is het gemakkelijker om aardig te zijn voor vreemden dan voor de mensen die je het meest na staan. Maar ze kan je wel vergeten zijn – heb je dat al bedacht? Of misschien wil ze er niet aan herinnerd worden. Weet je trouwens zeker dat zij het is?'

'Ze is het,' zei Viv. 'Dat weet ik. Dat weet ik gewoon. En ja, misschien is ze me vergeten, en misschien moet ik haar niet lastigvallen. Alleen... ik kan het niet uitleggen. Ik vind gewoon dat ik het moet doen.' Ze keek hem aan, plotseling bang dat ze te veel had gezegd. Ze wilde zeggen: Je vertelt het niet aan Duncan, hè? Maar wat schoot ze daarmee op, behalve dat er wéér een geheim bij kwam – een geheim tussen hem en haar. Je moest tenslotte iemand vertrouwen; en misschien had hij gelijk en was het gemakkelijker om vreemden te vertrouwen... Dus zei ze niets. Ze pakte een taartje van de schaal en begon het te verkruimelen. Toen draaide ze haar hoofd om en keek de straat in, doelloos nu, niet meer op zoek naar Kay; in haar hart was ze er nog steeds van overtuigd dat ze haar enige kans had verspeeld.

En nog voor haar blik tot rust was gekomen, kwam er uit de richting van Waterloo Bridge een gestalte aanslenteren over het trottoir: een slanke, lange, heel opvallende gestalte, die niets weg had van een jongen of een man van middelbare leeftijd, met de handen in de broekzakken en een sigaret die nonchalant in een mondhoek bungelde. Viv boog zich dichter naar het raam toe. Fraser zag het, en leunde opzij om mee te kijken.

'Wat is er?' vroeg hij. 'Heb je haar gezien? Naar wie kijk je? Toch niet naar dat gedistingeerde type, met het zwierige loopje?'

'Niet doen!' zei Viv, terwijl ze terugdeinsde en over de tafel reikte om hem ook weg te trekken. 'Anders ziet ze ons.'

'Ik dacht dat dat de bedoeling was! Wat doe je nou? Ga je niet naar haar toe?'

Ze durfde niet meer. 'Ik weet niet. Zal ik het doen?'

'Na alle moeite die we hebben gedaan?'

'Het is zo lang geleden. Ze denkt vast dat ik niet goed snik ben.'

'Maar je wilt het toch?'

'Ja.'

'Ga dan! Waar wacht je nog op?'

Weer was het de jeugdige blik van opwinding in zijn blauwe ogen die haar moed gaf. Ze stond op en ging naar buiten; ze rende naar de overkant en bereikte Kay net op het moment dat Kay zelf bij de klapdeuren van de bioscoop was gearriveerd. Ze haalde de ring, met het lapje eromheen, uit haar zak, en tikte Kay op de arm...

Het duurde maar een minuut of twee. Het was het gemakkelijkste wat ze ooit had gedaan. Maar ze voelde zich opgetogen toen ze terugkwam in de tearoom. Ze ging zitten en glimlachte aan één stuk door. Fraser sloeg haar gade, ook met een glimlach.

'Kende ze je nog?'

Viv knikte.

'Was ze blij om je te zien?'

'Dat weet ik eigenlijk niet. Ze leek... anders. Ik neem aan dat iedereen anders is dan toen.'

'Zie je haar nog een keer? Ben je blij dat je het gedaan hebt?'

'Ja,' zei Viv. Toen zei ze het nog eens. 'Ja, ik ben blij dat ik het gedaan heb.'

Ze keek weer naar de bioscoop. Kay was nergens meer te bekennen. Maar het opgetogen gevoel duurde voort. Ze voelde zich tot alles in staat! Ze dronk haar koffie op, terwijl haar gedachten over elkaar heen buitelden. Ze dacht aan alle dingen die ze kon doen. Ze kon haar baan opzeggen! Ze kon weggaan uit Streatham, een eigen flatje huren! Ze kon Reggie opbellen! Haar hart maakte een sprong. Ze kon een telefooncel zoeken, nu meteen. Ze kon hem opbellen en tegen hem zeggen... Wat? Dat het voorgoed uit was tussen hen! Dat ze hem vergaf, maar dat vergeven niet genoeg was. Al die mogelijkheden deden haar duizelen. Misschien zou ze geen van die dingen ooit doen. Maar alleen al het idee dat het kon, o, wat was dat heerlijk!

Ze zette haar kopje neer en schoot in de lach. Fraser lachte ook. Zijn glimlach had ook iets ernstigs in zich, en terwijl hij haar eens goed opnam, schudde hij zijn hoofd.

'Wat lijk je ongelooflijk veel op je broer!' zei hij.

Helen kwam 's avonds thuis in een leeg huis. Ze stond in de hal en riep Julia's naam, maar terwijl ze nog stond te roepen werd ze zich bewust van een soort doodse sfeer. De lichten waren uit; het fornuis en de elektrische ketel, boven in de keuken, waren steenkoud. Haar eerste, paniekerige, idiote gedachte was: Julia is weg, en met een angstig voorgevoel liep ze hun slaapkamer in en trok langzaam de deur van de klerenkast open, ervan overtuigd dat al Julia's kleren waren weggehaald... Ze had haar eigen mantel nog aan, en toen ze zag dat Julia's kleren er nog waren, dat geen van haar koffers ontbrak, dat haar haarborstel en sieraden en cosmetica allemaal nog op de toilettafel lagen, ging ze onbeholpen op het bed zitten, trillend van opluchting.

Stomme idioot, zei ze bij zichzelf, bijna lachend.

Maar goed, waar wás Julia? Helen liep terug naar de klerenkast. Na enig denkwerk kwam ze tot de conclusie dat Julia in een tamelijk chique jurk en een van haar mooiere mantels de deur uit was gegaan. Ze had haar nette tas meegenomen, in plaats van dat versleten ding. Ze zou op bezoek kunnen zijn bij haar ouders, dacht Helen. Ze zou een afspraak kunnen hebben met haar literair agent of met haar uitgever. Ze zou bij Ursula Waring kunnen zijn, zei een gnoomachtige stem vanuit een donker, groezelig hoekje in Helens hoofd; maar daar wilde Helen niet naar luisteren. Julia had gewoon een afspraak met haar redacteur of agent; waarschijnlijk had haar agent op het laatste moment gebeld, zoals hij vaak deed, en gevraagd of ze snel naar zijn kantoor kon komen om een papier te tekenen – iets dergelijks.

In dat geval had Julia natuurlijk een briefje achtergelaten. Helen stond op en trok haar mantel uit – heel kalm nu – en begon het huis te doorzoeken. Ze ging terug naar de keuken. Naast de voorraadkast, aan een spijker, hing een scharnierende koperen hand waarin papiertjes zaten geklemd, om lijstjes en mededelingen op te schrijven; maar alle mededelingen die er nu in zaten waren oud. Ze zocht op de grond, voor het geval er een papiertje uit was gevallen. Ze keek op het aanrecht en de planken, en toen ze niets vond, begon ze op allerlei andere, onwaarschijnlijke plaatsen te zoeken: in de badkamer, onder de kussens op de bank, in de zakken van een vest van Julia. Op het laatst voelde ze dat haar gezoek een paniekerig of dwangmatig tintje kreeg. Weer kwam die groezelige stem in haar op, om haar er fijntjes op te wijzen dat zij hier als een imbeciel tussen het stof liep te zoeken, terwijl Julia intussen op stap was met Ursula Waring of een andere vrouw en haar hartelijk uitlachte...

Ze moest die stem weer wegduwen. Het leek op het neerdrukken van de veer van een grijnzend duveltje in een doosje. Maar ze wilde niet toegeven aan zulke gedachten. Het was zeven uur, een gewone avond, en ze had honger. Alles was volmaakt in orde. Julia had niet verwacht dat ze zo laat terug zou zijn. Julia was opgehouden, dat was alles. Godallemachtig, mensen werden voortdurend opgehouden! Ze besloot het avondeten klaar te gaan maken. Ze verzamelde de ingrediënten voor een *shepherd's pie*. Ze zei bij zichzelf dat Julia thuis zou zijn tegen de tijd dat de pie in de oven stond.

Ze zette de radio aan onder het koken, maar heel zacht; en terwijl ze water aan de kook bracht, het gehakt bakte en de aardappelen pureerde, stond ze ingespannen te luisteren of ze Julia's sleutel al in het slot van de voordeur beneden hoorde.

Toen het eten klaar was, wist ze niet of ze op Julia moest blijven wachten of niet. Ze schepte het op twee borden; ze zette de borden in de oven om ze warm te houden, en deed langzaam de hele afwas. Tegen de tijd dat ze daarmee klaar was zou Julia toch wel terug zijn, en dan konden ze aan tafel gaan en samen eten. Ze rammelde nu van de honger. Toen ze alles had afgedroogd haalde ze haar bord weer uit de oven, zette het op het fornuis neer en begon met een vork in de puree te prikken. Ze was van plan maar een paar happen te nemen, gewoon om de ergste honger te stillen; uiteindelijk at ze het hele bord leeg – zomaar, staande, met haar schort voor, terwijl de damp langs het keukenraam droop, en de man en de vrouw buiten op het plaatsje aan een nieuwe ruzie begonnen, of een oude ruzie voortzetten.

'Stop het maar in je reet!'

Ze was zo lang in de helder verlichte keuken geweest dat ze het in de rest van het huis donker vond. Ze liep snel van de ene kamer naar de andere om overal het licht aan te doen. Beneden in de zitkamer schonk ze voor zichzelf een glas gin met water in. Ze ging op de bank zitten en haalde haar breiwerk voor de dag; ze breide vijf of tien minuten. Maar de wol bleef telkens aan haar droge vingers haken. De gin begon haar stemming te bederven, maakte haar onhandig, bracht haar uit haar evenwicht. Ze gooide het breiwerk neer en stond op. Ze ging weer naar boven, naar de keuken, nog steeds half op zoek naar een soort briefje.

Ze kwam bij de smalle trap die naar Julia's studeerkamer leidde, en voelde een sterke drang om naar boven te gaan.

Er was geen reden, dacht ze, terwijl ze de trap beklom, om zich daar schuldig over te voelen. Julia had bijvoorbeeld nooit gezegd dat ze liever niet had dat Helen in haar studeerkamer kwam. Het was tussen hen nooit een onderwerp van discussie geweest; integendeel, er waren keren geweest dat Julia naar een vergadering was gegaan en had gebeld om te zeggen: 'Sorry, Helen, ik ben zo stom geweest om een papier te laten liggen. Wil jij even naar mijn kamer rennen en het opzoeken?' Daaruit bleek dat ze het niet erg vond als Helen in haar bureauladen rommelde; en hoewel elke la een sleutel had, werden de sleutels beslist nooit omgedraaid.

Toch had het iets stiekems, iets verontrustends, zo'n bezoekje aan Julia's studeerkamer wanneer Julia er niet was. Alsof je een kind was en in je eentje naar de slaapkamer van je ouders ging: je vermoedde dat zich daar dingen afspeelden – bijzondere, onvoorstelbare dingen, die met jou te maken hadden en waar je toch volledig buiten stond... Zo ervoer Helen het in elk geval. Zo ervoer ze het zelfs terwijl ze, zoals nu, gewoon midden in de kamer stond en om zich heen keek, zonder papieren op te pakken of voorzichtig in open enveloppen te gluren.

De kamer, die bijna de hele zolderverdieping besloeg, was schemerig en rustig en had een schuin plafond – echt een zolderkamertje voor een schrijver, zeiden Julia en zij vaak schertsend. De muren waren geverfd in een lichte tint olijfgroen; het vloerkleed was een echt smyrnatapijt, en maar een beetje versleten. Voor het ene raam stond een bureau dat geschikt leek voor een bankdirecteur, met een draaistoel, voor het andere een oude leren sofa – want Julia schreef bij vlagen, en lag tussendoor graag te dutten of te lezen. Aan het uiteinde van de sofa stond een tafel met vuile kopjes en glazen, een schoteltje met biscuitkruimels, een asbak, as. Op de kopjes en sigarettenpeuken zat Julia's lippenstift. Op een bekerglas zat een veeg van haar duim. Eigenlijk zag je overal stukjes Julia: Julia's donkere haren op de vloer en de kussens van de bank; haar uitgeschopte espadrilles onder het bureau; een afgeknipte nagel naast de prullenmand, een wimper, poeder van haar wang.

Als ik zou horen, zei Helen bij zichzelf, dat Julia vandaag gestorven was, zou ik hier precies zo staan, en dan zou al deze rommel iets tragisch hebben. Nu keek ze van het ene ding naar het andere met een schrijnend gevoel vanbinnen, een vertrouwde maar onbehaaglijke mengeling van emoties: tederheid, ergernis en angst. Ze dacht aan de lukrake manier waarop Julia vroeger schreef, in die eenkamerflat in Mecklenburg Square waarover ze Viv vandaag, op de brandtrap, had verteld. Ze herinnerde zich dat ze op een divanbed lag terwijl Julia aan een gammele tafel werkte bij het licht van een kaars – haar hand, die op het papier rustte, leek de vlam te omvatten, haar palm was een spiegel, haar mooie gezicht lichtte op... Nadat ze uren zo had zitten schrijven kwam ze eindelijk in bed liggen, uitgeput maar zonder te kunnen slapen, verstrooid en afstandelijk; Helen legde soms zachtjes een hand op haar voorhoofd, en dan was het net of ze daarachter de woorden voelde krioelen en rondzoemen als een zwerm bijen. Ze vond het niet erg. Ze was er bijna blij om. De roman was tenslotte maar een roman; de mensen die erin voorkwamen waren niet echt; zij, Helen, was echt, alleen zij kon naast Julia liggen en haar voorhoofd aanraken...

Ze liep naar Julia's bureau. Het was rommelig, zoals alles van Julia, het vloeipapier verzadigd van inkt, een pot spaarzegels ondersteboven gekeerd, een berg papieren met daartussen vuile zakdoeken en enveloppen, verdroogde appelschillen en plakband. In het midden lag een van Julia's goedkope blauwe schriften. *Ziek 2*, had ze op de kaft gezet: het bevatte haar aantekeningen voor de roman waar ze nu aan werkte, een roman die in een verpleeghuis speelde en *Word ziek en sterf* heette. Helen had die titel verzonnen. Ze kende alle ins en outs van de ingewikkelde plot. Ze sloeg het schrift open en keek erin, en de ogenschijnlijk cryptische notities: inspecteur B naar Maidstone – controleer RT, en zuster Pringle – siroop, géén naald!! – waren voor haar glashelder. Er was hier niets dat ze niet begreep. Het was allemaal net zo gewoon en net zo vertrouwd als haar eigen scheve gezicht.

Waarom leek het dan of Julia zich terugtrok naarmate ze dichter bij dit soort voorwerpen kwam? En waar was Julia nu in jezusnaam? Ze sloeg het schrift weer open en begon vertwijfeld te bladeren, alsof ze een aanwijzing zocht. Ze pakte een zakdoek met inktvlekken op en schudde hem uit. Ze keek onder het vloeiblok. Ze trok laden open. Ze tilde een vel papier op, een envelop, een boek...

Onder het boek lag de *Radio Times* van twee weken geleden, opengevouwen bij het artikel over Julia.

URSULA WARING introduceert Julia Standings spannende nieuwe roman...

Met dat fototje erbij, natuurlijk. Julia was naar een man in Mayfair gegaan om het te laten maken, en Helen was meegegaan, 'voor de lol'. Maar de lol was er gauw af geweest. Helen had zich een lelijk eendje gevoeld dat een knappe vriendin naar de kapper vergezelde – ze hield Julia's tas vast terwijl de man haar liet poseren en rondlopen; ze moest toekijken terwijl hij iets aan haar kapsel deed, haar kin opzij duwde, haar handen vastpakte om ze anders neer te leggen. Het waren flatteuze foto's geworden, al beweerde Julia dat ze ze niet mooi vond; ze maakten haar sexy – maar niet sexy, vond Helen, zoals ze dat van nature was, zonder er moeite voor te doen: als ze in de flat rondhing, bijvoorbeeld, in een ongestreken broek en een versteld overhemd. Op de foto's zag ze er 'huwbaar' uit; Helen wist er geen beter woord voor. En ze had met afschuw gedacht aan alle gewone mensen die de *Radio Times* hadden opgepakt en opengeslagen bij Julia's foto, en die terloops en vol bewondering bij zichzelf hadden gezegd: 'Wat een knappe vrouw!' Ze had zich hen voorgesteld als ontelbare groezelige vingers die de afbeelding op een munt wegwreven; of als kijvende vogels die naar Julia pikten en haar meenamen, kruimel voor kruimel...

Ze was heimelijk blij geweest toen dat nummer oud nieuws was en er een volgend nummer was verschenen. Maar nu ze naar het tijdschrift keek – naar Julia's foto, naar Ursula Warings naam – kwamen al haar oude angsten weer naar boven alsof ze nog helemaal vers waren. Ze ging op haar hurken zitten, sloot haar ogen, en liet haar hoofd zakken tot haar voorhoofd de rand van Julia's bureau raakte; ze hield haar gezicht zo dat de rand pijnlijk in haar voorhoofd sneed. Ik zou nog meer pijn willen lijden, dacht ze intussen, als ik daardoor zeker kon zijn van Julia! Ze dacht aan de dingen die ze moeiteloos zou opofferen: een vingertop, een teen, een dag aan het eind van haar leven. Ze bedacht dat er een systeem zou moeten zijn, een soort middeleeuws systeem, waarbij je de dingen die je hartstochtelijk graag wilde, kon verdienen door je te laten geselen of brandmerken of snijden. Ze wenste bijna dat Julia mislukt was. Ze bracht de gedachte onder woorden: Ik wou dat ze mislukt was! Wat een etter was ze eigenlijk! Hoe had het in jezusnaam zo ver met haar kunnen komen, dat ze Julia zulke dingen toewenste? Het komt alleen, zei ze treurig bij zichzelf, doordat ik van haar hou...

Op hetzelfde moment hoorde ze het gerammel van Julia's sleutel in het slot van de voordeur. Ze krabbelde overeind, knipte het licht uit en stormde naar beneden; ze ging de keuken in en deed alsof ze bij de gootsteen met iets bezig was – ze draaide de kraan open, vulde een glas met water en gooide het weer leeg. Ze keek niet om. Ze dacht: Wind je niet op. Alles is in orde. Doe normaal. Blijf heel rustig.

Toen kwam Julia naar haar toe en kuste haar, en ze rook wijn en sigarettenrook in Julia's mond, en zag de stralende, blozende, vergenoegde uitdrukking op haar gezicht. En toen – toen klapte haar hart stijf dicht, als een val, al deed ze nog zo wanhopig haar best de kaken tegen te houden.

Julia zei: 'Schat! Het spijt me zo.'

Helens stem klonk kil. 'Wat spijt je?'

'Het is zo laat geworden! Ik had al uren geleden terug willen zijn. Ik had geen idee.'

'Waar ben je geweest?'

Julia draaide zich om. Ze zei luchtig: 'Gewoon, bij Ursula. Ze nodigde me uit om vanmiddag op de thee te komen. Op de een of andere manier, je weet hoe dat gaat, ging de thee over in het avondeten...'

'Vanmiddag?'

'Ja,' zei Julia. Ze was weer op weg naar de hal, om haar mantel en hoed op te bergen.

'Dat is niets voor jou, om zomaar te spijbelen op een werkdag.'

'Nou ja, ik had al een hoop gedaan. Ik heb van negen tot vier als een gek zitten werken! Toen Ursula belde, dacht ik...'

'Ik heb je om tien voor twee gebeld. Was je toen aan het werk?'

Julia zweeg even. Ten slotte zei ze, vanuit de hal: 'Tien voor twee? Wat vreselijk precies. Ik neem aan van wel.'

'Kun je je niet herinneren dat de telefoon ging?'

'Waarschijnlijk was ik beneden.'

Helen ging naar haar toe. 'Je hoorde het wel toen Ursula Waring belde.'

Julia stond voor de spiegel in de hal haar haar te fatsoeneren. Ze zei op geduldige toon: 'Helen, doe dat nou niet.' Ze draaide zich om en keek Helen met opgetrokken wenkbrauwen aan. 'Wat is er met je voorhoofd? Het is helemaal rood. Kijk, hier.'

Ze kwam met uitgestoken hand op Helen af. Helen sloeg de hand weg. 'Ik had verdomme geen idee waar je was! Had je niet even een briefje neer kunnen leggen?'

'Ik had er niet aan gedacht om een briefje neer te leggen. Als je ergens gaat lunchen, verwacht je niet...'

Helen sprong er bovenop. 'Lunchen? Dus toch niet theedrinken?'

Julia's blozende wangen werden roder. Ze boog haar hoofd en liep langs Helen heen naar de slaapkamer. 'Ik bedoelde het gewoon als voorbeeld. Godallemachtig!'

'Ik geloof je niet,' zei Helen, die haar naar binnen volgde. 'Ik denk dat je de hele dag met Ursula Waring op stap bent geweest.' Geen reactie. 'Nou, is dat zo?'

Julia was naar de toilettafel gelopen om een sigaret te pakken. Bij het horen van Helens dwingende toon bleef ze staan met de sigaret tussen haar lippen, kneep haar ogen half dicht en schudde haar hoofd, met een blik van weerzin en ongeloof. Ze zei: 'Vond ik dit soort dingen vroeger vleiend? Heb ik dat ooit gevonden?' Ze draaide zich om, streek een lucifer af en stak kalmpjes de sigaret aan. Toen ze Helen weer aankeek, was haar gezicht veranderd; het stond strak, alsof het uit gekleurd marmer of een gaaf stuk hout was gesneden. Ze nam de sigaret uit haar mond en zei op vlakke, waarschuwende toon: 'Niet doen, Helen.'

'Wat niet?' vroeg Helen, alsof ze verbaasd was. Maar tegelijk kromp ze in elkaar om wat Julia zei, schaamde ze zich diep voor het monster dat ze van zichzelf maakte. 'Wat moet ik niet doen, Julia?'

'Begin nou niet met al dat... Christus! Ik ga hier niet naar staan luisteren.' Ze liep rakelings langs Helen en ging terug naar de keuken.

Helen ging haar achterna. 'Je bent bang dat ik je op een leugen zal betrappen, dat is het. Er is eten voor je, maar daar zul je wel geen trek in hebben. Ursula Waring zal je wel hebben meegenomen naar een chic restaurant, waar al die BBC-types komen. Leuk voor je. Ik moest in mijn dooie eentje eten. Ik heb hier staan eten, achter dat stomme fornuis, met mijn schort voor.'

De blik van afkeer verscheen weer op Julia's gezicht, maar ze moest ook lachen. Ze vroeg: 'Waarom heb je dat dan in vredesnaam gedaan?'

Helen wist het niet. Het kwam haar nu absurd voor. Kon ze maar meelachen met Julia. Kon ze maar zeggen: O, Julia, ik lijk wel niet goed wijs! Ze voelde zich als iemand die overboord is gevallen. Ze keek naar

Julia, die haar sigaret rookte en een ketel water opzette: het was of ze de mensen op het schip gewone dingen zag doen, een wandelingetje maken, van een drankje nippen. Er was nog tijd, dacht ze, om haar hand uit te steken, om 'Help!' te roepen. Er was nog tijd, het schip zou keren en ze zou gered worden...

Maar ze riep niet, en even later was de kans verkeken; het schip was snel doorgevaren en zij dreef alleen en hulpeloos in een vlakke, grijze zee. Ze begon te razen en te tieren. Ze sprak op een rare, sissende manier. Julia had mooi praten, zei ze. Julia deed precies waar ze zin in had. Als Julia dacht dat Helen niet wist wat ze achter Helens rug uitvoerde, als Helen naar haar werk was... Als Julia dacht dat ze haar voor de gek kon houden... Helen had vanaf het moment dat ze thuiskwam geweten dat Julia met Ursula Waring op stap was! Verbeeldde Julia zich soms...? Enzovoort. Ze had dat groezelige, grijnzende duveltje al een keer teruggeduwd in het doosje. Nu was het weer opgeveerd en zijn stem was de hare geworden.

Julia liep intussen met een ijzig gezicht de keuken rond en zette thee. 'Nee, Helen,' zei ze af en toe vermoeid, 'zo was het niet,' en: 'Doe niet zo belachelijk, Helen.'

'Wanneer had je het trouwens afgesproken?' vroeg Helen nu.

'God! Wat?'

'Dat rendez-vous van jou met Ursula Waring.'

'Rendez-vous! Ze belde me in de loop van de ochtend. Maakt dat iets uit?'

'Blijkbaar wel, als je zo stiekem en achterbaks moet doen. Als je tegen me moet liegen...'

'Ja, wat verwacht je dan?' riep Julia, die nu eindelijk haar geduld verloor en haar kopje zo hard neerzette dat de thee over de rand spatte. 'Ik doe dat omdat ik weet dat jij zo gaat doen! Jij verdraait alles. Je denkt bij voorbaat dat ik schuldig ben. Daardoor lijkt het of ik schuldig ben, zelfs... Christus! Zelfs in mijn eigen ogen!' Ze liet haar stem dalen, denkend aan het echtpaar beneden, ondanks haar boosheid. Ze vervolgde: 'Als ik elke keer dat ik een vrouw ontmoet, met iemand bevriend raak... God! Laatst kreeg ik een telefoontje van Daphne Rees. Ze vroeg of ik met haar wilde lunchen – gewoon lunchen! – en ik zei dat ik het te druk had, omdat ik wist wat jij je in hoofd zou halen. Phyllis Langdale heeft me een maand geleden geschreven. Nee, dat wist je niet, hè? Ze schreef hoe leuk ze het had gevonden om kennis met ons tweeën te maken, tijdens dat etentje bij Caroline. Ik heb overwogen om terug te schrijven hoe jij daarover tegen me tekeer was gegaan in de taxi naar huis! Wat een brief zou dát geworden zijn! "Lieve Phyllis, ik zou graag een keer iets met je gaan drinken, maar het punt is, mijn vriendin is wat je noemt een jaloers type. Als je getrouwd was, of extreem lelijk, of invalide, zou het denk ik anders liggen. Maar een alleenstaande, zelfs maar beetje aantrekkelijke vrouw – schat, ik durf het risico niet te nemen! Ze hoeft niet eens van de verkeerde kant te zijn; blijkbaar ben ik zo onweerstaanbaar dat elke vrouw op slag lesbisch wordt zodra ze met me aan een tafeltje gaat zitten om een gin met vermout te drinken!"'

'Hou je mond,' zei Helen. 'Je doet net of ik achterlijk ben! Ik ben niet achterlijk. Ik weet hoe je bent, wat je uitvoert. Ik heb je gezien met vrouwen...'

'Denk je dat ik geïnteresseerd ben in andere vrouwen?' Julia lachte. 'Christus, was het maar waar!'

Helen keek haar aan. 'Wat bedoel je daarmee?'

Julia draaide haar hoofd om. 'Niets. Niets, Helen. Het verbaast me alleen altijd dat jij degene bent die deze lullige fixatie heeft. Wat is dat toch met affaires? Is het net zoiets – ik weet niet – als het katholicisme? Vallen de andere roomsen je alleen op als je zelf praktizerend bent geweest?'

Ze keek Helen aan, en wendde toen haar ogen af. Even bleven ze zwijgend staan. 'Stop het maar in je reet,' zei Helen toen. Ze draaide zich om en ging terug naar de zitkamer beneden.

Ze sprak rustig en liep kalm, maar ze gruwde van de heftigheid van haar gevoelens. Ze kon niet stilzitten. Ze dronk de rest van haar gin met water op en schonk nog een glas in. Ze stak een sigaret op, maar maakte die bijna meteen weer uit. Ze stond trillend bij de schoorsteen; ze was bang dat ze zo meteen gillend en krijsend door het huis zou gaan stormen, boeken van de planken zou trekken, kussens aan stukken zou scheuren. Ze bedacht dat ze moeiteloos de haren uit haar hoofd zou kunnen rukken. Als iemand haar een mes had aangereikt, zou ze zichzelf doorstoken hebben.

Even later hoorde ze Julia naar haar studeerkamer gaan en de deur dichtdoen. Toen werd het stil. Wat deed ze daar? Waarom moest ze zo nodig de deur dichtdoen? Misschien was ze aan de telefoon... Hoe meer

Helen erover nadacht, hoe meer ze ervan overtuigd raakte dat dat het was. Julia belde Ursula Waring – om te klagen, te lachen, een nieuwe afspraak te maken... Het was vreselijk, dacht Helen, om het niet te weten! Ze kon het niet verdragen. Ze sloop met diabolische steelsheid naar de trap, hield haar adem in en luisterde.

Toen zag ze zichzelf in de spiegel in de hal: ze zag haar verhitte, vertrokken gezicht en voelde weerzin opkomen. De weerzin was het ergst van alles. Ze sloeg een hand voor haar ogen en ging terug naar de zitkamer. Ze dacht er niet aan om naar Julia te gaan. Het leek haar nu vanzelfsprekend dat Julia van haar walgde, haar wilde ontvluchten; ze walgde van zichzelf, ze wenste dat ze haar eigen lichaam kon ontvluchten. Ze had het gevoel dat ze in de val zat, dat ze dreigde te stikken. Even stond ze daar nog, niet wetend wat ze met zichzelf aan moest; toen liep ze naar het raam en trok het gordijn open. Ze keek naar de straat, de tuin, de huizen met hun bladderende, gestuukte gevels. Ze zag een wereld vol bedrieglijke dingen die erop uit waren haar beet te nemen en te bespotten. Een man en een vrouw liepen hand in hand voorbij, glimlachend: het was net alsof die twee een geheim hadden dat zij was kwijtgeraakt – de sleutel tot veiligheid, geborgenheid en vertrouwen.

Ze ging zitten en knipte de lamp uit. Beneden in het souterrain riepen de man, de vrouw en hun dochter van de ene kamer naar de andere; het meisje begon op een blokfluit te spelen, steeds hetzelfde, haperende kinderliedje. Er kwam geen geluid van boven totdat Julia's deur openging om een uur of tien en ze zachtjes de trap afliep naar de keuken. Helen kon haar bewegingen akelig goed volgen: ze hoorde haar heen en weer lopen van de keuken naar de slaapkamer; zag haar naar beneden komen om naar de wc te gaan en in de badkamer haar gezicht te wassen; zag haar de trap weer opgaan naar de slaapkamer, nadat ze achter zich het licht had uitgedaan; hoorde haar over de krakende slaapkamervloer lopen toen ze zich uitkleedde en in bed stapte. Ze deed geen poging om met Helen te praten en kwam de zitkamer niet in, en Helen riep haar niet. De slaapkamerdeur werd een eindje dichtgeduwd, maar niet gesloten: het licht van de leeslamp was nog een kwartier in het trapgat te zien en ging toen uit.

Daarna was het volslagen donker in huis, en door het donker en de stilte voelde Helen zich ellendiger dan ooit. Ze hoefde alleen haar hand maar uit te steken naar de schakelaar van de lamp, of de knop van de radio, om de sfeer te doorbreken, maar ze kon het niet; ze stond buiten de wereld van gewone handelingen en dingen. Ze bleef nog een poosje zitten, stond toen op en begon te ijsberen. Het ijsberen was iets wat een actrice zou kunnen doen in een toneelstuk, om een toestand van wanhoop of waanzin uit te drukken, en het leek onecht. Ze ging op de grond liggen, trok haar benen op, hield haar armen voor haar gezicht: die houding leek ook onecht, maar toch hield ze het bijna twintig minuten vol. Misschien komt Julia naar beneden en ziet ze me op de grond liggen, dacht ze, terwijl ze daar lag; ze dacht dat Julia dan tenminste zou beseffen aan wat voor extreme gevoelens zij, Helen, ten prooi was.

Ten slotte begreep ze dat ze alleen maar een absurde indruk zou maken. Ze stond op. Ze was verkleumd en verkrampt. Ze ging naar de spiegel. Het was griezelig om in een donkere kamer naar je spiegelbeeld te kijken; er was echter een beetje licht van een straatlantaarn, en in dat licht zag ze dat haar wang en blote arm rode en witte strepen vertoonden, een soort striemen, van het liggen op het vloerkleed. De striemen waren tenminste bevredigend. Eigenlijk had er ze er vaak naar verlangd dat haar jaloezie een fysieke vorm zou aannemen; ze had soms gedacht, op dit soort momenten: ik ga mezelf branden, of ik ga mezelf snijden. Want een brand- of snijwond kon getoond worden, kon verzorgd worden, kon een litteken worden of genezen, zou een miserabel soort embleem zijn; zat in elk geval aan de buitenkant van haar lichaam, in plaats van het vanbinnen aan te vreten. Nu kwam ook weer de gedachte bij haar op dat ze zichzelf op de een of andere manier zou kunnen beschadigen. Het leek de oplossing van een probleem. Ik doe het niet, zei ze bij zichzelf, als een hysterisch meisje. Ik doe het niet voor Julia, in de hoop dat zij me zal betrappen terwijl ik bezig ben. Het is anders dan toen ik op de vloer van de zitkamer lag. Ik doe het voor mezelf, als een geheim.

Ze stond zichzelf niet toe te bedenken wat een pover, armzalig geheim dat zou zijn. Ze liep stilletjes de trap op naar de keuken en pakte haar toilettas uit de kast; kwam weer naar beneden en ging de badkamer in, deed zachtjes de deur dicht en op slot, draaide het licht aan en voelde zich meteen beter. Het licht was fel, zoals de lichten die je in de film in operatiekamers zag; de kale witte vlakken van het bad en de wastafel droegen bovendien bij tot een bepaalde klinische sfeer, een sfeer van doelmatigheid, van plichtsgevoel zelfs. Ze leek helemaal niet op een hysterisch meisje. Ze zag haar gezicht weer in de spiegel, en de rode striem was van haar wang verdwenen; ze zag er heel redelijk en kalm uit.

Ze ging te werk alsof ze de hele operatie van tevoren had gepland. Ze deed de toilettas open en pakte de slanke verchroomde koker waarin het veiligheidsscheermes zat dat zij en Julia gebruikten om hun benen te scheren. Ze haalde het scheermes eruit, draaide de schroef los, tilde de metalen naaf op en schoof het mesje eruit. Wat was het dun en buigzaam! Alsof je niets vasthield: een stukje ouwel, een fiche, een postzegel. Het enige probleem was: waar kon ze het beste snijden? Ze keek naar haar armen; misschien de binnenkant van de arm, waar het vlees zachter was en waarschijnlijk gemakkelijker meegaf. Ze overwoog haar buik, om een soortgelijke reden. Ze dacht niet aan haar polsen, enkels of schenen, of andere harde delen. Ten slotte koos ze voor de binnenkant van haar dij. Ze zette een voet op de koude ronde badrand; vond die houding te krampachtig; strekte haar been uit en zette haar voet schrap tegen de muur. Ze trok haar rok op, vroeg zich af of ze hem in haar broekje zou stoppen, dacht erover hem helemaal uit te trekken. Want stel dat er bloed op kwam? Ze had geen idee hoeveel bloed ze kon verwachten.

Haar dijbeen was blank, romig blank tegen het wit van de badkuip, en leek reusachtig groot onder haar handen. Ze had het nooit eerder op deze manier bekeken, en het viel haar nu op hoe vormeloos het was. Als ze het los zou zien, zou ze het nauwelijks herkennen als een functionerend lichaamsdeel. Waarschijnlijk zou ze niet eens weten dat het van haar was.

Ze legde een hand op het been, om het vlees strak te trekken tussen haar vingers en haar duim; ze luisterde even of er echt niemand in de hal was die haar kon horen; toen zette ze de rand van het mesje op de huid en sneed. Het was een oppervlakkige snee, maar ongelooflijk pijnlijk: het voelde als een afschuwelijke schok in haar hart, zoals wanneer je in ijskoud water stapt. Ze deinsde even terug, en deed het toen nog een keer. De gewaarwording was hetzelfde. Ze snakte letterlijk naar adem. Doe het nog eens, en dan vlugger! zei ze tegen zichzelf; maar het dunne, buigzame metaal, dat eerst bijna aantrekkelijk had geleken, vond ze nu, in vergelijking met het verende, mollige vlees van haar dijbeen, afstotelijk. De sneetjes waren te fijn. Ze vulden zich met bloed;

het bloed welde maar langzaam op, als met tegenzin, en leek onmiddellijk te verkleuren en te stollen. De randen van vlees sloten zich al: ze legde het mesje neer en trok ze uit elkaar. Dat deed het bloed wat sneller naar buiten komen. Ten slotte liep het over de huid en werd het vlekkerig. Ze keek er even naar, en kneep nog een paar keer in het vlees rondom de sneetjes, om het bloed weer te laten stromen; daarna veegde ze het been zo goed mogelijk schoon met een natgemaakte zakdoek.

Ze had nu twee korte rode streepjes op haar been, die ook het resultaat hadden kunnen zijn van een harde maar speelse haal van een kattenpoot.

Ze ging op de rand van het bad zitten. De schok van het snijden, dacht ze, had een verandering in haar teweeggebracht, een bijna chemische verandering: ze voelde zich onnatuurlijk helder, bezield, en gelouterd. Ze was er niet meer zo zeker van dat het snijden in haar been een normale en redelijke daad was; ze zou het bijvoorbeeld vreselijk hebben gevonden als Julia, of een van hun vriendinnen, haar had betrapt terwijl ze bezig was. Ze zou zich dood hebben geschaamd! En toch... Ze bleef maar naar de rode streepjes kijken, half perplex, half bewonderend. Stomme idioot, dacht ze; maar ze dacht het bijna opgewekt. Ten slotte pakte ze het mesje weer op, spoelde het af, schroefde het vast onder de metalen naaf en deed het scheermes terug in de koker. Ze draaide het licht uit, liet haar ogen aan het donker wennen, liep de hal in en ging de trap op naar de slaapkamer.

Julia lag op haar zij, met haar rug naar de deur en haar gezicht in het donker; haar haar stak heel zwart af tegen het kussen. Het was onmogelijk te zeggen of ze sliep of wakker was.

'Julia,' zei Helen zacht.

'Wat?' vroeg Julia na een korte stilte.

'Het spijt me. Het spijt me. Heb je een hekel aan me?'

'Ja.'

'Ik heb een nog veel grotere hekel aan mezelf.'

Julia draaide zich op haar rug. 'Zeg je dat als een soort troost?'

'Ik weet het niet,' zei Helen. Ze kwam dichterbij, legde haar vingers op Julia's haar.

Julia kromp ineen. 'Je hand is ijskoud! Raak me niet aan!' Ze pakte Helens hand. 'Allemachtig, waarom ben je zo koud? Waar ben je geweest?'

'In de badkamer. Nergens.'

'Kom nou maar in bed.'

Helen liep weg om zich uit te kleden, haar opgestoken haar los te maken, haar nachthemd aan te trekken. Ze deed het op een steelse, schichtige manier. Julia zei nog eens, toen ze naast haar in bed was gekropen: 'Wat ben je koud!'

'Sorry,' zei Helen. Ze had het zelf nog niet gemerkt, maar nu ze de warmte van Julia's lichaam voelde, begon ze te rillen. 'Sorry,' zei ze weer. Haar tanden klapperden. Ze probeerde zich zo stijf als een plank te houden; het trillen werd erger.

'God nog aan toe!' zei Julia, maar ze sloeg haar arm om Helen heen en trok haar naar zich toe. Ze droeg een gestreept jongensnachthemd: het rook naar slaap, naar onopgemaakte bedden, naar ongewassen haar – maar prettig, heerlijk. Helen ging tegen haar aan liggen en sloot haar ogen. Ze voelde zich uitgeput, volkomen leeg. Ze dacht aan de voorbije avond, en stond er versteld van dat in een paar uur tijd zo veel heftige gemoedstoestanden elkaar konden afwisselen.

Misschien dacht Julia hetzelfde. Ze wreef met een hand over haar gezicht. 'Wat een belachelijke avond!' zei ze.

'Heb je echt een hekel aan me, Julia?'

'Ja. Nee, ik denk het niet.'

'Ik kan het niet helpen,' zei Helen. 'Ik herken mezelf niet als ik zo ben. Het is net...'

Maar ze kon het niet uitleggen; dat lukte nooit. Het klonk altijd kinderachtig. Ze kon Julia nooit duidelijk maken hoe vreselijk het was als dat ziedende, gerimpelde, gnoomachtige ding plotseling de kop opstak en je verteerde; hoe vermoeiend het was om het weer in je borst te moeten terugduwen nadat het was uitgeraasd; hoe beangstigend om te voelen dat het daar zat, binnen in je, wachtend op een kans om weer op te veren...

Ze zei alleen: 'Ik hou van je, Julia.'

En Julia antwoordde: 'Idioot. Ga slapen.'

Daarna zwegen ze. Julia lag er nog een beetje gespannen bij, maar weldra begonnen haar ledematen te verslappen en werd haar ademhaling dieper en trager. Eén keer ging er een schok door haar heen, alsof ze schrok van een droom, en dat gaf Helen ook een schok; maar daarna sliep ze weer rustig door.

Op straat klonken stemmen. Iemand rende lachend over het trottoir. In het huis naast dat van hen werd een stekker uit een stopcontact getrokken, een raam schoof piepend omlaag en werd met een klap gesloten.

Julia droomde weer onrustig en bewoog in haar slaap. Van wie, vroeg Helen zich af, zou ze dromen? Dus toch niet van Ursula Waring. Maar ook niet van mij, dacht Helen. Want nu, wakker en gelouterd, zag ze het allemaal heel duidelijk: dat Julia zo lang was weggebleven, terwijl ze heel gemakkelijk een briefje had kunnen neerleggen; terwijl ze het heel gemakkelijk anders had kunnen doen, stiekem, of helemaal niet... Niet doen, Helen, zei Julia elke keer geërgerd. Maar als ze geen zin had in gezeur en gedoe, waarom maakte ze het voor Helen dan zo gemakkelijk om ruzie te maken? Diep vanbinnen, dacht Helen, verlangde ze er blijkbaar naar. Ze verlangde ernaar omdat ze wist dat er verder niets was: een doodse leegte, het dorre oppervlak van haar eigen verschroeide hart.

Wanneer ben ik Julia's liefde kwijtgeraakt? vroeg Helen zich nu af. Die gedachte was echter te beangstigend om op door te gaan, en ze was te uitgeput. Ze lag met haar ogen open, nog steeds dicht tegen Julia aan, zodat ze nog steeds de warmte voelde van haar lichaam, het rijzen en dalen van haar ademhaling. Maar na verloop van tijd ging ze in een andere houding liggen, en schoof weg.

Toen haar hand over de katoenen stof van Julia's nachthemd gleed, dacht ze aan iets anders, iets onnozels – ze dacht aan een pyjama die ooit van haar was geweest, tijdens de oorlog, en die ze was kwijtgeraakt. Het was een satijnen pyjama, parelgrijs: de mooiste pyjama, vond ze nu, terwijl ze eenzaam en onaangeraakt in het donker naast Julia lag, de mooiste pyjama die ze ooit had gezien.

Duncan was 's avonds uit zijn werk gekomen en had een ketel water opgezet; hij had het warme water meegenomen naar zijn kamer, zich tot op zijn hemd uitgekleed en zijn handen, zijn gezicht en zijn haar gewassen, in een poging de sfeer van de fabriek kwijt te raken; hij wilde er op zijn best uitzien voor zijn afspraak met Fraser.

Met alleen zijn hemd en broek aan was hij naar beneden gegaan om zijn schoenen te poetsen, een handdoek op het aanrecht te leggen en een overhemd te strijken. Het overhemd had een slappe boord, net als de overhemden die Fraser droeg; en toen Duncan het aantrok, nog warm van het strijkijzer, liet hij het bovenste knoopje open – precies zoals Fraser altijd deed. Hij overwoog ook om geen Brylcreem in zijn haar te doen. Hij ging weer terug naar zijn slaapkamer, ging voor de spiegel staan en kamde zijn haar op allerlei manieren, probeerde verschillende scheidingen, verschillende manieren om het over zijn voorhoofd te laten vallen... Maar toen het opdroogde, werd het pluizig; hij vond dat hij op het jongetje in de advertentie voor Pears' zeep ging lijken. Dus toen deed hij er toch maar Brylcreem in, bang dat hij er te lang mee had gewacht, en hij bleef nog vijf of tien minuten staan kammen, om de golfjes goed te krijgen.

Toen hij klaar was ging hij weer naar beneden, en meneer Mundy zei met een akelig, geforceerd opgewekt lachje: 'Nee maar! Wat zullen de meisjes vanavond weer genieten! Hoe laat komt hij je ophalen, jongen?'

'Om half acht,' zei Duncan verlegen, 'net als de vorige keer. Maar we gaan naar een andere pub, aan een ander deel van de rivier. Het bier is daar beter, zegt Fraser.'

Meneer Mundy knikte, nog steeds met die afzichtelijke lach op zijn gezicht. 'Ja,' zei hij, 'de meisjes zullen niet weten wat ze overkomt vanavond!'

Hij had zijn ogen niet kunnen geloven toen Duncan met Fraser was komen aanzetten, veertien dagen geleden. Fraser zelf ook niet. Ze hadden met hun drieën in de woonkamer gezeten, niet wetend wat te zeggen; uiteindelijk was het kleine katje argeloos binnen komen trippelen, en dat was hun redding geweest. Ze hadden het beestje twintig minuten achter eindjes touw aan laten jagen. Duncan was zelfs op de grond gaan liggen en had Fraser de truc laten zien waarbij ze over zijn rug omhoog klauterde. Sindsdien liep meneer Mundy rond alsof hij gewond was. Hij trok erger met zijn been; zijn rug was gebogen. Meneer Leonard, in zijn scheve huis in de zijstraat van Lavender Hill, was erg geschrokken van de verandering. Hartstochtelijker dan ooit had hij hem op het hart gedrukt de lokroep van Dwaling en Vals Geloof te weerstaan.

Vanavond was Duncan van plan zo snel mogelijk de deur uit te gaan als Fraser er eenmaal was. Na het avondeten deden hij en meneer Mundy samen de afwas, en toen alles was opgeruimd trok hij zijn jasje aan.

Hij ging in de woonkamer zitten, op het puntje van zijn stoel, klaar om op te springen zodra hij Fraser hoorde aankloppen. Maar hij pakte toch een boek, om de tijd door te komen en een nonchalante indruk te maken. Het was een bibliotheekboek over antiek zilver, met een tabel met waarborgstempels: hij liet zijn vinger over de bladzijde glijden en probeerde de betekenis van ankers, kronen, leeuwen en distels in zijn hoofd te prenten – maar intussen zat hij natuurlijk de hele tijd te luisteren of er niet op de deur werd geklopt... Het werd half zeven. Hij kreeg een gespannen gevoel. Hij begon zich alle voor de hand liggende dingen voor te stellen waardoor Fraser verlaat zou kunnen zijn. In gedachten zag hij Fraser buiten adem bij de deur arriveren – net zoals hij laatst buiten adem bij de fabriekspoort was aangekomen. Zijn gezicht was roze, zijn haar hing over zijn voorhoofd en hij zei: 'Pearce! Had je niet meer op me gerekend? Het spijt me heel erg! Ik was...' De excuses werden buitensporiger naarmate de minuten voorbijtikten. Hij had vastgezeten in de ondergrondse, was bijna gek geworden van ongeduld. Hij had gezien hoe iemand overreden was door een auto, en had een ambulance moeten laten komen!

Om kwart over acht begon Duncan zich zorgen te maken dat Fraser aan de deur was geweest, had geklopt en weer was weggegaan zonder dat iemand het had gehoord. Meneer Mundy had de radio aangezet, en het was een nogal luidruchtig programma. Daarom liep hij, zogenaamd om een glas water voor zichzelf te halen, de gang in en bleef met gespitste oren roerloos staan luisteren of hij voetstappen hoorde; hij deed zelfs heel zachtjes de voordeur open en keek links en rechts de straat in. Maar Fraser was nergens te bekennen. Hij ging terug naar de woonkamer en liet de deur op een kier staan. Er kwam een ander programma op de radio, en een halfuur later weer een ander. De staande klok bleef zijn zware, holle tonen galmen.

Het duurde tot half tien voor hij begreep dat Fraser niet zou komen. De teleurstelling was vreselijk, maar ach, hij was gewend aan teleurstellingen; de eerste felle steek verflauwde en ging over in een dof gevoel van berusting. Hij legde zijn boek neer, zonder dat hij de tabel met waarborgmerken had geleerd. Hij wist dat meneer Mundy naar hem keek, maar kon zich er niet toe brengen zijn blik te beantwoorden. En toen meneer Mundy opstond, onhandig naar hem toe kwam, zachtjes op zijn schouder klopte en zei: 'Ach. Die jongen heeft het druk, denk ik.

Hij zal een paar vrienden tegen het lijf zijn gelopen. Dat zal het wel zijn, let op mijn woorden!' Toen meneer Mundy dat zei, kon hij niets terugzeggen. Hij vond de hand van meneer Mundy op zijn schouder bijna onverdraaglijk. Meneer Mundy wachtte even en liep toen weg. Hij ging naar de keuken. Hij trok de kamerdeur achter zich dicht, en Duncan merkte plotseling hoe benauwd en bedompt het was in de schemerige, kleine, propvolle kamer. Hij had het afschuwelijke gevoel dat hij door de nauwe schacht van een put in een peilloze diepte viel.

Maar de paniek, net als de teleurstelling, laaide op en stierf weg. Meneer Mundy kwam na verloop van tijd terug met een kop warme chocolademelk, die Duncan aanpakte en gedwee leegdronk. Hij bracht de kop naar de keuken en spoelde hem zelf af onder de koude kraan. De melk die in de pan was achtergebleven deed hij op een schoteltje en zette dat op de grond, voor de kat. Hij ging naar de wc en bleef een tijdje op het plaatsje staan, opkijkend naar de hemel.

Toen hij terugkwam in de woonkamer was meneer Mundy al bezig de kussens op te schudden voordat hij naar bed ging. Terwijl Duncan toekeek, begon hij de lampen uit te doen. Hij liep van de ene lamp naar de andere. De kamer werd donker, de gezichten op de schilderijen aan de muren, de siervoorwerpen op de schoorsteen, alles trok zich terug in de schaduw. Het was net tien uur.

Ze liepen samen naar boven, langzaam, tree voor tree. Meneer Mundy hield zijn hand in de kromming van Duncans elleboog, en boven gekomen moest hij even blijven staan, nog steeds met zijn hand op Duncans arm, om weer op adem te komen.

Toen hij sprak, was zijn stem hees. Hij zei, zonder Duncan aan te kijken: 'Kom je zo nog even binnen, jongen, om welterusten te zeggen?'

Duncan gaf niet direct antwoord. Ze stonden daar in de stilte, en hij voelde meneer Mundy verstijven alsof hij bang was... 'Ja,' zei hij, heel zacht. 'Goed.'

Meneer Mundy knikte, zijn schouders zakten omlaag van opluchting. 'Dank je wel, jongen,' zei hij. Hij haalde zijn hand weg en schuifelde langzaam de overloop op naar zijn slaapkamer. Duncan ging naar zijn eigen kamer en begon zich uit te kleden.

Het was een kleine kamer: een jongenskamer – dezelfde kamer waar meneer Mundy had geslapen toen hij klein was en met zijn ouders en zus in dit huis woonde. Er stond een hoog victoriaans bed, met glimmende koperen knoppen op de vier hoeken; Duncan had er ooit een losgeschroefd en binnenin een stukje papier gevonden, met daarop in een vlekkerig, kinderlijk handschrift: 'Mabel Alice Mundy je ben hondert keer vervloekt als je dit leest!' De boeken in de kast waren spannende jongensboeken met brede, kleurrijke ruggen. Op de schoorsteen stonden een paar slecht geverfde oude tinnen soldaatjes in gevechtsopstelling. Meneer Mundy had ook planken opgehangen waarop Duncan zijn eigen spullen kon uitstallen, de dingen die hij op markten en in antiekzaken had gekocht. Duncan nam meestal even de tijd, voor hij naar bed ging, om ze te bekijken, de potten en kannen en siervoorwerpen, de theelepels en bolvormige flesjes, om ze op te pakken en er weer van te genieten, om te bedenken waar ze vandaan waren gekomen en van wie ze eerst waren geweest.

Maar vanavond bekeek hij alles zonder veel belangstelling. Alleen het stukje van de stenen pijp dat hij op het rivierstrand bij de pub had gevonden pakte hij even op, dat was alles. Hij trok langzaam zijn pyjama aan, knoopte het jasje dicht, stopte het netjes in de broek. Hij poetste zijn tanden en kamde zijn haar weer – anders ditmaal, netjes, met een kinderlijke scheiding. Hij was zich intussen zeer bewust van het feit dat meneer Mundy in de kamer ernaast geduldig op hem wachtte; in gedachten zag hij hem roerloos en kaarsrecht in bed liggen, zijn hoofd ondersteund door veren kussens, de dekens opgetrokken tot aan zijn oksels, zijn handen netjes gevouwen, maar klaar om uitnodigend op de zijkant van het bed te kloppen als Duncan binnenkwam... Het was niet veel. Het was bijna niets. Duncan dacht aan andere dingen. Er hing een schilderij boven meneer Mundy's bed: het stelde een engel voor die kinderen veilig over een smalle brug boven een steile afgrond leidde. Daar keek hij naar tot het voorbij was. Hij keek naar de ingewikkelde plooien in het engelengewaad; naar de grote, hatelijk-onschuldige victoriaanse kindergezichten.

Hij legde zijn kam neer, pakte het stukje van de stenen pijp weer op, en hield het ditmaal bij zijn mond. Het was koud en heel glad. Hij sloot zijn ogen en schoof het zachtjes over zijn lippen heen en weer – het was een prettig gevoel, maar hij werd er ook treurig van; hij was zich bewust van de onbehaaglijke gewaarwordingen die het in hem opriep. Was Fraser maar gekomen! dacht hij. Misschien was hij het toch gewoon vergeten. Het zou best zoiets simpels kunnen zijn. Als je een andere jongen was, zei bij bitter tegen zichzelf, had je hier niet zomaar zitten wachten tot hij kwam opdagen, dan was je hem gaan zoeken. Als je een echte jongen was, zou je nu meteen naar zijn huis gaan...

Hij deed zijn ogen open, en het eerste wat hij zag was zijn eigen spiegelbeeld. Zijn haar zat in een nette, strakke scheiding, zijn pyjamajasje was tot aan de kin dichtgeknoopt; maar hij was geen jongen meer. Hij was geen tien jaar. Hij was zelfs geen zeventien. Hij was vierentwintig, en kon doen wat hij wilde. Hij was vierentwintig, en meneer Mundy...

Meneer Mundy, dacht hij plotseling, kon naar de hel lopen. Waarom zou Duncan niet naar Fraser gaan als hij dat wilde? Hij wist de weg naar Frasers straat. Hij wist precies in welk huis Fraser woonde, want Fraser was er een keer met hem langsgelopen en had het hem aangewezen!

Hij deed alles nu heel snel. Hij maakte zijn haar in de war. Hij trok zijn broek en zijn jasje aan, gewoon over zijn pyjama heen, want hij wilde nog geen minuut verspillen door de pyjama uit te trekken. Hij trok zijn sokken en zijn gepoetste schoenen aan, en toen hij zich bukte om zijn veters vast te maken, merkte hij dat zijn handen trilden; maar hij was niet bang. Hij voelde zich bijna duizelig.

Zijn schoenen moesten luid hebben geklonken op de vloer toen hij rondliep. Hij hoorde het onrustige gekraak van meneer Mundy's bed, en dat maakte zijn haast nog groter. Hij stapte zijn kamer uit en wierp slechts een vluchtige blik op de deur van meneer Mundy; daarna ging hij snel de trap af.

Het huis was donker, maar hij wist als een blinde zijn weg te vinden, met uitgestoken hand tastend naar deurknoppen, bedacht op afstapjes en gladde kleedjes. Hij ging niet naar de voordeur, omdat hij wist dat meneer Mundy's slaapkamer op straat uitkeek en hij wilde liever in het geheim vertrekken. Want ondanks zijn opwinding – ondanks het feit dat hij bij zichzelf had gezegd dat meneer Mundy wat hem betreft naar de hel kon lopen! – ondanks dat leek het hem afschuwelijk als hij meneer Mundy bij het raam zag staan om hem na te kijken.

Daarom ging hij achterom, via de keuken naar buiten, langs de wc, naar het eind van het plaatsje; en pas toen hij bij de deur van het plaatsje kwam, herinnerde hij zich dat die was afgesloten met een hangslot. Hij wist waar de sleutel was, en had hem vlug kunnen gaan halen; maar hij moest er niet aan denken dat hij weer terug zou moeten gaan, al was het maar naar de la in de bijkeuken. Hij sleepte een paar kratten aan, klauterde er als een dief bovenop en klom op de muur; hij liet zich aan de andere kant op de grond vallen, kwam hard neer, bezeerde zijn voet, hinkte rond.

Maar het gevoel dat er plotseling een vergrendelde deur achter hem zat was heerlijk. Hij zei tegen zichzelf, met Alecs stem: Nu kunnen we niet meer terug, D.P.!

Hij liep door het steegje achter meneer Mundy's huis en kwam uit in een straat met woonhuizen. Het was een straat waar hij dikwijls doorheen wandelde, maar die nu onherkenbaar veranderd leek, in het donker. Hij ging langzamer lopen: het deed hem genoegen dat alles er zo vreemd uitzag, en hij was zich zeer bewust van de mensen in de huizen die hij passeerde; hij zag lichten doven op de begane grond en aanspringen in slaapkamers en op overlopen wanneer de bewoners naar bed gingen. Hij zag een vrouw witte vitrage oplichten om de klink van een raam te pakken: het gordijn omhulde haar zoals een sluier een bruid zou omhullen. In een modern huis was achter een verlicht matglazen badkamerraam heel duidelijk een man in een hemd te zien: hij dronk uit een glas, hield zijn hoofd achterover om te gorgelen en boog zich toen met een ruk voorover om het water uit te spuwen. Duncan kon het glas horen rinkelen toen het op de wastafel werd gezet, en toen de man een kraan opendraaide, hoorde hij het water door een afvoerbuis stromen en spetterend in het riool beneden terechtkomen. De wereld leek hem vol bijzondere nieuwe dingen. Niemand hield hem staande. Niemand scheen zelfs naar hem te kijken. Hij bewoog zich door de straten alsof hij een geestverschijning was.

In die onwerkelijke, gefascineerde stemming liep hij bijna een uur door Shepherd's Bush en Hammersmith; toen vertraagde hij zijn pas en was hij wat meer op zijn hoede, want hij had het eind van Frasers straat gevonden. De huizen hier waren voornamer dan de huizen die hij gewend was; het waren van die roodstenen villa's uit het begin van de twintigste eeuw waarin vaak een dokterspraktijk was gevestigd, of een tehuis voor blinden, of – zoals in deze straat – pensions. Elk huis had een naam, die met in lood gezette letters boven de deur stond. Frasers huis, zag Duncan toen hij dichterbij kwam, heette St Day's. Op een bordje stond: GEEN KAMERS VRIJ.

Duncan stond aarzelend bij het hekje van de ondiepe voortuin. Hij wist dat Frasers kamer op de begane grond was, aan de linkerkant. Hij herinnerde zich dat omdat Fraser een grapje had gemaakt over het feit dat zijn hospita die kamer het voor-onder noemde, alsof het om een schip ging. De gordijnen voor het raam waren gesloten. Het waren oude verduisteringsgordijnen, volkomen donker. Maar er was een dun, stralend streepje kleur te zien waar Fraser ze niet helemaal had dichtgetrokken. Duncan dacht ook dat hij iemand monotoon hoorde praten in de kamer.

Het geluid van die stem maakte hem plotseling onzeker. Stel dat meneer Mundy gelijk had, en dat Fraser de avond met vrienden had doorgebracht? Hoe zou hij het vinden als Duncan ineens kwam opdagen? Wat voor mensen zouden die vrienden zijn? Duncan stelde zich universitaire types voor, slimme jongens met pijpen en brillen en gebreide stropdassen. Toen bedacht hij nog iets ergers. Hij bedacht dat Fraser misschien wel een meisje op bezoek had. Hij zag haar heel duidelijk voor zich: een dik meisje met een boers gezicht en een giechelend lachje, natte rode lippen en een adem die naar kersenbrandewijn rook.

Hij had, voor hij dit vreselijke visioen kreeg, als een echte bezoeker naar de voordeur willen lopen en willen aanbellen. Nu werd hij zo zenuwachtig dat hij toegaf aan de verleiding om op zijn tenen naar het raam te sluipen en vlug even naar binnen te gluren. Hij lichtte de klink op en duwde het hek open; het zwaaide geruisloos in zijn hengsels. Hij ging het tuinpad op en liep tussen ritselende struiken door naar het raam. Met bonzend hart drukte hij zijn gezicht tegen de ruit.

Hij zag Fraser meteen. Hij zat in een leunstoel aan het eind van de kamer, achter het bed. Hij was in hemdsmouwen en zijn hoofd hing achterover; naast zijn stoel stond een tafel met een rommelige stapel papieren erop, een asbak waar zijn pijp in lag, een glas, en een fles die zo te zien whisky bevatte. Hij zat heel stil, alsof hij was ingedut, hoewel de stem die Duncan eerder had gehoord nog steeds monotoon door sprak... Maar nu maakte de stem plaats voor een gedempte uitbarsting van muziek, en Duncan besefte dat het gewoon de radio was. Fraser werd blijkbaar wakker van de muziek. Hij stond op en wreef over zijn gezicht. Hij liep door de kamer, verdween uit Duncans zicht, en het geluid hield plotseling op. Toen hij liep zag Duncan dat hij zijn schoenen had uitgetrokken. Hij had gaten in zijn sokken: grote joekels van gaten, waar tenen met ongeknipte nagels doorheen staken.

Bij de aanblik van de gaten en de nagels kreeg Duncan weer moed.

Toen Fraser terugliep naar zijn stoel alsof hij van plan was weer neer te ploffen, tikte hij tegen het raam.

Fraser stond onmiddellijk stil en draaide zijn hoofd om, terwijl hij met gefronste wenkbrauwen naar de herkomst van het geluid zocht. Hij keek naar de kier tussen de gordijnen – keek naar Duncans idee recht in zijn gezicht, maar kon hem niet zien. Het was een griezelige gewaarwording. Weer voelde Duncan zich net een geestverschijning, maar minder plezierig dan eerst. Hij hief zijn hand weer op en tikte harder – en nu kwam Fraser naar het raam, pakte het gordijn beet en trok het opzij.

Toen hij Duncan zag, keek hij heel verbaasd. 'Pearce!' zei hij. Maar hij schrok er zelf van en wierp vlug een blik op de slaapkamerdeur. Hij duwde met zijn duim de pal van het raam naar achteren en schoof het zachtjes omhoog, met een vinger op zijn lippen.

'Niet te hard praten. Ik geloof dat de hospita in de hal is. Wat doe je hier in jezusnaam? Is er iets?'

'Nee,' zei Duncan zacht. 'Ik kwam je gewoon zoeken. Ik heb bij meneer Mundy zitten wachten. Waarom ben je niet gekomen? Ik heb de hele avond op je gewacht.'

Fraser keek schuldbewust. 'Sorry. Ik was de tijd uit het oog verloren. Toen was het al zo laat, en...' Hij maakte een hulpeloos gebaar. 'Ik weet het niet.'

'Ik zat op je te wachten,' zei Duncan weer. 'Ik dacht dat er iets met je gebeurd was.'

'Het spijt me. Echt waar. Ik had niet verwacht dat je me zou gaan zoeken! Hoe ben je hier gekomen?

'Lopend.'

'Mocht dat van meneer Mundy?'

Duncan snoof. 'Meneer Mundy kon me niet tegenhouden! Ik heb een heel eind gelopen.'

Fraser bekeek hem, tuurde naar zijn jasje, fronste weer maar glimlachte ook. Hij zei: 'Je hebt... je hebt je pyjama aan!'

'Nou en?' zei Duncan, verlegen aan zijn kraag voelend. 'Wat is daar mis mee? Het spaart tijd.'

'Wat?'

'Het spaart tijd, als ik straks naar bed ga.'

'Je bent gek, Pearce!'

'Jij bent gek. Je ruikt naar drank. Afschuwelijk! Wat heb je gedaan?'

Maar tot zijn verbijstering was Fraser in lachen uitgebarsten. 'Ik ben uit geweest met een meisje,' zei hij.

'Ik wist het wel! Wat voor meisje? Wat is er zo grappig?'

'Niets,' zei Fraser. Maar hij lachte nog steeds. 'Alleen... dat meisje.'

'Nou, wat is er dan met dat meisje?'

'O, Pearce.' Fraser veegde over zijn lippen en probeerde rustiger te spreken. 'Het was je zus,' zei hij.

Duncan staarde hem aan en kreeg het ijskoud. 'Mijn zus! Waar heb je het over? Je bedoelt Viv toch niet!'

'Ja, ik bedoel Viv. We zijn naar een pub gegaan. Ze was ontzettend aardig – ze lachte om al mijn grapjes; ik mocht haar zelfs zoenen, aan het eind. Ze was ook zo fatsoenlijk om te blozen toen ik mijn ogen opendeed en haar stiekem op haar horloge zag kijken... Ik heb haar op de bus gezet en naar huis gestuurd.'

'Maar hoe dan?' vroeg Duncan.

'We zijn gewoon naar een bushalte gelopen...'

'Je weet best wat ik bedoel! Hoe heb je haar ontmoet? Waarom heb je dat gedaan? Haar mee uit genomen, bedoel ik, en...?'

Fraser lachte weer, maar op een andere manier. Het klonk nu berouwvol, bijna beschaamd. Hij sloeg een hand voor zijn mond.

En even later begon Duncan ook te lachen. Hij kon het niet helpen. Hij wist niet eens waarom hij lachte: om Fraser, of om zichzelf, of om Viv, of om meneer Mundy, of om hen allemaal. Maar bijna een minuut lang stonden hij en Fraser daar, aan weerskanten van de vensterbank, met hun hand voor hun mond, een rood hoofd en tranen in hun ogen, terwijl ze wanhopig probeerden hun gelach en gesnuif te onderdrukken.

Toen bedaarde Fraser een beetje. Hij keek weer over zijn schouder en fluisterde: 'Oké. Ik denk dat ze nu naar boven is. Maar kom in godsnaam binnen, voor een agent of iemand anders ons ziet!'

Hij stapte achteruit en schoof het verduisteringsgordijn opzij, zodat Duncan naar binnen kon klimmen.

'Ah, juffrouw Langrish,' zei meneer Leonard, terwijl hij zijn deur opentrok.

Kay schrok. Ze was zachtjes de donkere trap op gelopen, maar een krakende plank moest haar verraden hebben. Meneer Leonard, vermoedde ze, had in zijn eentje in de behandelkamer gezeten, bezig met zijn nachtwake, biddend voor mensen. Hij was in hemdsmouwen, zijn manchetten waren teruggeslagen. Hij had de indigokleurige lamp aangedaan die hij 's nachts bij zijn genezende werk gebruikte, en het blauw hulde de overloop in een vreemde gloed.

Hij stond in de deuropening, zijn gezicht in de schaduw. Hij zei zacht: 'Ik heb vanavond aan u gedacht, juffrouw Langrish. Hoe gaat het met u?'

Ze vertelde hem dat het goed met haar ging. Hij zei: 'U bent uit geweest, neem ik aan, hebt u een plezierige avond gehad?' Hij hield zijn hoofd schuin en vervolgde: 'Hebt u oude vrienden ontmoet?'

'Ik ben naar de bioscoop geweest,' antwoordde ze vlug.

Hij knikte wijs. 'Ja, de bioscoop. Een merkwaardig oord, vind ik altijd. Erg leerzaam ook... De volgende keer dat u naar de bioscoop gaat, juffrouw Langrish, moet u eens iets proberen. Draai uw hoofd om en kijk over uw schouder. Wat ziet u daar? Zo veel gezichten, allemaal verlicht door het rusteloze, flikkerende licht van vergankelijke dingen. De ogen star en wijd open, van ontzag, van angst of van begeerte. Op precies dezelfde wijze wordt de onontwikkelde geest beheerst door materiële zaken; door verzinsels en dromen...'

Zijn stem was zacht, vlak, indringend. Toen ze niets zei, kwam hij dichter bij haar staan en pakte voorzichtig haar hand. Hij zei: 'Ik denk dat u zo'n geest bent, juffrouw Langrish. Ik denk dat u zoekende bent, maar wordt beheerst door aardse zaken. Dat komt omdat u met neergeslagen ogen zoekt, en niets dan stof ziet. U moet uw blik opheffen, mijn beste. U moet het oog leren afwenden van wat vergankelijk is.'

Zijn handpalm en vingertoppen waren zacht, en zijn greep leek niet stevig; desondanks moest ze een beetje moeite doen om haar hand weg te trekken. Ze zei: 'Dat zal ik doen. Ik... Dank u wel, meneer Leonard.' Haar stem klonk haar zelf bespottelijk in de oren, hees en onzeker, heel anders dan normaal. Ze draaide zich om, sjokte de trap op naar haar kamer, morrelde aan het slot voor ze de deur open kreeg en naar binnen ging.

Ze wachtte op het klikje van meneer Leonards deur beneden, liep toen, zonder het licht aan te doen, naar haar leunstoel en ging zitten. Haar voet raakte onderweg iets en schopte het ritselend over het in plooien liggende vloerkleed: ze had een opengeslagen krant op de grond laten liggen. Op de armleuning van haar stoel stond een vuil bord en een oud bakblik, boordevol as en sigarettenpeuken. Een overhemd en een paar losse boorden die ze kort geleden had gewassen hingen over een touwtje in de haard, bleke, dunne dingen in het donker.

Ze bleef even roerloos zitten, stak toen haar hand in haar zak en haalde de ring tevoorschijn. Hij voelde groot aan, en de vinger waaraan ze hem vroeger had gedragen was nu te dun, daar gleed hij vanaf. Toen ze de ring op straat had aangepakt was hij nog warm geweest van Vivs hand. In de bioscoop had ze zonder iets te zien naar het rumoerige, schokkerige pantomimespel op het doek zitten staren, terwijl ze de gouden ring telkens omdraaide en met haar vingertoppen over alle krasjes en deukjes streek... Ten slotte hield ze het niet meer uit, en ze had de ring onhandig weggestopt en was opgestaan, de rij uit gestrompeld, snel door de foyer gelopen en naar buiten gegaan.

Sindsdien had ze gelopen. Ze was naar Oxford Street gelopen, naar Rathbone Place, naar Bloomsbury – rusteloos en zoekend, precies zoals meneer Leonard had vermoed. Ze had overwogen terug te gaan naar Mickeys boot, was zelfs al bij Paddington voordat ze het idee had laten schieten. Want wat had het voor zin? Ze was in plaats daarvan naar een pub gegaan en had een paar whisky's gedronken. Ze had een blond meisje iets te drinken aangeboden; dat had haar goed gedaan.

Daarna was ze vermoeid teruggegaan naar Lavender Hill. Nu voelde ze zich uitgeput. Ze draaide de ring tussen haar vingers rond zoals ze in de bioscoop had gedaan, maar zelfs het geringe gewicht leek te zwaar voor haar hand. Ze zocht lusteloos naar een plek om hem neer te leggen, en liet hem ten slotte in het bakblik vallen, tussen de peuken.

Maar daar lag hij te glanzen, ondanks de as; haar ogen werden er steeds naartoe getrokken, en na een minuut viste ze hem er weer uit en wreef hem schoon. Ze deed hem terug aan haar slanke vinger en maakte een vuist, zodat hij niet weg kon glijden.

Het huis was stil. Heel Londen leek stil. Alleen steeg even later vanuit de kamer beneden het gesmoorde geprevel van meneer Leonard op, waaruit ze opmaakte dat hij weer hard aan het werk was, en ze stelde zich hem voor, badend in indigoblauw elektrisch licht: gebogen en waakzaam, terwijl hij zijn vurige zegeningen de broze nacht in zond.

# 1944

# I

Elke keer als Viv en haar vader buitenkwamen uit de gevangenis, moesten ze een minuut of wat blijven staan zodat meneer Pearce kon uitrusten, zijn zakdoek kon pakken en zijn gezicht kon afvegen. Het was alsof hij buiten adem raakte van de bezoekjes. Dan staarde hij achterom naar de pittoreske, grijze, middeleeuws uitziende poort als een man die net een stomp had gekregen. 'Als ik dat ooit had kunnen denken,' zei hij dan, of: 'Als iemand me dat had verteld.'

'God zij dank dat je moeder dit niet meer hoeft mee te maken, Vivien,' zei hij vandaag.

Viv gaf hem een arm. 'Het duurt in elk geval niet lang meer.' Ze sprak duidelijk, anders verstond hij het niet. 'Weet u nog wat we in het begin zeiden? We zeiden: "Het is niet voor altijd."'

Hij snoot zijn neus. 'Dat klopt. Dat is waar.'

Ze liepen door. Hij stond erop haar schoudertas voor haar te dragen, maar ze had het net zo goed zelf kunnen doen: hij leek met zijn volle gewicht tegen haar aan te leunen, en zo nu en dan haalde hij puffend adem. Hij had haar grootvader wel kunnen zijn, dacht ze. Al dat gedoe met Duncan had hem oud gemaakt.

Het was een koude maar heldere februaridag geweest. Nu was het kwart voor vijf en de zon ging onder; er waren twee versperringsballonnen opgelaten en dat waren de enige voorwerpen die nog licht vingen, fleurig roze zweefden ze in de donker wordende lucht. Viv en haar vader liepen verder in de richting van Wood Lane. Er was een tearoom, vlak bij het station, waar ze meestal heen gingen. Vandaag bleken er echter vrouwen te zitten die ze van gezicht kenden: vriendinnen en echtgenotes van mannen in andere delen van de gevangenis. Ze waren hun make-up aan het bijwerken, turend in het spiegeltje van hun poederdoos, en kwamen niet meer bij van het lachen. Viv en haar vader liepen door naar een andere zaak. Ze gingen naar binnen en namen een kop thee.

Deze tearoom was niet zo gezellig als de andere. Er was één lepel voor algemeen gebruik, en die was met een touwtje aan de toonbank gebonden. Op de tafels lagen vettige zeiltjes, en het beslagen raam zat vol vlekken en vegen waar mensen, hangend in hun stoel, met hun hoofd tegen de ruit hadden geleund. Maar haar vader, dacht Viv, zag dat allemaal niet. Hij bewoog zich nog steeds alsof hij buiten adem of verbijsterd was. Hij ging zitten en bracht zijn kopje naar zijn mond, en zijn hand beefde: hij moest zijn hoofd buigen en vlug een slokje nemen voor hij morste. En toen hij voor zichzelf een sigaret rolde, viel de tabak uit het vloeitje. Ze zette haar eigen kopje neer en hielp hem de sliertjes oprapen van het tafelblad – ze gebruikte haar lange nagels, maakte er een grapje van.

Na de sigaret werd hij wat kalmer. Hij dronk zijn thee op en ze liepen samen naar de ondergrondse, flink doorstappend nu, want het was koud. Hij had nog een lange reis voor de boeg naar hun huis in Streatham, maar zij ging terug naar haar werk in Portham Square, zei ze – om de uren in te halen die ze had opgenomen voor haar bezoek aan Duncan. Ze zaten zwijgend naast elkaar in de trein, want praten was onmogelijk door het gedender en geratel. Toen zij bij Marble Arch uitstapte, stapte hij ook uit, om op het perron afscheid te nemen.

Het was een perron dat 's nachts dienstdeed als schuilkelder. Er stonden britsen en emmers, overal lag papier en er hing een zure urinelucht. Er waren al mensen die een plaatsje zochten, kleine kinderen en oude vrouwtjes.

'Daar staan we dan,' zei Vivs vader, terwijl ze op de trein wachtten. Hij probeerde er het beste van te maken. 'Weer een maand voorbij, zullen we maar zeggen.'

'Ja, zo is het.'

'En hoe vond je dat hij eruitzag? Vond je dat hij er wel goed uitzag?'

Ze knikte. 'Ja, hij zag er best goed uit.'

'Ja... En wat ik altijd bij mezelf denk, Vivien, is: we weten tenminste waar hij is. We weten dat er voor hem gezorgd wordt. Er zijn zat vaders die dat niet van hun zoons kunnen zeggen in oorlogstijd, toch?'

'Ja.'

'Er zijn zat vaders die jaloers op me zouden zijn.'

Hij haalde zijn zakdoek weer tevoorschijn en veegde zijn ogen af. Maar zijn blik was eerder verbitterd dan triest. En na een moment zei hij, op een andere toon: 'Over de doden niets dan goeds, God sta me bij; maar die andere jongen zou daar moeten zitten, niet Duncan!'

Ze drukte haar arm even tegen de zijne, zonder iets te zeggen. Ze zag de boosheid in hem oplaaien en wegzakken. Hij zuchtte, gaf een klopje op haar hand.

'Brave meid. Je bent een brave meid, Viv.'

Ze bleven zwijgend staan tot er weer een trein binnen denderde. Toen zei ze: 'Zo. Ga nu maar. Ik red me wel.'

'Wil je niet dat ik met je meeloop naar Portman Square?'

'Doe niet zo gek! Schiet nou maar op. En doe Pamela de groeten!'

Hij hoorde haar niet. Ze zag hem in de trein stappen, maar omdat alle ramen verduisterd waren, verloor ze hem uit het oog toen hij doorliep om een plaats te zoeken. Maar ze wilde niet dat hij haar zag wegstuiven: ze wachtte tot de deuren dicht waren en de trein zich in beweging zette voor ze zelf in beweging kwam.

Toen leek het wel of ze een ander meisje werd. De ietwat overdreven manier van doen die noodzakelijk was als ze met haar vader sprak – het nadrukkelijke articuleren, de gebaren – verdween. Ze zag er plotseling verzorgd, elegant, waakzaam uit: ze keek op haar horloge en liep snel weg, haar hakken klikkend op de betonnen vloer. Iemand die haar nakeek en het gesprek had afgeluisterd dat ze zojuist had gevoerd, zou verbluft zijn geweest, want ze ging niet naar de trap die naar de uitgang voerde; ze wierp er zelfs geen blik op. In plaats daarvan liep ze doelbewust naar de overkant van het perron en wachtte daar op een trein naar het westen; en toen de trein binnenkwam, stapte ze in en ging ze terug in de richting waar ze net vandaan was gekomen. En in Notting Hill stapte ze over op de Circle Line, en daarmee reed ze naar Euston Square.

Ze hoefde toch niet terug naar haar werk. Ze ging naar een hotel in Camden Town. Ze had met Reggie afgesproken. Hij had haar het adres gestuurd en een soort plattegrondje, en dat had ze uit haar hoofd geleerd zodat ze, toen ze uit de trein stapte, snel door kon lopen en niet hoefde te zoeken. Ze droeg haar neutrale kantoorkleding en een donkerblauwe regenmantel en sjaal, en het was intussen helemaal donker geworden. Ze bewoog zich als een schaduw door de verduisterde straten rond Euston, in noordelijke richting.

Het wemelde in deze straten van de hotelletjes. Sommige waren netter dan andere. Sommige waren helemaal niet netjes: ze zagen eruit alsof er hoertjes kwamen; of er zaten vluchtelingen in, gezinnen uit Malta, Polen, Viv wist niet waar nog meer vandaan. Het hotel dat zij moest hebben stond in een zijstraat van Mornington Crescent. Binnen rook het naar jus en stoffige vloerkleden. Maar de vrouw achter de balie was aardig. 'Mejuffrouw Pearce,' zei ze met een glimlach, terwijl ze Vivs identiteitskaart bekeek en daarna in haar boek de reservering opzocht. 'Eén nacht maar? Goed.'

Want er waren tegenwoordig duizend-en-één redenen waarom een meisje in haar eentje de nacht doorbracht in een Londens hotel.

Ze gaf Viv een sleutel met een houten label. Het was een goedkope kamer, drie krakende trappen op. Er stond een eenpersoonsbed, een ouderwetse kleerkast, een stoel met schroeiplekken van sigaretten, en in de hoek was een kleine wastafel die loskwam van de muur. Een radiator, veelvuldig overgeschilderd met verschillende soorten verf, brandde lauw. Op het nachtkastje stond een wekker die vastzat met een ijzerdraadje. Het was tien over zes. Ze dacht dat ze nog een minuut of dertig, veertig had.

Ze trok haar mantel uit en deed haar schoudertas open. Er zaten twee dikke bruine enveloppen van het ministerie van Voedselvoorziening in, met het opschrift *Vertrouwelijk*. De ene bevatte een paar avondschoenen. In de andere zat een jurk en echte zijden kousen. Ze had zich de hele dag zorgen gemaakt om de jurk, want hij was van crêpe en kreukte gauw; ze haalde hem zorgvuldig uit de envelop en hield hem omhoog, en daarna stond ze er een paar minuten aan te trekken om de vouwen weer plat te krijgen. De kousen had ze vele malen gedragen en gewassen; ze waren hier en daar versteld, met nette kleine steekjes, alsof het door elfjes was gedaan. Ze keek ze na en liet ze over haar vingers glijden, en genoot van het gevoel.

Ze wou dat ze even in bad kon. Ze had het gevoel dat de zure gevangenislucht nog aan haar vastkleefde. Maar daar was geen tijd voor. Ze maakte gebruik van de wc op de gang, ging terug naar de kamer en kleedde zich uit, op haar beha en onderbroek na, om zich te wassen aan de kleine wastafel.

Er was geen warm water, ontdekte ze: de kraan draaide doelloos rond in haar hand. Ze zette de koude kraan open en plensde water in haar gezicht, deed toen haar armen omhoog, leunde tegen de muur en waste haar oksels; het water liep omlaag naar haar middel, zodat ze rilde, en droop op het vloerkleed. De handdoek was gelig en dun, net een luier. In de zeep zaten dunne grijze groefjes. Maar ze had talkpoeder meegebracht, en ze depte parfum uit een flesje op haar polsen, hals en sleutelbeenderen, en tussen haar borsten. Toen ze de flinterdunne crêpe jurk aantrok en haar katoenen winterkousen verving door de vleeskleurige zijden exemplaren, had ze het gevoel dat ze in haar nachthemd stond, zo luchtig was ze gekleed.

Ze ging dus een beetje onzeker naar de bar beneden en bestelde een drankje – gin met gemberbier – om haar zenuwen te kalmeren.

'Ik mag er helaas maar één per persoon schenken,' zei de barman; maar hij was royaal met de gin, vond ze. Ze ging met gebogen hoofd aan een tafeltje zitten. Het liep tegen etenstijd en er begonnen net mensen binnen te komen. Als een man haar blik ving, naar haar toe kwam en bij haar wilde gaan zitten, zou dat alles bederven. Ze had een pen en een vel papier meegebracht, en legde het papier op tafel. Ze begon zelfs een brief te schrijven aan een meisje dat ze kende, in Swansea.

> Lieve Margery,
> Hallo, hoe gaat het ermee? Even een kort briefje om je te laten weten dat ik nog leef, al doet Hitler nog zo zijn best, haha. Ik hoop dat het wat rustiger is waar jij zit...

Hij arriveerde even na zevenen. Ze had stiekem zitten gluren naar elke man die binnenkwam, maar toen hoorde ze voetstappen, dacht om de een of andere reden dat hij het niet was en keek achteloos op: ze ontmoette zijn blik toen hij over de drempel stapte, en bloosde uitzinnig. Even later hoorde ze hem met de vrouw achter de balie praten – hij vertelde haar dat hij met een man had afgesproken. Hadden ze er bezwaar tegen als hij op hem wachtte? De vrouw zei dat ze daar geen enkel bezwaar tegen hadden.

Hij kwam de bar in, maakte een grapje tegen de barman: 'Doe mij maar een glas van dat spul daar, wilt u?' – knikkend naar een van de sierflessen die voor de show op de planken achter de tapkast stonden.

Uitiendelijk kreeg hij gin, net als iedereen. Hij nam zijn glas mee naar het tafeltje naast het hare en zette het op een bierviltje neer. Hij was in uniform, en zoals altijd zat het slecht: het jasje leek bedoeld voor iemand die een stuk groter was. Hij plukte aan zijn broek en ging zitten, haalde toen een pakje legersigaretten tevoorschijn en keek haar aan.

'Hoe maakt u het?' vroeg hij.

Ze ging verzitten, trok haar rok een eindje op. 'Hoe maakt u het?'

Hij hield haar het pakje voor. 'Zin in een sigaret?'

'Nee, dank u.'

'Heeft u er bezwaar tegen als ik rook?'

Ze schudde haar hoofd en ging verder met haar brief, hoewel ze, door de opwinding vanwege zijn nabijheid, niet eens meer wist wat ze geschreven had... Twee tellen later zag ze dat hij zijn hoofd schuin hield: hij probeerde over haar schouder mee te lezen. Toen ze zich naar hem omdraaide, ging hij rechtop zitten alsof hij zich betrapt voelde.

'Moet wel een geweldige vent zijn,' zei hij, knikkend naar het vel papier, 'dat hij zo'n lange brief krijgt.'

'Ik schrijf aan een vriendin.' Het klonk preuts.

'Dan heb ik me vergist. – O, doet u dat nou niet!' Want ze had het papier opgevouwen en was bezig de vulpen dicht te draaien. 'Ga alstublieft niet weg vanwege mij.'

Ze zei: 'Het heeft niets met u te maken. Ik heb een afspraak.'

Hij rolde met zijn ogen en knipoogde naar de barman. 'Waarom zeggen meisjes dat nou altijd als ze mij zien verschijnen?'

Hij genoot van dit spel. Hij kon het uren volhouden. Zij werd er alleen maar nerveus van: in haar ogen waren ze net een paar klunzige amateurtoneelspelers. Ze was altijd bang dat ze in de lach zou schieten. Eén keer, in een ander hotel, was ze echt in de lach geschoten, en dat had hem ook aan het lachen gemaakt; ze hadden zitten giechelen als kleine kinderen... Ze dronk haar glas leeg. Nu kwam het ergste. Ze pakte haar brief, haar pen, haar tas, en...

'Vergeet dit niet, juffrouw,' zei hij, haar arm aanrakend en haar sleutel pakkend. Hij hield het platte houten label in zijn hand.

Ze bloosde weer. 'Dank u.'

'Graag gedaan.' Hij trok zijn das recht. 'Dat is trouwens mijn geluksgetal.'

Misschien knipoogde hij weer naar de barman, dat wist ze niet. Ze verliet de bar en ging naar haar kamer, zo opgewonden dat ze praktisch buiten adem was. Ze deed de lamp aan. Ze keek in de spiegel en kamde nogmaals haar haar. Ze begon te rillen. Ze had het koud gekregen in haar dunne jurk; ze hing haar mantel over haar schouders en ging bij de lauwe radiator staan, in de hoop een beetje warm te worden, voelde kippenvel opkomen op haar blote armen en probeerde het weg te wrijven. Ze keek naar de vastgebonden wekker en wachtte.

Na een kwartier werd er zachtjes geklopt. Ze rende naar de deur om open te doen, de mantel afwerpend, en Reggie schoot naar binnen.

'Jezus!' fluisterde hij. 'Het krioelt hier van de mensen! Ik moest een eeuwigheid op de trap blijven staan terwijl ik zogenaamd mijn veters vastmaakte. Twee keer kwam er een kamermeisje langs, en zij keek me heel raar aan. Ze dacht zeker dat ik door de sleutelgaten stond te gluren.' Hij sloeg zijn armen om haar heen en kuste haar. 'God! Wat ben je toch een verrukkelijk wezen.'

Het was zo heerlijk in zijn armen, dat ze plotseling bijna licht in het hoofd werd. Ze was zelfs even bang dat ze zou gaan huilen. Ze drukte haar wang tegen zijn kraag, zodat hij haar gezicht niet kon zien, en toen ze weer kon spreken zei ze: 'Je mag je wel eens scheren.'

'Ik weet het,' antwoordde hij, zijn kin langs haar voorhoofd wrijvend. 'Doet het pijn?'

'Ja.'

'Vind je het erg?'

'Nee.'

'Goed zo. Als ik nu met scheermesjes moest gaan klooien, zou ik gek worden. Godallemachtig! Het was een helse toer om hier te komen.'

'Heb je er spijt van?'

Hij kuste haar weer. 'Spijt? Ik heb hier de hele dag aan gedacht.'

'De hele dag? Is dat alles?'

'De hele week. De hele maand. Mijn hele leven. O, Viv.' Hij kuste haar steviger. 'Ik heb je godsgruwelijk gemist.'

'Wacht,' fluisterde ze, terwijl ze zich losmaakte.

'Ik kan niet wachten! Ik kan niet wachten! Goed dan. Laat me eens naar je kijken. Je ziet er prachtig uit, geweldig. Toen ik je beneden zag zitten kon ik nauwelijks van je afblijven, ik zweer het je, het was een kwelling.'

Hand in hand liepen ze verder de kamer in. Hij wreef in zijn ogen en keek om zich heen. De lamp gaf maar weinig licht; desondanks zag hij voldoende, en trok een gezicht.

'Dit is wel een armoedige tent, hè? Morrison zei dat het wel meeviel. Ik vind het hier erger dan in Paddington.'

'Het geeft niet,' zei ze.

'Het geeft wel. Ik word er beroerd van. Wacht maar tot na de oorlog, als ik weer normaal verdien. Dan wordt het elke keer de Ritz en de Savoy.'

'Het kan me niet schelen waar het is,' zei ze.

'Wacht toch maar af.'

'Het kan me niet schelen waar het is, als jij er maar bent.'

Ze zei het bijna verlegen. Ze keken elkaar aan – keken elkaar alleen maar aan, om aan het gezicht van de ander te wennen. Ze had hem een maand niet gezien. Hij was in de buurt van Worcester gestationeerd en kwam om de vier of vijf weken naar Londen. Dat stelde niets voor, wist ze, in oorlogstijd. Ze kende meisjes met een vriendje in Noord-Afrika of Birma, op een schip in de Atlantische Oceaan, in een krijgsgevangenkamp. Maar ze moest egoïstisch zijn, want ze haatte de tijd, omdat die hem, al was het maar een maand, bij haar vandaan hield. Omdat die hen op de intiemste momenten vreemden voor elkaar maakte. Omdat die hem weer bij haar weghaalde als ze net aan hem gewend was.

Misschien zag hij dat allemaal aan haar gezicht. Hij trok haar naar zich toe, om haar nogmaals te kussen. Maar toen hij haar lichaam tegen zich aan voelde, schoot hem iets te binnen en liet hij haar weer los.

'Wacht even,' zei hij, het klepje van zijn borstzak losknopend. 'Ik heb een cadeautje voor je. Hier.'

Het was een papieren zakje met haarspeldjes. Ze had geklaagd, toen ze hem de vorige keer zag, dat ze er niet één meer had. Hij zei: 'Een van de jongens op de basis verkocht ze. Veel is het niet, maar...'

'Precies wat ik nodig heb,' zei ze verlegen. Ze was geroerd dat hij het onthouden had.

'Ja? Dat dacht ik al. En kijk, niet lachen.' Hij bloosde een beetje. 'Ik heb deze ook voor je meegebracht.'

Ze dacht dat hij haar sigaretten ging geven. Hij had een ingedeukt pakje tevoorschijn gehaald. Maar hij maakte het heel voorzichtig open, pakte toen haar hand en liet de inhoud voorzichtig op haar palm glijden.

Het bleken drie verlepte sneeuwklokjes te zijn. Ze vielen in een wirwar van dunne groene steeltjes.

Hij zei: 'Ze zijn toch niet geknakt, hè?'

'Ze zijn prachtig!' zei Viv, voelend aan de stijve witte knopjes, de balletrokjes. 'Waar heb je ze vandaan?'

'De trein bleef drie kwartier stilstaan, en de helft van de mannen stapte uit om te roken. Ik keek omlaag en daar stonden ze. Ik dacht... Nou ja, ze deden me aan jou denken.'

Ze kon zien dat hij zich geneerde. In gedachten zag ze hem bukken om de bloemen te plukken en ze in dat sigarettenpakje stoppen, vlug, zodat zijn vrienden het niet zouden zien. Haar hart leek plotseling te groot voor haar borst. Weer was ze bang dat ze zou gaan huilen. Maar dat moest ze niet doen. Huilen was dom, was zinloos! Zo'n vreselijke tijdverspilling. Ze pakte een sneeuwklokje op en schudde het zachtjes heen en weer, keek toen naar de wastafel.

'Ik moet ze in het water zetten.'

'Ze zijn al te ver heen. Speld ze maar op je jurk.'

'Ik heb geen speld.'

Hij pakte de haarspeldjes. 'Gebruik een van deze. Of... Hier, ik heb een beter idee.'

Hij stak de bloemen in haar haar. Hij deed het nogal klungelig; ze voelde de punt van het speldje in haar hoofdhuid prikken. Toen nam hij haar gezicht tussen zijn getaande handen en bekeek haar.

'Zo,' zei hij. 'Ik zweer het, elke keer als ik je zie ben je weer mooier.'

Ze ging naar de spiegel. Ze zag er helemaal niet mooi uit. Haar gezicht was rood, haar lippenstift vlekkerig van het zoenen. De steeltjes van de bloemen waren geplet door het speldje en hingen slap. Maar het heldere wit stak prachtig af tegen haar donkerbruine haar.

Ze draaide zich weer om naar de kamer. Ze had niet weg moeten lopen uit zijn omhelzing. Het leek of de afstand plotseling voelbaar was, en ze werden weer verlegen voor elkaar. Hij liep naar de leunstoel en ging zitten, deed de twee bovenste knopen van zijn jasje open en maakte de boord en de das eronder los. Na een kleine stilte schraapte hij zijn keel en zei: 'Zo. Wat wil je vanavond doen, schoonheid?'

Ze trok een schouder op. 'Ik weet het niet. Het maakt niet uit. Waar jij zin in hebt.' Ze wilde gewoon hier blijven, met hem.

'Heb je honger?'

‘Niet echt.’

‘We zouden uit kunnen gaan.’

‘Als je wilt.’

‘Ik wou dat we iets te drinken hadden.’

‘Je hebt net een borrel op!’

‘Whisky, bedoel ik.’

Opnieuw een stilte. Ze begon het een beetje koud te krijgen. Ze liep naar de radiator en wreef over haar armen, zoals ze eerder had gedaan.

Hij merkte het niet. Hij zat weer om zich heen te kijken. Hij vroeg, uit beleefdheid leek het: ‘Kon je het hotel makkelijk vinden?’

‘Ja,’ zei ze. ‘Ja, dat ging heel gemakkelijk.’

‘Heb je vandaag gewerkt, of niet?’

Ze aarzelde. ‘Ik ben Duncan gaan opzoeken,’ zei ze, haar hoofd afwendend, ‘samen met pa.’

Duncan kende hij – althans, hij wist waar Duncan was. Hij dacht dat hij in de bak zat omdat hij geld had gestolen. Zijn manier van doen veranderde. Hij keek haar weer recht aan.

‘Arme schat! Ik vond al dat je er een beetje triest uitzag. Hoe was het?’

‘Het ging wel.’

‘Het deugt niet dat jij daar naar toe moet!’

‘Hij heeft niemand anders, behalve pa.’

‘Toch is het rot. Als ik het was, en mijn zus...’

Hij zweeg. Een deur was met een klap dichtgeslagen, verbazingwekkend dichtbij, en nu klonken er stemmen aan de andere kant van de muur. Een mannen- en een vrouwenstem, vrij luid, misschien hadden ze ruzie; de man was het duidelijkst te horen, maar beide stemmen klonken gedempt, onregelmatig, als het piepen van een doekje waarmee een tafel wordt opgewreven.

‘Barst!’ fluisterde Reggie. ‘Ook dat nog.’

‘Denk je dat ze ons kunnen horen?’

‘Niet als we stil zijn, en niet als zij zo tekeergaan. Laten we hopen dat ze dat doen! Het wordt pas lollig als ze het gaan bijleggen.’ Hij gnuifde. ‘Dan is het net een wedstrijd.’

‘Ik weet wie er gaat winnen,’ zei ze meteen.

Hij deed alsof hij gekwetst was. ‘Geef deze jongen tenminste een kans!’

Hij bekeek haar even, op een nieuwe manier; toen stak hij zijn hand uit en zei op vleiende toon: 'Kom hier, schoonheid.'

Ze schudde glimlachend haar hoofd en wilde niet naar hem toe gaan.

'Kom hier,' zei hij weer; maar ze kwam nog steeds niet. Toen stond hij op, pakte haar vingers en trok haar naar zich toe – aan haar arm trekkend zoals een zeeman aan een touw trekt, hand over hand. 'Moet je me zien,' prevelde hij al doende. 'Ik verdrink. Ik ben er geweest. Ik ben ten einde raad, Viv.'

Hij kuste haar weer, eerst zachtjes, maar toen de kus voortduurde werden ze allebei ernstig, bijna verbeten. De opgewonden gevoelens die zich een moment tevoren rond haar hart hadden verzameld, breidden zich uit. Het was of hij al het leven in haar naar de buitenkant trok. Hij liet zijn handen over haar lichaam glijden, streelde en kneedde haar heupen en billen, drukte haar tegen zich aan zodat ze, door haar dunne jurk heen, de uitsteeksels en bobbels van zijn uniformjasje voelde, de knopen en de plooien. Hij kreeg een stijve: ze voelde de beweging in zijn broek, tegen haar buik. Een verbazingwekkend ding vond ze het, nog steeds; ze was er nooit aan gewend geraakt. Soms legde hij haar hand erop. 'Dat komt door jou,' zei hij dan gekscherend. 'Dat is allemaal jouw werk. Daar staat jouw naam op.' Maar vandaag zei hij niets. Ze waren allebei te ernstig. Ze duwden en trokken aan elkaar alsof ze hunkerden naar de aanraking van de ander.

Ze was zich bewust van de stemmen, die bij vlagen nog in de aangrenzende kamer klonken. Ze hoorde iemand langs de deur lopen en een danswijsje fluiten. Beneden in het trapgat werd er op een gong geslagen, ten teken dat de gasten aan tafel konden. Zij en Reggie kusten door te midden van dit alles, zwijgend en bijna roerloos, maar voor haar gevoel omringd door een storm van beweging en geluid: het snelle stromen van adem, van bloed, van vocht, het zich spannen van kleding en huid.

Ze begon haar heupen tegen de zijne te bewegen. Hij liet haar even begaan, maakte zich toen los.

'Jezus!' fluisterde hij, zijn mond afvegend. 'Je maakt me gek!'

Ze trok hem terug. 'Niet ophouden.'

'Ik houd niet op. Ik wil alleen niet dat het eindigt voor het begonnen is. Wacht even.'

Hij trok zijn jasje uit en gooide het op de grond, liet toen de bretels van zijn schouders glijden. Hij sloeg zijn armen weer om haar heen en liep met haar naar het bed, om haar daar neer te leggen. Maar zodra ze zich op het bed lieten zakken, kraakte het. Het kraakte, welke plek ze ook probeerden. Dus spreidde hij zijn jasje op de grond uit en gingen ze daar samen op liggen.

Hij schoof haar rok omhoog en liet zijn hand over het blote deel van haar been glijden, onder haar bil. Ze dacht aan de crêpe jurk die kreukte, haar kostbare verstelde kousen waar ophalen in kwamen, maar zette die gedachte van zich af. Ze draaide haar hoofd om, en de sneeuwklokjes tuimelden uit haar haar en werden geplet, maar het kon haar niet schelen. Ze rook de stoffige, vieze lucht van het hoteltapijt; ze stelde zich alle mannen en vrouwen voor die elkaar eerder op dit vloerkleed hadden omhelsd, of die nu in elkaars armen lagen, in andere kamers, andere huizen – vreemden voor haar, zoals zij en Reggie vreemden voor hen waren... Ze vond het plotseling een heerlijk idee. Reggie ging nu echt op haar liggen en ze ontspande haar lichaam, gaf zich over aan zijn gewicht, maar bleef haar heupen bewegen. Ze vergat haar vader, haar broer, de oorlog; ze voelde zich weggedrukt uit zichzelf, bevrijd.

Het wachten, dacht Kay, was het moeilijkste; ze had er nooit aan kunnen wennen. Toen even na tien uur de sirene ging, voelde ze zich zelfs beter. Ze rekte zich uit in haar stoel en geeuwde wellustig.

'Ik hoop op een paar eenvoudige breuken vannacht,' zei ze tegen Mickey. 'Niet van dat bloederige gedoe; ik heb voorlopig genoeg bloed en ingewanden gezien. En niet al te zware mensen. Ik heb me vorige week bijna een breuk getild aan die politieman in Ecclestone Square! Nee, een paar slanke kleine meisjes met gebroken enkels, dat zou net leuk zijn.'

'Ik hoop op een lieve oude dame,' zei Mickey, ook geeuwend. Ze lag op een kampeermatras op de grond een cowboyboek te lezen. 'Een lieve oude dame met een zak zuurtjes.'

Ze had het boek net opzij gelegd en haar ogen gesloten toen Binkie, het hoofd van de ambulancepost, de zitkamer inkwam, in haar handen klappend. 'Wakker worden, Carmichael!' zei ze tegen Mickey. 'Niet dutten tijdens het werk. Dat was Fase Geel, hoorde je dat niet? Ik denk dat we nog een uur of twee hebben voor de pret begint, maar je weet het nooit. Wat dacht je van een rondje benzine tanken? Howard en Cole, gaan jullie maar mee. En zet water op voor je weggaat, voor de kruiken in de busjes. Oké?'

Hier en daar klonk gevloek en gekreun. Mickey kwam langzaam overeind, in haar ogen wrijvend, knikkend naar de anderen. Ze haalden hun jassen en gingen naar de garage.

Kay rekte zich nog eens uit. Na een blik op de klok keek ze rond of ze iets kon doen: ze wilde alert blijven en haar gedachten afleiden van het eindeloze wachten. Ze vond een pak vettige speelkaarten, pakte die en begon ze te schudden. De kaarten waren bestemd voor soldaten en er stonden foto's van filmsterren op. In de loop der jaren had het ambulancepersoneel de meisjes voorzien van baarden en snorren, brillen en ontbrekende tanden.

Ze riep naar Hughes, een andere chauffeur. 'Zin in een spelletje?'

Hij zat een sok te stoppen en keek op, met half dichtgeknepen ogen. 'Waar spelen we om?'

'Een penny per keer?'

'Oké.'

Ze schoof haar stoel naar die van hem toe. Hij zat pal naast de oliekachel en liet zich daar nooit vandaan lokken, want de zitkamer – die deel uitmaakte van het garagecomplex onder Dolphin Square, dicht bij de Theems – had een betonnen vloer en gewitte, stenen muren, en het was er altijd kil. Hughes droeg een zwarte astrakan mantel over zijn uniform en had de kraag opgezet. Zijn handen en polsen, die uit de lange, wijde mouwen staken, zagen er bleek en wasachtig uit. Zijn gezicht was mager als dat van een geest, zijn gebit erg verkleurd door nicotine. Hij droeg een bril met een donker schildpadmontuur.

Kay deelde, en sloeg hem gade terwijl hij met zorg zijn kaarten sorteerde. Ze schudde haar hoofd. 'Het is net of ik met de Dood speel,' zei ze.

Hij keek haar aan en stak een hand uit – wees met een vinger, draaide en kromde de vinger. 'Vannacht,' fluisterde hij, met een stem uit een griezelfilm.

Ze gooide een penny naar hem. 'Hou op.' Het muntje stuiterde op de grond.

'Hé, wat moet dat?' zei iemand – een vrouw die Partridge heette. Ze zat geknield op het beton een jurk uit te knippen met behulp van een papieren patroon.

Kay zei: 'Ik kreeg de kriebels van Hughes.'

'Iedereen krijgt de kriebels van Hughes.'

'Deze keer deed hij het expres.'

Hughes deed zijn Doodsact ook voor Partridge. 'Dat is niet grappig, Hughes,' zei ze. Toen er nog twee chauffeurs binnenkwamen, deed hij het voor hen. Een van de twee gilde. Hughes stond op en ging naar de spiegel en deed het voor zichzelf. Hij zag er helemaal ontdaan uit toen hij terugkwam.

'Ik heb mijn eigen graf geroken,' zei hij, zijn kaarten oppakkend.

Even later kwam Mickey weer terug.

'Enig idee hoe het buiten is?' vroegen ze aan haar.

Ze stond haar handen warm te wrijven. 'Een paar dreunen in de buurt van Marylebone, volgens de jongens van Redding en Sloop. Post 39 is er al heen.'

Kay ving haar blik. Ze vroeg zachtjes: 'Rathbone Place oké, denk je?'

Mickey trok haar jas uit. 'Ik denk het wel.' Ze blies op haar vingers. 'Wat spelen jullie?'

Een tijdlang was het betrekkelijk stil. Een nieuw meisje, O'Neill, haalde een handboek Eerste Hulp tevoorschijn en begon haar kennis van de procedures te testen. Chauffeurs en bijrijders liepen in en uit. Een vrouw die overdag les gaf op een balletschool trok een wollen maillot aan en begon oefeningen te doen: buigen, strekken, benen in de lucht.

Om kwart voor elf hoorden ze voor het eerst dicht in de buurt een explosie. Kort daarna kwam het luchtdoelgeschut in Hyde Park op gang. Ze zaten er een paar kilometer vandaan: desondanks leek het gedreun vanuit het beton op te stijgen naar hun schoenen, en in de keuken begon het serviesgoed en het bestek te rinkelen.

Maar alleen O'Neill, het nieuwe meisje, slaakte een uitroep.Verder gingen ze allemaal gewoon door met hun bezigheden, zonder op te kijken – misschien speldde Partridge haar papieren patronen wat vlugger vast, en de balletlerares ging zich een moment later weer omkleden. Mickey had haar laarzen uitgedaan; nu trok ze ze op haar gemak weer aan en begon ze dicht te rijgen. Kay stak een sigaret aan met de peuk van de vorige. Het was de moeite waard om in dit stadium meer te roken dan je eigenlijk wilde, vond ze, ter compensatie, want later werd het zo'n gekkenhuis dat je misschien wel uren achter elkaar zonder moest.

Er klonk opnieuw een daverende explosie. Hij leek dichterbij dan de vorige. Een theelepeltje dat op mysterieuze wijze over een tafel was geschoven, alsof het werd voortgeduwd door geesten, vloog er nu helemaal af.

Iemand lachte. Iemand anders zei: 'We krijgen er vannacht van langs, jongens!'

'Het kunnen storingsvluchten zijn,' zei Kay.

Hughes snoof. 'Het kan ook m'n tante Kato zijn. Ze hebben afgelopen nacht fotografische lichtfakkels afgeworpen, ik zweer het je. Ze komen op z'n minst terug voor de spoorlijnen.'

Hij draaide zijn hoofd om. De telefoon in Binkies kantoortje was gaan rinkelen. Iedereen werd stil. Kay voelde een snelle, scherpe steek van angst, diep in haar borst. De telefoon werd tot zwijgen gebracht toen Binkie opnam. Ze hoorden haar stem heel duidelijk. 'Ja. Ik begrijp het. Ja, meteen.'

'Daar gaan we,' zei Hughes, en hij stond op en trok zijn astrakan mantel uit.

Binkie kwam kwiek de zitkamer in en duwde haar grijze haar naar achteren.

'Twee incidenten tot dusver,' zei ze, 'en ze verwachten er nog veel meer. Bessborough Place en Hugh Street. Twee ambulances en een auto naar het eerste adres; één ambulance en een auto naar het tweede. Laten we zeggen' – ze wees van de een naar de ander, al pratend een keuze makend – 'Langrish en Carmichael, Cole en O'Neil, Hughes en Edwards, Partridge, Howard... Oké, gauw maar!'

Kay en de andere chauffeurs renden meteen naar de garage, al lopend hun helm opzettend. De grijze busjes en auto's stonden klaar; Kay klom in de cabine van haar busje en startte de motor, waarbij ze het gaspedaal een paar keer indrukte en liet opkomen om de motor warm te laten worden. Even later voegde Mickey zich bij haar. Ze was naar Binkie geweest, om het briefje te halen waarop precies stond wat er nodig was en waar ze heen moesten. Ze kwam vlug aanlopen, wipte op de treeplank en klom in de cabine terwijl Kay wegreed.

'Welk adres hebben wij gekregen?'

'Hugh Street.'

Kay knikte, draaide de garage uit en reed de helling naar de straat op, eerst langzaam, zodat Partridge, in de auto erachter, hen kon bijhouden en volgen, daarna plankgas. Het was een oud bestelbusje dat aan het begin van de oorlog was omgebouwd; elke keer als ze schakelde moest ze tussengas geven, wat nogal een gedoe was. Maar ze kende het vehikel en al zijn nukken en reed soepel, zelfverzekerd. Tien minuten eerder, toen ze met Hughes zat te kaarten, was ze bijna doezelig geweest. Toen de telefoon rinkelde had ze die steek van angst in haar hart gekregen. Nu voelde ze zich – niet onbekommerd, want alleen een dwaas zou onbekommerd zijn bij zulk werk – maar wakker, alert, springlevend.

Ze moesten naar het noordwesten om bij Hugh Street te komen, via een macabere route: de armoedige huizen in het hart van Pimlico maakten met troosteloze regelmaat plaats voor ruïnes, voor bergen puin of uitgebrande huizenrijen. De luchtdoelkanonnen bulderden maar door; tussen de salvo's door kon Kay ook het akelige geronk van vliegtuigen onderscheiden, en af en toe het fluiten en suizen van bommen en raketten. De geluiden leken sprekend op die van een gewone Guy Fawkes-avond van voor de oorlog; de geuren waren echter anders: niet de eerlijke geur – zoals Kay er nu op terugkeek – van gewoon buskruit, maar de flauwe stank van brandend rubber van het geschut, en de bedorven lucht van ontplofte granaten.

De straten waren uitgestorven en een beetje mistig. Tijdens dit soort aanvallen hing er een vreemde, spookachtige sfeer in Pimlico – een wijk waar het tot voor kort wemelde van de mensen, die allemaal door geweld waren omgekomen of verjaagd. En als de kanonnen zwegen, kon de sfeer nog vreemder zijn. Kay en Mickey hadden een paar keer langs de rivier gewandeld toen hun dienst erop zat. Het was een onwezenlijke plek: stiller, in zekere zin, dan het op het platteland geweest zou zijn, en het uitzicht langs de Theems naar Westminster was een aaneenschakeling van bultige, vormeloze massa's – alsof de oorlog Londen had onttakeld, had teruggebracht tot een reeks dorpen die zich ieder voor zich moesten verdedigen tegen onbekende krachten, duister en alleen.

Ze kwamen aan het eind van St George's Drive en zagen een man – een politiereservist – staan wachten om hen naar de juiste plek te dirigeren. Kay stak haar hand ter begroeting op en draaide haar raampje omlaag; hij rende naar het busje toe, met logge bewegingen – dat kwam door het gewicht van zijn uniform, zijn helm, de canvas tas die met een riem om zijn borst zat en bij elke stap heen en weer zwaaide. 'Naar links,' zei hij. 'Je ziet het vanzelf. Maar pas op daar, want er ligt glas.'

Daarna rende hij weg om Partridge tegen te houden en hetzelfde tegen haar te zeggen.

Kay reed voorzichtig verder. Zodra ze Hugh Street indraaide kwam de voorruit van het busje vol vlekken en vuiltjes te zitten, zoals ze van tevoren had geweten: stof van verpulverde steen, pleisterkalk en hout. Het licht van haar koplampen – al niet bepaald fel, omdat de lampen gedimd waren – leek zich te verdichten, te vertroebelen en rond te wervelen, als donker bier dat bezinkt in een glas. Ze leunde voorover, probeerde iets te zien, en ging steeds langzamer rijden, beducht voor de banden, want ze hoorde van alles knerpen en knappen onder haar wielen. Toen ontwaarde ze vijftig meter verderop weer een zwak schijnsel: de zaklantaarn van een man van de luchtbescherming. Hij hield de zaklamp wat hoger toen hij haar aan hoorde komen. Ze parkeerde het busje, en Partridge stopte achter haar.

Het blokhoofd kwam aanlopen en nam zijn helm af, veegde met een zakdoek over zijn hoofd, snoot toen zijn neus. Achter hem stak een rij huizen donker af tegen de bijna donkere hemel. Turend door het rondwervelende stof zag Kay nu dat een van de huizen vrijwel vernield was: de voorgevel was in elkaar gedrukt en gereduceerd tot puin en balken, alsof het was geplet onder de laars van een onoplettende reus.

'Wat was het?' vroeg ze aan het blokhoofd terwijl zij en Mickey uitstapten. 'Een brisantbom?'

Hij was bezig zijn helm weer op te zetten en knikte. 'Minstens een honderdponder.' Hij hielp hen dekens, verband en een draagbaar uit de laadruimte van het busje halen en ging hen toen voor over het puin, schijnend met zijn zaklamp.

'Dit pand heeft de volle laag gekregen,' zei hij. 'Drie verdiepingen. We denken dat er op de bovenste twee niemand was. Maar de mensen die beneden woonden waren allemaal thuis – ze hadden in hun schuilkelder gezeten en kwamen net weer naar buiten, geloof het of niet. Godzijdank hebben ze het huis nooit bereikt! De man heeft flink wat snijwonden opgelopen van rondvliegend glas. De anderen zijn min of meer tegen de grond geslingerd, je kunt zelf wel zien hoe ernstig het is. Een oude dame is er slecht aan toe: voor haar heb je de draagbaar nodig, denk ik. Ik heb ze allemaal gezegd in de tuin te blijven tot jullie er waren. Eigenlijk moet er een dokter naar ze kijken; maar volgens de Centrale is de auto van de dokter getroffen door een explosie...'

Hij gleed uit, richtte zich weer op en liep zwijgend verder. Partridge hoestte vanwege het stof. Mickey wreef gruis uit haar ogen. De chaos was enorm. Elke keer als Kay haar voet neerzette, kraakte er iets of zakte ze tot aan haar enkels in dingen weg: glasscherven vermengd met scherven van gebroken spiegels, serviesgoed, tafels en stoelen, gordijnen, vloerkleden, veren uit een kussen of matras, grote houtsplinters. Het hout verraste Kay nog steeds: voor de oorlog had ze altijd gedacht dat huizen min of meer massief gebouwd waren, van steen – zoals het huisje van het laatste Biggetje, in het sprookje. Wat haar ook verbaasde was dat zelfs grote gebouwen gereduceerd konden worden tot een hoopje gruis en brokken steen. Dit huis had een uur geleden drie hele verdiepingen geteld; de berg puin waarin de voorgevel was veranderd was nog geen twee meter hoog. Ze vermoedde dat huizen toch voornamelijk uit lege ruimte bestonden – net als de levens die zich er afspeelden. Het was in feite de ruimte die telde, niet de bakstenen.

De achterkant van het huis was nog wel min of meer intact. Ze liepen door een krakende gang en kwamen in een keuken, heel bizar, met de kopjes en borden nog op de planken, prenten aan de muren, het elektrische licht aan en het verduisteringsgordijn voor het raam. Maar het plafond was gedeeltelijk omlaaggekomen, en uit scheuren in het pleisterwerk stroomden riviertjes van stof; af en toe vielen er nog balken, zei het blokhoofd, en de verwachting was dat het pand zou instorten.

Hij bracht hen naar de kleine achtertuin en ging toen door het huis terug naar de straat, om naar de buren te kijken. Kay schoof de rand van haar helm omhoog. Het was moeilijk te zien in het donker, maar ze ontwaarde de gestalte van een man die op een stoep zat, met zijn hoofd in zijn handen, en een vrouw die roerloos op een deken of kleed op de grond lag, met naast haar een andere vrouw die waarschijnlijk bezig was haar handen warm te wrijven. Achter hen liep een meisje verdwaasd rond. Een tweede meisje zat in de deuropening van een schuilkelder. Ze had een jammerend, jankend ding in haar armen – Kay dacht eerst dat het een gewonde baby was. Toen begon het te wriemelen en te keffen, en ze zag dat het een hond was.

Het stof dwarrelde nog rond en maakte iedereen aan het hoesten. Er hing die eigenaardige, desoriënterende sfeer die Kay altijd opviel op dit soort plaatsen. De lucht voelde geladen aan, als een snel kloppende pols – alsof alles nog galmde en vibreerde, alsof de atomen van het huis, de tuin, de mensen zelf, uit hun verband waren gerukt en hun plaats nog moesten vinden. Kay was zich ook bewust van het gebouw achter haar, dat dreigde in te storten. Ze ging heel snel van de ene persoon naar de andere, legde een deken over hun schouders en bekeek hun gezicht in het licht van haar zaklamp.

'Goed,' zei ze toen, en kwam overeind. Een van de meisjes, dacht ze, had misschien een gebroken been of enkel; ze liet Partridge naar haar kijken. Mickey ging naar de man op de stoep. Kay zelf ging terug naar de vrouw die op het vloerkleed lag. Ze was hoogbejaard en had een dreun tegen haar borstkas gekregen. Toen Kay naast haar knielde om haar hart te voelen, begon ze te kermen.

'Ze mankeert toch niks, hè?' vroeg de andere vrouw luid. Ze rilde, en haar lange grijze haar hing ordeloos om haar schouders; waarschijnlijk had ze het in een vlecht of knot gedragen en was het door de explosie losgeschoten. 'Ze heeft nog geen woord gezegd sinds ze daar ligt. Ze is zesenzeventig. Het komt trouwens allemaal door haar dat we buiten waren. We zaten veilig daar' – ze wees naar de schuilkelder – 'lekker te kaarten en naar de radio te luisteren. Toen zei ze dat ze naar de wc moest. Ik ging met haar naar buiten, en de hond kwam achter ons aan stormen. Toen begonnen de meisjes te huilen, en toen komt hij naar buiten' – ze bedoelde haar man – 'en begint met z'n stomme kop door de tuin te rennen, in het pikkedonker, de sukkel. En toen – God beware me, juffrouw, het leek wel of het eind van de wereld aangebroken was.' Ze klemde de deken vast, nog steeds rillend. Nu ze eenmaal begonnen was met praten, kon ze niet meer ophouden. 'Kijk zijn moeder nou,' vervolgde ze, op dezelfde luide, drukke, klagerige toon, 'en kijk mij nou, en de meisjes. God mag weten hoeveel botten we alles bij elkaar gebroken hebben. En wat is er met het huis? Ik denk dat het dak eraf is, hè? Het blokhoofd wil geen woord zeggen, we mochten van hem niet eens de keuken in. Ik durf niet te gaan kijken.' Ze legde een sidderende hand op Kays arm. 'Kan u het me vertellen, juffrouw? Zijn de plafonds ingestort?'

Geen van hen had de voorkant van het huis nog gezien; van achteren, in het donker, leek het vrijwel onbeschadigd. Kay had snel haar handen over het lichaam van de bejaarde vrouw laten glijden en haar armen en benen gecontroleerd. Ze zei nu, zonder op te kijken: 'Er is behoorlijk wat schade, vrees ik...'

'Wat?' zei de vrouw. Ze was doof, door de explosie.

'Dat is moeilijk te zien in het donker, vrees ik,' zei Kay, duidelijker sprekend. Ze concentreerde zich op wat ze aan het doen was. Ze dacht dat ze een paar gebroken ribben voelde uitsteken. Ze reikte naar haar tas en haalde er verband uit, en begon de oude dame zo vlug als ze kon te verbinden.

'Het komt allemaal door haar, weet u...' zei de vrouw weer.

'Help me hier eens mee, als u kunt!' schreeuwde Kay, om haar af te leiden.

Intussen had Mickey de man onderzocht. Zijn gezicht had eerst zwart geleken; Kay had gedacht dat het vol aarde of roet zat. Toen ze het met haar zaklantaarn had beschenen, was het zwart echter vuurrood geworden. Zijn armen en borst zagen er net zo uit, en toen ze de lichtstraal heen en weer had bewogen was alles mooi gaan glinsteren. Er staken glasscherven uit zijn lichaam. Mickey probeerde nu de ergste eruit te halen voor ze hem verbond. Hij zat te krimpen van de pijn, en bewoog zijn hoofd alsof hij blind was. Zijn oogleden waren aan elkaar gekleefd met geronnen bloed.

Blijkbaar voelde hij Mickey aarzelen. 'Is het erg?' hoorde Kay hem vragen.

'Dat valt best mee,' antwoordde Mickey. 'U lijkt nu een beetje op een egel, dat is alles. Maar probeer niet te praten. We moeten die gaten dichtstoppen. Anders kunt u nooit meer een biertje drinken; dan sproeit het allemaal weer naar buiten.'

Hij luisterde niet, of verstond het niet. 'Hoe is het met moeder?' vroeg hij, nog voor ze uitgesproken was. Hij riep schor naar Kay: 'Dat is mijn moeder.'

'Probeer niet te praten,' zei Mickey weer. 'Uw moeder maakt het goed.'

'En de meisjes?'

'De meisjes ook.'

Toen bleef het stof in zijn keel steken. Mickey hield zijn hoofd zo dat hij kon hoesten. Kay zag in gedachten zijn wonden weer opengaan terwijl hij sidderde en schokte, of het glas dat er nog in zat dieper naar binnen dringen... Ze was zich ook bewust van het monotone geronk van vliegtuigen boven hen. En op een gegeven moment kwam uit een naburige straat het geluid van een dak dat schuivend en splinterend omlaagkwam. Ze ging sneller werken. 'Oké, Partridge?' riep ze, terwijl ze het verband vastmaakte. 'Hoe lang nog?'

'Ik ben bijna zover.'

'En jij, Mickey?'

'Wij zijn klaar.'

'Goed.' Kay vouwde de draagbaar open die ze uit het busje had meegenomen. Het blokhoofd kwam terug terwijl ze daarmee bezig was; hij hielp haar de oude dame op te tillen en de deken om haar heen te wikkelen.

'Welke kant kunnen we op?' vroeg Kay, toen ze klaarstond. 'Kun je vanuit de tuin op straat komen?'

Hij schudde zijn hoofd. 'Niet vanuit deze tuin. We zullen terug moeten door het huis.'

'Door het huis? Jezus. Dan kunnen we maar beter gauw gaan. Klaar om te tillen? Oké. Een, twee...'

Toen ze voelde dat ze werd opgetild, deed de oude dame eindelijk haar ogen open en keek verwonderd om zich heen. Ze vroeg fluisterend: 'Wat doet u?'

Kay greep de uiteinden van de draagbaar steviger vast. 'We brengen u naar het ziekenhuis. U heeft uw ribben bezeerd. Maar het komt allemaal weer goed.'

'Naar het ziekenhuis?'

'Kunt u stil blijven liggen? Het duurt niet lang, dat beloof ik. We moeten u alleen naar de ambulance brengen.' Kay sprak tegen haar zoals ze tegen een vriendin zou doen – tegen Mickey, bijvoorbeeld. Ze had politieagenten en verpleegsters gewonde mensen horen toespreken alsof ze achterlijk waren: 'Oké, moppie.' 'Stil maar, ma.' 'Maak u daar maar niet druk om.'

'Daar komt uw zoon ook,' zei ze, toen ze Mickey de bloedende man overeind zag helpen. 'Partridge, ben jij klaar met de meisjes? Goed dan. Allemaal meekomen. Vlug, maar voorzichtig.'

Ze dromden chaotisch de keuken in. Het licht verblindde hen en ze hielden een hand voor hun ogen. Daarna zagen de meisjes natuurlijk hoe vuil en toegetakeld ze waren, en hoe vreselijk hun vader eruitzag, met het bloed en het verband om zijn gezicht. Ze begonnen te huilen.

'Hindert niet,' zei hun moeder ontdaan. Ze rilde nog steeds. 'Hindert niet. We leven nog, ja toch? Phyllis, draai de deur op slot. Neem de thee mee, Eileen. En dek dat blik cornedbeef af! Gewoon voor de zekerheid... O, mijn God!' Ze had de deur naar de gang bereikt en de chaos daarachter gezien. Ze kon het niet geloven. Ze stond daar met haar hand op haar hart. 'O, lieve God!'

Achter haar begonnen de meisjes te gillen.

Kays voeten gleden weer weg toen zij en het blokhoofd de bejaarde dame over het puin trachtten te manoeuvreren. Bij elke stap die ze zetten steeg er een nieuwe wolk stof, veren en roet op. Maar ten slotte bereikten ze het eind van wat eens de voortuin was geweest. Ze zagen een paar schooljongens heen en weer zwaaien aan de portierkrukken van de ambulance.

'Hulp nodig, meneer?' vroegen de jongens aan het blokhoofd, of misschien aan Kay.

Het blokhoofd gaf antwoord. 'Nee. En nou als de wiedeweerga terug naar de schuilkelder voor jullie kop eraf geblazen wordt. Waar zijn jullie moeders? Wat denken jullie dat die vliegtuigen zijn, een stel hommels?'

'Is dat de oude mevrouw Parry? Is ze dood?'

'Scheer je weg!'

'O, mijn God!' zei de vrouw nog steeds, terwijl ze zich een weg door haar vernielde woning baande.

De ambulance beschikte over vier metalen britsen, van het soort dat in schuilkelders werd gebruikt. Er was een beetje licht, maar geen enkele vorm van verwarming, dus Kay wikkelde nog een deken om de bejaarde dame heen en bond haar met een canvas riem op de brits vast, waarna ze één warmwaterkruik onder haar knieën legde, en een tweede bij haar voeten. Mickey nam de man mee. Zijn ogen zaten nu helemaal dichtgeplakt met bloed en stof; ze moest zijn armen en benen sturen alsof hij niet meer wist hoe hij ze moest gebruiken. Zijn vrouw kwam achter hem aan. Ze was wat dingetjes gaan oprapen: een geruite pantoffel, een potplant. 'Ik kan dit toch niet allemaal achterlaten?' zei ze, toen het blokhoofd haar in Partridge's auto probeerde te krijgen zodat ze naar de eerstehulppost kon worden gebracht. Ze was in huilen uitgebarsten. 'Wilt u meneer Grant niet even gaan halen in het huis aan de overkant? Hij let wel op onze spullen. Alstublieft, meneer Andrews?'

'Hem kun je niet meenemen,' zei Partridge intussen tegen het meisje met de hond.

'Dan ga ik ook niet!' riep het meisje. Ze greep de hond steviger vast, waardoor hij begon te janken. Toen keek ze omlaag. 'O, mam, hier ligt dat schilderij dat je van oom Patrick had gekregen, helemaal aan barrels!'

'Laat haar de hond maar meenemen, Partridge,' zei Kay. 'Dat kan toch geen kwaad?'

Maar de beslissing was aan Partridge, niet aan haar, en er was hoe dan ook geen tijd om erover te discussiëren. Ze liet hen staan kibbelen, knikte naar Mickey achter in het busje, sloot de portieren, rende om naar de voorkant en veegde de voorruit schoon, want in de tijd dat het voertuig had stilgestaan, een minuut of twintig, was het bedekt geraakt met een dikke laag stof. Ze stapte in de cabine en startte de motor.

'Andrews,' riep ze naar het blokhoofd, terwijl ze de auto keerde, 'let jij op mijn banden?' Een lekke band zou nu rampzalig zijn. Hij liep bij de vrouw en de meisjes vandaan, scheen met zijn zaklamp om de wielen heen en stak toen zijn hand op.

Ze reed eerst voorzichtig, en gaf gas toen er minder obstakels op de weg lagen. Ze werden geacht een snelheid van vijfentwintig kilometer per uur aan te houden als ze gewonden vervoerden – maar ze dacht aan de bejaarde dame met de gebroken ribben, en de bloedende man, en reed harder. Zo nu en dan leunde ze naar voren om door de voorruit omhoog te turen naar de lucht. Het geronk van vliegtuigen was nog goed te horen, net als het gedreun van de kanonnen, maar de motor maakte ook lawaai, en het was onduidelijk of ze het gevaar tegemoet reed of dat het ergste achter hen lag.

In de achterwand van de cabine zat een schuifraampje: ze kon Mickey achterin horen rondlopen. Terwijl ze haar ogen op de weg hield, draaide ze zich een beetje om en riep: 'Alles oké?'

'Het gaat wel,' antwoordde Mickey. 'Maar de oude dame heeft last van het gehobbel.'

'Ik zal doen wat ik kan,' zei Kay.

Ze tuurde naar het wegdek en deed haar uiterste best de scheuren en kuilen te ontwijken, tot ze er zere ogen van kreeg.

Toen ze voor de ingang spoedgevallen van het ziekenhuis aan de Horseferry Road stopte, rende er een verpleegster naar buiten om haar te begroeten, met haar hoofd tussen haar schouders alsof het regende. De hoofdzuster kwam er echter op haar dooie akkertje achteraan en trok zich blijkbaar niets aan van de lichtflitsen en de knallen.

'Kan je ons niet missen, Langrish?' zei ze, door een nieuwe uitbarsting van geschutsvuur heen. 'Zo, en wat heb je nu weer voor ons?'

Ze had een forse boezem en blond haar, en de vleugels van haar kapje waren opgekruld in punten: ze deden Kay altijd denken aan de Vikinghoorns die sommige operazangers droegen.

Ze liet een brancard op wieltjes en een rolstoel komen, waarbij ze de ziekenbroeders opjoeg alsof het ganzen waren. En toen de man met de snijwonden versuft uitstapte, joeg ze hem ook op: 'Vlug een beetje!'

Kay en Mickey tilden de bejaarde dame uit het busje en legden haar voorzichtig op de brancard. Mickey had haar een label opgespeld dat vermeldde waar en wanneer ze gewond was geraakt. Ze stak haar hand uit alsof ze bang was, en Kay pakte haar vingers. 'Maak u maar geen zorgen. Het komt wel goed.'

Daarna hielpen ze de man in de rolstoel. Hij klopte Mickey op de arm en zei: 'Bedankt, knul.' Hij had in het begin een glimp van haar opgevangen en al die tijd gedacht dat ze een jongen was.

'Arme stakker,' zei ze, toen zij en Kay weer in het busje zaten. Ze probeerde het bloed zoveel mogelijk van haar handen te vegen. 'Dat worden vreselijke littekens, hè?'

Kay knikte. Maar eigenlijk was ze de man en zijn moeder al half vergeten, nu ze hen veilig had afgeleverd. Ze richtte al haar aandacht op de terugrit naar Dolphin Square, en ze was zich bovendien bewust van de voortdurende herrie van vliegtuigen en kanonnen. Ze leunde weer naar voren, om naar de lucht te turen. Mickey tuurde ook, en even later draaide ze haar raampje omlaag en stak haar hoofd naar buiten.

'Hoe ziet het eruit?' vroeg Kay.

'Niet zo best. Het zijn maar een paar toestellen, maar ze zitten recht boven ons. Het lijkt wel of ze in een cirkel vliegen.'

'Een cirkel om ons heen?'

'Ik vrees van wel.'

Kay ging harder rijden. Mickeys blikken helm stootte tegen de bovenrand van het raam; ze hief haar hand op om hem vast te houden. 'Het zoeklicht heeft hem nu te pakken,' zei ze. 'Nu zijn ze hem kwijt. Nu... Oeps.' Ze trok razendsnel haar hoofd naar binnen. 'Daar gaan de kanonnen weer.'

Kay sloeg een hoek om en keek omhoog. Ze kon de straal van een zoeklicht onderscheiden, en in die straal de glimmende romp van een vliegtuig. Terwijl ze keek, steeg er een rij granaten op naar het toestel, ogenschijnlijk geluidloos – want hoewel ze het gebulder van de kanonnen hoorde en voelde, was het toch moeilijk om dat kabaal in verband te brengen met de sliert van lichtjes, of met de kleine rookwolken die ontstonden als de lichtjes doofden. Ze werd hoe dan ook al snel afgeleid door vallende granaatscherven. Kletterend sloegen ze op het dak en de motorkap van het busje – alsof de bommenwerpers hun bestekladen hadden meegebracht en die leeggooiden.

Maar toen volgde er een zwaardere dreun, en toen nog een, en de weg vóór hen werd plotseling verlicht door een fel wit schijnsel. Het vliegtuig liet brandbommen vallen, en er was er een ontploft.

'Geweldig,' zei Mickey. 'Wat doen we nu?'

Kay had automatisch vaart geminderd en haar voet zweefde boven het rempedaal. Ze werden geacht door te rijden, wat ze onderweg ook tegenkwamen. Als je bij een nieuw incident betrokken raakte, zou dat fataal kunnen zijn. Maar ze vond het altijd moeilijk om gewoon weg te rijden van het gevaar.

Ze nam een besluit en zette het busje stil, zo dicht bij de sputterende cilinder als ze durfde. 'Ik laat deze straat niet zomaar in brand vliegen,' zei ze, terwijl ze haar portier opende en naar buiten sprong. 'Het kan me niet schelen wat Binkie ervan vindt.'

Ze keek rond en zag een stapel zandzakken voor een raam liggen, en terwijl ze haar gezicht en handen beschermde tegen het wild schuimende magnesium van de brandbom, zeulde ze een zandzak mee en liet hem vallen. Het witte licht verdween. Maar toen ontplofte er een andere bom, verderop in de straat. Ze sleepte er een tweede zandzak naar toe. De brandbommen die alleen smeulden trapte ze uit; ze doofden in een regen van stroperige vonken. Mickey kwam haar helpen, en even later kwamen er een man en een meisje naar buiten die ook meehielpen: met hun vieren liepen ze als dolgedraaide voetballers heen en weer te draven... Maar sommige brandbommen waren op daken en in tuinen gevallen waar ze niet bij konden; een was blijven steken in een houten bordje met TE HUUR, dat al begon te branden.

'Waar hangt jullie blokhoofd in jezusnaam uit?' vroeg Kay aan de man.

'Weet ik het,' zei hij hijgend. 'Deze straat ligt op de grens van twee posten. Ze zitten daar te bakkeleien over wie hier moet patrouilleren. Denk je dat we de brandweer nodig hebben?'

'Een paar handpompen zouden al genoeg zijn, als we maar ladders of touwen hadden.'

'Zal ik even gaan bellen?'

Kay keek gefrustreerd om zich heen. 'Ja,' zei ze. 'Ja, doe maar.'

Hij vertrok. Kay wendde zich tot het meisje. 'Jij moet terug naar de schuilkelder.'

Het meisje droeg een mannenjas van imitatiebont en een puntmuts. Ze schudde grijnzend haar hoofd. 'Ik vind het buiten leuker. Hier gebeurt meer.'

'Straks gebeurt er misschien meer dan je lief is. Daar, wat zei ik je?'

Uit een huis verderop in de straat kwam een klap, een soort doffe dreun, gevolgd door het gerinkel van glasscherven. Kay en Mickey renden erop af, en het meisje rende achter hen aan. Bij een raam op de begane grond waren de luiken opengevlogen en bungelden de gordijnen aan een gebroken roe; ze waren pikzwart door roet of rook, en een zwarte wolk met stukjes pleisterkalk erin golfde naar buiten, maar er was geen spoor van vlammen.

'Kijk uit,' zei Kay, toen zij en Mickey op de vensterbank stapten en naar binnen keken. 'Het kan een tijdbom zijn.'

'Ik weet het niet,' zei Mickey. Ze scheen met haar zaklamp naar binnen. Het was een keuken, helemaal vernield: stoelen en serviesgoed waren in het rond geslingerd, het behang was zwartgeblakerd, de keukentafel was tegen de muur gesmeten en lag op zijn kop. Vlak achter de tafel zagen ze een man languit op de grond liggen in de chaos. Hij droeg een pyjama en een kamerjas, en hield zijn dijbeen vast. 'O! O!' hoorden ze hem zeggen. 'O, verrek!'

Mickey greep Kays arm. Ze tuurde door het stof. 'Kay,' zei ze hees. 'Ik geloof dat zijn been weg is. Het is er helemaal af! We hebben een riem nodig, tegen het bloeden.'

'Wat is dat?' riep de man, die begon te hoesten. 'Wie is daar? Help!'

Kay draaide zich om en rende naar de ambulance. 'Niet kijken,' zei ze tegen het meisje, dat buiten rondhing. Het geronk van de vliegtuigen was vervaagd, maar de brandjes die her en der waren ontstaan zetten nu echt door, met gele, oranje en rode vlammen in plaats van witte. De brandjes zouden andere vliegtuigen aanlokken, met echte explosieven, en daar kon ze helemaal niets tegen doen. Ze pakte een verbanddoos en rende terug naar het huis. Ze trof Mickey in de keuken aan bij de gewonde man. Ze had een deel van de rommel weggeduwd en was bezig de pyjama van de man open te scheuren.

'Help me overeind,' zei hij.

'Probeer niet te praten.'

'Maar mijn been...'

'Ik weet het. Maakt u zich geen zorgen. We moeten een tourniquet bij u aanleggen.'

'Een wat?'

'Om het bloeden te stelpen.'

'Bloeden? Bloed ik?'

'Dat kan niet anders, makker,' zei Mickey grimmig.

Ze gaf een laatste ruk aan de naad van de pyjamabroek en richtte de straal van haar zaklamp op de blote dij van de man. Het vlees eindigde een eindje boven de knie. De stomp was echter roze, glad, bijna glimmend... 'Ho even,' zei Kay, haar hand op Mickeys schouder leggend. De man slaakte een zucht. Hij begon te lachen, en toen weer te hoesten.

'Ach, verrek,' zei hij. 'Als je een been vindt aan het eind van die stomp, dan kan je toveren. Ik ben dat al kwijtgeraakt tijdens de vorige oorlog...'

Het ontbrekende onderbeen was van kurk. Bovendien was de ontploffing waarbij hij onderuit was gegaan niet veroorzaakt door een bom, maar door een ondeugdelijk gasfornuis. Hij stond gebukt om het gas onder de ketel aan te steken, en toen was de hele boel de lucht in gevlogen. Zijn kunstbeen was losgerukt en met al het andere door de keuken geslingerd; ze keken rond en vonden het al snel: het was met een van de gespen aan een spijker blijven hangen.

Mickey gaf het hem nijdig terug. 'Alsof er al niet genoeg geknald wordt op het moment, zonder dat u ook nog eens meedoet.'

'Ik wou alleen maar een kop thee maken,' zei hij, nog steeds hoestend. 'Een mens heeft recht op een kop thee, ja toch?'

Toen ze hem overeind hadden geholpen, zagen ze hoe slecht hij eraan toe was. Hij had brandwonden op zijn gezicht en op zijn handen, en een deel van zijn haar was weggeschroeid, net als zijn wenkbrauwen en wimpers. Ze vonden dat ze hem net zo goed naar het ziekenhuis konden brengen; ze droegen hem naar buiten en legden hem in de ambulance.

Overal woedden nog branden, maar het meisje dat de bommen had helpen uitdoven was op voordeuren gaan bonken; een paar mensen kwamen hun huis uit met emmers water, pompen en emmers zand. De man met het kunstbeen riep naar een kennis en vroeg of hij het raam van zijn woning wilde dichtspijkeren.

'Goed dat we hier weggaan,' zei hij tegen Kay en Mickey, terwijl hij naar de rennende gestalten keek. 'Ik hoop alleen dat ze hun pompen niet op mijn huis richten. Ik heb liever een brand dan een overstroming... Wat nou?' vervolgde hij, toen Kay het portier dichtduwde. 'Je gaat ons toch niet samen in dit busje opsluiten, hè?' Hij doelde op Mickey.

'Je redt je vast wel,' zei Kay.

'Dat zeg jij. Jij hebt niet gezien hoe ze zich op mijn pyjama stortte...'

'Een mooi nummer was dat,' zei Mickey, toen ze de man bij het ziekenhuis hadden afgezet.

'Lachen?' zei Kay.

'Maar allemachtig, een kurken been! Als de anderen dat zouden weten...'

Kay gniffelde. '"Kay! Kay!"' zei ze hees. '"Ik geloof dat het er helemaal af is!"'

Mickey stak voor hen allebei een sigaret aan. 'Rot op.'

'Trek het je niet aan, schat. Iedereen zou dat gedacht hebben.'

'Misschien. Maar had dat meisje geen mooie bruine ogen?'

'Ja?'

'Donkere types vallen jou nooit op.'

De kanonnen zwegen voorlopig. Het vliegtuig dat de brandbommen had afgeworpen was verjaagd. Het was of er een gewicht was opgetild. Kay en Mickey zaten op de terugweg naar Dolphin Square aan één stuk door te kletsen en te lachen. Maar in de garage werden ze opgewacht door Partridge, die hen waarschuwend aankeek. 'Er zwaait wat voor jullie.'

Binkie verscheen. Ze had een stapel briefjes in haar hand.

'Langrish en Carmichael, waar zijn jullie in jezusnaam geweest? Iemand heeft jullie bijna een uur geleden terug zien rijden. Ik wilde net de Centrale bellen en jullie als vermist opgeven.'

Kay vertelde over de brandbommen en de gewonde man.

'Pech gehad,' zei Binkie. 'Je moet meteen terugkomen na een klus. Je doet dit werk lang genoeg om dat te weten, Langrish.'

‘Moet ik een straat dan in brand laten staan, zodat er nog meer bommen op af komen? Dan hebben we in elk geval werk genoeg.’

‘Je kent de procedure. Ik waarschuw je. Doe dit soorten dingen niet te vaak.’

Ze verdween in haar kantoortje toen de telefoon begon te rinkelen, en kwam even later terug om Kay en Mickey weer op pad te sturen. De bommenwerpers hadden Pimlico verlaten, maar er waren problemen in Camberwell en Walworth. Een paar ambulances van die sectie waren geraakt en konden niet meer rijden: Kay en Mickey, en vier andere chauffeurs van Dolphin Square, gingen de rivier over om hun plaats in te nemen. Het waren vrij akelige klussen. In Camberwell was een huis ingestort, en de bewoners waren getroffen door balken: Kay moest een arts helpen de verbrijzelde benen van een kind te spalken, en het kind gilde en krijste zodra ze haar aanraakten. Wat later, in een andere straat, waren twee mannen door rondvliegende granaatscherven getroffen: ze waren zo toegetakeld dat het leek alsof een maniak hen met messen te lijf was gegaan.

Om kwart over twee, toen hun dienst er bijna op zat, waren Kay en Mickey er vijf keer op uit geweest. Min of meer uitgeput reden ze naar Dolphin Square. Kay zette de motor uit toen ze het plein op draaide en liet het voertuig op eigen kracht de helling af rijden naar de garage. Toen ze de handrem had aangetrokken, legden zij en Mickey hun hoofd achterover en sloten hun ogen.

‘Wat zie jij?’ vroeg Kay.

‘Verbanden,’ antwoordde Mickey. ‘En jij?’

‘Ik zie de weg nog steeds bewegen.’

Hun busje was smeriger dan ooit: ze waren nog een kwartier bezig om emmers met ijskoud water te vullen en de wagen van binnen en van buiten schoon te spoelen. Daarna moesten ze zichzelf wassen. Er was een onverwarmde ruimte, met op de deur het opschrift ONTSMETTING:VROUWEN, waar ze geacht werden dat te doen. Er stond een soort trog, met nog meer koud water. De combinatie van stof en bloed was erg moeilijk te verwijderen van kleding en huid. Mickey had tenminste geen ringen om. Kay droeg een gladde gouden ring aan haar vinger, die ze liever niet afdeed; ze moest hem opschuiven naar het kootje om het vuil eronder weg te halen.

Toen ze hun handen zo goed mogelijk hadden schoongeboend, deden ze hun helm af. Waar de riempjes hadden gezeten, om hun voorhoofd en onder hun kin, was de huid schoon en roze, maar de rest van hun gezicht was rossig-zwart door steenstof en rook; alleen waar ze zweet hadden weggeveegd, of in de geultjes waar water uit hun ogen was gelopen, was de huid lichter. In hun wimpers zat gruis: daar besteedden ze aandacht aan, want soms bevatte het gruis kleine stukjes glas. Ze bekeken elkaar om beurten in het licht: 'Omhoogkijken... Omlaagkijken... Prima!'

Kay liep door naar de zitkamer. De meeste chauffeurs waren al naar huis. Hughes liet zijn hand verbinden door O'Neil, het nieuwe meisje.

'Niet zo strak, snoesje.'

'Sorry, Hughes.'

'Wat is er?' vroeg Kay, die naast hen ging zitten.

'Dit?' zei Hughes. 'O, niets. O'Neil is gewoon aan het oefenen.'

Kay geeuwde. Het was nooit verstandig om te gaan zitten voor het sein 'alles veilig' was gegeven: ze voelde zich plotseling doodmoe. 'Hoe ging het bij jullie?' vroeg ze, in een poging wakker te blijven.

Hughes haalde zijn schouders op, kijkend naar het afrollen van het verband. 'Dat viel wel mee. Een gescheurde maag, en iemand die een oog kwijt was.'

'En jij, O'Neil?'

'Vier gebroken botten in Warwick Square.'

Kay fronste haar voorhoofd. 'Is dat geen variétéliedje?'

'Howard en Larkin,' vervolgde O'Neil, 'hadden een man die van de trap was gevallen, in Bloomfield Terrace. Het kwam niet eens door een explosie; hij was gewoon toeter.'

'Toeter!' zei Kay. Ze vond het een leuk woord en schoot in de lach. Het lachen ging over in geeuwen. 'Nou, boft hij even. Iemand die vandaag de dag aan genoeg drank kan komen om toeter te worden, verdient een medaille.'

In de keuken was Mickey thee aan het zetten. Kay luisterde even naar het gerammel van aardewerk, hees zich toen overeind en ging helpen. Ze deden verse theebladeren bij het smerige zwarte mengsel dat bijna permanent op de bodem van de pot lag, en moesten toen wachten tot het water kookte op een armzalig vlammetje, omdat de gasdruk laag was. Het sein 'alles veilig' ging net toen ze de thee inschonken, en de laatste chauffeurs kwamen binnen. Binkie liep van het ene vertrek naar het andere om de neuzen te tellen.

De stemming begon jolig te worden. Het was een soort uitbundigheid omdat ze het overleefd hadden, zich erdoorheen hadden geslagen, weer een luchtaanval de baas waren geweest. Iedereen was besmeurd met bloed en stof, en doodmoe van het strompelen door puin, van het bukken en tillen, van het rijden in het donker; maar ze maakten grappen over de afschuwelijke dingen die ze hadden gezien en gedaan. Kay bracht de mokken binnen en werd begroet met een hoeraatje. Partridge pakte een theelepeltje en gebruikte dat om propjes door de kamer te schieten. O'Neil was klaar met het verbinden van Hughes' hand en begon aan zijn hoofd. Daarna zette ze hem zijn bril weer op, over het gaas heen.

Toen de telefoon ging, was er niemand die zijn mond hield en probeerde te luisteren: ze veronderstelden dat het de Centrale was om het 'alles veilig' te bevestigen. Maar toen kwam Binkie weer binnen. Ze stak haar handen in de lucht en moest schreeuwen om zich verstaanbaar te maken.

'Er is één ambulance nodig,' zei ze, 'in het noordelijke deel van Sutherland Street. Wie is er het langste terug?'

'Stik,' zei O'Neil, een veiligheidsspeld uit haar mond halend. 'Dat zijn Cole en ik. Cole?'

Cole geeuwde en kwam overeind. Er ging weer een hoeraatje op.

'Goed zo, meiden,' zei Kay, achterover leunend.

'Ja, zet hem op, meiden!' zei Hughes, terwijl hij het verband voor zijn ene oog omhoogschoof. 'Spalk er maar een voor mij!'

'Wacht even,' zei Binkie. 'O'Neil, Cole' – ze liet haar stem dalen – 'het wordt helaas wel een rit naar het mortuarium. Er zijn geen overlevenden. Minstens één lijk, en ze denken dat er nog twee bij komen. Een moeder met kinderen. De lichaamsdelen moeten worden opgeslagen. Denk je dat jullie het aankunnen?'

Het werd stil in de kamer. 'Christus,' zei Hughes, terwijl hij het verband weer liet zakken en zijn kraag opzette.

O'Neil zag er aangeslagen uit. Ze was pas zeventien. 'Nou ja...' zei ze.

Er viel weer even een stilte. Toen zei Kay: 'Ik doe het wel.' Ze kwam overeind. 'Ik ga wel met Cole mee. Geen bezwaar, Cole?'

'Helemaal niet.'

'Hoor eens,' zei O'Neil. Ze was eerst bleek geworden, maar nu bloosde ze. 'Het gaat best. Ik wil niet dat je me betuttelt, Langrish.'

'Niemand betuttelt je,' zei Kay. 'Maar je krijgt nog genoeg afschuwelijke dingen te zien in dit werk, dus als het niet hoeft kun je het beter niet doen. Mickey, red jij het met O'Neil als er nog een oproep komt?'

'Ja hoor,' zei Mickey. Ze knikte O'Neil toe. 'Kay heeft gelijk, O'Neil. Vergeet het maar.'

'Ja, wees blij,' zei Hughes. 'Doe je dat ook als het mijn beurt is, Langrish?'

O'Neil bloosde nog steeds. 'Nou,' zei ze, 'bedankt, Langrish.'

Kay volgde Cole naar de garage. Cole startte haar busje en reed langzaam weg. 'Haasten heeft geen zin, denk ik... Wil je een sigaret? Daar liggen er een paar.'

Ze wees naar een vak in het dashboard. Kay voelde en haalde een platte metaalgrijze koker tevoorschijn waar met nagellak op stond: *E.M. Cole, afblijven!* Ze stak twee sigaretten aan en gaf er een aan Cole.

'Bedankt,' zei Cole, terwijl ze een trekje nam. 'God, dat is beter. Dat was trouwens aardig, wat je voor O'Neil deed.'

Kay wreef in haar ogen. 'O'Neil is nog een kind.'

'Desondanks. Jezus, die motor pingelt als een gek! Ik denk dat de ontsteking naar z'n mallemoer is.'

Ze reden zwijgend verder, al hun aandacht gericht op de route. De plaats waar ze moesten zijn was weer de kant van Hugh Street op. 'Is dit wel het goede adres?' vroeg Kay, toen Cole de handrem aantrok, want het huis zag er prima uit. Alle schade, ontdekten ze toen ze uitstapten, was aangebracht in de achtertuin: een voltreffer op een schuilkelder. Mensen die waarschijnlijk kort tevoren uit hun eigen schuilkelder waren gekomen, stonden op een kluitje bij de tuinmuur en probeerden iets te zien. De politie had een scherm neergezet. Een agent bracht Kay en Cole achter het scherm en wees hun aan wat er teruggevonden was: het lichaam van een vrouw, gekleed en met pantoffels aan, maar zonder hoofd; en de naakte, seksloze romp van een wat ouder kind, met het koord van een kamerjas nog om het middel. Beide lagen onder een deken. Ernaast, in een stuk zeildoek gewikkeld, lagen diverse lichaamsdelen: armpjes, beentjes, een kaak, en een gewricht met mollig vlees dat een knie of een elleboog had kunnen zijn.

'We dachten eerst: een vrouw, een dochter, en een zoon,' zei de politieman zacht. 'Maar er zijn, eerlijk gezegd' – hij veegde zijn mond af – 'nou ja, er zijn meer ledematen dan we kunnen verklaren. We denken nu dat er drie, misschien wel vier kinderen waren. We zijn nog met de buren aan het praten... Denk je dat je het redt?'

Kay knikte. Ze draaide zich om en liep terug naar het busje. Het was beter om in beweging te blijven, iets te doen, nadat je zoiets had gezien. Zij en Cole pakten allebei een draagbaar: ze legden het lichaam van de vrouw en de romp erop en bevestigden er met touw labels aan. De ledematen wilden ze in het zeildoek meenemen, maar de agent zei dat hij dat niet kon missen. Dus haalden ze een krat, en bekleedden die met kranten, en legden daar de armpjes en beentjes in. Het ergste om aan te pakken was de kaak, met de kleine melktandjes. Cole raapte hem op en smeet hem bijna in de kist – toch nog overmand door emoties, gewoon omdat het zo afgrijselijk was.

'Gaat het?' vroeg Kay, haar schouder aanrakend.

'Ja. Het gaat best.'

'Loop maar even rond. Ik doe dit wel.'

'Ik zei toch dat het best ging?'

Ze brachten de krat naar de ambulance, bonden er een label aan en schoven hem naar binnen. Kay deed er zorgvuldig een riem omheen. Ze had een keer een soortgelijke lading vervoerd van een mortuarium naar Billingsgate, waar ongeïdentificeerde lichaamsdelen werden opgeslagen. Ze had de kist niet vastgezet, en toen ze op de markt van Billingsgate de ambulancedeuren opende, was het hoofd van een man naar buiten gerold en bij haar voeten beland.

'Wat een gore rotklus,' zei Cole, toen ze in het busje stapten.

Ze waren om kwart over vier terug bij de ambulancepost. Hun eigen ploeg was intussen vertrokken: Mickey, Binkie, Hughes, iedereen was weg. De nieuwe mensen, die niet wisten waar ze geweest waren, lachten hen uit. 'Wat nou, Langrish? Heb je niet genoeg aan je eigen werk, moet je ons werk ook doen?' 'Ja, wil je mijn plaats innemen, Langrish? En jij, Cole?'

'Wij zouden het een stuk beter doen dan jullie,' zei Kay, 'dat weet ik zeker!'

Ze ging met Cole naar de wasruimte. Ze stonden zwijgend zij aan zij hun handen te boenen, zonder elkaar aan te kijken. Toen ze hun jas aangetrokken hadden en samen in de richting van Westminster liepen, keek Cole omhoog naar de lucht.

'Wat een geluk dat het niet geregend heeft, hè?' zei ze.

Bij St James's Park moesten ze ieder een andere kant op, en Kay ging harder lopen. Ze woonde ten noorden van Oxford Street, op een soort erfje achter Rathbone Place. Ze had een vaste route door de nauwe straatjes van Soho – een goede, snelle route als je, zoals zij, de eenzaamheid op dit uur van de nacht en de spookachtige sfeer met al die gehavende huizen en stille restaurants en winkels, niet erg vond. Vannacht zag ze vrijwel niemand, behalve, dicht bij huis, haar blokhoofd, Henry Varney.

'Alles in orde, Henry?' riep ze zacht.

Hij stak zijn hand op. 'Alles in orde, juffrouw Langrish! Ik zag de moffen rondzoeven boven Pimlico, en ik moest aan u denken. Hebben ze u flink achter de broek gezeten?'

'Viel wel mee. Hier nog wat gebeurd?'

'Nee, het is heel rustig geweest.'

'Dat moeten we hebben, hè? Welterusten.'

'Welterusten, juffrouw Langrish. Maar doe voor de zekerheid wel uw oordoppen in!'

'Doe ik!'

Ze liep snel verder naar Rathbone Place; pas bij de ingang van het erfje ging ze wat langzamer lopen – ze had een heimelijke, diepgewortelde angst dat ze bij terugkomst zou ontdekken dat het huis getroffen was, in brand stond of in puin lag. Maar alles was rustig. Ze woonde helemaal aan het eind van het erfje, boven een garage, naast een pakhuis; ze moest een houten trap op om bij de voordeur te komen. Boven aan de trap bleef ze staan om haar jas en haar laarzen uit te trekken; ze maakte met haar sleutel de deur open en stapte heel zachtjes naar binnen. Ze liep de zitkamer in en knipte een schemerlamp aan, ging toen op haar tenen naar de slaapkamerdeur en duwde die voorzichtig open. In het lamplicht kon ze net het bed onderscheiden, en de slapende gestalte – de uitgespreide armen, het warrige haar, een voetzool die onder de dekens uitstak.

Ze duwde de deur verder open, liep naar het bed en ging er op haar hurken naast zitten. Helen bewoog, sloeg haar ogen op: nog niet helemaal wakker, maar wakker genoeg om haar armen uit te steken en zich te laten kussen.

'Hallo,' zei ze, een beetje doezelig.

'Hallo,' prevelde Kay.

'Hoe laat is het?'

'Vreselijk laat – of vreselijk vroeg, dat weet ik eigenlijk niet. Ben je hier de hele tijd gebleven? Ben je niet naar de schuilkelder gegaan?' Helen schudde haar hoofd. 'Ik wou dat je dat wel deed.'

'Ik vind het niet prettig, Kay.' Ze raakte Kays gezicht aan, zocht naar snijwonden. 'Is het goed met je?'

'Ja,' zei Kay, 'prima. Ga maar weer slapen.'

Ze streek het haar van Helens voorhoofd en wachtte tot haar oogleden niet meer bewogen; ze voelde de emotie opstijgen in haar borst, en schrok bijna van de heftigheid van het gevoel. Want ze dacht aan de lichaamsresten die zij en Cole vannacht hadden moeten ophalen in de tuin in Sutherland Street, en voelde plotseling hoe gruwelijk het was geweest, zoals ze dat toen niet had gevoeld – de afschuwelijke weekheid van mensenvlees, de kwetsbaarheid van bot, de ontstellend dunne nekjes en polsen en vingerkootjes... Ze vond het bijna een wonder dat ze, na al die verschrikkingen, kon terugkeren naar iets dat zo levend en warm en mooi en ongeschonden was.

Ze hield nog even de wacht, tot ze zeker wist dat Helen weer in slaap was gevallen; toen kwam ze overeind, stopte de dekens in om haar schouders en gaf haar snel nog een kus. Ze sloot de slaapkamerdeur net zo zacht als ze hem had opengedaan, en ging terug naar de zitkamer. Ze trok aan haar das, maakte het knoopje van haar boord los. Toen ze met haar vingers over haar hals wreef, voelde ze gruis.

Tegen een van de muren van de zitkamer stond een kleine boekenkast. Achter een van de boeken stond een fles whisky. Ze pakte een groot glas en viste de fles van de plank. Ze stak een sigaret op en ging zitten.

Even voelde ze zich prima. Maar toen begon de whisky in het glas te trillen terwijl ze het naar haar mond bracht, en de sigaret begon as uit te strooien over haar knokkels. Ze zat te beven. Soms gebeurde dat. Al snel beefde ze zo erg dat ze de sigaret nauwelijks in haar mond kon houden of een slok uit haar glas kon nemen. Het leek wel of er een spooksneltrein door haar lichaam raasde; er zat niets anders op, wist ze, dan de trein door te laten ratelen, met alle rijtuigen en goederenwagons... De whisky hielp. Uiteindelijk was ze genoeg gekalmeerd om haar sigaret op te roken en wat gemakkelijker te gaan zitten. Als ze helemaal tot rust was gekomen en zeker wist dat de sneltrein niet meer terugkwam, zou ze naar bed gaan. Het kon wel een uur of langer duren voor ze in slaap viel. Dan zou ze in het donker naar Helens gestage ademhaling liggen luisteren. Misschien zou ze haar vingers op Helens pols leggen, om het wonderbaarlijke ritme van haar polsslag te voelen.

Het was opmerkelijk hoe stil het in de gevangenis kon worden op dit uur van de nacht; ongelooflijk, als je bedacht hoeveel mannen hier lagen – alleen al op Duncans afdeling driehonderd – zo rustig en gedwee. En toch werd Duncan altijd rond deze tijd wakker, alsof de stilte in het gebouw, wanneer die een bepaald punt had bereikt, op hem inwerkte als een geluid of een trilling.

Hij was nu ook wakker. Hij lag op zijn brits, op zijn rug, met zijn handen onder zijn hoofd; hij staarde in de zwarte duisternis van Frasers brits, een meter boven zijn gezicht. Hij voelde zich helder in zijn hoofd en heel kalm: bevrijd van een afschuwelijke last, nu de bezoekdag er weer op zat – nu het hem gelukt was het bezoek van zijn vader uit te zitten zonder ruzie te maken of te mokken, zonder in te storten of zich op de een of andere manier belachelijk te maken. Het duurde nu een volle maand voor het weer bezoekdag was. En een maand in de gevangenis was een eeuwigheid. Een maand in de gevangenis was als een mistige straat: alles wat dichtbij was kon je heel duidelijk zien, maar de rest was grijs, vaag, zonder diepte.

Hij zei tegen zichzelf: Wat ben je veranderd! Want vroeger had hij na een bezoek van zijn vader dagen liggen piekeren over de kleinste details; dan kwelde hij zichzelf met beelden van zijn vaders gezicht, met het geluid van zijn vaders stem en zijn eigen stem – als een op hol geslagen operateur die keer op keer dezelfde film vertoonde. Of hij stelde onbesuisde brieven op waarin hij zijn vader verzocht niet meer te komen. Eén keer had hij de dekens afgeworpen en was hij van zijn brits gesprongen, aan tafel gaan zitten en begonnen aan een brief aan Viv, hoewel het bijna volslagen donker was in de cel. Hij had koortsachtig geschreven, met een stompje potlood, op een lege bladzij die hij uit een bibliotheekboek had gescheurd; en toen hij de volgende morgen bekeek wat hij gedaan had, leek het wel het werk van een krankzinnige. De regels liepen dwars door elkaar heen, dezelfde ideeën kwamen telkens terug: Zo smerig als het hier is – het is niet te beschrijven – ik ben bang, Viv – zo smerig – ik ben bang – Hij had daarna op rapport moeten komen omdat hij het boek beschadigd had.

Hij draaide zich op zijn zij, want hij wilde er niet meer aan denken.

De maan was al onder, maar er moesten sterren zijn: hij en Fraser hadden het verduisteringsgordijn opzij getrokken, en het raam – een reeks lelijke ruitjes – wierp een interessante schaduw op de grond. Je kon de schaduw zien bewegen, had Duncan ontdekt, als je echt goed oplette; of je kon omhoog liggen kijken, met je hoofd in een vermoeiende stand, en de sterren zelf zien, de maan, zo nu en dan een schittering van geschutsvuur. De lichten deden je huiveren. Het was koud in de cel. In de muur onder het raam, vlak boven de grond, zat een opening met een rooster ervoor, een stukje victoriaans sierzaagwerk: de opening was bedoeld om warmte te laten circuleren, maar er steeg altijd ijzige lucht uit op. Duncan droeg zijn gevangenispyjama, zijn hemd en zijn sokken; de rest van zijn kleren – zijn overhemd, zijn jasje en broek en cape – had hij over zijn dekens uitgespreid, voor extra warmte. In de brits erboven had Fraser hetzelfde gedaan.

Maar Fraser had zich bewogen in zijn slaap, en zijn cape of overhemd hing een eindje omlaag. Hij had ook zijn arm uitgestoken, en zijn vingers waren zichtbaar: mooi van vorm, donker, als de poten van een onmogelijk grote en gespierde spin. Terwijl Duncan keek, ging er een schokje door de vingers – alsof ze een houvast zochten, een sprong wilden maken... Niet naar kijken, zei Duncan tegen zichzelf, want hij merkte dat zulke kleine, onnozele dingen zijn gedachten 's nachts soms konden gaan beheersen, zodat hij helemaal van slag raakte. Hij ging op zijn andere zij liggen, en dat was beter. Als hij nu zijn eigen hand uitstak en de muur aanraakte, kon hij voelen waar het pleisterwerk was ingekrast door mannen die hier jaren eerder hadden gelegen: *J.B. december 1922, L.C.V. negen maanden tien dagen 1934*... De data waren niet oud genoeg om echt interessant te zijn, maar hij dacht graag aan de mannen die dit geschreven hadden, en aan de instrumentjes die ze gebruikt moesten hebben, de gestolen naalden en spijkers, de stukjes aardewerk. *R.I.P. George K, een prima inbreker*: dat riep bij hem de vraag op of er in deze cel een gevangene was overleden, was vermoord, of zelfmoord had gepleegd. Eén man had een kalender bijgehouden, maar hij had elke maand dertig dagen gegeven, zodat de kalender vrijwel onbruikbaar was. Een ander had een versje opgeschreven: *Vijf eenzame jaren zit ik in deze cel, zonder mijn vrouw is dat een hel* – en daaronder had iemand anders gezet: *Zij denkt er anders over stomme lul, zij laat zich naaien door je beste vriend haha.*

Duncan sloot zijn ogen. Wie waren er nog meer wakker, vroeg hij zich af, in het hele gebouw? Misschien alleen de bewaarders. Je kon ze voorbij horen komen: elk uur liepen ze heen en weer, als figuurtjes op een ouderwetse klok. Hun schoenen hadden zachte zolen, maar deden de metalen galerijen galmen: een kil, sidderend geluid met een vast ritme, als het kloppen van ijskoud bloed. Overdag hoorde je het zelden, waarschijnlijk was het dan te rumoerig; voor Duncan maakte het deel uit van de bijzondere sfeer van de nacht, alsof het werd voortgebracht door de stilte en het donker. Hij wachtte erop. Het betekende tenslotte dat er weer zestig minuten gevangenistijd om waren. En als hij de enige was die wakker lag en dat besefte, dan behoorden die zestig minuten exclusief aan hem toe, vond hij: ze werden op zijn conto bijgeschreven, als munten die glijdend en rinkelend in de gleuf van een stenen spaarvarken verdwenen. Pech voor de mannen die sliepen! Zij kregen niets... Maar als iemand bewoog – als iemand hoestte, of op zijn deur bonsde om een bewaarder te laten komen; als een man begon te huilen of te roepen – dan deelde Duncan de minuten met hem, fifty-fifty, ieder dertig minuten. Dat was niet meer dan redelijk.

Het was eigenlijk stom, want de tijd ging natuurlijk het allersnelst voorbij als je sliep; en wakker liggen, zoals Duncan nu deed, maakte het alleen maar erger. Maar je moest zulke systeempjes, zulke trucjes hebben; je moest het wachten kunnen omzetten in iets tastbaarders – een bezigheid of een raadsel. Je had niets anders te doen. De gevangenis was niets anders dan dat: nee, toch geen stenen spaarvarken, maar een grote, trage machine voor het vermorzelen van tijd. Je leven ging erin en werd tot poeder vermalen.

Hij lichtte zijn hoofd op, veranderde toen weer van houding, draaide zich op zijn andere zij. Het sidderende geluid op de galerij was begonnen, en ditmaal was het zo zacht, zo subtiel, dat hij wist dat het meneer Mundy moest zijn die daar liep; want meneer Mundy werkte langer in de gevangenis dan alle andere bewaarders en wist hoe je voorzichtig moest lopen, om de mannen niet te storen. Het geluid kwam dichterbij, maar steeds langzamer; als een zwakker wordende hartslag naderde het, totdat het helemaal ophield. Duncan hield zijn adem in. Onder zijn celdeur zat een streep ziekelijk blauw licht, en in het verticale midden van de deur, anderhalve meter boven de grond, zat een afgedekt kijkgaatje. Nu werd de streep licht onderbroken en het kijkgaatje schitterde even en werd meteen weer donker. Meneer Mundy stond naar binnen te kijken. Want behalve dat hij wist hoe je heel voorzichtig moest lopen, wist hij ook, zei hij, wanneer een van zijn mannen zorgen had en niet kon slapen...

Bijna een minuut stond hij daar, volmaakt roerloos. Toen riep hij heel zachtjes: 'Alles in orde?'

Duncan gaf eerst geen antwoord. Hij was bang dat Fraser wakker zou worden. Maar ten slotte fluisterde hij: 'Alles in orde!' En toen Fraser niet bewoog, voegde hij eraan toe: 'Welterusten!'

'Welterusten!' antwoordde meneer Mundy.

Duncan sloot zijn ogen. Na een tijdje hoorde hij het sidderende geluid weer beginnen en langzaam wegsterven. Toen hij nogmaals keek, liep de streep licht onder zijn deur helemaal door, en de bleke cirkel van het kijkgaatje was gedoofd. Hij draaide zich op zijn andere zij en legde zijn handen onder zijn wang – als een jongetje in een prentenboek, geduldig wachtend tot hij in slaap viel.

# 2

'Helen!' hoorde Helen iemand roepen, boven het geraas van het verkeer op de Marylebone Road uit. 'Helen! Hier!'

Ze keek om en zag een vrouw in een spijkerjack en een tuinbroek, waarvan de knieën nogal smerig waren, met een stoffige tulband om haar hoofd. De vrouw glimlachte en had haar hand opgestoken. 'Helen!' riep ze weer, terwijl ze begon te lachen.

'Julia!' zei Helen eindelijk. Ze stak de weg over. 'Ik herkende je niet!'

'Dat verbaast me niets. Ik ben zeker net een schoorsteenveger, hè?'

'Een beetje wel.'

Julia stond op. Ze had op een muurtje in de zon gezeten. Ze hield een roman van Gladys Mitchell in de ene hand en een sigaret in de andere: nu nam ze haastig een laatste trekje van de sigaret en gooide de peuk weg. Ze veegde haar vingers af aan het bovenstuk van haar tuinbroek, zodat ze Helen een hand kon geven. Maar toen ze haar handpalm bekeek, kwam er een weifelende blik op haar gezicht.

'Ik denk dat het vuil er nooit meer afgaat. Vind je het erg?'

'Natuurlijk niet.'

Ze schudden elkaar de hand. Julia vroeg: 'Waar ga je heen?'

'Ik ga weer aan het werk,' antwoordde Helen, een beetje onzeker; want Julia had iets – haar manier van doen, haar heldere, aristocratische stem – waar ze altijd verlegen van werd. 'Ik heb net lunchpauze gehad. Ik werk daar, in het gemeentehuis.'

'Het gemeentehuis?' Julia tuurde de straat in. 'Dan zijn we elkaar waarschijnlijk al eerder voorbij gelopen, zonder het te merken. Mijn vader en ik hebben alle straten hier in de buurt afgewerkt. We hebben een soort hoofdkwartier opgezet in een huis aan Bryanston Square. We zitten er nu een week. Hij is even weg om met een blokhoofd te praten, en ik gebruik dat als excuus om een beetje in de zon te zitten.'

Julia's vader, wist Helen, was architect. Hij maakte een overzicht van alle door bommen beschadigde gebouwen, en Julia hielp hem daarbij. Helen had altijd gedacht dat ze mijlenver weg zaten, in het East End of zo. 'Bryanston Square?' zei ze. 'Wat grappig! Daar kom ik elke dag langs.'

'Ja?' zei Julia.

Ze keken elkaar even aan, fronsend en glimlachend. Toen vroeg Julia, nogal abrupt: 'Hoe gaat het trouwens met je?'

Helen haalde haar schouders op, ineens weer verlegen. 'Goed hoor. Een beetje moe natuurlijk, net als iedereen. Hoe gaat het met jou? Bezig met schrijven?'

'Ja, af en toe.'

'Lukt dat, tussen de knallen door?'

'Ja, tussen de knallen door. Het leidt mijn gedachten af, denk ik. Dit lees ik alleen' – ze liet het boek zien – 'om de concurrentie in de gaten te houden. Maar vertel eens, hoe gaat het met Kay?'

Ze vroeg het heel ongedwongen, maar Helen voelde zichzelf blozen. Ze knikte. 'Met Kay gaat het goed.'

'Werkt ze nog bij de ambulancedienst? Op Dolphin Square?'

'Ja. Nog steeds.'

'Met Mickey? En Binkie? Wat een stel is dat, hè?'

Helen beaamde het lachend. De zon werd feller, en Julia tilde het boek op en hield het bij haar voorhoofd, om haar ogen af te schermen. Maar ze bleef intussen naar Helens gezicht kijken, alsof ze ergens over nadacht.

'Moet je horen,' zei ze. Ze trok aan haar polshorloge, dat verdraaid om haar arm zat. 'Mijn vader blijft nog wel tien minuten weg. Ik wilde net een kop thee gaan halen. Er is een soort kantine bij het station. Heb je zin om mee te gaan? Of moet je weer aan het werk?'

'Tja,' zei Helen verbaasd. 'Ik zou eigenlijk weer achter mijn bureau moeten zitten.'

'Ja? Maar bekijk het eens zo: van de thee ga je harder werken.'

'Ja, misschien wel,' zei Helen.

Ze was zich nog steeds bewust van het feit dat ze had gebloosd, en ze wilde niet dat Julia dacht dat ze niet gewoon over Kay kon praten, alsof het niet heel normaal was allemaal, heel natuurlijk... En Kay zelf zou het leuk vinden te horen dat ze elkaar hadden ontmoet; zo was ze wel. Dus Helen keek ook op haar horloge, en zei met een glimlach: 'Goed, als het niet te lang duurt. Voor deze ene keer zal ik de woede van juffrouw Chisholm maar trotseren.'

'Juffrouw Chisholm?'

'Een collega van me, en vreselijk precies. Zoals zij haar lippen tuit, afschuwelijk gewoon. Ik ben eerlijk gezegd als de dood voor haar.'

Julia lachte. Ze gingen op weg. Ze liepen snel naar een rijdende kantine verderop in de straat, en sloten aan bij een korte rij mensen die op hun beurt stonden te wachten.

Het was een koude dag, ook al scheen de zon en was het bijna windstil. De winter was tot dusver heel streng geweest. Maar dat maakte de blauwe hemel vandaag nog mooier, dacht Helen. Iedereen zag er opgewekt uit, alsof de mensen herinnerd werden aan gelukkiger tijden. Een soldaat in kaki had zijn plunjezak en geweer tegen de kantinewagen gezet en rolde op zijn gemak een sigaret. Het meisje vóór Helen en Julia droeg een zonnebril, en de bejaarde man die voor het meisje stond had een crèmekleurige panama op. Maar de man en het meisje hadden ook een gasmaskertrommel over hun schouder hangen: veel mensen hadden ze weer tevoorschijn gehaald, had Helen gemerkt, en droegen ze bij zich. Een kantoorgebouw vijftig meter verderop in de Marylebone Road was pas gebombardeerd: er was een noodwatertank neergezet; natte, verkoolde restjes papier kleefden aan het trottoir, op muren en bomen zat een laag as, en modderige sporen van brandslangen die over straat waren gesleept leidden van en naar de ravage.

De rij schoof op. Julia bestelde twee thee bij het meisje achter de toonbank. Helen pakte haar portemonnee, en er volgde het onder vrouwen gebruikelijke gekibbel over wie er zou betalen. Uiteindelijk deed Julia het; ze zei dat het tenslotte haar idee was geweest. De thee zag er trouwens afschuwelijk uit: grauw, waarschijnlijk doordat er chloor in het water zat, met melkpoeder die klonterde. Julia tilde de kopjes op en nam Helen mee naar een stapel zandzakken onder een dichtgetimmerd raam. De zakken hadden in de zon gelegen en roken, niet onprettig, naar jute. Sommige waren gescheurd, zodat je fletse aarde zag en de verlepte restanten van bloemen en gras.

Julia trok aan een gebroken stengel. '"De triomf van de natuur over de oorlog",' zei ze met een radiostem; want over zulke dingen schreven mensen altijd naar de radio: de nieuwe soorten wilde bloemen die ze hadden ontdekt op gebombardeerde terreinen, de nieuwe vogelsoorten, noem maar op – het was verschrikkelijk saai geworden. Ze nam een slokje thee en trok een vies gezicht. 'God, dit smaakt afschuwelijk.' Ze haalde een pakje sigaretten en een aansteker voor de dag. 'Vind je het erg als ik op straat rook?'

'Natuurlijk niet.'

'Wil je er een?'

'Ik heb de mijne hier ook ergens...'

'Doe niet zo mal. Hier.'

'Oké, bedankt.'

Toen ze het vlammetje deelden, kwamen hun hoofden vrij dicht bij elkaar, de rook steeg op en kwam in hun ogen. Zonder erbij na te denken raakte Helen heel even Julia's hand aan.

'Je knokkels zijn geschaafd,' zei ze.

Julia keek. 'Ja, inderdaad. Dat zal wel van gebroken glas zijn.' Ze bracht de knokkels naar haar mond en zoog erop. 'Ik moest me vanochtend door een bovenlicht een huis in laten zakken.'

'Lieve help!' zei Helen. 'Net Oliver Twist!'

'Ja, precies.'

'Is dat niet verboden?'

'Dat zou je denken. Maar wij hebben een soort speciale dispensatie gekregen, mijn vader en ik. Als een huis leegstaat en we kunnen de sleutels niet te pakken krijgen, mogen we zelf weten hoe we naar binnen gaan. Het is vies werk, en lang niet zo spannend als het klinkt: de kamers zijn helemaal vernield, de tapijten aan flarden, de spiegels aan scherven. Soms heeft de waterleiding het begeven: dan stroomt het water naar buiten en verandert de roet in smurrie. Ik ben vorige maand in huizen geweest waar allerlei dingen bevroren waren: banken en tafelkleden en dat soort dingen. Of er is brand geweest. Een brandbom die op een dak neerkomt kan dwars door een huis heen branden, recht omlaag, van de ene verdieping naar de volgende; als je in de kelder staat, kun je de lucht zien... Ik vind dat soort schade op de een of andere manier beroerder dan als een huis in puin is gevallen: het is net een levend wezen met een kankergezwel...'

'Is het eng?' vroeg Helen, erg ingenomen met Julia's beschrijving. 'Ik denk dat ik het eng zou vinden.'

'Een beetje griezelig is het wel. En natuurlijk heb je altijd kans dat je iemand aantreft, een plunderaar bijvoorbeeld, die op dezelfde manier is binnengekomen als jij. Of jongens die voor de lol een huis binnengaan. Je ziet soms schunnige tekeningen op de muren; dan heb je medelijden met het gezin dat daar terug moet komen. En soms is een huis helemaal niet verlaten. Dat overkwam mijn vader een paar maanden geleden: hij ging alle kamers in om de schade op te nemen, en in de allerlaatste kamer trof hij een stokoude vrouw aan, met wit haar en een gele nachtjapon, die lag te slapen in een hemelbed met gescheurde gordijnen.'

Helen zag het tafereeltje heel duidelijk voor zich. 'Wat deed je vader toen?' vroeg ze gefascineerd.

'Hij heeft haar laten slapen – is stilletjes weer naar beneden gegaan en heeft het blokhoofd ingelicht. Die zei dat de oude vrouw een hulp had die voor haar kwam koken en de haard aanmaken; dat ze drieënnegentig was, en dat je haar met geen stok de deur uit kreeg bij een luchtaanval. Dat ze zich nog herinnerde dat ze prins Albert een keer samen met koningin Victoria in een rijtuig in Hyde Park had gezien.'

De zon verdween telkens achter de wolken terwijl Julia praatte. Als hij weer tevoorschijn kwam, hield ze haar hand boven haar ogen of tilde ze haar boek op, zoals ze eerder had gedaan; nu begon hij feller dan ooit te schijnen en ze hield op met praten, deed haar ogen even helemaal dicht en keerde haar gezicht naar de zon.

Wat is ze mooi! dacht Helen plotseling, weggerukt uit het verhaal over de oude vrouw; want de zon verlichtte Julia alsof ze in de schijnwerpers stond, en het blauw van de tuinbroek en het jasje contrasteerde mooi met haar gebruinde gezicht, donkere wimpers en smalle, rechte wenkbrauwen; en omdat haar haar onder de tulband zat, zag je duidelijker de sierlijke lijnen van haar kaak en hals. Ze had haar lippen iets geopend. Haar mond was een beetje te groot, haar tanden niet helemaal regelmatig. Maar zelfs dat was op de een of andere manier mooi: een schoonheidsfoutje dat een knap gezicht op raadselachtige wijze knapper maakt dan wanneer het volkomen gaaf zou zijn.

Geen wonder, dacht Helen, met een verwarrende mengeling van gevoelens – afgunst, bewondering, en een lichte neerslachtigheid – geen wonder dat Kay verliefd op je was.

Want dat was de enige connectie tussen haar en Julia. Ze konden niet eens als vriendinnen worden beschouwd. Julia was een vriendin van Kay, net als Mickey – of nee, helemaal niet zoals Mickey, want ze kwam niet, zoals Mickey, bij Kay en Helen op bezoek en ze zagen haar ook niet in de pub of op feestjes. Ze was niet open en aardig en toeschietelijk. Er hing iets geheimzinnigs om haar heen – een soort glamour, vond Helen.

Het mysterie en de glamour waren er van het begin af aan geweest. 'Je moet eens kennismaken met Julia,' had Kay gezegd nadat Helen bij haar was ingetrokken. 'Ik wil zo graag dat jullie elkaar leren kennen.' Maar er kwam altijd iets tussen: Julia had het druk, Julia moest schrijven; Julia werkte en sliep op de vreemdste uren en wilde zich nooit vastleggen. Ze hadden elkaar uiteindelijk bij toeval ontmoet, ongeveer een jaar geleden: ze waren elkaar in het theater tegen het lijf gelopen, na een uitvoering van *Blithe Spirit* nog wel. Julia was knap, charmant, beangstigend, afstandelijk: Helen had haar bekeken, en door de stroeve, wat nerveuze manier waarop Kay haar voorstelde had ze meteen geraden hoe de vork in de steel zat.

Later op de avond had ze Kay gevraagd: 'Wat heb jij met Julia gehad?', en Kay had meteen weer stroef gereageerd.

'Niets,' had ze gezegd.

'Niets?'

'Een soort... emotioneel misverstand, dat was alles. Tijden geleden.'

'Je was verliefd op haar,' had Helen botweg gezegd.

En Kay had gelachen – 'Kom, laten we ergens anders over praten!' – maar ook, wat ze zelden deed, gebloosd.

Die blos was de enige connectie tussen Helen en Julia – een raar soort connectie, als je erover nadacht.

Julia glimlachte en hield haar hoofd scheef. Ze waren maar een meter of vijftig verwijderd van de ingang van Marylebone Station, en toen het verkeer even wat rustiger werd, kwam er plotseling een uitbarsting van lawaai van een van de perrons: een schrille fluittoon, gevolgd door het ontsnappen van stoom. Ze deed haar ogen open. 'Wat een leuk geluid.'

'Ja hè?' zei Helen. 'Een vakantiegeluid. Een emmertjes-en-schepjes-geluid. Dan krijg ik zo'n zin om weg te gaan, weg uit Londen, een poosje maar.' Ze liet de thee ronddraaien op de bodem van haar kopje. 'Maar dat zit er niet in, denk ik.'

'Nee?' zei Julia, terwijl ze haar aankeek. 'Kun je niet iets regelen?'

'Waar moet je heen? En dan, de treinen... Ik zou Kay trouwens nooit meekrijgen. Ze draait nu extra diensten op Dolphin Square. Ze zou nooit vrij nemen nu het zo slecht gaat.'

Julia trok aan haar sigaret, gooide hem op de grond en zette haar voet erop. 'Kay is echt zo'n heldin, hè?' zei ze, rook uitblazend. 'Kay is zo'n geweldige meid.'

Ze bedoelde het gekscherend, veronderstelde Helen; maar haar toon was niet echt luchtig, en terwijl ze het zei keek ze vanuit haar ooghoeken naar Helen, bijna steels – alsof ze haar reactie wilde testen.

Toen herinnerde Helen zich iets wat ze Mickey ooit over Julia had horen zeggen: dat ze graag bewonderd wilde worden; dat ze er niet tegen kon als iemand leuker werd gevonden dan zij; en dat ze hard was. En ze dacht, met een zweem van afkeer: Het is waar, je bént hard. Op dat moment voelde ze zich ineens kwetsbaar, onveilig.

Maar het rare was, het gevoel van onveiligheid, zelfs van afkeer, was bijna opwindend. Ze keek weer naar Julia's gladde, knappe, aristocratische gezicht en dacht aan juwelen, aan parels. Was hardheid uiteindelijk geen voorwaarde voor glamour?

Toen veranderde Julia van houding, en het moment was weer voorbij. Ze pakte haar polshorloge weer vast; Helen zag hoe laat het was en zei: 'Verdomme.' Ze rookte vlug haar sigaret op, liet de peuk in haar bijna lege kopje vallen en hoorde hem sissen. 'Ik moet weer aan het werk.'

Julia knikte en dronk haar thee op. 'Ik loop met je mee,' zei ze.

Ze gingen snel terug naar de kantine om hun kopjes op de toonbank te zetten, en daarna liepen ze de paar honderd meter naar Helens kantoor.

'Krijg je nou op je donder van die juffrouw Prism omdat je zo lang weg bent gebleven?' vroeg Julia onderweg.

'Juffrouw Chisholm,' zei Helen glimlachend. 'Misschien.'

'Dan moet je mij maar de schuld geven. Zeg maar dat ik een spoedgeval ben. Dat ik... wat? Mijn huis ben kwijtgeraakt, plus de hele inboedel?'

'De hele inboedel?' Helen dacht na. 'Dat zijn zo'n zes verschillende afdelingen, vrees ik. Ik kan je alleen helpen met een financiële bijdrage voor kleine reparaties. Voor een verbouwing moet je met iemand van de Commissie Oorlogsschade gaan praten, maar de kans is groot dat die je weer terugstuurt naar ons. Juffrouw Links, op de derde etage, kan je misschien een tegemoetkoming geven voor het reinigen van voorwerpen die nog te redden zijn – gordijnen, tapijten, dat soort dingen. Maar vergeet vooral niet de rekeningen van het schoonmaakbedrijf mee te brengen, en het bewijsje dat je van ons hebt gekregen toen je het ongeval kwam melden... Wat zeg je? Ben je het bewijsje kwijt? O jee. Dan moet je een nieuw halen en weer van voren af aan beginnen... Het is net ganzenborden, snap je. En dan ga ik er natuurlijk al van uit dat we überhaupt tijd hebben om je te ontvangen.'

Julia maakte een grimas. 'Je geniet van je werk.'

'Het is gewoon frustrerend. Je hoopt dat je op de een of andere manier iets kunt betekenen. Maar de mensen die we drie jaar geleden aan nieuwe woonruimte hebben geholpen komen nu terug; hun huis is wéér platgegooid. We hebben minder geld dan ooit. En desondanks kost de oorlog ons – hoeveel zeggen ze ook weer? Elf miljoen per dag?'

'Dat moet je mij niet vragen,' zei Julia. 'Ik lees geen kranten meer. De wereld is er blijkbaar zo op gebrand om naar de verdommenis te gaan, dat ik maanden geleden besloten heb om het maar gewoon over me heen te laten komen.'

'Ik wou dat ik dat kon,' zei Helen. 'Maar ik merk dat ik me nog beroerder voel als ik niets weet dan wanneer ik het allemaal wel weet.'

Inmiddels hadden ze het gemeentehuis bereikt, en ze bleven aan de voet van de trap staan om afscheid te nemen. De trap werd geflankeerd door twee bezorgd kijkende stenen leeuwen, met een grijze vacht van as. Julia aaide er een, en lachte.

'Ik kom vreselijk in de verleiding om op zijn rug te springen. Wat denk je dat juffrouw Chisholm daarvan zou zeggen?'

'Ik denk dat ze een hartaanval zou krijgen,' zei Helen. 'Tot ziens, Julia.' Ze stak haar hand uit. 'Niet meer door bovenlichten klimmen, alsjeblieft.'

'Ik zal mijn best doen. Tot ziens, Helen. Het was leuk. Dat is een vreselijk woord, hè?'

'Het is een prachtwoord. Ik vond het ook leuk om jou te zien.'

'Ja? Dan hoop ik je nog eens tegen het lijf te lopen. Of laat Kay je een keer meenemen naar Mecklenburgh Square. Dan kunnen we samen eten.'

'Ja,' zei Helen. Waarom niet, tenslotte? Het leek nu gemakkelijk. 'Ja, dat zal ik doen.' Ze gingen uiteen. 'En bedankt voor de thee!'

'Er zitten heel wat mensen te wachten, juffrouw Giniver,' zei juffrouw Chisholm toen ze binnenkwam.

'Is dat zo?' zei Helen. Ze liep door het vertrek naar de personeelsgang en vandaar naar het toilet, om haar mantel en hoed op te hangen en voor de spiegel haar gezicht te poederen. Ze zag weer, terwijl ze dat deed, Julia's gave, opvallende trekken: de slanke hals, donkere ogen, smalle wenkbrauwen; de volle, onregelmatige, verwarrende mond.

De deur ging open en juffrouw Links kwam binnen.

'O, juffrouw Giniver, fijn dat ik u zie. Nogal droevig nieuws, vrees ik. Meneer Piper, van het Burgemeesterfonds: zijn vrouw is omgekomen.'

'O, nee,' zei Helen, terwijl ze haar hand liet zakken.

'Ja, door een tijdbom. Vanochtend vroeg. Afschuwelijke pech. We sturen een kaart. We vragen niet iedereen om te tekenen – dat wordt gauw te veel van het goede – maar ik dacht dat u het wel zou willen weten.'

'Ja, bedankt.'

Helen sloot haar poederdoos en borg hem op, en ging verdrietig terug naar haar bureau – en daarna dacht ze nauwelijks meer aan Julia; nauwelijks.

'Zo,' zei de gevangene die vóór Duncan in de rij voor het middageten stond, een afschuwelijke nicht die tante Vi werd genoemd, 'en wat krijgen we vandaag? Kreeft thermidor, misschien? Paté? Kalfsvlees?'

'Schapenvlees, tante,' zei de jongen die het eten opschepte.

Tante Vi klakte met haar tong. 'Met een beetje fantasie had je er lamsvlees van kunnen maken. Hahaha. Geef maar een bord vol, schat. Ik hoor dat de lunch bij Brooks tegenwoordig nauwelijks beter is.'

Dat laatste zei ze tegen Duncan, terwijl ze met haar ogen rolde en aan haar haar voelde. Het was van voren geblondeerd met waterstofperoxide, en prachtig gegolfd, want ze sliep elke nacht met een hoofd vol touwtjes om krullen te krijgen. Ze had rouge op haar wangen en rode lippen als een meisje: je kon in de bibliotheek geen boek met een rode band oppakken dat niet vol zat met lichte plekken, waar mannen zoals zij aan de kaft hadden gezogen bij gebrek aan lippenstift.

Duncan kon haar niet uitstaan. Hij pakte zonder iets te zeggen zijn bord, en na een tijdje liep ze door. Maar intussen mompelde ze: 'Nou nou, wat hebben wij het vandaag hoog in de bol.' En toen hij haar kant weer opkeek, zag hij hoe ze haar eten op tafel zette en een hand naar haar borst bracht. 'Lieverds!' hoorde hij haar tegen haar kornuiten roepen. 'Ik ben gekrenkt! Diep gekrenkt! Door wie? Wel, door Pearce daar, het Tragische Juffertje...'

Hij boog zijn hoofd en liep met zijn bord naar de andere kant van de zaal. Hij deelde een tafel met Fraser en acht andere mannen, dicht bij het hek. Fraser was er al. Hij praatte geanimeerd met de man tegenover hem, Watling, ook een dienstweigeraar. Watling zat met zijn armen over elkaar, en Fraser leunde voorover en tikte op het tafelzeil om zijn argumenten kracht bij te zetten. Hij merkte niet dat Duncan aan kwam lopen en een stoel naar achteren trok, een paar plaatsen verderop. De andere mannen keken wel op en knikten, heel vriendelijk: 'Dag, Pearce,' 'Alles goed, jongen?'

Het waren voornamelijk oudere mannen. Duncan en Fraser behoorden daar tot de jongste gevangenen. Vooral Duncan was populair en werd vaak aangesproken. 'Hoe gaat het ermeee?' vroeg de bejaarde man naast hem nu. 'Nog bezoek gehad de laatste tijd, van die leuke zus van je?'

'Ze is zaterdag geweest,' zei Duncan, terwijl hij ging zitten.

'Ze is lief voor je. Ziet er leuk uit ook.' De man knipoogde. 'En dat kan nooit kwaad, hè?'

Duncan glimlachte, maar toen snoof hij en trok een vies gezicht. 'Wat stinkt er zo vreselijk?'

'Wat denk je?' zei zijn andere buurman. 'Die vervloekte afvoer is weer verstopt.'

Op een paar meter afstand van hun tafel bevond zich de spoelbak waarin de mannen uit de cellen op de begane grond hun po's moesten legen. De afvoer raakte voortdurend verstopt; Duncan was zo onvoorzichtig er even een blik op te werpen, en zag dat de spoelbak tot de rand toe vol zat met een walgelijk brouwsel van urine en stijve bruine drollen.

'God!' zei hij, zijn stoel omdraaiend. Hij begon met lange tanden te eten, maar dat deed hem ook walgen. Het schapenvlees was vet, de aardappelen grauw; de ongewassen, te lang gekookte kool zat nog vol zand.

De man tegenover hem zag hem worstelen en glimlachte. 'Lekker, hè? Moet je horen, ik vond gisteravond muizenkeutels in mijn chocolademelk.'

'Evans, van de Derde,' zei iemand anders, 'zegt dat-ie een keer teennagels in zijn brood vond! Die klootzakken op Afdeling C doen het expres. Het ergste was, zei Evans, hij had zo'n rothonger dat hij het brood wel moest opeten! Hij pulkte de teennagels er al etend gewoon uit!'

De mannen trokken vieze gezichten. Duncans bejaarde buurman zei: 'Tja, mijn oude vader zei het al: "Hongerlijders vreten alles." Ik zal je vertellen, ik heb dat nooit echt begrepen totdat ik hier zat.'

Het gesprek ging verder. Duncan schraapte nog wat zand van zijn kool en schepte zijn vork vol. Onder het eten ving hij flarden op van Frasers gesprek met Watling, dat boven het gepraat van de andere mannen uit klonk: 'Maar je wou me toch niet vertellen, met al die dienstweigeraars hier en in Maidstone...?' De rest ging verloren. De tafel waaraan ze zaten was er een van de vijftien die in rijen op de betonnen vloer van de zaal stonden. Aan elke tafel zaten tien of twaalf mannen, zodat de herrie van het gepraat en gelach, het schrapen van stoelen, het geschreeuw van de bewaarders, bijna ondraaglijk was – en het lawaai werd natuurlijk nog verergerd door de akoestiek van het gebouw, waardoor elke uitroep klonk als die van de man die op King's Cross de treinen aankondigde.

Nu bijvoorbeeld maakte een plotselinge commotie iedereen aan het schrikken. Meneer Garnish, de bewaarder, kwam door de zaal galopperen en begon tegen iemand te schreeuwen en te schelden – 'Stomme lul!' – en dat allemaal omdat de man een aardappel had laten vallen, of jus had gemorst of iets dergelijks. De verwensingen leken op het angstaanjagende gebrul van een wild beest; maar de mannen die omkeken, wendden hun hoofd meteen weer af, bijna verveeld. Fraser, merkte Duncan, keek helemaal niet om. Hij zat nog steeds met Watling te bekvechten. Hij trok aan zijn stekeltjeshaar en zei lachend: 'Wij zullen het nooit eens worden!'

Zijn stem was nu duidelijk te horen; het was wat stiller geworden in de zaal na de uitbarsting van meneer Garnish. De man rechts van Watling – een zekere Hammond, een deserteur, die voor diefstal zat – keek heel zuur naar Fraser. 'Doe de rest van ons dan een lol,' zei hij, 'en hou eens op met dat geleuter. Altijd maar dat gelul. Jij hebt trouwens mooi praten. Jouw soort wordt alleen maar beter van deze oorlog – zoals jullie ook alleen maar beter zijn geworden van de vrede.'

'Je hebt gelijk,' antwoordde Fraser, 'dat is waar. Omdat míjn soort, zoals jij het noemt, erop kan rekenen dat jouw soort zo denkt. Zolang arbeiders niets goeds te verwachten hebben van de vrede, hebben ze geen reden om tegen de oorlog te zijn. Geef ze fatsoenlijke banen en huizen, geef hun kinderen fatsoenlijke scholen, dan zullen ze gauw genoeg het nut inzien van pacifisme.'

'Godallemachtig!' zei Hammond vol afkeer, maar desondanks liet hij zich tot een discussie verleiden. Zijn andere buurman ook. Iemand anders zei dat Fraser blijkbaar geen kwaad woord wilde horen over gewone arbeiders. 'Je moet eens proberen leiding te geven aan een fabriek vol arbeiders,' zei hij. Hij zat voor verduistering. 'Dan zullen je politieke opvattingen gauw veranderen, geloof me.' Hammond zei: 'En wat dacht je van de nazi's? Dat zijn toch ook gewone arbeiders?'

'Inderdaad,' zei Fraser.

'En de Jappen?'

'O, de Jappen,' zei de man naast Fraser – ook een deserteur, Giggs geheten – 'dat zijn geen mensen. Dat weet iedereen.'

Het gesprek ging ettelijke minuten door. Duncan at zijn smerige maaltijd, en luisterde zonder zelf iets te zeggen. Af en toe keek hij even naar Fraser, die, nadat hij de zaak op gang had gebracht, nadat hij de hele tafel had opgestookt, tevreden achteroverleunde op zijn stoel, met zijn handen achter zijn hoofd. Zijn uniform, dacht Duncan, zat ongeveer net zo slecht als bij de rest; het grijs van het jasje, met de groezelige rode ster, zoog alle kleur uit zijn gezicht; de kraag van zijn overhemd was zwart van het vuil; en toch lukte het hem op de een of andere manier om er knap uit te zien – om gewoon slank te lijken, bijvoorbeeld, terwijl ieder ander er mager en ondervoed uitzag. Hij zat nu drie maanden in Wormwood Scrubs, en hoefde er nog maar negen; maar daarvoor had hij al een jaar in Brixton gezeten, en het was bekend dat het regime daar strenger was dan hier. Hij had Duncan ook een keer verteld dat zelfs Brixton niet veel erger was dan zijn vroegere kostschool. Alleen zijn handen hadden echt geleden onder het leven in de Scrubs, want hij werkte in de mandenmakerij, en kon nog steeds niet met het gereedschap overweg. Op zijn vingers zaten blaren zo groot als shillings.

Nu draaide hij zijn hoofd om, zag dat Duncan naar hem zat te kijken en glimlachte. 'Doe jij niet mee aan onze discussie, Pearce?' riep hij over de tafel. 'Wat is jouw mening over al die zaken?'

'Pearce heeft nergens een mening over,' zei Hammond, voor Duncan antwoord kon geven. 'Hij houdt zich gewoon gedeisd – ja toch, makker?'

Duncan voelde zich betrapt en ging verzitten. 'Ik zie het nut niet in van al dat gepraat de hele tijd, als je dat bedoelt. Wij kunnen nergens iets aan veranderen. Waarom zouden we het dan proberen? Het is niet onze oorlog.'

Hammond knikte. 'Klopt, het is niet onze klote oorlog!'

'Is dat zo?' vroeg Fraser aan Duncan.

'Dat is zo,' zei Duncan, 'zolang je hier zit. Helemaal niets is van ons. Niets dat ertoe doet, bedoel ik: leuke dingen net zo goed als vervelende...'

'Allejezus,' zei Giggs, geeuwend. 'Je klinkt als een echte ouwe bajesklant, jongen. Alsof je verdomme levenslang hebt!'

'Met andere woorden,' zei Fraser, 'je doet precies wat ze graag willen. Garnish en Daniels, bedoel ik, en Churchill en de rest. Je geeft het recht om te denken op! Ik neem het je niet kwalijk, Pearce. Het is hier zwaar, als je niet wordt gestimuleerd om iets anders te doen. Als je zelfs niet naar het nieuws mag luisteren! En dit ding...' Hij reikte naar een krant die op tafel lag, de *Daily Express*. Maar toen hij de krant opensloeg, leek het wel zo'n kerstsneeuwvlok die kinderen op school maken: al het nieuws was eruit geknipt, en eigenlijk waren alleen de familieberichten, de sportpagina's en de strips overgebleven. Fraser smeet de krant weer neer. 'Dat doen ze ook met je verstand,' zei hij, 'als je ze de kans geeft. Geef ze die kans niet, Pearce!'

Hij sprak zeer gedreven, terwijl hij Duncan strak aankeek met zijn helderblauwe ogen, en Duncan voelde dat hij weer een kleur kreeg. 'Jij hebt gemakkelijk praten...' begon hij.

Maar Frasers blik had zich naar een punt achter Duncans schouder verplaatst, en zijn gezicht was veranderd. Hij had meneer Mundy zien aankomen tussen de tafels. Hij stak zijn hand op.

'Hé, meneer Mundy!' riep hij, met een toneelstem. 'U moeten we net hebben!'

Meneer Mundy kwam aankuieren. Hij zag Duncan en knikte hem toe. Maar hij bekeek Fraser argwanender en zei met zijn zachte, vriendelijke stem: 'Nou, wat is er aan de hand?'

'Er is niets aan de hand,' antwoordde Fraser. 'Ik dacht alleen dat u ons misschien kon uitleggen waarom het gevangeniswezen er zo op gebrand lijkt om zwakzinnigen te maken van de gedetineerden, terwijl je ze ook – o, weet ik veel – zou kunnen opvoeden?'

Meneer Mundy glimlachte toegeeflijk, maar liet zich niet uit zijn tent lokken. 'Zo is het,' zei hij, terwijl hij aanstalten maakte om door te lopen. 'Je moppert maar een eind weg. Dat mag een mens in elk geval wél in de gevangenis.'

'Maar hij mag niet denken!' hield Fraser vol. 'Hij mag geen kranten lezen, of naar de radio luisteren. Wat is daar het nut van?'

'Dat weet je best, jongen. Het is niet goed voor jullie om dingen te horen uit de buitenwereld waar jullie geen deel aan hebben. Dat hitst jullie op.'

'Dat geeft ons de kans om na te denken en een eigen mening te vormen, bedoelt u, zodat we voor u moeilijker te hanteren zijn.'

Meneer Mundy schudde zijn hoofd. 'Als je klachten hebt, jongen, dan moet je die voorleggen aan meneer Garnish. Maar als je al zo lang in het gevangeniswezen zit als ik...'

'Hoe lang dan, meneer Mundy?' viel Hammond hem in de rede. Hij en Giggs hadden zitten luisteren. De andere mannen aan tafel luisterden ook. Meneer Mundy aarzelde. Hammond ging verder: 'Meneer Daniels vertelde ons, meneer, dat u hier al veertig jaar bent of zoiets.'

'Nou,' zei meneer Mundy, terwijl hij zijn pas vertraagde, 'ik ben hier nu zevenentwintig jaar, en daarvoor heb ik tien jaar in Parkhurst gewerkt.'

Hammond floot. Giggs zei: 'Christus! Dat is meer dan moordenaars krijgen, toch? Hoe was het hier trouwens vroeger? Wat voor mannen zaten er, meneer Mundy?'

Het waren net schooljongens, dacht Duncan, die de meester aan het praten probeerden te krijgen over zijn tijd in de loopgraven; en meneer Mundy was te aardig om weg te lopen. Waarschijnlijk praatte hij ook liever met Hammond dan met Fraser. Hij veranderde van houding, ging wat gemakkelijker staan. Hij deed zijn armen over elkaar en dacht na.

'De mannen,' zei hij ten slotte, 'waren ongeveer hetzelfde, denk ik.'

'Ongeveer hetzelfde?' zei Hammond. 'Wat, bedoelt u dat er al zevenendertig jaar kerels zitten als Wainwright, die maar dooremmeren over het vreten – en als Watling en Fraser, die iedereen suf lullen over politiek? Jemig! Het verbaast me dat u niet stapelgek geworden bent, meneer Mundy! Het verbaast me dat u niet helemaal kierewiet bent!'

'En de cipiers, meneer?' vroeg Giggs gretig. 'Ik wed dat het wrede lui waren, of niet?'

'Ach,' zei meneer Mundy toegeeflijk, 'overal waar je komt zijn goede bewaarders en slechte, aardige en strenge. Maar het gevangenisregime...' Hij trok zijn neus op. 'Het gevangenisregime was verschrikkelijk streng in die tijd; ja, verschrikkelijk streng. Jullie denken dat je het moeilijk hebt, maar jullie hebben een luizenleventje, daarbij vergeleken. Ik heb bewaarders gekend die bij het minste of geringste de zweep gebruikten. Ik heb jochies gegeseld zien worden – jochies van elf, twaalf, dertien, om beroerd van te worden. Ja, dat waren afschuwelijk wrede tijden... Maar zo is het nu eenmaal. Ik zeg altijd: in de gevangenis zie je mensen op hun slechtst, en op hun best. Ik heb heel wat heren gekend, in mijn tijd hier. Ik heb kerels zien binnenkomen als schurken en zien vertrekken als heiligen, en omgekeerd. Ik ben met mannen naar de galg gelopen, en dan vond ik het soms een eer om ze de hand te schudden.'

'Dat zal ze enorm opgevrolijkt hebben, meneer!' riep Fraser.

Duncan keek naar meneer Mundy en zag hem rood worden, alsof hij zich betrapt voelde. Hammond zei vlug: 'Wie was de ergste die u hier ooit gehad heeft, meneer? Wie was de grootste schurk?' Maar meneer Mundy liet zich niet meer uit zijn tent lokken. Hij liet zijn armen zakken en richtte zich op.

'Goed,' zei hij, terwijl hij wegliep. 'Nu moeten jullie opschieten en dooreten. Vooruit.'

Hij hervatte zijn ronde door de zaal, langzaam lopend en een beetje hinkend, vanwege zijn heup.

Giggs en Hammond proestten van het lachen.

'Wat een slappe lul!' zei Hammond, toen meneer Mundy buiten gehoorsafstand was. 'Wat een mafkees, hè? Maar ik zal je dit zeggen, hij moet stapelgek zijn dat-ie het zo lang uithoudt in de gevangenis. Hoeveel zei-ie? Zevenendertig jaar? Zevenendertig dagen in dit stinkhol was voor mij al meer dan genoeg. Zevenendertig minuten. Zevenendertig seconden...'

'Kijk!' zei Giggs. 'Moet je hem zien! Waarom loopt-ie zo? Hij loopt verdomme te waggelen als een ouwe eend. Stel je voor dat een vent over de muur zou klimmen als meneer Mundy bij hem was! Stel je voor dat meneer Mundy achter hem aan zou gaan!'

'Laat hem toch met rust,' zei Duncan plotseling.

Hammond keek hem verbaasd aan. 'Wat kan jou dat schelen? We maken gewoon een geintje. Christus, als je hier niet eens meer mag lachen...'

'Laat hem nou maar met rust.'

Giggs trok een gezicht. 'Nou, neem ons niet kwalijk. We vergaten even dat jullie zo dik met mekaar zijn.'

'Dat zijn we helemaal niet,' zei Duncan. 'Alleen...'

'Ja, hou eens op, wil je?' zei iemand anders, de verduisteraar. Hij had geprobeerd de verknipte *Daily Express* te lezen. Hij schudde eraan, en er viel een stuk uit. 'Het lijkt verdomme wel voedertijd in de dierentuin.'

Giggs schoof zijn stoel naar achteren en stond op. 'Kom mee, maat,' zei hij tegen Hammond. 'Het stinkt trouwens aan deze tafel.'

Ze pakten hun borden op en liepen weg. Een ogenblik later stapten de verduisteraar en iemand anders ook op. De mannen die achterbleven aan Duncans helft van de tafel gingen dichter bij elkaar zitten. Een van hen had een klein dominospel, gemaakt van restjes hout, en ze begonnen de stukken neer te leggen voor een spelletje.

Fraser strekte zich weer uit op zijn stoel. 'Zomaar een maaltijd,' zei hij, 'In Wormwood Scrubs, Afdeling D.' Hij keek naar Duncan. 'Ik had nooit gedacht dat jij het nog eens zou opnemen tegen Hammond en Giggs, Pearce. En dat allemaal vanwege meneer Mundy! Hij zou diep geroerd zijn.'

Duncan zat eigenlijk een beetje te trillen. Hij had een vreselijke hekel aan ruzies, confrontaties; dat had hij altijd al gehad. Hij zei: 'Hammond en Giggs werkten op mijn zenuwen. Meneer Mundy is best aardig. Beter dan meneer Garnish en de rest, dat kan iedereen je vertellen.'

Maar Fraser trok zijn lip op. 'Geef mij Garnish maar in plaats van Mundy. Geef mij maar liever een eerlijke sadist, bedoel ik, dan een hypocriet. Al die flauwekul over dat hij ter dood veroordeelden de hand ging schudden.'

'Hij doet gewoon zijn werk, net als iedereen.'

'Net als alle door de staat betaalde pestkoppen en moordenaars!'

'Zo is meneer Mundy niet,' hield Duncan koppig vol.

'In elk geval,' zei Watling, met een blik op Duncan maar pratend tegen Fraser, 'heeft hij een paar hele rare ideeën over het christendom. Heb je hem daar wel eens over horen praten?'

'Ik geloof het wel,' zei Fraser. 'Hij is toch een aanhanger van Mary Baker Eddy, hè?'

'Hij zei een keer iets tegen me, toen ik op de ziekenzaal lag met een paar zeer pijnlijke steenpuisten. Hij zei dat die steenpuisten gewoon een manifestatie waren – let wel, dat was het woord dat hij gebruikte – een manifestatie waren van mijn geloof in pijn. Hij zei: "Jij gelooft in God, hè? Welnu, God is volmaakt en Hij heeft een volmaakte wereld geschapen. Dus hoe kun jij dan steenpuisten hebben?" Hij zei: "Wat de dokters je steenpuisten noemen is in feite alleen je valse geloof! Als je echt gelooft, zullen je steenpuisten verdwijnen!"'

Fraser schaterde van het lachen. 'Wat poëtisch!' riep hij. 'En wat een troost voor iemand die net zijn been is kwijtgeraakt, of een bajonet in zijn buik heeft gekregen!'

Duncan fronste zijn voorhoofd. 'Jij bent net zo erg als Hammond. Alleen omdat je het er niet mee eens bent.'

'Waar zou ik het mee eens moeten zijn?' zei Fraser. 'Je kunt het niet eens of oneens zijn met gebazel. En gebazel is het, reken maar. Mooie praatjes die zijn verzonnen om naar seks hunkerende oude wijven tevreden te stellen.' Hij gniffelde. 'Zoals de Vrouwelijke Vrijwilligers.'

Watling keek zuinig. 'Nou, dat weet ik niet.'

'Hij is trouwens niet zo heel anders dan jij,' zei Duncan.

Fraser glimlachte nog steeds. 'Hoe bedoel je?'

'Het is net wat Watling zei. Jullie denken allebei dat de wereld volmaakt kan zijn, hè? Maar hij doet tenminste iets om die volmaaktheid dichterbij te brengen, door slechte dingen weg te wensen. In plaats van gewoon... Nou ja, in plaats van gewoon hier te zitten, bedoel ik.'

Frasers glimlach verdween. Hij keek Duncan aan en wendde toen zijn hoofd af. Er viel even een pijnlijke stilte. Toen leunde Watling weer naar voren. 'Ik wil je iets vragen, Fraser,' zei hij, op een manier alsof hij een gesprek voortzette waaraan Duncan geen deel had. 'Als ze tijdens je proces tegen je hadden gezegd...'

Fraser sloeg zijn armen over elkaar en luisterde, en van lieverlee kwam zijn glimlach terug – zijn goede humeur was blijkbaar weer helemaal hersteld.

Duncan wachtte even en draaide zich toen om. De mannen aan zijn kant van de tafel waren net klaar met het spelletje. Twee van hen klapten zachtjes in hun handen. 'Goed gespeeld,' zei de een beleefd. Hij en zijn buurman overhandigden de nietige sliertjes tabak die ze als inzet gebruikten; toen begonnen ze met hun drieën de dominostenen om te keren en door elkaar te husselen, voor een volgend spel. 'Wil je meedoen?' vroegen ze, toen ze Duncan min of meer alleen zagen zitten; maar Duncan schudde zijn hoofd. Hij had de indruk dat hij Frasers gevoelens had gekwetst, en dat speet hem. Hij wilde nog even wachten, voor het geval Fraser de discussie met Watling zou staken en zich weer naar hem zou omdraaien...

Maar Fraser draaide zich niet om, en weldra was de stank van de verstopte afvoer niet meer te harden. Duncan legde zijn mes en vork bij elkaar en zei tegen de dominospelers: 'Tot kijk.'

'Ja, tot kijk, Pearce. Niet...'

Ze werden onderbroken door een kreet: 'Joehoe! Tragisch Juffertje! Joehoe!'

Het was tante Vi met een stel van haar kornuiten – twee jongens die een paar jaar ouder waren dan Duncan, Monica en Stella genaamd. Ze trippelden tussen de tafels door, rokend en wuivend. Ze hadden blijkbaar gemerkt dat Duncan was opgestaan. Nu riepen ze weer: 'Joehoe! Wat is er aan de hand, Tragisch Juffertje? Vind je ons niet aardig?'

Duncan schoof zijn stoel onder de tafel. Fraser, zag hij, keek geïrriteerd op. Watling trok weer een zuinig, preuts gezicht. Tante Vi, Monica en Stella trippelden dichterbij. Duncan pakte zijn bord op en liep er net mee weg toen zij bij zijn tafel kwamen.

'Daar gaat ze, kijk!' hoorde hij Monica zeggen, achter zijn rug. 'Wat heeft zij ineens een haast. Denk je dat er een man op haar wacht, in die rozentuin van haar?'

'Nee, lieverds,' zei tante Vi, trekkend aan haar zelfgerolde sigaret. 'Niet zolang ze nog in de rouw is om de vorige. Kom, ze zit erbij als Geduld op een monument, grijnzend tegen Verdriet! Jullie kennen haar verhaal toch wel? Hebben jullie haar nooit bij Postzakken gezien? Het ene steekje na het andere maakt ze, met haar blanke handje; en 's nachts, lieverds, ik zweer het, 's nachts sluipt ze terug en haalt alle steken weer uit.'

Hun stemmen stierven weg toen ze doorliepen. Maar Duncan voelde zich blozen om hun opmerkingen, vreselijk, schuldbewust blozen, van zijn hals tot zijn kruin. En wat nog erger was, toen hij omkeek naar zijn tafel zag hij Frasers gezicht, en de uitdrukking op Frasers gezicht was zo onplezierig – een mengeling van gêne en boosheid en afkeer – dat hij bijna misselijk werd.

Hij schraapte de etensresten van zijn bord, waarna hij het bord en zijn mes en vork heen en weer bewoog in de teil koud water waarin ze hun etensgerei konden afwassen. Hij liep door de zaal naar de trap en begon naar boven te klimmen, zo vlug als hij kon.

Hij raakte bijna onmiddellijk buiten adem. Elke vorm van lichaamsbeweging deed hen allemaal naar adem happen. Op de Derde moest hij stilstaan om even bij te komen. Op zijn eigen verdieping leunde hij voor zijn cel tegen het hek, wachtend tot zijn hart tot bedaren kwam. Hij deed zijn armen over elkaar, leunde op zijn ellebogen en keek van bovenaf de zaal in.

Het kabaal van ruziënde stemmen, van gelach en geschreeuw, klonk hier zachter. Het uitzicht was vreselijk imposant, want de zaal was even lang als een kleine straat, met een dak van verduisterd glas. Over de hele zaal, ter hoogte van de eerste verdieping, was een net gespannen: Duncan zag de mannen door een waas van ijzerdraad, sigarettenrook en ziekelijk kunstlicht. Het was net of je naar wezens in een kooi of onder water keek, het leken vreemde, bleke dingen die nooit het daglicht zagen. En wat vanaf deze hoogte het meest opviel, dacht hij, was dat alles zo vaal was: de betonnen vloer, de glansloze verf op de muren, de vormeloze grijze uniformen met die ene rode ster, het braakselkleurige zeil op de tafels... Alleen Fraser was nog een lichtpuntje te midden van dit alles: want zijn kortgeknipte haar was blond, terwijl dat van de meeste andere mannen donker of dof bruin was, en zijn bewegingen waren geanimeerd, terwijl anderen er sloom bij zaten; en als hij lachte – zoals nu – was het een schaterlach die zelfs hier te horen was.

Hij was nog steeds met Watling in gesprek; hij luisterde ingespannen naar iets wat Watling zei, en knikte af en toe met zijn hoofd. Hij mocht Watling niet zo, wist Duncan, maar hij praatte nu eenmaal met iedereen, uren aan een stuk, gewoon omdat hij graag praatte: het betekende niets als hij je aankeek en gepassioneerd tegen je sprak; hij deed alles gepassioneerd.

'Die Fraser zou hier niet moeten zitten,' had meneer Mundy onder vier ogen tegen Duncan gezegd. 'Een jongen uit zo'n familie, met alle privileges die hij heeft gehad!' Hij beschouwde Frasers aanwezigheid als een soort belediging voor de andere mannen. Hij zei dat Fraser maar speelde dat hij in de gevangenis zat. Het beviel hem niet dat Duncan een cel met hem moest delen; hij zei dat hij Duncan op rare ideeën zou brengen. Als hij had gekund, zou hij Duncan een cel voor zich alleen hebben gegeven.

Misschien had meneer Mundy gelijk, dacht Duncan, terwijl hij weer naar Frasers gladde, blonde hoofd keek. Misschien speelde Fraser alleen maar dat hij in de gevangenis zat – een prins die zich als bedelknaap had verkleed. Maar wat was in een gevangenis eigenlijk het verschil tussen spel en werkelijkheid? Het was net zoiets als spelen dat je gemarteld werd, of vermoord! Het was net zoiets als in dienst gaan en zeggen dat je het alleen voor de grap deed: de soldaten die vanaf de andere kant op je schoten wisten niet dat je maar deed alsof.

Fraser leunde weer helemaal achterover op zijn stoel, deed zijn armen omhoog, stak zijn lange benen uit. Maar hij bleef met zijn rug naar Duncan zitten, en plotseling betrapte Duncan zichzelf erop dat hij graag wilde dat Fraser zich omdraaide en omhoogkeek. Hij staarde naar Frasers achterhoofd en probeerde hem te dwingen zich om te draaien. Hij concentreerde zich tot het uiterste, stuurde het bevel als een soort straal naar hem toe. Kijk, Fraser! dacht hij. Kijk, Robert Fraser! Hij gebruikte zelfs Frasers gevangenisnummer. Kijk, 1755 Fraser! 1755 Robert Fraser, kijk naar me!

Maar Fraser keek niet. Hij bleef met Watling praten en lachen, en ten slotte gaf Duncan het op. Hij knipperde met zijn ogen en wreef erin. En toen hij weer keek, trof hij de blik van meneer Mundy: want meneer Mundy had hem daar blijkbaar tegen het hek geleund zien staan en hem in de gaten gehouden. Hij gaf Duncan een knikje en liep toen langzaam verder tussen de tafels. Duncan draaide zich om, liep zijn cel in en ging uitgeput liggen.

'Je bent laat,' zei Vivs vriendin Betty, terwijl Viv de trap afrende naar de garderobe in Portman Court.

'Ik weet het,' zei Viv buiten adem. 'Heeft Gibson het gemerkt?'

'Ze is bij meneer Archer. Ze hebben mij helemaal naar de kelder gestuurd om deze te halen.' Betty hield wat mappen omhoog. 'Als je opschiet, is er niks aan de hand. Waar ben je trouwens geweest?'

Viv schudde met een glimlach haar hoofd. 'Nergens.'

Ze rende verder, en intussen trok ze haar handschoenen uit en zette ze haar hoed af; in de garderobe smeet ze de deur van haar kast open en propte haar mantel erin. Ze mochten van juffrouw Gibson hun handtas op hun bureau zetten, dus die hield ze bij zich; maar voor ze de kastdeur sloot deed ze de handtas vlug open en keek erin, om te controleren of ze alles had wat ze nodig dacht te hebben: maandverband en een doosje aspirine, want ze moest ongesteld worden en haar borsten en buik deden zeer. Ze was het liefst meteen naar de wc gegaan om het verband om te doen, maar daar was geen tijd voor. Ze nam wel alvast een aspirientje terwijl ze de trap weer opging, kauwde het zonder water fijn en slikte het door, met een vies gezicht vanwege de bittere kalksmaak.

Ze was in de lunchpauze helemaal teruggegaan naar het John Allen House om haar post te bekijken. Want ze wist dat er een kaart voor haar zou zijn, van Reggie: hij stuurde altijd een berichtje na hun zaterdagse ontmoetingen; het was de enige manier waarop hij haar kon laten weten dat het goed met hem ging. Ditmaal was het een prentbriefkaart met een maffe illustratie van een soldaat en een mooi meisje tijdens de verduistering; de soldaat knipoogde en onder het plaatje stond: *Hij knijpt de katjes in het donker*. Daarnaast had Reggie geschreven: 'Geluksvogel!!!' En achterop had hij gezet: 'G.G.' – dat betekende Glamour Girl. 'Zocht een brunette, maar kon alleen blondjes vinden. Wou dat ik hem was & zij jou! xxx.' De kaart zat nu in haar tas, naast het doosje aspirine.

Het was kwart over twee en haar kamer bevond zich op de zevende verdieping. Ze had met de lift kunnen gaan, maar de liften waren traag en ze had al vaker eindeloos staan wachten, dus nam ze de trap. Ze liep vlug, in een regelmatig tempo, als een langeafstandsloper, met haar armen gekruist onder haar borsten en haar hakken van de grond, want de trap was van marmer en hakken maakten lawaai. Toen ze een man passeerde, lachte hij. 'Nou nou! Wat een haast! Weet jij iets wat wij niet weten?' Daarna hield ze haar pas iets in, totdat hij doorgelopen was; toen voerde ze het tempo weer op. Pas in de bocht naar de zevende verdieping ging ze echt langzamer lopen, om op adem te komen, haar gezicht af te vegen met haar zakdoek en haar haar glad te strijken.

Er begon een gek geluid tot haar door dringen, een soort *ratata-ta-ta-ta!* – alsof er miniatuurgranaten explodeerden. Ze liep vlug een gang in en deed een deur open, en nu werd het lawaai bijna oorverdovend: de kamer stond volgestouwd met bureaus, en achter elk bureau zat een meisje als een razende te typen. Sommigen droegen een koptelefoon; de meesten typten aantekeningen in steno uit. Ze hamerden er zo energiek op los omdat er in hun machines niet één vel papier zat, maar twee of drie en soms wel vier, met carbonpapier ertussen. De kamer was ruim, maar bedompt. De ramen waren jaren tevoren gasdicht gemaakt. De ruiten waren beplakt met stroken bruin papier, met het oog op een explosie.

De geur die er hing was nogal overweldigend: een mengeling van talkpoeder, gepermanent haar, schrijfmachine-inkt, sigarettenrook, lichaamsgeurtjes. Aan de wanden hingen affiches van diverse door het ministerie georganiseerde campagnes: plaatjes van Piet de Pieper en andere vrolijke knolgewassen die je smeekten om ze te koken en op te eten; leuzen die aan oude religieuze wandspreuken deden denken.

PLANT NU!

Het wordt gewoon weer LENTE en ZOMER, OOK in OORLOGSTIJD

Voorin, gescheiden van de andere tafels, stond nog een tafel; de stoel erachter was leeg. Een minuut nadat Viv was gaan zitten, de hoes van haar schrijfmachine had gehaald en aan het werk was gegaan, ging de deur naar de kamer van meneer Archer open en keek juffrouw Gibson naar binnen. Ze keek even rond, zag dat alle meisjes driftig zaten te typen en verdween weer.

Zodra de deur gesloten werd, voelde Viv iets kleins en lichts tegen haar schouder tikken en op de grond vallen. Betty had een paperclip naar haar gegooid vanaf haar bureau drie meter verderop.

'Wat een mazzel heb jij, Pearce,' fluisterde ze, toen Viv opkeek.

Viv stak haar tong uit en ging weer aan het werk.

Ze was een tabel aan het typen, een lijst met levensmiddelen en hun voedingswaarde – een lastig werkje, want je moest eerst de verticale kolommen typen, met de juiste afstand ertussen, en daarna moest je de vellen eruithalen en ze er horizontaal weer in doen en de lijnen typen. En daarbij mochten de vellen onderling natuurlijk niet verschuiven, anders zag het bovenste vel er wel goed uit, maar stond op de doorslagen alles scheef.

Het kostte zo veel moeite om het goed te krijgen, en het was zo lawaaiig en benauwd in de kamer, dat je net zo goed, dacht Viv, in een fabriek kon werken om precisie-onderdelen voor vliegtuigen te maken. In een fabriek zou je waarschijnlijk meer verdienen. En toch vonden mensen het chic als je vertelde dat je typiste op het ministerie was, en een heleboel meisjes kwamen uit de betere kringen – ze hadden namen als Nancy, Minty, Felicity, Daphne, Faye. Viv had weinig met hen gemeen. Zelfs Betty – die kauwgom kauwde, en graag praatte als een gevatte New Yorkse serveerster in een speelfilm – zelfs Betty had op een internaat gezeten en bulkte van het geld.

Viv daarentegen had eerst een secretaresse-opleiding gevolgd aan een instituut in Balham; ze had daar een aardige lerares gehad, die haar had aangemoedigd te solliciteren. 'Er is tegenwoordig echt geen reden meer,' had de lerares gezegd, 'waarom een meisje met jouw achtergrond niet net zo goed terecht zou komen als een meisje uit een beter milieu.' Ze had Viv alleen aangeraden spraakles te nemen, en dus had Viv drie maanden lang een halfuur per week blozend voor een bejaarde actrice gestaan in een souterrain in Kensington, om poëzie voor te dragen. Ze kon zich nog hele stukken van Walter de la Mare herinneren:

'Is there anybody there?' said the Traveller,
Knocking on the moonlit door;
And his horse in the silence champed the grasses
Of the forest's ferny floor.

Op de dag van haar sollicitatiegesprek had ze met afgrijzen gekeken en geluisterd naar de beschaafde jonge vrouwen in de wachtkamer van het ministerie. Een van hen had achteloos gezegd: 'O, dat wordt een makkie, meiden! Ze willen alleen weten of we ons haar niet verven, en of we geen vreselijke woorden gebruiken zoals "pa" en "toilet" en dergelijke.'

Het sollicitatiegesprek was uiteindelijk goed verlopen. Maar Viv kon het woord 'toilet' nooit meer horen, nu nog niet, na al die tijd, zonder terug te denken aan dat moment en dat meisje.

Toen de narigheid met Duncan begonnen was, had ze dat voor zich gehouden. Niemand wist zelfs dat ze een broer hád, ook Betty niet. In het begin van de oorlog hadden meisjes in het John Allen House haar weleens terloops gevraagd, plompverloren, zoals mensen dat soort dingen vroegen: 'Heb jij geen broer, Viv? Bofferd! Broers zijn een verschrikking, ik kan de mijne niet uitstaan.' Maar tegenwoordig vroeg niemand meer naar broers, vriendjes, echtgenoten – je wist maar nooit.

Ze voltooide de tabel die ze had zitten typen en begon aan een andere. Het meisje aan het bureau voor haar, een zekere Millicent, leunde achterover op haar stoel en schudde haar hoofd. Er vloog een haar op het papier in Vivs schrijfmachine: een lange, bruine haar, kurkdroog van het vele permanenten, maar met een vetbolletje aan het eind waar hij aan Millicents hoofdhuid had vastgezeten. Viv blies hem weg. Ze had ontdekt dat je, als je goed naar de grond keek op deze tijd van de dag, kon zien dat hij vol lag met haren. Ze dacht soms aan de enorme plukken haar die in de bezems van de werksters terecht moesten komen als zij het hele gebouw hadden aangeveegd. Die gedachte, net nu, in combinatie met de luchtjes en de bedompte sfeer in de kamer, maakte haar nogal neerslachtig. Ze had er schoon genoeg van, besefte ze, om tussen vrouwen te leven! Ze was het werkelijk spuugzat, al die meisjes om zich heen! Die poeder! Dat parfum! Die lippenstift op de randen van kopjes en het uiteinde van potloden! Die geschoren oksels en benen! Die flesjes veramon en doosjes aspirine!

Dat herinnerde haar aan de aspirine in haar tas, en vandaar gingen haar gedachten naar Reggies kaart. Ze stelde zich Reggie voor terwijl hij de kaart schreef en op de post deed. Ze zag zijn gezicht, hoorde zijn stem, voelde zijn aanraking – en begon hem vreselijk te missen. Ze begon al de sjofele hotelkamers op te tellen waarin ze met hem had gevrijd. Ze dacht aan alle keren dat hij haar had moeten verlaten om naar het huis van zijn schoonmoeder te gaan, naar zijn vrouw. 'Ik wou dat jij thuis op me zat te wachten,' zei hij altijd. Ze wist dat hij het meende. God mocht weten wat zijn vrouw ervan dacht. Viv wilde zich er niet in verdiepen. Ze was niet het type om dingen over zijn gezin te vragen, haar neus in zijn zaken te steken, te snuffelen. Ze had een foto van zijn vrouw en zoontje gezien, maar dat was jaren geleden. Misschien was ze hen intussen wel voorbijgelopen op straat! Ze kon hen wel tegenkomen in een bus of trein, met hen aan de praat raken. 'Wat een leuke, knappe kinderen.' 'Vindt u? Ze zijn het evenbeeld van hun vader. Ik zal u een kiekje laten zien...'

'Eieren, melk, boter, kut,' had ze getypt. Ze keek vlug op en moest de papieren eruithalen en opnieuw beginnen. Wat zou Reggie nu doen?

vroeg ze zich af, terwijl ze aan de rol draaide. Dacht hij aan haar? Ze probeerde in haar geest contact met hem te zoeken. Mijn lieveling, noemde ze hem in gedachten. Zo zou ze hem in het echt nooit noemen. Mijn lieveling, mijn lieveling... Ze zette de papiergeleider vast en begon weer te typen; ze typte moeiteloos, en een van de voordelen – of nadelen – als je zo goed kon typen was dat je gedachten met je op de loop konden gaan terwijl je vingers over de toetsen vlogen. Als je ergens mee zat, kon je soms het ritme van de schrijfmachine overnemen en op hol slaan... Nu sloeg ze op hol bij de gedachte aan Reggie. Ze herinnerde zich hoe het voelde als hij in haar armen lag. Ze herinnerde zich zijn handen die haar dijen streelden. Ze voelde de herinnering in haar vingers, in haar borsten, haar mond, en tussen haar benen... Vreselijk om zo intens aan zulke dingen te denken, te midden van al die meisjes uit de betere kringen en het dorre geratel van zo veel schrijfmachines. Maar... Ze keek de kamer rond. Waren deze meisjes dan niet verliefd? Echt verliefd, zoals zij op Reggie? Zelfs juffrouw Gibson moest ooit gekust zijn. Er moest een man zijn geweest die haar begeerd had, een man die misschien met haar op een slaapkamervloer had gelegen, haar broekje had uitgetrokken, bij haar naar binnen was gegaan, duwend, stotend...

De deur naar de kamer van meneer Archer ging plotseling weer open en juffrouw Gibson zelf verscheen. Viv bloosde en deed haar hoofd omlaag. Varkensvlees, spek, rundvlees, lamsvlees, gevogelte, typte ze. Haring, sardines, zalm, garnalen...

Maar juffrouw Gibson had haar blik opgevangen en riep haar bij zich.

'Juffrouw Pearce,' zei ze. Ze had een stencil in haar hand. 'U schijnt om de een of andere reden tijd over te hebben. Wilt u dit naar de stencilkamer brengen en vragen of ze tweehonderd kopieën willen afdrukken? Zo snel mogelijk, graag.'

'Ja, juffrouw Gibson,' zei Viv. Ze pakte het stencil en vertrok.

De stencilkamer was twee verdiepingen lager, aan het eind van de zoveelste marmeren gang. Viv sprak met het meisje dat er de leiding had, een onaantrekkelijk meisje met een bril, dat bij niemand erg populair was. Ze draaide aan de hendel van een van de machines; ze bekeek het stencil van juffrouw Gibson en zei verachtelijk: 'Tweehonderd? Ik maak er hier duizend, voor meneer Brightman. Het probleem is, jullie schijnen allemaal te denken dat ik die kopieën zomaar tevoorschijn kan toveren. Je zult ze zelf moeten afdraaien. Heb je deze machines al eens bediend? Het vorige meisje dat ik hier had heeft er zo'n puinhoop van gemaakt dat de trommel dagenlang onbruikbaar was.'

Viv had geleerd hoe ze een stencil moest aanbrengen, maar dat was maanden geleden. Ze morrelde aan de slede, terwijl het meisje, dat nog steeds aan haar eigen machine stond te draaien, haar kant opkeek en vernietigend riep: 'Niet zó!' en: 'Daar, kijk! Dáár!'

Eindelijk zat alles op zijn plaats, stencil, papier en inkt, en het enige wat Viv nog hoefde te doen was tweehonderd keer aan de hendel draaien... De beweging deed pijn aan haar gevoelige borsten. Ze voelde dat ze zweterig begon te worden. En tot overmaat van ramp kwam er een man van een andere afdeling binnen, die glimlachend naar haar ging staan kijken.

'Ik vind het altijd leuk om jullie dat te zien doen,' zei hij, toen ze klaar was. 'Jullie lijken net melkmeisjes die boter aan het karnen zijn.'

Hij hoefde zelf maar een paar kopieën te maken. Tegen de tijd dat ze de vellen had geteld en had laten drogen was hij klaar, en toen ze wegging hield hij de deur voor haar open. Hij deed het nogal onhandig, omdat hij met een stok liep: hij had aan het begin van de oorlog bij de luchtmacht gezeten, wist ze, en was invalide geworden toen zijn vliegtuig neerstortte. Hij was jong en blond, het soort man van wie meisjes zeiden: 'Hij heeft leuke ogen,' of: 'Hij heeft leuk haar' – niet omdat zijn ogen of haar bijzonder mooi waren, maar omdat de rest van zijn gezicht helemaal niet mooi was en je toch iets aardigs over hem wilde zeggen. Ze liepen samen de gang in en ze voelde zich gedwongen zijn tempo aan te houden.

Hij zei: 'U bent een van de meisjes van juffrouw Gibson, hè? Op de bovenste verdieping? Dat dacht ik wel. Ik heb u al eens eerder gezien.'

Ze kwamen bij de trap. Haar arm deed pijn van het draaien aan de hendel. Ze had een onprettig, klam gevoel tussen haar benen. Het was waarschijnlijk zweet, maar het kon ook, dacht ze, iets ergers zijn. Als die man er niet bij was geweest zou ze naar beneden zijn gerend, maar ze wilde niet dat hij haar naar de wc zag sprinten. Hij liep tree voor tree de trap op terwijl hij zich stevig vasthield aan de leuning; misschien overdreef hij ook wel een beetje, om wat langer van haar gezelschap te kunnen genieten...

'Dat moet uw kamer zijn daarginds,' zei hij, toen ze boven kwamen. 'Ik kan het horen aan het geratel.' Hij verplaatste zijn stok van zijn rechterhand naar zijn linker, zodat hij haar een hand kon geven. 'Nou, tot ziens, juffrouw...?'

'Pearce,' zei Viv.

'Tot ziens, juffrouw Pearce. Misschien zie ik u nog wel eens melk karnen? Of anders... Als u zin zou hebben in een pittiger drankje...?'

Ze zei dat ze erover zou nadenken, want ze wilde hem niet het idee geven dat ze niet wilde vanwege zijn been. Ze kon trouwens best een keer met hem uitgaan. Ze kon zich door hem laten kussen. Daar stak toch geen kwaad in? Het had niets te betekenen. Het was gewoon iets wat je deed. Wat ze met Reggie had was heel anders.

Ze gaf de stapel papier aan juffrouw Gibson, maar op weg naar haar plaats aarzelde ze, want ze wilde eigenlijk nog steeds naar de wc. Ze herinnerde zich een meisje dat een paar weken terug overal in het gebouw was gezien met bloed op haar rok. Ze pakte haar handtas, ging weer naar juffrouw Gibson en vroeg of ze even weg mocht.

Juffrouw Gibson keek op de klok en fronste haar wenkbrauwen. 'Vooruit dan maar. Maar daar hebben jullie je lunchpauze voor, vergeet dat niet.'

Ditmaal nam Viv de lift, om te voorkomen dat ze door elkaar werd geschud bij het trappenlopen. Daarna holde ze bijna naar de garderobe: ze ging een toilet in, schoof haar rok omhoog, liet haar onderbroek zakken, trok een paar velletjes papier uit de houder en drukte ze tussen haar benen.

Toen ze het papier weghaalde, was er echter niets op te zien. Ze dacht dat het bloed misschien omlaag zou komen als ze plaste. Maar ze plaste, en er veranderde niets.

'Barst,' zei ze hardop. Want ongesteld worden was al vervelend genoeg, maar erop wachten was bijna nog erger. Ze pakte het maandverband uit haar tas en speldde het vast, gewoon voor alle zekerheid; in de tas zag ze Reggies kaart, en ze kwam bijna in de verleiding hem eruit te halen en nog eens te lezen...

Maar naast de kaart zat haar zakagenda: een dunne blauwe agenda van het ministerie, met een potlood in de rug. En toen ze die zag, bedacht ze zich. Ze dacht aan data. Wanneer was ze eigenlijk voor het laatst ongesteld geweest? Het leek opeens een eeuwigheid geleden.

Ze pakte de agenda uit haar tas en sloeg hem open. De blaadjes zagen er cryptisch uit, alsof ze een spion was, want ze stonden vol codes: een symbool voor de dagen dat ze bij Duncan op bezoek was geweest, een ander symbool voor haar zaterdagen met Reggie, en om de achtenentwintig of negenentwintig dagen een discreet sterretje. Ze begon nu te tellen vanaf het laatste sterretje: ze kwam bij negenentwintig en telde door – dertig, eenendertig, tweeëndertig, drieëndertig.

Ze kon het niet geloven. Ze bladerde terug en telde nog eens. Ze was nog nooit zo lang over tijd geweest. Ze was eigenlijk nooit over tijd; ze zei altijd gekscherend tegen andere meisjes dat ze net een klok was, of een kalender. Ze zei bij zichzelf: het komt door de luchtaanvallen. Dat moest het zijn. Iedereen raakte van slag door de luchtaanvallen. Logisch. Ze was moe. Ze was waarschijnlijk oververmoeid.

Ze trok nog wat papier uit de houder en drukte het weer tussen haar benen; en toen er weer niets te zien was, ging ze staan en maakte een paar sprongetjes, in de hoop dat het bloed dan naar buiten zou komen. Maar van het springen gingen haar borsten pijn doen: het was een stekende pijn, en toen ze haar handen erop legde, voelde ze hoe gezwollen ze waren, hoe opgezet en vol.

Ze pakte de agenda weer en bladerde hem voor de derde keer door. Misschien had ze zich vergist met de laatste datum.

Ze had zich niet vergist, wist ze. Ze dacht: het kan niet. Het kan niet! Maar als het wel zo was... Haar hoofd tolde. Want als het wel zo was, dan was het niet de laatste keer met Reggie gebeurd, maar de keer daarvoor; en dat was al een maand geleden...

Nee, dacht ze. Ze wilde het niet geloven. Ze zei bij zichzelf: het komt wel weer goed. Ze bracht haar kleren in orde. Haar handen beefden. Elk meisje zit weleens in angst, maar jij niet. Reggie is zo voorzichtig. Er is niets aan de hand. Alles is in orde. Het kan gewoon niet!

'Daar is ze dan eindelijk,' zei Binkie, toen Kay op Mickeys boot stapte en de kajuitdeuren opende. 'Kay! We dachten dat je niet meer kwam.'

De boot schommelde.

'Hallo, Bink. Hallo, Mickey. Sorry dat ik zo laat ben.'

'Geeft niet. Je bent net op tijd voor een borrel. We maken cocktails: gin met limoensap.'

'Cocktails!' zei Kay, terwijl ze haar tas neerzette. Ze keek op haar horloge. Het was pas kwart over vijf.

Binkie zag haar gezicht. 'O, wat doet het ertoe! Ik weet niet hoe het met jouw lever zit, maar de mijne heeft nog hetzelfde rooster als in vredestijd.'

Kay zette haar pet af. Ze was net als Mickey en Binkie in uniform, klaar om aan het werk te gaan. De kajuit had een kachel en een suizende lamp, en het was er erg warm: ze ging tegenover Binkie zitten, knoopte haar jasje open en maakte haar das los.

Mickey pakte intussen glazen, lepels en een sifon spuitwater. Ze zette alles op een omgekeerd bierkratje tussen Binkie en Kay in, haalde toen de gin en maakte het flesje limoen open. De gin was naamloos, goedkoop bocht, en in plaats van een extract had ze echt limoensap: het zat in een bruin medicijnflesje met een witte schroefdop; Binkie had het bij een drogist gekocht, zei ze, als voedingssupplement.

Mickey roerde de ingrediënten door elkaar, overhandigde de glazen en hield er een voor zichzelf. Ze hieven het glas, proefden en trokken een vies gezicht.

'Het lijkt wel accuzuur!' zei Kay.

'Hindert niet, beste meid,' zei Binkie. 'Denk aan de vitamine C.'

Ze bood de anderen een sigaret aan. Ze had een voorkeur voor een pittig Turks merk, dat moeilijk te krijgen was. Ze bewaarde ze in een fraaie gouden koker, en had elke sigaret doormidden gesneden om langer met een pakje te doen; ze rookte ze in een verkleurd ivoren pijpje. Mickey en Kay namen ieder een helft, die ze noodgedwongen tussen hun duim en wijsvinger klemden, waarna ze hun hoofd vlak bij de aansteker hielden.

'Ik voel me net mijn vader,' zei Mickey, een trekje nemend, achteroverleunend. Haar vader was bookmaker.

'Je lijkt wel een gangster,' zei Kay. 'Over gangsters gesproken...' Haar hart maakte een sprongetje van opwinding. 'Willen jullie niet weten waarom ik zo laat ben?'

Mickey legde de sigaret neer. 'God, dat was ik helemaal vergeten. Je bent bij die criminele vriendjes van Cole geweest! Je bent toch niet gearresteerd, hè?'

'Toch niet bij die walgelijke zwarthandelaars?' zei Binkie, het ivoren pijpje uit haar mond nemend. 'O Kay, hoe kun je?'

'Ik weet het,' zei Kay, haar handen opheffend. 'Ik weet het. Ik wéét het. Het deugt absoluut niet. Maar ik haal al maanden whisky bij ze.'

'Whisky telt niet. Whisky is praktisch een medicijn in ons soort werk. Maar voor de rest...'

'Maar Bink, het is voor Helen. Ze is eind van de maand jarig. Heb je de winkels de laatste tijd gezien? Het is erger dan ooit. Ik wilde haar iets geven... ik weet niet, iets moois. Een beetje glamour. Die rotoorlog heeft voor vrouwen zoals zij alle glamour uit het leven gehaald. Voor ons maakt het niet uit, wij kunnen door de drek banjeren en het nog leuk vinden ook...'

'Maar gestolen waar, Kay! Gestolen waar!'

'Cole zegt dat de verzekeraars dat allemaal regelen. Het meeste is trouwens van voor de oorlog, spul dat over was en waar niemand iets mee deed. Niet echt gejat. Goeie God, gejatte spullen zou ik nooit aanraken.'

'Ik ben blij het te horen! Maar je kunt moeilijk verwachten dat ik het goedkeur. En als ze er op het Hoofdkwartier achterkomen...'

'Ik keur het ook niet goed,' zei Kay. 'Dat weet je. Het is alleen...' Ze werd een beetje verlegen. 'Nou ja, ik ben het zat om naar Helens gezicht te kijken en het steeds bleker en vermoeider te zien worden. Als ik haar echtgenoot was, zou ik ergens aan het vechten zijn; dan kon ik er niets aan doen. Maar ik ben nu eenmaal hier...'

Binkie stak een hand op. 'Bewaar die mooie praatjes,' zei ze, 'maar voor je proces. God weet wordt het ook mijn proces, als uitkomt dat ik bij zoiets betrokken ben geweest.'

'Je bent nog nergens bij betrokken!' zei Mickey ongeduldig. 'Wat heb je gekocht, Kay? Hoe was het?'

Kay beschreef de plaats waar ze was geweest, een kamer in het souterrain van een vernielde winkel in Bethnal Green.

'Ze waren heel beleefd,' zei ze, 'toen ze eenmaal wisten dat ik een kennis van Cole was en geen vrouwelijke rechercheur. En o, je zou eens moeten zien wat ze daar allemaal hebben! Kratten en kratten vol sigaretten! Zeep! Scheermesjes! Kóffie!'

'Koffie!'

'En kousen. De kousen waren erg verleidelijk, moet ik toegeven. Maar ik had een nachthemd in gedachten, weet je. Helens nachthemd valt van ellende uit elkaar, ik word er beroerd van. Ze zochten tussen alle spullen die ze hadden: katoenen bedjasjes, flanellen pyjama's... En toen zag ik dit.'

Ze had haar tas gepakt, en deed hem nu open om er een platte, rechthoekige doos uit te halen. Een roze doos, met een zijden strik eromheen. 'Moet je zien,' zei ze, terwijl Binkie en Mickey voorover leunden om te kijken. 'Het ziet eruit als iets wat een vent in een Amerikaanse film onder zijn arm zou dragen, vind je niet, als hij een revuemeisje gaat opzoeken achter het toneel.'

Ze legde de doos plat op haar schoot – wachtte even, voor het effect – en haalde toen voorzichtig de deksel eraf. Binnenin lag zilverpapier. Ze sloeg het terug en onthulde een parelgrijze satijnen pyjama.

'Wauw,' zei Mickey.

'Zeg dat wel,' zei Kay. Ze tilde het jasje op en schudde het uit. Het was in haar handen even zwaar als de volle bos haar van een meisje; en hoewel het koud was doordat het in de doos had gezeten, voelde ze het al warmer worden toen ze het vasthield. Het had haar op de een of andere manier aan Helen doen denken – door de gladde stof, of door de weerschijn. Ze dacht nu weer aan Helen, terwijl ze het jasje nogmaals uitschudde om de stof te zien golven.

'Moet je die glans zien!' zei ze. 'Moet je die knopen zien!' – want de knopen waren van been, flinterdun, en een lust voor het oog en de vingers.

Binkie verplaatste haar sigarettenpijpje naar haar andere hand, zodat ze de manchet van het jasje kon optillen en met haar duim over het satijn strijken. Ze zei: 'Het is verdomd mooie stof, dat geef ik toe.'

'Zie je het etiket? Het is Frans, kijk.'

'Frans?' zei Mickey. 'Daar heb je het al. Door deze pyjama te dragen steunt Helen het verzet.'

'Beste meid,' zei Binkie. 'Ze zal geen enkel verzet bieden als ze dit eenmaal aan heeft.'

Ze lachten. Kay draaide het jasje om, om het nog wat langer te bewonderen; ze ging zelfs staan en hield het, met de broek, tegen zich aan. 'Mij staat het natuurlijk idioot, maar zo krijg je een idee.'

'Het is een prachtige pyjama,' zei Mickey, terwijl ze achterover ging zitten. 'Maar hij heeft vast een vermogen gekost, hè? Kom op, vertel het maar eerlijk: hoeveel heb je ervoor betaald?'

Kay was bezig de pyjama op te vouwen, en voelde dat ze kleurde. 'O,' zei ze, zonder op te kijken. 'Je weet wel.'

'Nee,' zei Mickey, die haar gadesloeg. 'Eigenlijk niet.'

'Je kunt niet verwachten dat iets van zulke kwaliteit goedkoop is. Niet in oorlogstijd...'

'Hoeveel? Kay, je bloost!'

'Ik heb het gewoon warm. Dat komt door die rotkachel!'

'Vijf pond? Zes?'

'Nou ja, ik moet het familiekapitaal toch ergens aan verkwisten! En jezus, waar kun je je geld tegenwoordig verder nog aan uitgeven? De pubs hebben geen drank, de sigarenwinkel heeft geen tabak...'

'Zeven pond? Acht?' Mickey staarde haar aan. 'Nog meer? Nee toch, Kay?'

Kay zei vlug, maar een beetje vaag: 'Nee. Zo'n acht pond.'

In werkelijkheid had ze tien pond betaald voor de pyjama, en nog eens vijf pond voor een zak koffiebonen en twee flessen whisky, maar dat durfde ze niet te bekennen.

'Acht pond!' riep Mickey. 'Ben je niet goed snik?'

'Maar denk je eens in hoe blij Helen ermee zal zijn!'

'Niet half zo blij als die boeven met jouw geld.'

'Ach wat!' zei Kay, die plotseling de uitwerking van de gin voelde en strijdlustig werd. 'In oorlog en liefde is alles geoorloofd, toch? Vooral in deze oorlog, en helemaal' – ze liet haar stem dalen – 'helemaal in ons soort liefde. Christus! Ik heb toch mijn steentje bijgedragen? Helen krijgt zelfs geen cent pensioen als ik zou omkomen...'

'Het probleem met jou, Langrish,' zei Binkie, 'is dat je een ridder-complex hebt.'

'Nou en? Wat is daartegen? We moeten wel ridderlijk zijn, mensen zoals wij. Niemand anders zal namens ons ridderlijk zijn.'

'Goed, maar je moet het niet overdrijven. Liefde is meer dan grote gebaren.'

'O, spaar me,' zei Kay.

Ze had de pyjama opgeborgen en keek nu weer op haar horloge, opeens bang dat Helen, die na haar werk hier een borrel met hen zou komen drinken, te vroeg zou zijn zodat de verrassing bedorven zou worden. Ze gaf de doos aan Mickey. 'Wil jij die voor me bewaren? Tot begin volgende maand? Als ik hem thuis opberg, vindt Helen hem misschien.'

Mickey liep met de doos naar het andere eind van de kajuit en verstopte hem onder haar bed.

Toen ze terugkwam, mixte ze nog een paar drankjes. Binkie kreeg een vers glas, maar ging er met een somber gezicht in zitten staren terwijl ze de gin liet ronddraaien. Na een minuut of wat zei ze: 'Ik ben een beetje neerslachtig geworden, meiden, van al dat gepraat over ridderlijkheid.'

'O, Bink!' zei Mickey. 'Zeg dat nou niet.'

'Maar het is zo. Het is allemaal leuk en aardig, Kay, dat jij je als een soort kampioen opwerpt – de beste kameraad van homo's en potten – jij, met je lieve Helen en je zijden pyjama en alles. Maar jij bent een grote uitzondering. De meesten van ons... Neem Mickey en mij bijvoorbeeld. Wat hebben wij?'

'Spreek voor jezelf!' zei Mickey hoestend.

'Je wordt sentimenteel van de gin,' zei Kay. 'Ik wist wel dat het geen goed idee was om voor zessen cocktails te drinken.'

'Het komt niet door de gin. Ik meen het heel serieus. Zeg eens eerlijk: word jij nooit moedeloos van het leven dat we leiden? Het is leuk zolang je jong bent. Het is zelfs heel opwindend als je twintig bent! De geheimzinnigheid, de heftigheid, het gevoel dat je op scherp staat. Meisjes waren voor mij fabelachtige wezens, vroeger – al die driftbuien om onnozele dingen, die dreigementen op feestjes dat ze op de wc hun polsen gingen doorsnijden, dat soort dingen. Daarbij vergeleken waren mannen net schimmen, net marionetten, net kleine jongens! Maar op een gegeven moment kom je op een leeftijd dat je de waarheid onder ogen ziet. Je komt op een leeftijd dat je gewoon op bent. En dan besef je dat het hele spel voorgoed voorbij is... Mannen beginnen daarna bijna aantrekkelijk te lijken. Soms denk ik er serieus over om een aardige vent te zoeken om mee te trouwen – een onopvallend type, een Liberaal kamerlid of zoiets. Het zou zo rustig zijn.'

Toevallig had Kay ook weleens zo'n gevoel gehad. Maar dat was voor de oorlog, en voor ze Helen had ontmoet. Nu zei ze droog: 'De diepe, diepe vrede van het huwelijksbed, na het tumult van de sapfische chaise longue.'

'Precies.'

'Wat een onzin.'

'Ik meen het!' zei Binkie. 'Wacht maar tot je zo oud bent als ik' – ze was zesenveertig – 'en elke ochtend wakker wordt naast een woestijn van ongekreukt linnen aan de andere kant van de divan. Probeer daar maar eens ridderlijk tegen te zijn... We hebben zelfs geen kinderen, vergeet dat niet, om voor ons te zorgen als we oud zijn.'

'God!' zei Mickey. 'Waarom snijden we niet meteen onze strot door, dan zijn we ervan af.'

'Als ik het lef had,' zei Binkie, 'deed ik dat misschien wel. Ik ga alleen door voor mijn werk. Lang leve de oorlog, zeg ik altijd maar! Ik gruw bij de gedachte dat het weer vrede wordt, dat kan ik je wel vertellen.'

'Nou,' zei Kay, 'je moet toch maar aan het idee wennen. Nu we nog maar zevenentwintig kilometer van Rome af zijn, of wat dan ook, is het alleen nog een kwestie van tijd.'

Ze bespraken nog even de stand van zaken in Italië; daarna kwam het gesprek – zoals dat tegenwoordig ging – op Hitlers geheime wapens.

'Weten jullie dat er gigantische kanonnen worden opgesteld in Frankrijk?' zei Binkie. 'De regering probeert het stil te houden, maar Collins, van Berkeley Square, kent een vent op een van de ministeries. Volgens hem kunnen ze daar granaten mee afschieten die helemaal tot aan Noord-Londen komen. Hele straten zullen worden weggevaagd, schijnt het.'

'Ik hoorde dat de Duitsers,' zei Mickey, 'een soort straal aan het ontwikkelen zijn...'

De boot helde over toen iemand vanaf het jaagpad aan boord stapte. Kay, die had geluisterd of ze voetstappen hoorde, leunde voorover om haar glas neer te zetten. Ze fluisterde: 'Dat zal Helen zijn. Denk erom, hè, geen woord over pyjama's, verjaardagen, of wat dan ook.'

Er werd geklopt, de deuren gingen open en Helen verscheen. Kay stond op om haar hand te pakken en haar het trapje naar de kajuit af te helpen, en om haar op de wang te kussen.

'Dag schat.'

'Dag Kay,' zei Helen met een glimlach. Haar wang was koud, rond, zacht en glad als van een kind. Haar lippen waren droog onder de lipstick, een beetje schraal van de wind. Ze keek om zich heen, naar de wolken sigarettenrook. 'Lieve hemel! Het lijkt hier wel een Turkse harem. Niet dat ik ooit in een Turkse harem ben geweest.'

'Ik wel, lieve meid,' zei Binkie. 'Maar ik kan je vertellen, ze worden vreselijk overschat.'

Helen lachte. 'Dag Binkie. Dag Mickey. Hoe gaat het ermee?'

'Goed.'

'In topconditie, lieve meid. En jij?'

Helen knikte naar de glazen die her en der stonden. 'Prima, als ik eenmaal een borrel op heb.'

'We drinken gin met limoen. Vind je dat wat?'

'Ik zou nu zelfs gemalen glas drinken als er een scheut alcohol in zat.'

Ze trok haar mantel uit, zette haar hoed af en zocht naar een spiegel. 'Zie ik er vreselijk uit?' vroeg ze, toen ze er geen vond en haar haar probeerde te fatsoeneren.

'Je ziet er geweldig uit,' zei Kay. 'Kom, ga zitten.'

Ze sloeg een arm om Helens middel en ze gingen zitten. Binkie en Mickey leunden voorover om een nieuwe ronde cocktails te maken. De discussie ging nog steeds over geheime wapens. 'Ik geloof er geen snars van,' zei Binkie. 'Onzichtbare stralen...?'

'Alles goed, schat?' prevelde Kay, terwijl ze haar lippen weer op Helens wang drukte. 'Heb je een rotdag gehad?'

'Het viel wel mee,' zei Helen. 'En jij? Wat heb jij gedaan?'

'Helemaal niets. Aan jou gedacht.'

Helen glimlachte. 'Dat zeg je altijd.'

'Ik doe het ook altijd. Ik doe het nu ook.'

'Ja? Wat denk je dan?'

'Aha,' zei Kay.

Ze dacht natuurlijk aan de satijnen pyjama. Ze stelde zich voor dat ze het pyjamajasje dichtknoopte over Helens blote borsten. In gedachten zag en voelde ze Helens billen en dijen, in de parelgrijze zijde. Ze legde haar hand op Helens heup en begon die te strelen – plotseling betoverd door de mooie welving, de souplesse. Ze herinnerde zich wat Binkie had gezegd en besefte ten volle wat een geluksvogel ze was; ze vond het een wonder dat Helen naast haar zat, hier, in dit rare bootje dat op een klomp leek, warm en roze en rond en levend, in de kromming van haar arm.

Helen draaide haar hoofd om en beantwoordde haar blik. 'Je bent teut,' zei ze.

'Ik geloof het ook. Ik heb een idee: word ook teut.'

'Teut worden, voor drie kwartier met jou? En dan helemaal in mijn eentje mijn roes uitslapen?'

'Kom dan straks met ons mee naar de ambulancepost,' zei Kay. Ze trok haar wenkbrauwen op en liet ze weer zakken. 'Dan laat ik je de binnenkant van mijn ambulance zien.'

'Rare,' zei Helen lachend. 'Wat heb je toch?'

'Ik ben verliefd, dat is alles.'

'Zeg, jullie daar,' zei Binkie luid, terwijl ze Helen een glas gaf. 'Als ik geweten had dat dit op een knuffelsessie zou uitdraaien, was ik waarschijnlijk niet gekomen. Maak nou geen muurbloempjes van Mickey en mij, hè?'

'We waren gewoon vriendelijk tegen elkaar,' zei Kay. 'Misschien wordt straks mijn hoofd wel van mijn romp geblazen. Ik moet mijn lippen goed gebruiken zolang ik ze nog heb.'

'Dan moet ik de mijne ook goed gebruiken,' zei Binkie, haar glas heffend. 'Dat doe ik zo.'

Om zes uur hoorden ze de radio aangaan op het vrachtschip van de buren, en ze zetten de deuren open om naar het nieuws te luisteren. Daarna kwam er een programma met dansmuziek; het was te koud om de deuren open te laten, maar Mickey schoof een raampje open zodat ze de muziek toch een beetje konden horen, vermengd met het gebrom en gesputter van passerende motoren, het gebonk van de boten. Er werd een langzaam nummer gespeeld. Kay hield haar arm om Helens middel en bleef haar zachtjes strelen en aaien, terwijl Mickey en Binkie nog steeds zaten te kletsen. Ze was doezelig geworden door de hitte van de kachel en de gin in haar cocktail.

Helen leunde naar voren om haar glas te pakken, en toen ze weer achterover zat, draaide ze zich om en keek Kay aan, een beetje verlegen.

'Raad eens wie ik vandaag gezien heb?' zei ze.

'Geen idee. Wie dan?'

'Een vriendin van je. Julia.'

Kay staarde haar aan. 'Julia?' zei ze. 'Julia Standing?'

'Ja.'

'Bedoel je dat je haar op straat zag?'

'Nee,' zei Helen. 'Ja, toch. Maar daarna hebben we samen een kop thee gedronken, bij een kantine vlak bij mijn kantoor. Ze was daar in de buurt naar een huis wezen kijken – je weet toch wat voor werk ze doet, samen met haar vader?'

'Ja, natuurlijk,' zei Kay langzaam.

Ze probeerde de gemengde gevoelens die ze altijd kreeg bij het horen van Julia's naam weg te duwen. Ze zei bij zichzelf, zoals ze altijd deed: stel je niet aan. Het betekende niets. Het is al te lang geleden. Maar het betekende wel iets, dat wist ze. Ze probeerde zich Helen en Julia samen voor te stellen: ze zag Helen, met haar ronde kindergezicht, haar slordige haar en gesprongen lippen; en Julia, glad en beheerst als een koele, donkere edelsteen...

Ze vroeg: 'Was het leuk?'

Helen lachte geforceerd. 'Ja. Waarom zou het niet leuk geweest zijn?'

'Ik weet het niet.'

Maar Binkie had het gehoord. Zij kende Julia ook, zij het heel oppervlakkig. 'Is dat Julia Standing waar jullie het over hebben?'

'Ja,' zei Kay schoorvoetend. 'Helen kwam haar vandaag tegen.'

'O ja, Helen? Hoe is het met haar? Ziet ze er nog steeds uit of ze de hele oorlog niets anders heeft gedaan dan steak tartare eten en ontelbare glazen melk drinken?'

Helen knipperde met haar ogen. 'Ja,' zei ze, 'ik geloof het wel.'

'Ze is zo vreselijk knap, hè? Maar... ik weet het niet. Ik heb dat soort schoonheid altijd een beetje verkillend gevonden. Wat vind jij, Mickey?'

'Ze is wel oké,' zei Mickey kortaf, terwijl ze tersluiks naar Kay keek; zij wist meer dan Binkie.

Maar Binkie ging door. 'Is ze nog steeds met hetzelfde bezig, Helen, gebombardeerde huizen controleren?'

'Ja,' zei Helen.

Mickey pakte haar glas op en kneep haar ogen tot spleetjes. 'Ze zou eens moeten proberen iemand onder een gebombardeerd huis vandaan te halen,' mompelde ze.

Kay lachte. Helen tilde ook haar glas op, alsof ze het niet aandurfde om iets terug te zeggen. Binkie zei tegen Mickey: 'Lieve meid, over het weghalen van lijken gesproken – heb je al gehoord wat de ploeg van Post 89 is overkomen? De moffen hebben een kerkhof gebombardeerd en de graven geraakt. De helft van de kisten is opengesprongen.'

Kay trok Helen weer dicht naar zich toe. 'Ik zou niet weten,' zei ze heel zacht, 'waarom je vrienden elkaar zouden moeten mogen, alleen omdat het je vrienden zijn; en toch verwacht je dat op de een of andere manier.'

Helen zei, zonder op te kijken: 'Julia is zo'n uitgesproken type dat mensen óf wel óf niet mogen, denk ik. En Mickey kiest natuurlijk jouw kant.'

'Ja, misschien is dat het.'

'We hebben gewoon een kop thee gedronken. Julia deed heel aardig.'
'Nou, goed, ' zei Kay met een glimlach.
'Ik denk niet dat het nog eens zal gebeuren.'
Kay kuste haar op de wang. Ze zei: 'Ik hoop van wel.'
Helen keek haar aan. 'Ja?'
'Natuurlijk,' zei Kay – al hoopte ze eigenlijk dat het niet meer zou gebeuren, want deze idiote situatie zat Helen blijkbaar niet lekker.
Maar Helen lachte, en kuste haar terug, ineens weer helemaal opgevrolijkt.
'Je bent een schat,' zei ze.

# 3

'Juffrouw Giniver,' zei juffrouw Chisholm, terwijl ze haar hoofd bij Helen om de deur stak, 'er is een dame voor u.'

Het was ongeveer een week later. Helen schoof net een paperclip om een stapel papieren en keek niet op. 'Heeft ze een afspraak?'

'Ze vroeg speciaal naar u.'

'O ja? Verdorie!' Dat kwam ervan als je je naam te gemakkelijk prijsgaf. 'Waar is ze?'

'Ze wilde niet binnenkomen, zei ze, want ze ziet er nogal sjofel uit.'

'Je moet er wel heel sjofel uitzien wil je hier niet naar binnen durven. Zeg maar dat we het niet zo nauw nemen. Maar ze moet wel een afspraak maken.'

Juffrouw Chisholm kwam verder de kamer in en overhandigde haar een opgevouwen papiertje. 'Ze wilde dat ik u dit gaf,' zei ze, met een zweem van afkeuring. 'Ik heb haar verteld dat we hier gewoonlijk geen privé-post aannamen.'

Helen pakte het briefje aan. Het was geadresseerd aan *Mejuffrouw Helen Giniver*, in een handschrift dat ze niet herkende, en er zat een afdruk op van een vieze duim. Ze vouwde het open. Er stond:

> Heb je lunchpauze? Ik heb thee, en boterhammen met konijnenvlees! Wat denk je ervan? Geeft niks als je niet kunt, maar ik blijf nog tien minuten buiten wachten.

En het was ondertekend met: *Julia*.

Helen zag de ondertekening het eerst, en haar hart maakte een merkwaardige buiteling in haar borst, als een vis die uit het water sprong. Ze was zich akelig bewust van het feit dat juffrouw Chisholm stond te kijken. Ze vouwde het papier snel weer dicht.

'Dank u, juffrouw Chisholm,' zei ze, terwijl ze met haar duimnagel over de vouw streek. 'Het is gewoon een vriendin van me. Ik... ik ga wel even naar haar toe als ik hier klaar ben.'

Ze schoof het briefje onder een stapel andere papieren en pakte een pen, alsof ze iets wilde opschrijven. Maar zodra ze juffrouw Chisholm terug hoorde gaan naar haar bureau in het aangrenzende vertrek, legde ze de pen neer. Ze trok een la in haar eigen bureau open en haalde haar handtas eruit, om haar haar te kammen en poeder en lippenstift op te doen.

Daarna bekeek ze zichzelf kritisch in het spiegeltje van haar poederdoos. Een vrouw kon het altijd zien, dacht ze, als je je net had opgemaakt; ze wilde niet dat juffrouw Chisholm het zou merken – erger nog, ze wilde niet dat Julia zou denken dat ze speciaal voor haar make-up had opgedaan. Dus pakte ze haar zakdoek en probeerde ze een gedeelte van de poeder weer weg te vegen. Ze trok haar lippen naar binnen en hapte een paar keer in de zakdoek, om het teveel aan lipstick te verwijderen. Ze maakte haar haar een beetje in de war. Nu zie ik eruit, dacht ze, alsof ik met iemand gevochten heb...

Godallemachtig! Wat deed het ertoe? Het was Julia maar. Ze borg de make-up op, pakte haar mantel, hoed en sjaal, liep nonchalant langs het bureau van juffrouw Chisholm en door de gangen van het gemeentehuis naar de hal en naar buiten.

Julia stond voor een van de grijze stenen leeuwen. Ze had haar tuinbroek en haar spijkerjasje weer aan, maar ditmaal droeg ze een sjaal om haar hoofd in plaats van een tulband. Ze hield haar handen om de riem van een leren schoudertas en staarde in het niets, terwijl ze van de ene voet op de andere wiegde. Maar toen ze de bomvrije deuren hoorde dichtzwaaien, keek ze om en glimlachte. Bij het zien van haar glimlach ging er weer zo'n rare scheut door Helens hart – een stuiptrekking of huivering, die bijna pijn deed.

Maar haar stem was kalm. 'Dag Julia. Wat een leuke verrassing.'

'Ja?' zei Julia. 'Nu ik weet waar je werkt, dacht ik...' Ze keek naar de lucht, die grijs en bewolkt was. 'Ik hoopte op een zonnige dag, net als vorige keer. Het is vrij kil, hè? Ik dacht... Maar als je het een waardeloos idee vindt, moet je het maar zeggen. Ik heb zo lang in mijn eentje tussen de ruïnes gewerkt dat ik al mijn sociale vaardigheden kwijt ben.

Maar ik dacht dat je het misschien leuk zou vinden om het huis te bekijken waar ik mijn tenten heb opgeslagen, in Bryanston Square – dan kun je zien wat ik heb uitgevoerd. Het heeft maanden leeggestaan, ik denk niet dat er iemand bezwaar tegen heeft.'

'Heel graag,' zei Helen.

'Echt?'

'Ja!'

'Goed,' zei Julia, weer met een glimlach. 'Ik geef je geen arm, daar ben ik te smerig voor, maar deze route is het leukst.'

Ze liepen over de Marylebone Road en sloegen algauw af naar stillere straten. 'Was dat de befaamde juffrouw Chisholm,' vroeg Julia onderweg, 'die mijn briefje aannam? Ik snap wat je bedoelt met die getuite lippen. Ze keek naar me alsof ze dacht dat ik het op de kantoorkluis had gemunt!'

'Zo kijkt ze ook naar mij,' zei Helen.

Julia lachte. 'Ze had dit eens moeten zien.' Ze deed haar tas open en haalde een enorme bos sleutels tevoorschijn, elk voorzien van een verfomfaaid etiket. Ze hield de sleutelbos omhoog en schudde ermee als een cipier. 'Wat denk je? Die heb ik van het blokhoofd gekregen. Ik heb de helft van de huizen hier in de buurt vanbinnen gezien. Marylebone heeft voor mij geen geheimen meer. Je zou denken dat de mensen er intussen wel aan gewend waren mij te zien rondsnuffelen, maar nee hoor. Iemand zag me een paar dagen geleden worstelen met een slot, en belde de politie. Ze zei dat een vrouw met een "typisch buitenlands uiterlijk" een huis probeerde binnen te dringen. Ik weet niet of ze me voor een nazi aanzag, of voor een dakloze vluchteling. De politie deed er helemaal niet moeilijk over. Vind jij dat ik er buitenlands uitzie?'

Ze had tussen de sleutels staan zoeken, maar keek bij deze vraag op. Helen keek haar even aan.

'Het komt door je donkere huidskleur, denk ik.'

'Ja, dat zal wel. Nu ik jou bij me heb, kan me in elk geval niets gebeuren. Jij hebt zo'n blozend Engels uiterlijk. Niemand kan in jou iets anders zien dan een bondgenoot. Zo, we zijn er. Dat huis daar moeten we hebben.'

Ze bracht Helen naar de deur van een somber, hoog, bouwvallig huis en stak een van de sleutels in het slot. Er kwam een regen van stof omlaag toen ze de deur openduwde, en Helen ging behoedzaam naar binnen. Meteen sloeg haar een bittere, vochtige geur tegemoet, een lucht van oude washandjes.

'Dat komt gewoon door de regen,' zei Julia, terwijl ze de deur sloot en aan de grendel morrelde. 'Het dak is geraakt, en de meeste ramen zijn gesprongen. Sorry dat het zo donker is. De stroom is uiteraard afgesloten. Ga maar door die deur, daar is het wat lichter.'

Helen liep door de hal en kwam bij de ingang van een zitkamer, die in een soort vlak schemerlicht was gehuld doordat er voor een deel van het raam een luik zat. Heel eventjes, voordat haar ogen gewend waren aan het donker, zag de kamer er bijna normaal uit; toen werd het beeld helderder, ze stapte naar voren en zei: 'O! Wat ontzettend zonde! Dat prachtige meubilair!' Want er lag een tapijt op de grond, en er was een mooi bankstel, en een voetenbankje, een tafel – alles onder het stof, en flink beschadigd door rondvliegend glas en gevallen pleisterkalk, of anders was het wel vochtig, het hout beschimmeld en bezig op te zwellen. 'En de kroonluchter!' riep ze zachtjes, terwijl ze omhoogkeek.

'Ja, kijk uit waar je loopt,' zei Julia, die naar haar toe kwam en haar arm even aanraakte. 'De helft van de kristallen is gevallen en verbrijzeld.'

'Ik had uit je verhaal opgemaakt dat het huis vrijwel leeg was. Waarom komen de eigenaars in vredesnaam niet terug om het te repareren, of om deze spullen weg te halen?'

'Ik denk dat ze het nut er niet van inzien,' zei Julia, 'omdat het toch al half vernield is. De vrouw is waarschijnlijk ingetrokken bij familie op het platteland. De echtgenoot kan aan het front zijn, of dood.'

'Maar die prachtige spullen!' zei Helen weer. Ze dacht aan de mannen en vrouwen die bij haar op kantoor kwamen. 'Hier zou toch iemand anders kunnen wonen? Ik zie zo veel mensen die absoluut niets hebben.'

Julia tikte met haar knokkels tegen de muur. 'Het huis is niet veilig. Als het nog een keer geraakt wordt, kan het instorten. Waarschijnlijk gebeurt dat ook. Daarom zitten mijn vader en ik hier. Wij inventariseren eigenlijk spoken, weet je.'

Helen liep langzaam door de kamer, terwijl ze ontzet van het ene beschadigde mooie ding naar het andere keek. Ze ging naar een paar hoge dubbele deuren en trok ze voorzichtig een eindje open. De kamer erachter zag er al net zo treurig uit: het raam aan scherven, de fluwelen gordijnen aangetast door regen, de vloer bevuild door vogels, overal roet en sintels die uit de haard waren geblazen. Ze deed een stap, en er knerpte iets onder haar schoen: een stuk uitgebrande steenkool. Het liet een zwarte veeg op het tapijt achter. Ze keek om naar Julia en zei: 'Ik durf niet verder te gaan. Ik heb het gevoel dat ik iets doe wat niet mag.'

'Daar wen je wel aan, maak je geen zorgen. Ik sjouw al weken de trappen op en af en ik denk er geen moment bij na.'

'Weet je heel zeker dat er niemand is? Zoals die oude dame over wie je me vorige week vertelde? Kan er niemand terugkomen?'

'Niemand,' zei Julia. 'Mijn vader komt straks misschien even kijken, dat is alles. Daarom heb ik de deur niet op slot gedaan.' Ze stak haar hand uit, maakte een wenkend gebaar. 'Kom mee naar beneden, dan kun je zien wat hij en ik gedaan hebben.'

Ze ging de hal weer in, en Helen volgde haar over een onverlichte trap naar een kamer in het souterrain, waar ze, op een schraagtafel in het licht van een kapot tralieraam, verschillende plattegronden en opstanden van de huizen aan het plein had neergelegd. Ze liet Helen zien hoe ze de schade noteerde – de symbolen die ze gebruikte, het meetsysteem, dat soort dingen.

'Het ziet er heel technisch uit,' zei Helen, onder de indruk.

Maar Julia antwoordde: 'Het is waarschijnlijk niet technischer dan de dingen die jij elke dag doet op dat kantoor van jou: de boekhouding bijhouden, formulieren invullen en noem maar op. Dat soort dingen kan ik helemaal niet. Ik zou het ook vreselijk vinden als ik te maken had met mensen die in en uit lopen en dingen van je willen; ik snap niet hoe je dat uithoudt. Dit bevalt me omdat het zulk eenzaam, rustig werk is.'

'Vind je het niet té eenzaam?'

'Soms wel. Maar ik ben eraan gewend. Een schrijverstemperament, je kent het wel...' Ze rekte zich uit. 'Zullen we gaan eten? Laten we naar hiernaast gaan. Het is er koud, maar niet zo vochtig als boven.'

Ze pakte haar schoudertas en bracht Helen door een gang naar de keuken. In het midden stond een oude grenen tafel, bedolven onder stukken pleisterkalk; ze begon de kalk weg te vegen.

'Ik heb trouwens echt boterhammen met konijnenvlees,' zei ze, terwijl de kalk omlaagtuimelde. 'Een van mijn buren heeft een tuinman die ze vangt. Blijkbaar zitten ze nu overal in Londen. Hij zei dat hij deze in Leicester Square had gevangen! Ik weet niet of ik hem moet geloven.'

Helen zei: 'Een vriendin van mij die brandwacht is, zegt dat ze 's avonds een keer een konijn heeft gezien op een perron in Victoria Station, dus misschien is het wel waar.'

'Een konijn op het station! Stond hij op een trein te wachten?'

'Ja. Blijkbaar keek hij op zijn zakhorloge en was hij vreselijk zenuwachtig over het een of ander.'

Julia lachte. Het was een ander soort lachen dan Helen eerder van haar had gehoord. Dit was echt, ongedwongen – als water dat opwelde uit een bron, en Helen voelde zich zo blij als een kind dat zij het teweeg had gebracht. Ze zei tegen zichzelf: Allemachtig! Je lijkt wel een tweedeklasser die staat te zwijmelen bij een ouderejaars! Ze moest iets doen om haar gevoelens te verbergen, en ze bekeek de stoffige weckpotten en puddingvormen op de keukenplanken terwijl Julia haar tas op tafel zette en erin rommelde.

Het was een oude victoriaanse keuken, met lange houten aanrechten en een stenen gootsteen waar stukjes uit waren. Ook voor dit raam zaten tralies, en tussen de tralies slingerde zich klimop. Het licht was groen en heel zacht. Helen zei, terwijl ze rondliep: 'Je ziet de kok en de keukenmeiden zo voor je.'

'Ja hè?'

'En de wijkagent, die halverwege zijn ronde even binnenwipt voor een kop thee.'

'Geen vrijers voor de dienstmeisjes,' zei Julia glimlachend. 'Kom zitten, Helen.'

Ze had een pakje boterhammen in vetvrij papier tevoorschijn gehaald, en een nachtwakersfles met thee. Ze had stoelen bijgetrokken, maar keek weifelend van de stoffige zittingen naar Helens vrij elegante mantel. Ze zei: 'Ik kan wel papier neerleggen als je wilt.'

'Dat hoeft niet,' zei Helen. 'Echt niet.'

'Weet je het zeker? Ik geloof je op je woord, hoor. Ik ga niet doen zoals Kay.'

'Zoals Kay?'

'Mijn cape uitspreiden en zo, als sir Walter Raleigh.'

Het was de eerste keer dat Kay ter sprake kwam, en Helen ging zitten zonder iets terug te zeggen. Want Kay zou inderdaad moeilijk hebben gedaan over het stof, dacht ze; en ze begreep instinctief hoe irritant Julia dat soort dingen vond. Het maakte haar meer dan ooit bewust van de merkwaardige situatie waarin ze zich bevond: dat zij een liefde, een reeks attenties had geaccepteerd die Julia zelf als eerste had kunnen accepteren, en had afgewezen...

Julia haalde de boterhammen uit het papier, trok de kurk van de dampende thee; ze had de fles in een trui gewikkeld, zei ze, om hem warm te houden. Ze schonk wat thee in twee sierlijke porseleinen kopjes uit een van de kasten, liet de thee ronddraaien om het porselein te verwarmen, gooide de kopjes leeg en schonk nieuwe thee in.

De thee was zoet, en heel romig. Julia's hele rantsoen moest erin zijn gegaan. Helen dronk met haar ogen dicht en voelde zich schuldig. Toen Julia haar een boterham aanbood, zei ze: 'Ik zou je hier geld of zo voor moeten geven, Julia.'

'Hou op,' zei Julia.

'Ik kan je een bon geven...'

'Godallemachtig! Wat heeft deze oorlog met ons gedaan? Je mag me een keer op een borrel trakteren, als je er zo vreselijk mee zit.'

Ze begonnen te eten. Het brood was grof, maar het vlees was lekker en heel mals; het had een sterke, uitgesproken smaak. Helen besefte na een moment dat het knoflook moest zijn. Ze had wel knoflook geproefd in restaurants, maar het nooit zelf gebruikt; Julia had het gekocht, zei ze onder het eten, bij een winkel in Frith Street, in Soho. Het was haar ook gelukt om macaroni te krijgen, olijfolie en gedroogde parmezaanse kaas. En ze had een familielid in Amerika die haar voedselpakketten stuurde. 'Je kunt in Chicago meer Italiaans eten krijgen,' zei ze, een hap doorslikkend, 'dan in Italië. Joyce stuurt me olijven, en rode-wijnazijn.'

'Jij boft maar!' zei Helen.

'Ik geloof het ook. Heb jij niemand in het buitenland die zoiets voor jou zou kunnen doen?'

'O, nee. Mijn hele familie woont nog in Worthing, waar ik vandaan kom.'

Julia keek verbaasd. 'Kom je uit Worthing? Dat wist ik niet. Maar je moet natuurlijk ergens vandaan komen, nu ik erover nadenk... Mijn familie heeft een huis in de buurt van Arundel; we gingen weleens zwemmen in Worthing. Eén keer heb ik te veel wulken of kokkels gegeten – of karamelappels of zoiets – en toen heb ik vreselijk staan overgeven op de pier. Hoe was het om daar op te groeien?'

'Best leuk,' zei Helen. 'Mijn familie... Nou ja, het zijn heel gewone mensen. Wist je dat? Niet... niet zoals Kays familie.' Niet zoals jouw familie, bedoelde ze eigenlijk. 'Mijn vader is opticien. Mijn broer maakt lenzen voor de RAF. Het huis van mijn ouders...' Ze keek om zich heen. 'Het lijkt niet op dit huis, in de verste verte niet.'

Misschien zag Julia haar onzekerheid. Ze zei zacht: 'Ach, maar dat doet er toch helemaal niet meer toe, vandaag de dag? Nu we ons allemaal kleden als vogelverschrikkers, en praten als Amerikanen – of anders als werksters. "Hier is je warme hap, moppie," zei een serveerster laatst tegen me; ik weet zeker dat ze op de duurste scholen had gezeten.'

Helen glimlachte. 'Mensen voelen zich er prettiger bij, denk ik. Het is een soort uniform.'

Julia trok een gezicht. 'Aan die passie voor uniformen heb ik ook een hekel. Uniformen, armbanden, insignes. Ik dacht dat we juist tegen het militarisme waren, zoals dat in Duitsland is ontstaan!' Ze nipte van haar thee, moest toen bijna geeuwen. 'Maar misschien neem ik het allemaal te serieus.' Ze keek Helen aan over de rand van haar kopje. 'Ik zou zo moeten zijn als jij. Goed aangepast en zo.'

Helen staarde haar aan, verbaasd dat Julia zich een mening over haar had gevormd, laat staan deze mening. Ze zei: 'Kom ik zo over? Zo voel ik me niet. Goed aangepast. Ik weet eigenlijk niet eens wat het precies betekent.'

'Nou,' zei Julia, 'je maakt altijd de indruk dat je vrij bedachtzaam bent, niet zo impulsief. Dat bedoel ik. Je zegt niet veel, maar wat je zegt is de moeite waard om naar te luisteren. Dat komt toch maar heel zelden voor?'

'Het zal wel een truc zijn,' zei Helen luchtig. 'Als je stil bent, hebben mensen het idee dat je vreselijk diepzinnig bent. Terwijl je in feite alleen maar zit te denken aan je beha die te strak zit of zoiets, of je afvraagt of je eigenlijk niet naar de wc moet.'

'Maar dat,' zei Julia, 'vind ik juist zo aangepast klinken! Denken over jezelf in plaats van over het effect dat je op anderen hebt. En het hele...' Ze aarzelde. 'Nou ja, het hele "L"-gedoe, al die ellende. Je weet wel wat ik bedoel... Dáár ga jij blijkbaar ontzettend goed mee om.'

Helen keek omlaag naar haar kopje en reageerde niet. Julia zei zachter: 'Wat impertinent van me. Neem me niet kwalijk, Helen.'

'Nee, het geeft niet,' zei Helen vlug, terwijl ze weer opkeek. 'Ik ben alleen niet zo gewend om erover te praten. En weet je, ik vraag me af of ik het eigenlijk ooit wel als gedoe heb beschouwd. Het ging gewoon zoals het ging. Toen ik jonger was, dacht ik er eerlijk gezegd helemaal niet over na. Of anders dacht ik waarschijnlijk de geijkte dingen: ongetrouwde leraressen, ernstige meisjes...'

'Had je niemand, in Worthing?'

'Nou ja, mannen.' Helen lachte. 'Dat klinkt een beetje alsof ik een callgirl was, hè? Ik had eigenlijk maar één vriendje. Ik ben naar Londen verhuisd om bij hem in de buurt te zijn, maar het werd niets. En toen leerde ik Kay kennen.'

'Ach ja,' zei Julia, weer een slokje thee nemend. 'En toen leerde je Kay kennen. En in zulke vreselijk romantische omstandigheden.'

Helen keek haar aan, probeerde haar toon en blik te doorgronden. Ze zei verlegen: 'Ik vond het inderdaad romantisch. Kay heeft wel glamour, hè? Dat vond ik tenminste. Ik had nog nooit zo iemand ontmoet. Ik woonde toen nog geen halfjaar in Londen. Ze maakte zo veel... zo veel werk van me. En ze leek zo zeker van haar zaak. Dat was op de een of andere manier vreselijk opwindend. Het was in elk geval moeilijk te weerstaan. Het deed nooit vreemd aan, zoals je misschien zou verwachten... Maar ja, in die tijd werden allerlei onmogelijke dingen gewoon.' Ze dacht met een lichte huivering terug aan de avond waarop zij en Kay elkaar hadden ontmoet. 'En vergeleken met andere onmogelijke dingen viel een relatie met Kay eigenlijk best mee.'

Ze sprak, besefte ze, bijna op verontschuldigende toon, want ze vond zichzelf nog steeds een beetje tactloos; ze was zich ervan bewust dat alle dingen die zij voor Julia beschreef als de aantrekkelijke kanten van Kay, dingen waren die Julia zelf blijkbaar gemakkelijk had kunnen weerstaan. Enerzijds wilde ze Kay verdedigen; maar anderzijds wilde ze Julia ook graag in vertrouwen nemen, bijna als getrouwde vrouwen onder elkaar. Ze had nog nooit zo met iemand gepraat. Ze had haar eigen vriendinnen laten schieten toen ze bij Kay introk, of ze hield Kay geheim voor hen. En Kays vriendinnen waren allemaal zoals Mickey – allemaal zoals Kay, kortom. Ze wilde vragen hoe Julia het had gevonden met Kay. Ze wilde weten of Julia ook had gevoeld wat zij soms voelde, een beetje schuldbewust: dat het constante verliefde gedoe van Kay, dat ooit zo aantrekkelijk, zo opwindend was geweest, ook weleens een last kon zijn; dat Kay je op een absurde manier op een voetstuk plaatste; dat Kays passie zo groot was dat het onwerkelijk werd, je kon het nooit evenaren...

Maar ze vroeg helemaal niets. Ze staarde weer naar haar kopje en zweeg. Julia zei: 'En als de oorlog voorbij is? Als alles weer normaal wordt?' En toen zocht ze haar toevlucht in een bruusk antwoord. Ze schudde haar hoofd.

'Het heeft toch geen zin om daarover na te denken?' Zo reageerde iedereen, op alle mogelijke vragen. 'Morgen kunnen we wel aan flarden worden gereten. Tot die tijd... nou ja, ik zou er nooit mee te koop willen lopen. Ik zou er bijvoorbeeld niet over piekeren om het aan mijn moeder te vertellen! Maar waarom zou ik? Het is iets tussen Kay en mij. En we zijn twee volwassen vrouwen. Wie heeft er nou last van?'

Julia sloeg haar even gade en schonk toen nog wat thee in. Ze zei, bijna met een vleugje sarcasme: 'Je bent écht goed aangepast.'

Toen kreeg Helen weer een vervelend gevoel. Ze dacht: Ik heb te veel gezegd, het verveelt haar. Ze vond me eerst leuker, toen ik stil was en ze dacht dat ik diepzinnig was...

Ze bleven zwijgend zitten, totdat Julia rilde en over haar armen wreef: 'God!' zei ze. 'Dit is niet erg leuk voor jou, hè? Ik onderwerp je aan een derdegraadsverhoor, in de kelder van een vernield huis! Alsof je met de Gestapo gaat lunchen!'

Helen lachte, en het vervelende gevoel werd minder. 'Nee. Ik heb het naar mijn zin.'

'Echt waar? Ik kan... Nou ja, ik kan je het hele huis laten zien, als je wilt.'

'Ja, graag.'

Ze maakten de boterhammen en de thee op, en Julia borg de fles en het papier weg en spoelde de kopjes om. Ze gingen weer naar boven, kwamen langs de deuren naar de zitkamer en de kamer erachter, en beklommen de slecht verlichte trap naar de bovenverdieping.

Ze liepen zachtjes rond; soms mompelden ze iets tegen elkaar over een bepaald detail of een beschadiging, maar het gros van de tijd zwegen ze. De kamers boven zagen er nog troostelozer uit dan die beneden. In de slaapkamers stonden nog de bedden en kleerkasten, en de kleerkasten waren vochtig als gevolg van de kapotte ramen, de ouderwetse kleren aangevreten door motten of beschimmeld. Er waren stukken plafond naar beneden gekomen. Her en der lagen gehavende boeken en siervoorwerpen. En in de badkamer hing een bizarre, blinde spiegel aan de muur: het glas was gebroken en in honderd zilveren scherven in de wasbak eronder gevallen.

Toen ze naar de zolderverdieping klommen, hoorden ze een ritselend, flapperend geluid. Julia draaide zich om. 'Duiven, of muizen,' zei ze zacht. 'Je vindt het toch niet erg?'

'Geen ratten?' vroeg Helen angstig.

'O, nee. Tenminste, dat denk ik niet.'

Ze liep verder en opende een deur. Het geritsel veranderde in het geluid van handgeklap. Turend over Julia's schouder zag Helen een vogel opvliegen en, als bij toverslag, verdwijnen. In het schuine dak zat een gat, waar een brandbom doorheen was gegaan. De bom was neergekomen op een veren matras en had een krater geslagen: het matras zag eruit als een zwerend been. Je kon de bittere lucht van verbrande, vochtige veren nog ruiken.

Het was de kamer van een huishoudster of dienstmeisje. Op het nachtkastje stond een ingelijste foto van een klein meisje. En op de vloer lag één smalle leren handschoen, flink aangeknaagd door muizen.

Helen raapte de handschoen op en streek hem zo goed mogelijk glad. Ze legde hem netjes naast de foto neer. Even bleef ze door het gat in het dak omhoogkijken naar de betrokken, loodgrijze lucht. Toen ging ze met Julia naar het raam, dat uitkeek op de tuin achter het huis.

De tuin was vernield, net als het huis: de tegels waren gebroken, de planten verwilderd, de zuil van een zonnewijzer was van zijn voetstuk gerukt en lag in stukken op de grond.

'Is het niet triest?' zei Julia zacht. 'Moet je de vijgenboom zien.'

'Ja. Al die vruchten!' Want aan de boom bungelden gebroken takken, en de grond eronder lag bezaaid met rottende vijgen die blijkbaar de zomer tevoren waren afgevallen en door niemand waren opgeraapt.

Helen haalde haar sigaretten tevoorschijn, en Julia kwam dichterbij staan om er een te nemen. Hun schouders raakten elkaar net terwijl ze samen stonden te roken, en de mouw van Julia's jasje bleef telkens even aan Helens mantel haken als ze haar sigaret ophief en weer liet zakken. Haar knokkels vertoonden nog sporen, zag Helen, van de schaafwonden van vorige week; en ze bedacht dat ze die toen lichtjes had aangeraakt met haar vingertoppen. Julia en zij hadden gewoon bij elkaar gestaan – heel gewoon, net als nu. Er was sindsdien niets veranderd. Maar ze kon zich nu niet meer voorstellen dat ze Julia zo achteloos zou aanraken.

Het was een opwindende, maar ook beangstigende gedachte. Ze praatten wat, over de huizen die van achteren aan Bryanston Square grensden; Julia wees aan welke ze had bezocht en beschreef de dingen die ze er had gezien. Maar haar mouw bleef aan Helens mantel haken, en dat schuiven en schuren van de stof hield Helens aandacht meer gevangen dan Julia's woorden; op het laatst kreeg ze kippenvel op haar arm – alsof de huid op de een of andere manier door Julia, of door Julia's nabijheid, omhoog werd getrokken...

Ze huiverde en liep weg. Ze had haar sigaret bijna op, en gebruikte dat als excuus. Ze keek rond en zocht naar iets waarin ze hem kon uitmaken.

Julia zag het. 'Gewoon laten vallen en uittrappen,' zei ze.

'Dat doe ik liever niet,' zei Helen.

'Je kunt het niet veel erger maken dan het al is.'

'Dat weet ik, maar...'

Ze liep met de sigaret naar de open haard, om hem daar uit te drukken; en even later deed ze hetzelfde met Julia's sigaret. Maar ze wilde de twee peuken niet in de lege haard achterlaten: ze zwaaide ze heen en weer tot ze afgekoeld waren en deed ze terug in het pakje, bij de verse sigaretten.

'Stel dat die mensen terugkomen?' zei ze, toen Julia haar ongelovig aanstaarde. 'Ze vinden het vast geen prettig idee dat er vreemden zijn geweest die naar hun spullen hebben gekeken.'

'Denk je niet dat ze het regenwater, de kapotte ramen en de bom in het bed een tikkeltje erger zullen vinden?'

'Regen en bommen en ramen zijn onpersoonlijke dingen,' zei Helen. 'Dat is anders dan mensen... Je vindt me maar raar.'

Julia stond haar hoofdschuddend aan te kijken. 'Integendeel,' zei ze zacht. Ze glimlachte, maar haar stem klonk bijna droevig. 'Ik bedacht alleen... nou ja, hoe vreselijk aardig je bent.'

Ze keken elkaar even aan, totdat Helen haar ogen neersloeg. Ze borg het pakje sigaretten op en liep terug naar de verkoolde matras. De kamer leek ineens nog kleiner: ze was zich zeer bewust van hun aanwezigheid hier, boven in dit koude, stille huis – Julia en zij, zo warm en ongeschonden en vol leven, vergeleken met al die schade. Ze voelde het kippenvel op haar armen weer opkomen. Ze voelde het kloppen van haar eigen hart, in haar keel, haar borst, haar vingertoppen...

'Ik moet,' zei ze, zonder zich om te draaien, 'weer naar mijn werk.'

Julia lachte. 'Nu ben je aardiger dan ooit,' zei ze. Maar haar stem klonk toch nog droevig. 'Kom, laten we naar beneden gaan.'

Ze gingen de overloop op en een trap af. Ze liepen nog steeds zo zachtjes dat ze het hoorden en stil bleven staan toen er beneden in huis een deur dichtging. Helens hart stokte in plaats van te bonzen. 'Wat is dat?' fluisterde ze, nerveus de trapleuning vastgrijpend.

Julia had een frons op haar voorhoofd. 'Geen idee.'

Maar toen riep een man luchtig naar boven: 'Julia? Ben je daar?' en haar gezicht klaarde op.

'Het is mijn vader,' zei ze. Ze boog zich over de leuning en riep vrolijk door het trapgat: 'Ik ben hier, pappa! Helemaal boven! Kom kennis met hem maken,' zei ze, en ze draaide zich om, pakte Helens hand en gaf een kneepje in haar vingers.

Ze liep vlug de trap af. Helen volgde langzamer. Tegen de tijd dat ze in de hal kwam, stond Julia lachend stof van haar vaders schouders en uit zijn haar te vegen. 'Je bent smerig, lieverd!'

'Ja?'

'Ja! Kijk eens, Helen, hoe mijn vader eruitziet. Hij heeft in kolenkelders lopen wroeten... Pappa, dit is mijn vriendin Helen Giniver. Geef haar geen hand! Ze denkt toch al dat we een familie van modderkruipers zijn.'

Meneer Standing lachte. Hij droeg een vuil blauw ketelpak met groezelige medailles op de borst. Hij had zijn verkreukte pet afgezet en streek nu zijn haar glad, dat Julia in de war had gemaakt. Hij zei: 'Hoe maakt u het, juffrouw Giniver? Ik vrees dat Julia gelijk heeft wat mijn hand betreft. Heeft u een kijkje genomen?'

'Ja.'

'Rare baan, hè? Een en al stof. Niet zoals de vorige oorlog: dat was een en al modder. Je vraagt je af wat het de volgende keer zal zijn. As, vermoed ik... Natuurlijk zou ik eigenlijk het liefst nieuwe huizen willen neerzetten, in plaats van rond te scharrelen in deze bouwvallen. Maar goed, zo heb ik wat te doen. En het houdt Julia van de straat.' Hij knipoogde. Hij had donkere ogen, net als Julia, en vrij zware oogleden. Zijn haar was grijs, maar donker van het vuil; ook zijn voorhoofd en slapen waren vuil – of misschien zaten er sproeten op, dat was moeilijk te zien. Al pratend liet hij zijn blik op een geoefende, terloopse manier over Helens figuur dwalen. 'Hoe dan ook, ik ben blij te zien dat u er belang in stelt. Zin om te blijven en mee te helpen?'

Julia zei: 'Doe niet zo mal, pappa. Helen heeft al een vreselijk belangrijke baan. Ze werkt voor de Bijstandsraad.'

'De Bijstandsraad? Werkelijk?' Hij keek Helen nu echt aan. 'Bij lord Stanley?'

Helen zei: 'Ik werk maar op een bijkantoor.'

'Ach. Jammer. Stanley en ik zijn goed bevriend.'

Hij bleef nog een poosje met hen staan praten. 'Goed,' zei hij toen. 'Ik ga naar het souterrain om even naar die plattegronden te kijken. Als u me wilt excuseren, juffrouw...?'

Hij liep om hen heen en begon de trap af te dalen. Toen hij uit de donkerste schaduwen kwam, zag Helen dat wat zij voor vuil of sproeten had aangezien op zijn gezicht, in werkelijkheid littekens waren van oude blaren, veroorzaakt door vuur of gas.

'Is hij geen schat?' zei Julia, toen hij weg was. 'Echt, het is een vreselijke schurk.' Ze opende de voordeur en bleef met Helen op de stoep staan. Ze rilde weer. 'Zo te zien krijgen we regen. Je zult je moeten haasten! Weet je de weg? Ik zou wel met je mee willen lopen, maar... O, wacht even.'

Ze had plotseling haar hand op Helens schouder gelegd om te verhinderen dat ze het trottoir op zou lopen, en Helen draaide zich verschrikt weer om – bijna bang dat Julia haar wilde kussen, of omhelzen, zoiets. Maar ze veegde alleen wat stof van Helens arm.

'Zo,' zei ze glimlachend. 'Draai je nu om en laat me je rug bekijken. Ja, hier zit nog wat. Nu de andere kant op. Wat ben je gezeglijk! Maar we mogen juffrouw Chisholm geen reden tot klagen geven.' Ze trok een wenkbrauw op. 'Kay trouwens ook niet... Zo. Prachtig.'

Ze namen afscheid. 'Kom me nog een keer opzoeken in de lunchpauze!' riep Julia haar na. 'Ik zit hier nog veertien dagen. We kunnen naar een pub gaan. Dan kun je me op die borrel trakteren!'

Helen beloofde het.

Ze liep de straat in. Toen de deur eenmaal dicht was, keek ze op haar polshorloge en begon te rennen. Om één minuut over twee was ze terug op kantoor. 'Uw eerste cliënt zit al te wachten, juffrouw Giniver,' zei juffrouw Chisholm, met een blik op de klok; dus ze had niet eens tijd om naar de wc te gaan of haar haar te kammen.

Ze werkte anderhalf uur gestaag door. Het werk was de laatste tijd vermoeiend. De mensen die ze de afgelopen weken had gesproken, leken op de mensen die ze over de vloer had gekregen tijdens de grote Blitz, drie jaar geleden. Sommigen kwamen regelrecht uit hun vernielde woning, met vuile handen, snijwonden en verbonden lichaamsdelen. Een vrouw vertelde dat ze al voor de derde keer dakloos was geworden door de bombardementen; ze zat aan de andere kant van Helens bureau te huilen.

'Het gaat me nog niet eens om het huis dat weg is,' zei ze. 'Maar dat verhuizen elke keer! Het lijkt wel of ik de bommen aantrek. Ik doe geen oog meer dicht sinds het gebeurd is. Mijn kleine jongen heeft een zwakke gezondheid. Mijn man zit in Birma; ik sta er helemaal alleen voor.'

'Het valt niet mee,' zei Helen. Ze gaf de vrouw een formulier en legde geduldig uit hoe ze het moest invullen. De vrouw keek er niet-begrijpend naar.

'Dit allemaal?'

'Ik vrees van wel.'

'Maar als ik gewoon een paar pond zou kunnen krijgen...'

'Ik kan u helaas geen geld geven. Het is een vrij langdurig proces, ziet u. We moeten een taxateur sturen om de schade op te nemen voor we een voorschot kunnen betalen. Iemand van onze eigen afdeling moet uw oude huis bekijken en een rapport opstellen. Ik probeer het zo snel mogelijk te regelen, maar met al die nieuwe luchtaanvallen...'

De vrouw staarde nog steeds naar de vellen papier in haar hand. 'Het lijkt wel of ik de bommen aantrek,' zei ze weer, met haar hand over haar ogen vegend. 'Of ik ze aantrek.'

Helen sloeg haar even gade; toen pakte ze het formulier terug. Ze vulde de gegevens van de vrouw zelf in, maar liet alles een maand eerder plaatsvinden; en in het vakje waar de datum en het serienummer van het taxatierapport moesten worden genoteerd, schreef ze met inkt een paar aannemelijke maar half onleesbare cijfers. Ze legde het formulier in het bakje *Goedgekeurd,* klaar om te worden doorgestuurd naar juffrouw Steadman op de eerste etage; en ze deed er een briefje bij met de mededeling dat het dringend was.

Maar ze deed zoiets niet voor de volgende cliënt, of voor de mensen na hem. Het had haar getroffen dat de vrouw zichzelf beschreef als iemand die de bommen aantrok, dat was alles. Tijdens de eerste Blitz had ze geprobeerd iedereen te helpen; ze had mensen soms uit eigen zak betaald. Maar de oorlog stompte je af. In het begin, dacht ze triest, voelde je je een soort heldin. Later ging het alleen maar om jezelf.

Want in haar achterhoofd moest ze de hele middag aan Julia denken. Ze dacht zelfs aan Julia toen ze de huilende vrouw probeerde te troosten, zelfs toen ze zei: 'Het valt niet mee.' Ze herinnerde zich Julia's arm toen die langs de hare streek; de nabijheid van Julia, in dat kleine zolderkamertje.

Toen, om kwart voor vier, ging haar telefoon.

'Juffrouw Giniver?' zei het meisje van de receptie. 'Een gesprek van buiten. Een zekere juffrouw Hepburn. Zal ik haar doorverbinden?'

Juffrouw Hepburn? dacht Helen afwezig. Toen begreep ze het, en de angst en het schuldgevoel deden haar maag samentrekken. 'Eén momentje,' zei ze. 'Vraag of ze aan de lijn blijft, wil je?' Ze legde de hoorn neer, liep naar de deur en riep: 'Juffrouw Chisholm? Even geen cliënten meer, alstublieft! Ik heb het kantoor van Camden Town aan de lijn.' Ze ging weer achter haar bureau zitten en dwong zichzelf kalm te blijven. 'Dag, juffrouw Hepburn,' zei ze zacht, toen ze was doorverbonden.

'Dag.' Het was Kay. Ze hadden een soort spelletje, met dat soort namen. 'Dit is geen serieus telefoontje, vrees ik.' Haar stem was diep, en nogal loom. Ze rookte een sigaret: ze bewoog de hoorn, om rook uit te blazen... 'Hoe is het op kantoor?'

'Vrij druk, eigenlijk,' zei Helen, met een blik op de deur. 'Ik kan niet lang praten.'

'Nee? Had ik beter niet kunnen bellen?'

'Eigenlijk niet.'

'Ik zat me thuis te vervelen. Ik... Wacht even.'

Er klonk een pufje, en toen leek het of de lijn dood was: Kay had haar hand over de hoorn gelegd en begon te hoesten. Het ging maar door. Helen stelde zich haar voor zoals ze haar dikwijls had gezien – dubbelgevouwen, met tranende ogen, haar gezicht vuurrood, haar longen gevuld met rook en steenstof. Ze zei: 'Kay? Alles goed?'

'Ik ben er nog,' zei Kay, die weer aan de lijn kwam. 'Het valt wel mee.'

'Je zou niet moeten roken.'

'Roken helpt. Jouw stem horen helpt ook.'

Helen zei niets. Ze dacht aan het meisje bij het schakelbord. Een vriendin van Mickey was haar baan kwijtgeraakt toen een meisje een privé-gesprek tussen haar en haar geliefde had afgeluisterd.

'Ik wou dat je thuis was,' vervolgde Kay. 'Kunnen ze het niet af zonder jou?'

'Nee, dat weet je best.'

'Je moet ophangen, hè?'

'Eigenlijk wel.'

Kay glimlachte: Helen hoorde het aan haar stem. 'Goed dan. Verder niets te melden? Heeft niemand geprobeerd het kantoor te bestormen? Lonkt meneer Holmes nog steeds naar je?'

'Nee,' zei Helen, ook met een glimlach. Toen trok haar maag weer samen, en ze haalde diep adem. 'Eigenlijk...'

'Wacht even,' zei Kay. Ze verplaatste de hoorn en begon weer te hoesten. Helen hoorde hoe ze haar mond afveegde. 'Ik moet het hierbij laten,' zei ze, toen ze weer aan de lijn kwam.

'Ja,' zei Helen mat.

'Ik zie je straks. Kom je meteen naar huis? Kom gauw, hè?'

'Ja, natuurlijk.'

'Goed zo... Tot ziens, juffrouw Giniver.'

'Tot ziens, Kay.'

Helen legde de hoorn neer en bleef roerloos zitten. Ze had een duidelijk beeld van Kay: hoe ze opstond, haar sigaret oprookte, rusteloos door het huis doolde, misschien weer hoestte. Of ze stond voor het raam, met haar handen in haar zakken. Misschien floot of neuriede ze, ouderwetse variétéliedjes, 'Daisy, Daisy', dat soort dingen. Of ze legde papier neer op de zitkamertafel, om haar schoenen te poetsen. Of ze haalde dat grappige zeemansnaaidoosje tevoorschijn dat ze had, en ging haar sokken stoppen. Ze wist niet dat Helen een paar uur geleden voor een raam had gestaan en de huid van haar arm omhoog had voelen komen zoals bloemblaadjes zich naar de zon keren, omdat Julia naast haar stond. Ze wist niet dat Helen zich, op een klein zolderkamertje, van Julia had moeten afwenden omdat het bonzen van haar eigen hart haar bang had gemaakt...

Helen griste de hoorn weer van de haak en gaf het meisje een nummer. De telefoon ging twee keer over. 'Dag,' zei Kay, verrast door Helens stem. 'Wat was je vergeten?'

'Niets,' zei Helen. 'Ik... ik wilde alleen je stem nog even horen. Wat was je aan het doen?'

'Ik was in de badkamer,' zei Kay. 'Ik was net begonnen mijn haar te knippen. Ik heb nu overal haar laten vallen. Je wordt vast boos.'

'Nee, ik word niet boos. Kay, ik wilde gewoon tegen je zeggen... Je weet wel, dinges.'

Ze bedoelde: Ik hou van je. Kay zweeg een moment en zei toen: 'Dinges.' Haar stem was heser geworden. 'Dat wilde ik ook tegen jou zeggen...'

Wat een absolute idioot ben ik geweest! dacht Helen, toen ze de telefoon weer had neergelegd. Haar hart voelde alsof het gezwollen was, omhoogkwam in haar keel, als rijzend deeg. Ze trilde bijna. Ze haalde haar handtas tevoorschijn en zocht haar sigaretten. Ze vond het pakje en deed het open.

In het pakje zaten die twee peuken. Ze had ze erin gestopt en was ze daarna vergeten. Er zat lippenstift op, van haarzelf en van Julia.

Ze legde ze in de asbak op haar bureau. Toen merkte ze dat haar blik telkens naar de asbak werd getrokken. Uiteindelijk bracht ze het ding weg en leegde het in een van de draadmanden op de kamer van juffrouw Chisholm.

Om half zeven was Viv in de garderobe van Portman Court. Ze stond in een wc-hokje over te geven. Ze gaf drie keer over, kwam toen overeind en sloot haar ogen, en voelde zich een minuut lang heerlijk rustig en ontspannen. Maar toen ze haar ogen opendeed en de klonterige bruine troep zag die ze had uitgebraakt – een mengsel van thee en half verteerde garibaldi-biscuits – begon ze weer te kokhalzen. De deur van de garderobe ging open toen zij net naar buiten kwam om haar mond te spoelen. Het was een meisje van haar eigen afdeling, Caroline Graham.

'Hé,' zei het meisje, 'gaat het goed met je? Ik moest je zoeken van Gibson. Wat heb je? Je ziet er belabberd uit.'

Viv veegde haar gezicht voorzichtig af met een rand van de rolhanddoek. 'Ik voel me best.'

'Dat zou je anders niet zeggen. Wil je dat ik met je meega naar de zuster?'

'Er is niets aan de hand,' zei Viv. 'Gewoon... gewoon een kater.'

Carolines manier van doen veranderde toen ze dat hoorde. Ze leunde ontspannen met haar heup tegen een wastafel, en haalde een stuk kauwgom tevoorschijn. 'O,' zei ze, terwijl ze het in haar mond stak, 'dáár weet ik alles van. Jemig, het moet wel erg zijn als je nu nog steeds overgeeft! Ik hoop dat die jongen het waard was. Het is minder beroerd, vind ik altijd, als je het echt naar je zin hebt gehad. Het ergste is als je met een sukkel uit bent, en eigenlijk alleen drinkt in de hoop dat hij dan leuker zal lijken. Je moet een rauw ei eten of zoiets.'

Viv voelde haar maag weer in opstand komen. Ze wendde haar ogen af van de rondtuimelende grijze kauwgom in Carolines mond. 'Ik denk niet dat ik het naar binnen zou krijgen.' Ze keek even in de spiegel. 'God, wat zie ik eruit! Heb jij misschien poeder bij je?'

'Hier,' zei Caroline. Ze haalde een poederdoos tevoorschijn en gaf die aan Viv; en toen Viv klaar was, nam ze hem terug en gebruikte hem zelf ook. Daarna ging ze voor de spiegel staan om haar krullen in model te brengen; de kauwgom lag even stil, het roze puntje van haar tong was zichtbaar tussen haar geverfde lippen, haar gezicht was glad en mollig en straalde van gezondheid, jeugd en zorgeloosheid, zodat Viv, die haar gadesloeg, mismoedig dacht: Wat is het leven toch verdomd oneerlijk! Ik wou dat ik jou was.

Caroline zag haar kijken. 'Je ziet er echt belabberd uit,' zei ze, terwijl ze weer begon te kauwen. 'Waarom blijf je niet wat langer weg? Mij kan het niet schelen. We hoeven trouwens nog maar een halfuur. Ik kan tegen Gibson zeggen dat ik je niet kon vinden. Jij kunt zeggen dat je door meneer Brightman in je kraag werd gegrepen, zoiets. Hij stuurt er altijd meisjes op uit om pepermuntjes te halen.'

'Bedankt,' zei Viv, 'maar het komt wel goed.'

'Weet je het zeker?'

'Ja.'

Ze had haar hoofd gebogen om de tailleband van haar rok recht te trekken, en doordat ze te vlug opkeek, werd ze weer misselijk. Ze stak haar hand uit naar een wastafel en sloot haar ogen – slikte, slikte, voelde het braaksel opkomen in haar maag en deed haar uiterste best om het tegen te houden... Plotseling golfde het omhoog. Ze schoot de wc weer in en kokhalsde boven de pot. In de nauwe ruimte klonken de geluiden die ze maakte afschuwelijk. Ze trok door om ze te overstemmen. Toen ze terugliep naar de wastafels, keek Caroline haar ongerust aan.

'Ga nou met me mee naar de zuster, Viv.'

'Ik kan niet met een kater bij de zuster aankomen.'

'Je moet iets doen. Je ziet er vreselijk uit.'

'Het gaat zo wel over,' zei Viv.

Toen dacht ze aan de lange tocht die ze zou moeten maken naar de typekamer: de harde trappen, de eindeloze gangen. Ze stelde zich voor dat ze overgaf op zo'n geboende marmeren vloer. Ze stelde zich de typekamer zelf voor: de tafels en stoelen vlak bij elkaar, de verduisteringsgordijnen voor de ramen, zodat het vreselijk bedompt werd en je de stank van inkt, haar en make-up erger rook dan ooit.

'Ik wou dat ik gewoon naar huis kon,' zei ze mistroostig.

'Nou, waarom doe je dat dan niet? Het is nu nog maar twintig minuten.'

'Zal ik het doen? Maar Gibson dan?'

'Ik zeg wel dat je niet lekker bent. Dat is toch ook zo? Maar hoor eens, kom je wel goed thuis? Stel dat je onderweg flauwvalt of zoiets?'

'Ik denk niet dat ik flauwval,' zei Viv. Hoewel, vielen vrouwen niet flauw als ze...? God! Ze draaide zich om. Ze was opeens bang dat als Caroline haar aankeek, ze zou zien wat er echt aan de hand was. Ze keek op haar horloge en zei, gemaakt kalm en opgewekt: 'Wil je iets voor me doen? Ik denk dat ik op Betty Lawrence wacht en samen met haar naar huis loop. Wil jij dat tegen haar zeggen, nadat je met Gibson hebt gesproken? Wil je zeggen dat ik hier op haar wacht?'

'Natuurlijk,' zei Caroline, die overeind kwam en aanstalten maakte om te vertrekken. 'En vergeet dat rauwe ei niet. Ik weet dat het een vreselijke verspilling van bonkaarten lijkt, maar ik had ooit een enorme kater, van een paar smerige cocktails die een jongen voor me had gemixt op een feestje, en dat ei deed wonderen, echt. Ik geloof dat Minty Brewster een paar eieren heeft opgeduikeld; vraag het haar maar.'

'Dat zal ik doen,' zei Viv, die probeerde te glimlachen. 'Bedankt, Caroline. O, en als Gibson vraagt wat ik mankeer, zeg dan niet dat ik moest overgeven, wil je? Anders weet ze wel hoe laat het is... dat ik een kater heb, bedoel ik.'

Caroline lachte. Ze blies de kauwgom op tot een grijs ballonnetje en liet het klappen. 'Maak je geen zorgen. Ik zal ontzettend vrouwelijk en geheimzinnig doen, dan denkt ze dat je ongesteld bent. Is dat goed?'

Viv knikte en lachte ook.

Zodra Caroline de deur uit was, verstomde haar lach. Ze voelde haar gezicht inzakken en zwaar worden. Er liepen hete buizen door de garderobe, en de lucht was droog; het leek wel een ruimte in een onderzeeër, zo drukkend was de atmosfeer. Viv had het liefst het raam open willen doen om haar gezicht naar buiten te steken. Maar de lichten brandden en het gordijn was al gesloten: het enige wat ze kon doen was naar de zijkant van het raam lopen en het stoffige, kriebelige gordijn als een soort capuchon om haar hoofd trekken, om nog iets op te snuiven van de kille avondlucht die door kieren in het raamkozijn naar binnen sijpelde.

Het raam kwam uit op een binnenplaats. Ze hoorde het ratelen van schrijfmachines en het rinkelen van telefoons op de bovenverdiepingen. Als ze goed luisterde, kon ze daarnaast met enige moeite ook de normale geluiden van Wigmore Street en Portman Square onderscheiden: auto's en taxi's, en mannen en vrouwen die gingen winkelen, uitgingen, van hun werk naar huis gingen. Het waren het soort geluiden, dacht Viv, die je al duizenden keren had gehoord, en waar je nooit op lette – net zoals je, wanneer je je goed voelde, daar nooit bij stilstond; je kon maar ongeveer een minuut echt voelen hoe het was om gezond te zijn, vlak nadat je je eerst doodziek had gevoeld. Maar als je ziek was, werd je een vreemdeling, een buitenlander in je eigen land. Alles wat simpel en gewoon was voor iedereen werd voor jou een soort vijand. Je eigen lichaam werd een soort vijand, die complotten tegen je beraamde en valstrikken zette...

Dat stond ze allemaal te bedenken bij het raam, totdat even voor zevenen het geratel van schrijfmachines gaandeweg ophield en overal in het gebouw werd vervangen door het schrapen van houten stoelen over kale vloeren. Even daarna verschenen de eerste vrouwen: ze snelden de garderobe in om naar de wc te gaan en hun mantel te pakken. Viv liep naar haar kast en trok ook haar mantel aan, zette haar hoed op en pakte haar handschoenen, heel langzaam allemaal. Ze bewoog zich als een soort spookverschijning tussen de vrouwen, terwijl ze hunkerend van afgunst naar de saaisten en lelijksten onder hen staarde, naar de dikkerds en de brildraagsters; ze voelde zich hopeloos alleen en van hen gescheiden. Ze luisterde naar hun heldere, zelfverzekerde stemmen en dacht: Dat gebeurt er met mensen zoals ik. Ik ben uiteindelijk net als Duncan. We proberen iets van ons leven te maken en we krijgen de kans niet, we worden onderuitgehaald...

Betty verscheen. Ze kwam binnen met een frons op haar voorhoofd en keek om zich heen. Toen ze Viv zag, liep ze meteen naar haar toe.

Ze vroeg: 'Wat is er? Caroline Graham zei dat je de trap niet meer op kon. Ze legde het er vreselijk dik bovenop voor Gibson – je was ergens door overvallen, zei ze. Nu doet het verhaal de ronde dat je diarree hebt.' Ze bekeek Viv eens goed. 'Hé, je ziet er niet best uit.'

Viv probeerde zich aan haar blik te onttrekken, zoals ze dat eerder ook bij Caroline had geprobeerd. Ze zei: 'Ik was gewoon een beetje misselijk.'

'Arme meid. Je moet opgevrolijkt worden. Ik weet precies wat je nodig hebt. Jean, van Verzending, heeft lopen rondbazuinen dat er een feest is op het ministerie van Informatie. Een van de jongens daar heeft vandaag zijn echtscheidingspapieren gekregen, en ze zeggen dat ze meisjes nodig hebben. Zo te horen zijn ze weken aan het hamsteren geweest, dus het wordt vast een knalfuif. We hebben nog net tijd om ons te verkleden, kom mee.'

Viv keek haar ontzet aan. 'Dat meen je niet,' zei ze. 'Ik kan niet naar een feest. Ik zie er vreselijk uit!'

'O, doe gewoon een beetje Max Factor op,' zei Betty terwijl ze zich in haar mantel hees, 'dan merken die jongens er niks van.'

Ze gaf Viv een arm en loodste haar de garderobe uit, en ze begonnen aan hun tocht naar de hal. Viv vond het trappenlopen afschuwelijk, net of je op zee zat; maar ze putte troost uit Betty's arm door de hare, uit het gevoel dat ze werd geholpen en geleid. Ze kwamen bij de balie en meldden zich af. Op straat was het nog niet zo donker dat ze hun zaklampen moesten aanknippen. Maar het was een koude avond. Betty stond even stil om een paar handschoenen te pakken.

Ze kreeg een ander meisje in het oog, stak een handschoen omhoog en zwaaide ermee.

'Jean! Jean, kom eens! Vertel Viv eens over die fuif van vanavond, wil je? Ze moet worden overgehaald.'

Het meisje dat Jean heette kwam bij hen lopen. 'Het wordt vast geweldig, Viv,' zei ze. 'Ik moest alle vriendinnen meenemen die ik te pakken kon krijgen.'

Viv schudde haar hoofd. 'Het spijt me, Jean. Vanavond niet.'
'O, maar Viv!'
'Luister niet naar haar, Jean,' zei Betty. 'Ze is zichzelf niet.'
'Nee, zeg dat wel! Viv, ze zijn echt weken aan het hamsteren geweest...'
'Dat heb ik haar ook al verteld.'
'Het gaat niet,' zei Viv weer. 'Eerlijk, ik voel me er niet toe in staat.'
'Er wordt toch niks van je verwacht? Het enige wat die jongens willen is een paar mooie meiden in strakke truitjes.'
'Nee, echt niet.'
'Het gebeurt tenslotte niet elke dag dat een vent zijn scheiding erdoor krijgt.'
'Nee, heus,' zei Viv, met overslaande stem. 'Het gaat niet. Het gaat niet! Ik...'
Ze stond stil, hield haar hand voor haar ogen en begon te huilen, midden in Wigmore Street.
Het bleef even stil. Toen zei Betty: 'O, o. Sorry, Jean. Zo te zien zullen ze het toch zonder ons moeten stellen op het feest.'
'Nou, dat is pech voor die gasten. Ze zullen vreselijk teleurgesteld zijn.'
'Je moet maar zo denken: nu is er des te meer voor jou.'
Jean zei: 'Ja, daar zit wat in.' Ze raakte Vivs arm aan. 'Kop op, Viv. Hij moet wel een echte rotzak zijn, als hij je zo aan het huilen maakt. Nu ga ik als de wiedeweerga naar het Johnnie Allen House, meiden! Als jullie nog van gedachten veranderen, weet je waar je me kunt vinden!' Ze ging er bijna in looppas vandoor.
Viv haalde haar zakdoek tevoorschijn en snoot haar neus. Ze hief haar hoofd op en zag voorbijgangers een beetje nieuwsgierig naar haar kijken.
'Ik voel me zo stom.'
'Stel je niet aan,' zei Betty vriendelijk. 'We huilen allemaal weleens. Kom mee, meid.' Ze trok Vivs arm weer door de hare en gaf een kneepje in haar hand. 'Ik breng je naar huis. Wat jij nodig hebt is een lekkere warme kruik en een glas gin met een paar aspirientjes. Ik trouwens ook, nu ik erover nadenk.'
Ze liepen weer door, langzamer dan eerst. Vivs ledematen leken te tintelen, bijna te gonzen, van vermoeidheid. De gedachte om terug te

gaan naar het John Allen House – op dit uur van de avond, als het een chaos was in het gebouw, met stoelen die over de vloer van de eetkamer werden gesleept, overal de lichten aan, keiharde dansmuziek op de radio, meisjes die in hun ondergoed de trappen op- en afrenden, krulspelden uit hun haar trokken, luidkeels naar elkaar riepen – ze moest er niet aan denken.

Ze trok aan Betty's arm. 'Ik breng het niet op om nu al terug te gaan. Laten we ergens anders heen gaan, ergens waar het rustig is. Kan dat?'

'Tja,' zei Betty weifelend, 'we zouden naar een tearoom kunnen gaan of zo.'

'Nee, ook geen tearoom,' zei Viv. 'Kunnen we niet gewoon ergens gaan zitten? Vijf minuten maar?' Haar stem werd schriller en dreigde weer over te slaan.

'Goed,' zei Betty, haar meetronend.

Ze bevonden zich na een korte wandeling op een van de pleinen in de wijk, en gingen het park in. Het was het soort plek waar ze in de jaren voor de oorlog niet hadden mogen komen; nu waren de hekken natuurlijk verdwenen en liepen ze zo naar binnen. Ze bleven uit de buurt van de dichtste struiken en vonden een bankje aan de rustigste kant van het plein. Het was nog niet helemaal donker, maar dat zou niet lang meer duren, en Betty keek om zich heen en zei: 'Nou, of we worden verkracht, of iemand denkt dat we meisjes van plezier zijn en biedt ons geld aan. Ik weet niet hoe jij erover denkt, maar als het een aardig bedrag was zou ik misschien wel in de verleiding komen om het aan te nemen.' Ze hield Vivs arm nog steeds vast. 'Goed, meid,' zei ze, terwijl ze gingen zitten en hun mantels dicht om zich heen trokken. 'Vertel maar wat er aan de hand is. En bedenk wel: ik heb de kans laten schieten om betast te worden door een gescheiden ambtenaar, dus het moet wel een goed verhaal zijn.'

Viv glimlachte. Maar de glimlach deed bijna pijn, bijna meteen al. Ze voelde tranen opkomen in haar keel, net zoals ze eerder braaksel omhoog had voelen golven. Ze zei: 'O, Betty...' en haar stem stokte. Ze sloeg een hand voor haar mond en schudde haar hoofd. Na een moment zei ze fluisterend: 'Als ik het zeg, ga ik huilen.'

'Nou,' zei Betty, 'als je het niet zegt, ga ík huilen!' En daarna, goedmoediger: 'Oké, ik ben niet achterlijk. Ik denk dat ik wel weet waar het over gaat. Over wie, kan ik beter zeggen... Wat heeft hij nu weer gedaan?

Kom op, er is een grens aan het soort dingen waarmee een man een meisje aan het huilen kan maken. Het ontbreekt ze gewoon aan fantasie. Of hij laat haar zitten, of hij geeft haar de bons, of hij slaat haar in elkaar.' Ze snoof. 'Of hij maakt haar zwanger.'

Ze zei het voor de grap en begon te lachen. Toen keek ze Viv aan in de groeiende duisternis, en haar lach verstomde.

'O, Viv,' zei ze zacht.

'Ik weet het,' zei Viv.

'O, Viv! Wanneer heb je het ontdekt?'

'Twee weken geleden.'

'Twee weken? Dat is nog niet zo lang. Weet je zeker dat je niet gewoon – je weet wel, een beetje te laat bent? Met al die luchtaanvallen...'

'Nee,' zei Viv. Ze veegde haar gezicht af. 'Dat dacht ik eerst ook. Maar dat is het niet alleen. Ik weet dat het gebeurd is. Ik weet het gewoon. Moet je kijken hoe ik eruitzie... Ik geef telkens over.'

'Geef je over?' zei Betty geïmponeerd. ''s Ochtends?'

'Nee, 's ochtends niet. 's Middags en 's avonds. Mijn zus had dat ook. Al haar vriendinnen moesten 's ochtends vroeg overgeven, maar zij bijna elke avond, drie maanden lang.'

'Drie maanden!' zei Betty.

Viv keek om zich heen. 'Stil toch.'

'Sorry. Maar jeminee, meid. Wat ga je doen?'

'Ik weet het niet.'

'Heb je het aan Reggie verteld?'

Viv sloeg haar ogen neer. 'Nee.'

'Waarom niet? Het is toch zijn schuld?'

'Het is niet zijn schuld,' zei Viv, terwijl ze haar weer aankeek. 'Ik bedoel, het is net zo goed mijn schuld.'

'Jouw schuld?' zei Betty. 'Hoezo? Omdat je hem' – ze liet haar stem nog verder dalen – 'permissie hebt gegeven om aan boord te komen? Dat is allemaal leuk en aardig, maar hij had, je weet wel, een regenjas aan moeten trekken.'

Viv schudde haar hoofd. 'Tot nu toe ging het altijd goed. We gebruiken die dingen nooit. Hij heeft er zo'n hekel aan.'

Ze deden er even het zwijgen toe. Toen zei Betty: 'Ik vind dat je het hem moet vertellen.'

'Nee,' zei Viv resoluut. 'Ik vertel het aan niemand behalve aan jou. En jij vertelt het ook aan niemand! God!' Het was een vreselijke gedachte. 'Stel dat Gibson erachter komt? Herinner je je Felicity Withers nog?'

Felicity Withers was een meisje op het ministerie van Arbeid dat het jaar daarvoor zwanger was geraakt van een piloot van de Vrije Fransen. Ze had zich in het John Allen House van de trap geworpen; het was een vreselijke rel geworden. Ze was door het ministerie ontslagen en teruggestuurd naar haar ouders, een domineesechtpaar in Birmingham.

'We vonden haar allemaal een uilskuiken,' zei Viv. 'God, ik wou dat ze nu hier was! Ze had...' Ze keek rond en begon te fluisteren. 'Ze had pillen gehaald, hè? Bij een drogist.'

'Geen idee,' zei Betty.

'Ja,' zei Viv. 'Ik weet het zeker.'

'Je zou epsomzout kunnen nemen.'

'Heb ik al gedaan. Dat hielp niet.'

'Je kunt een gloeiend heet bad proberen, en gin.'

Viv schoot bijna in de lach. 'In het John Allen House? Daar is het water nooit heet genoeg. En dan, stel je voor dat iemand het ziet, of de gin ruikt. Bij mijn vader thuis kan het ook niet.' Ze huiverde, alleen al bij de gedachte. 'Is er niet iets anders? Er moeten meer dingen zijn.'

Betty dacht na. 'Je kunt jezelf inspuiten met zeepsop. Dat schijnt te werken. Maar je moet wel de juiste plek raken. Of je kunt – je weet wel – een breinaald gebruiken...'

'God!' zei Viv, die weer misselijk werd. 'Ik denk niet dat ik dat zou durven. Jij wel, als je mij was?'

'Ik weet het niet. Misschien wel, als ik me echt zorgen maakte. Kun je niet gewoon... gewichten optillen?'

'Wat voor gewichten?' vroeg Viv.

'Zandzakken, dat soort dingen? Of op en neer springen?'

Viv dacht aan de diverse oncomfortabele reizen die ze de afgelopen veertien dagen had gemaakt: het gehots in treinen en bussen, de trappen die ze op haar werk had beklommen. 'Dat soort dingen helpt niet,' zei ze. 'Zo komt het er niet uit, dat weet ik gewoon.'

'Je kunt pennies weken in een glas water.'

'Dat zijn toch oudewijvenpraatjes?'

'Nou, weten oude wijven niet het een en ander? Daarom zijn het tenslotte oude wijven, en geen...'

'En geen oude je-weet-wels, zoals ik?'

'Dat bedoelde ik niet.'

Viv wendde haar blik af. Het was nu helemaal donker. Op de trottoirs achter het park zag je af en toe het wazige schijnsel van een afgeschermde zaklantaarn, het krimpen en uitdijen en heen en weer schieten van lichtbundels. Maar de hoge, vlakke huizen die aan het plein grensden waren volmaakt stil. Ze voelde Betty rillen, en rilde zelf ook. Maar ze bleven zitten. Betty zette haar kraag op en deed haar armen over elkaar. Ze zei weer: 'Je zou met Reggie kunnen praten.'

'Nee,' zei Viv. 'Ik ga het hem niet vertellen.'

'Waarom niet? Het is toch van hem, of niet soms?'

'Natuurlijk!'

'Nou ja, ik vraag het maar.'

'Wat een vraag!'

'Toch zou je het hem moeten vertellen. Ik bedoel het niet grappig, Viv, maar het feit dat hij, nou ja, getrouwd is... Hij heeft vast wel een idee wat je zou kunnen doen.'

'Hij heeft geen flauw benul,' zei Viv. 'Zijn vrouw is dol op kinderen. Alleen daarvoor wil ze hem hebben. Wat hij van mij krijgt is anders.'

'Dat zal best.'

'Het is zo!'

'Nou, maar over negen maanden niet meer. Acht maanden, bedoel ik.'

'Daarom moet ik het zelf regelen,' zei Viv. 'Snap je? Als blijkt dat ik uiteindelijk net zo ben als zij...'

'En wil je het echt laten wegmaken? Kun je het niet... Nou ja, kun je het niet houden, of...?'

'Ben je gek?' zei Viv. 'Mijn vader... Het zou zijn dood worden!'

Het zou zijn dood worden, bedoelde ze, na alles wat er met Duncan is gebeurd. Dat kon ze echter niet tegen Betty zeggen, en de last van al die geheimen, al dat omzichtige, verborgen gedoe, leek ineens ondraaglijk. 'O!' zei ze. 'Het is zo verdraaid oneerlijk! Waarom moet het zo gaan, Betty? Alsof het al niet moeilijk genoeg is! En dan gebeurt er zoiets, om het nog moeilijker te maken. Het is maar zo'n klein ding...'

'Het spijt me dat ik je uit de droom moet helpen, meid,' zei Betty, 'maar het blijft niet lang klein.'

Viv keek haar aan in het donker. Ze vouwde haar armen over haar buik. 'Dat kan ik niet uitstaan,' zei ze zacht, 'de gedachte dat het in me zit en steeds groter wordt.' Ze leek het plotseling te voelen, alsof het een bloedzuiger was. Ze vroeg: 'Hoe ziet het eruit? Het is net een dik wormpje, toch?'

'Een dik wormpje,' antwoordde Betty, 'met Reggies gezicht.'

'Zeg zulke dingen toch niet! Als ik er zo over ga denken, wordt het alleen maar erger. Ik moet de pillen proberen die Felicity Withers heeft geprobeerd.'

'Maar bij haar werkten ze niet. Daarom is ze van de trap gesprongen! En werd ze er niet misselijk van?'

'Nou, misselijk ben ik toch al! Dus dat maakt niet uit.'

Echt misselijk was ze nu trouwens niet. Ze voelde zich geagiteerd, bijna koortsig. Plotseling leek het alsof ze in een soort trance had geleefd. Ze kon het niet geloven. Ze dacht aan alle dagen die voorbijgegleden waren zonder dat ze iets had gedaan. Ze ging wat meer rechtop zitten en keek om zich heen.

'Ik moet naar een drogist,' zei ze. 'Waar kan ik zo'n drogist vinden? Kom mee, Betty.'

'Wacht even,' zei Betty. Ze had haar tas opengedaan. 'Jezus, je kunt iemand niet zomaar overvallen met zoiets, en dan verwachten dat... Laat me even een sigaret roken.'

'Een sigaret?' herhaalde Viv. 'Hoe kun je nu aan een sigaret denken?'

'Doe even rustig,' zei Betty.

Viv gaf haar een duw. 'Dat kan ik niet! Denk je dat jij dat zou kunnen als je mij was?'

Ze voelde zich ineens uitgeput. Ze zakte weer achterover en sloot haar ogen. Toen ze opkeek, zag ze dat Betty haar gadesloeg. Haar gelaatsuitdrukking was moeilijk te doorgronden in het donker. Misschien sprak er medelijden uit, of fascinatie; of zelfs een zweem van minachting.

'Wat denk je nu?' vroeg Viv zacht. 'Je vindt me onnozel, hè? Dat zeiden we ook van Felicity Withers.'

Betty haalde haar schouders op. 'Het kan elk meisje overkomen.'

'Jou is het nooit overkomen.'

'God!' Betty trok haar handschoen uit en klopte als een bezetene op de bank. 'Even afkloppen, zeg. Daar komt het uiteindelijk op neer: gewoon geluk, geluk of pech...' Ze begon weer in haar tas te rommelen, op zoek naar haar aansteker. 'Ik vind trouwens nog steeds dat je het aan

Reggie moet vertellen. Wat heeft het voor zin om met een getrouwde man om te gaan als je hem zulke dingen niet kunt vertellen?'

'Nee,' zei Viv, bijna onhoorbaar. Ze waren weer gaan fluisteren. 'Ik probeer eerst die pillen, en als ze niet werken, dan vertel ik het hem. En als ze wel werken, nou, dan is hij niks wijzer geworden.'

'Jij wel, hoop ik.'

'Je vindt me tóch onnozel.'

'Ik zeg alleen maar, als hij een regenjas had aangetrokken...'

'Daar houdt hij niet van!'

'Dat is dan jammer. Je kunt niet maar wat aanrotzooien, Viv, als je in Reggies schoenen staat. Als hij vrijgezel was zou het anders zijn, dan kun je risico's nemen; in het ergste geval zou je eerder trouwen dan je van plan was.'

'Jij doet net,' zei Viv mistroostig, 'of het iets is waar je over nadenkt, waar je een beslissing over neemt – alsof je een bankstel koopt! Je weet wat we voor elkaar voelen. Het is zoals je net zei, toen je het afklopte. Het is alleen domme pech dat hij met een ander getrouwd is, gewoon slechte timing. Sommige dingen zijn simpelweg niet te verhelpen; die zijn gewoon zo.'

'En die blijven gewoon zo, nog jaren en jaren,' zei Betty. 'En intussen zit hij op rozen, fijn; maar jij?'

'Zo moet je niet denken,' zei Viv. 'Zo denkt niemand! Misschien zijn we morgen wel allemaal dood. Als je iets wilt, dan moet je het nemen, ja toch? Als je iets echt wilt? Jij weet niet hoe het is. Voor mij is er niets anders behalve Reggie. Als ik hem niet had...' Haar stem werd schor. Ze pakte haar zakdoek en snoot haar neus. 'Hij maakt me gelukkig,' zei ze na een minuut. 'Dat weet je. Hij maakt me aan het lachen.'

Betty had eindelijk haar aansteker gevonden. 'Tja,' zei ze, terwijl ze hem aanknipte, 'nu lach je niet.'

Viv zag het vlammetje omhoogschieten; ze knipperde met haar ogen toen het ineens weer donker werd en zei niets. Betty en zij bleven zitten zonder veel te zeggen, totdat het te koud werd; toen gaven ze elkaar vermoeid een arm en stonden op.

Ze waren net het park uit toen ze de sirenes hoorden gaan. Betty zei: 'Daar heb je het al. Dat zou aan al je problemen een eind maken: een lekkere grote bom.'

Viv keek op. 'God, nou. En niemand zou het weten, behalve jij.'

Daar had ze nooit eerder aan gedacht, aan alle geheimen die de oorlog moest hebben verzwolgen en die in stof en duisternis en stilte begraven lagen. Ze had de luchtaanvallen altijd alleen maar beschouwd als iets wat dingen kapotmaakte, wat het leven moeilijk maakte. Ze keek telkens omhoog terwijl Betty en zij naar het John Allen House liepen, en praatte zichzelf aan dat ze wilde dat de zoeklichten gingen schijnen, dat de vliegtuigen kwamen, dat het afweergeschut begon, dat de hel losbarstte...

Maar toen de eerste kanonnen begonnen te daveren, ergens in Noord-Londen, werd ze gespannen en spoorde ze Betty aan harder te lopen – want hoe ellendig ze zich ook voelde, ze was bang voor de bombardementen, bang om gewond te raken, en ze wilde uiteindelijk toch niet dood.

'Hé, moffen!' riep Giggs twee uur later uit zijn raam. 'Hé, jongens! Deze kant op! Deze kant op, godverdomme!'

'Hou je stomme rotkop, Giggs!' riep iemand anders.

'Deze kant op, jongens! Hiero!'

Giggs had gehoord dat er een gevangenis was gebombardeerd, en dat alle mannen die nog maar zes maanden of minder hoefden te zitten waren vrijgelaten; hij had zelf nog vierenhalve maand te gaan, dus bij elke luchtaanval zeulde hij zijn tafel door zijn cel, klom erop en riep uit zijn raam naar de Duitse piloten. Als de aanval hevig was, kon je helemaal van slag raken door zijn geschreeuw, merkte Duncan: je ging je Giggs voorstellen als een soort gigantische magneet, die kogels en bommen uit de lucht trok. Vanavond leek de aanval echter ver weg, en niemand had er veel last van. De dreunen en flitsen waren sporadisch en zacht; het werd wat donkerder of lichter, dat was alles, wanneer de zoeklichten langs de hemel streken. Andere mannen waren ook op hun tafel geklommen en riepen naar elkaar over gewone dingen, boven Giggs geschreeuw uit.

'Woolly! Woolly, ik krijg nog geld van je, lul!'

'Mick! Hé, Mick! Wat ben je aan het doen?'

Er was geen bewaarder om hen het zwijgen op te leggen. De bewaarders gingen meteen de schuilkelder in zodra er een luchtaanval begon.

'Ik krijg nog geld!'

'Mick! Hé, Mick!'

De mannen moesten zich bijna schor schreeuwen om zich verstaanbaar te maken; iemand riep bijvoorbeeld uit een raam aan het ene eind van de afdeling, en kreeg antwoord van een man die vijftig cellen verderop zat. Als je in bed lag en hen hoorde roepen was het net of je in het donker aan de knop van een radio draaide om een zender te vinden. Duncan vond het eigenlijk wel leuk; hij merkte in elk geval dat hij de stemmen kon wegdraaien als ze op zijn zenuwen gingen werken. Fraser daarentegen werd er gek van, elke keer weer. Nu lag hij bijvoorbeeld rusteloos te draaien, mopperend en vloekend. Hij kwam half overeind en stompte de bulten uit zijn matras van paardenhaar. Hij plukte aan de kledingstukken die hij op zijn deken had gelegd voor wat extra warmte. Duncan kon hem niet zien, daarvoor was het te donker in de cel; maar hij voelde de beweging door het frame van de britsen gaan. Toen Fraser met een plof weer ging liggen, schommelden de britsen van de ene kant naar de andere, en ze kraakten en piepten een beetje, als kooien op een schip. We konden wel matrozen zijn, dacht Duncan.

'Ik krijg nog geld van je, klootzak!'

'God!' zei Fraser, die weer overeind kwam en nog harder op de matras stompte. 'Waarom kunnen ze hun mond niet houden! Koppen dicht!' schreeuwde hij, en sloeg op de muur.

'Dat heeft geen zin,' zei Duncan geeuwend. 'Ze kunnen je niet horen. Nu moeten ze Stella hebben, luister maar.'

Iemand was gaan roepen: 'Ste-lla! Ste-lla!' Duncan dacht dat het Pacey was, een jongen op de Tweede. 'Ste-lla! Ik moet je wat vertellen... Ik zag je kut, in het badhuis! Ik zag je kut! Hij was zo zwart als koffieprut!'

Iemand anders floot en lachte. 'Jezus, Pacey, je bent een echte dichter!'

'Het was net een gekeelde zwarte rat! Het was net de baard van je ouwe vader, met de dikke lippen van je ouwe moeder in het midden! Ste-lla! Waarom geef je geen antwoord?'

'Ze kan geen antwoord geven,' riep een andere stem. 'Ze ligt met d'r snuit op meneer Chase!'

'Ze heeft d'r snuit om meneer Chase heen,' zei iemand anders, 'en Browning pakt haar van achteren. Ze heeft d'r handen vol, jongens!'

'Kop dicht, stoute ventjes!' riep een nieuwe stem. Het was Monica, op de Derde.

Pacey begon haar te jennen. 'Moni-ca! Moni-ca!'
'Kop dicht, etters! Gun een meisje toch haar schoonheidsslaapje!'
Dit werd gevolgd door de dreun van een verre explosie, en Giggs begon weer te roepen: 'Moffen! Jongens! Adolf! Deze kant op!'
Fraser kreunde en draaide zijn kussen om. Toen zei hij: 'Jezus! Ook dat nog!'
Want tot overmaat van ramp had iemand een lied ingezet.
*'Little girl in blue, I've been dreaming of you... Little girl in blue...'*
Het was een zekere Miller. Hij zat in de bak omdat hij een soort criminele organisatie had geleid vanuit een nachtclub. Hij zong de hele tijd, vol overgave, alsof hij voor een orkest in een microfoon stond te croonen. Bij het horen van zijn stem begonnen overal op de afdeling mannen te klagen.
'Kappen!'
'Miller, klerelijer!'
Duncans buurman, Quigley, begon met een voorwerp – waarschijnlijk zijn zoutpot – op de vloer van zijn cel te slaan. 'Kop dicht!' brulde hij, 'vuile smeerlappen! Miller, klootzak die je bent!'
*'I've been dreaming of you...'*
Miller zong door, dwars door al het geklaag, dwars door al het kabaal van de luchtaanval in de verte; en het ergste was dat het melodieus klonk. Een voor een zwegen de mannen, alsof ze luisterden. Zelfs Quigley gooide na een poosje zijn zoutpot neer en hield op met brullen.

*I hear your voice, I reach to hold you,*
*Your lips touch mine, my arms enfold you.*
*But then you're gone: I wake and find*
*That I've been drea-ming...*

Ook Fraser was stil geworden. Hij had zijn hoofd opgelicht, om het beter te kunnen horen. 'Barst, Pearce,' zei hij nu. 'Ik denk dat ik een keer heb gedanst op dit nummer. Ik weet het wel zeker.' Hij ging weer liggen. 'Toen lachte ik waarschijnlijk om zo'n onnozel liedje. Nu... nu klinkt het wel erg toepasselijk, hè? Christus! Dat Miller en een populair nummer zo goed weten wat verlangen is.'
Duncan zei niets. Het lied ging verder.

*Though we're apart, I can't forget you.*
*I bless the hour that I first met you...*

Abrupt brak er een andere stem doorheen. Deze stem was diep, onmelodieus, wellustig.

*Give me a girl with eyes of blue,*
*Who likes it if you don't but prefers it if you do!*

Iemand joelde. Fraser zei ongelovig: 'Wie is dat in jezusnaam?'

Duncan hield zijn hoofd schuin om te luisteren. 'Ik weet het niet. Misschien Atkin?'

Atkin was een deserteur, net als Giggs. Wat hij zong klonk als een soldatenliedje.

*Give me a girl with eyes of black,*
*Who likes it on her belly but prefers it on her back!*

*'Cause I'll be seeing you again, when you...*

Miller ging nog steeds door. Bijna een minuut lang liepen de twee liedjes op een bizarre manier door elkaar; toen gaf Miller het op. Zijn stem stierf weg. 'Vuile rukker!' schreeuwde hij. Er klonk weer gejoel. De stem van Atkin – of wie het ook was – werd luider, wellustiger. Hij had zijn handen blijkbaar om zijn mond gezet en brulde als een stier.

*Give me a girl with hair of brown,*
*Who likes it going up but prefers it coming down!*
*Give me a girl with hair of red,*
*Who likes it in the hand but prefers it in the bed!*
*Give me a...*

Toen klonk het signaal 'alles veilig'. Atkins lied ging over in een vreugdekreet. Op elke verdieping deden de mannen mee, ze trommelden met hun vuisten op de muren, de raamkozijnen, de bedden. Alleen Giggs was teleurgesteld.

'Kom terug, etterbakken!' riep hij hees. 'Kom terug, Duitse klerelijers! Jullie zijn afdeling D vergeten! Jullie zijn afdeling D vergeten!'

'Ga weg bij die ramen, godverdomme!' brulde iemand op de binnenplaats, en het vlugge geknerp van laarzen op sintels volgde toen de bewaarders uit de schuilkelder kwamen en in de richting van de gevangenis liepen. Overal op de afdeling klonk het gebonk en geschraap van tafels: de mannen sprongen bij hun raam vandaan, wierpen zich weer op hun brits. Even later ging het elektrische licht aan. Meneer Browning en meneer Chase kwamen naar boven gestampt en begonnen over de galerijen te rennen, op deuren te bonzen, de luiken voor kijkgaatjes open te rukken: 'Pacey! Wright! Malone, stomme lul... Als ik nog één keer merk dat jullie uit je nest zijn gekomen, blijven jullie met z'n allen van nu tot Kerstmis in de cel, is dat duidelijk?'

Fraser drukte zijn gezicht in zijn kussen, kreunend en vloekend vanwege het licht. Duncan trok zijn deken over zijn ogen. Er werd op hun deur gebonsd, maar de rennende voetstappen gingen voorbij. Het geluid stierf even weg, hield op, zwol aan en stierf weer weg. Duncan stelde zich meneer Browning en meneer Chase voor als kettinghonden die grauwend in de rondte draaiden, opgejut en razend. 'Etterbuilen!' riep een van hen, voor de show. 'Ik waarschuw jullie...!'

Ze liepen nog een paar minuten heen en weer over de galerijen, maar uiteindelijk klosten ze de trappen af. Even later klonk er een geluidje, *pffi*, en werd het licht in de cellen weer uitgedaan.

Duncan deed vlug zijn deken omlaag en schoof op naar de rand van het kussen. Hij genoot van het moment waarop de stroom werd uitgeschakeld. Dan keek hij naar de gloeilamp aan het plafond. Het licht doofde langzaam, en als je erop lette kon je drie of vier seconden lang de gloeidraad in het glas onderscheiden, een metalen krulletje dat van wit overging in vlammend geel, dan in vuurrood, dan in zachtroze; en daarna, als de cel donker was, zag je nog steeds een geel waas achter je oogleden.

Iemand floot zachtjes. Iemand schreeuwde naar Atkin. Hij wilde dat Atkin doorging met zingen. Hij wilde weten hoe het liedje verderging. Hij riep het twee, drie keer, maar Atkin gaf geen antwoord. Het kameraadschappelijke, branieachtige gevoel dat hen tien minuten eerder allemaal had overvallen, had geen vat meer op hen. De stilte werd dieper, kreeg iets afschrikwekkends, en als je die nu probeerde te doorbreken, maakte je het nog erger. Want uiteindelijk, dacht Duncan, kon je zoveel zingen en brullen als je wilde, het was alleen maar een manier om dit moment uit te stellen – dit moment, dat ten slotte altijd kwam – wanneer de eenzaamheid van de gevangenis aan alle kanten oprees, als water in een zinkende boot.

Maar hij kon de tekst van de liedjes nog steeds horen – net zoals hij de gloeiende draad in de lamp nog had kunnen zien achter zijn gesloten oogleden. *Give me a girl,* hoorde hij in zijn hoofd. *Give me a girl,* en *I'll be seeing you,* steeds opnieuw.

Misschien hoorde Fraser het ook. Hij veranderde van houding, draaide zich op zijn rug, lag maar te woelen. Nu het zo stil was, kon Duncan het horen als hij met zijn hand over de stoppels op zijn kin streek – zelfs als hij met zijn knokkels in zijn oog wreef... Hij slaakte een zucht.

'Verdomme,' zei hij, heel zacht. 'Ik wou dat ik nu een meisje had, Pearce. Een gewoon meisje. Niet het soort meisjes dat ik altijd tegenkwam – de intelligente types.' Hij lachte, en het frame van de britsen trilde even. 'God,' zei hij, 'dat is toch een uitdrukking die het bloed van een man doet bevriezen? "Een intelligent meisje."' Hij verdraaide zijn stem. '"Je vindt mijn vriendin vast wel leuk, ze is zó intelligent." Alsof je ze daarvoor wilt hebben...' Hij lachte weer – ditmaal was het een soort gegniffel, te zacht om het frame te laten schudden. 'Ja,' zei hij, 'een gewoon meisje, dat zou ik nu willen. Ze hoeft niet mooi te zijn. Met mooie meisjes valt soms niks te beginnen – weet je wat ik bedoel? Ze hebben een te hoge dunk van zichzelf; ze willen niet dat hun haar in de war raakt of dat hun lippenstift uitloopt. Ik wou dat ik een lelijk, dik, dom meisje had. Een lelijk, dik, dom, dankbaar meisje. Weet je wat ik met haar zou doen, Pearce?'

Hij praatte niet echt tegen Duncan; hij praatte tegen het donker, tegen zichzelf. Hij had net zo goed in zijn slaap kunnen liggen mompelen. Maar het effect was op de een of andere manier intiemer dan wanneer hij in Duncans oor had gefluisterd. Duncan deed zijn ogen open en staarde naar de volmaakte, fluweelzwarte duisternis van de cel. Het had iets afgrondelijks, dat zo onrustbarend was dat hij zijn hand ophief. Hij wilde zichzelf herinneren aan de afstand tussen zijn brits en die van Fraser: hij had het gevoel gekregen of Fraser dichterbij was dan hij had moeten zijn; en hij ervoer zijn eigen lichaam als een soort duplicaat of echo van het lichaam boven hem... Toen zijn vingers het metalen vlechtwerk onder Frasers bed raakten, hield hij ze daar. Hij zei: 'Denk er maar niet aan. Ga slapen.'

'Nee, serieus,' vervolgde Fraser, 'weet je wat ik zou doen? Ik zou haar nemen terwijl ze al haar kleren nog aan had. Ik zou niets uittrekken. Ik zou alleen een paar knoopjes op haar rug losmaken – en in één moeite door ook haar beha – en dan zou ik haar jurk en de beha omlaagtrekken tot aan haar ellebogen en mijn vingers op haar borsten leggen. Ik zou haar knijpen. Ik zou haar misschien een beetje heen en weer trekken – ze zou me niet tegen kunnen houden als ik dat deed, want de jurk, snap je, de jurk zou haar armen tegen haar lichaam klemmen... En als ik klaar was met haar borsten, zou ik haar rok omhoogschuiven. Helemaal tot aan haar middel. Ik zou haar broekje aan laten, maar het zou zo'n dun, zijden ding zijn waar je gemakkelijk omheen kunt, waar je gemakkelijk in kunt...' De woorden stierven weg. Toen hij weer sprak, klonk zijn stem anders, vlak en helemaal niet snoeverig. 'Ik heb eens zo'n meisje gehad. Ik ben het nooit vergeten. Ze was geen schoonheid.'

Hij zweeg. 'Verdomme,' zei hij toen weer zacht. 'Verdomme, verdomme.' En hij bewoog, zodat het draadwerk dat zijn matras ondersteunde doorboog en zich spande, en Duncan haalde gauw zijn vingers weg. Hij had zich op zijn zij gedraaid, dacht Duncan; maar hoewel hij stil lag, had hij iets verkrampts, iets stiekems, alsof hij met opzet zijn adem inhield. En toen hij weer bewoog, om de deken op te trekken, leek de beweging onecht, gespeeld, alsof die uit berekening werd gemaakt, om een ander, heimelijker gebaar te verbergen...

Hij had zijn hand om zijn pik gelegd, wist Duncan; en een ogenblik later begon hij die met een subtiele, gelijkmatige beweging te strelen.

Het was iets wat de mannen voortdurend deden in de gevangenis. Ze lachten erom, maakten er een sport van, schepten erover op; Duncan had ooit een cel gedeeld met een jongen die het niet 's nachts deed, onder een deken, maar gewoon overdag, heel obsceen. Hij had geleerd zijn ogen ervoor te sluiten, zoals hij ook had geleerd zijn ogen te sluiten voor de aanblik en het geluid en de stank van mannen die boerden, scheten lieten, pisten, in de pot scheten. Maar nu, in de volslagen donkere cel, en in de vreemde, onbehaaglijke sfeer die Miller en Atkin hadden opgeroepen met hun gezang, was hij zich op een afschuwelijke manier bewust van de steelse, hulpeloze, doelgerichte, half beschaamde beweging van Frasers hand. Even bleef hij doodstil liggen, om niet te verraden dat hij wakker was. Toen merkte hij dat zijn zintuigen er alleen maar scherper door werden: hij kon de wat versnelde ademhaling van Fraser nu horen; hij kon zijn zweet ruiken; hij kon zelfs, dacht hij, iets opvangen van het zwakke, vochtige, regelmatige geluid – als een tikkend horloge – wanneer het uiteinde van Frasers pik ritmisch werd ontbloot... Hij kon het niet helpen. Hij voelde dat zijn eigen pik bewoog en stijf begon te worden. Hij bleef nog een minuut liggen, volmaakt roerloos, afgezien van het vlees tussen zijn dijen dat groeide en harder werd; toen maakte hij net zulke steelse, gespeelde bewegingen als Fraser zojuist: hij trok de deken over zich heen, liet zijn hand in zijn pyjamabroek glijden en nam zijn pik in zijn vuist.

Maar zijn andere hand hief hij op. Hij tastte weer naar het draadwerk van Frasers bed en raakte het voorzichtig aan, eerst alleen met zijn knokkels; toen voelde hij de spanning in het metaal, de opgewonden schokjes en trillingen die het uitzond in reactie op het gestage stoten van Frasers vuist. Hij kromde een vinger om de metaaldraad, klampte zich er bijna aan vast met de top van die ene vinger, zette zich ertegen af, terwijl hij met zijn andere hand aan zijn pik trok.

Na een minuut of wat merkte hij dat er een siddering door Fraser heen ging en dat het draadwerk onder zijn matras niet meer bewoog; maar toen had hij zijn eigen hand met geen mogelijkheid meer kunnen tegenhouden, en even later spoot zijn zaad eruit: hij voelde het komen en naar buiten schieten alsof het heet was, zodat hij zich brandde. Hij dacht dat hij een geluid maakte toen het kwam; misschien was het gewoon het geraas van het bloed in zijn oren... Maar toen het geraas ophield, was er alleen nog de stilte: de afschuwelijke, intimiderende stilte van de gevangenisnacht. Het was alsof hij bijkwam uit een soort toeval, een vlaag van waanzin; hij dacht aan wat hij zojuist had gedaan en zag zichzelf tekeergaan, hijgen, als een soort beest aan Frasers brits plukken.

Pas na een minuut bewoog Fraser zich. Er klonk geritsel van beddengoed, en Duncan vermoedde dat hij met zijn laken het zaad van zich af veegde. Maar het geritsel ging door, het werd een krampachtige, bijna agressieve beweging; ten slotte sloeg Fraser op zijn kussen.

'Die verdomde gevangenis,' zei hij, 'maakt van ons allemaal weer schooljongens! Hoor je me, Pearce? Jij vond het vast wel lekker. Is dat zo, Pearce? Ja?'

'Nee,' zei Duncan uiteindelijk – maar zijn mond was droog en zijn tong bleef aan zijn verhemelte plakken. Het kwam eruit als een soort gefluister.

Toen schrok hij. Het frame was gaan schommelen, en iets warms en lichts had hem in het gezicht geraakt. Hij stak zijn hand uit en voelde een natte, kleverige plek op zijn wang. Fraser moest zich over de rand van de brits hebben gebogen en wat zaad naar hem hebben gegooid.

'Je vond het wel lekker,' zei Fraser bitter. Zijn stem was even heel dichtbij. Toen kroop hij weer onder zijn deken. 'Je vond het wel lekker, verdomde flikker.'

# 4

'Hemel,' zei Helen, terwijl ze haar ogen opende. 'Wat is dit?'

'Hartelijk gefeliciteerd, schat,' zei Kay, en ze zette een dienblad naast het bed neer en gaf haar een kus.

Helens gezicht was droog en warm en glad, heel mooi; haar haar was een beetje gaan kroezen, zoals bij een slaperig kind. Ze lag even te knipperen met haar ogen, kwam toen een beetje overeind en trok het kussen achter haar rug. Ze deed het onhandig, want ze was nog niet helemaal wakker, en toen ze geeuwde legde ze haar handen op haar gezicht en duwde haar vingers in haar ooghoeken om de restjes slaap te verwijderen. Haar ogen waren een beetje opgezet.

'Je vindt het toch niet erg dat ik je wakker heb gemaakt?' zei Kay. Het was zaterdag en nog vroeg, en ze had die nacht gewerkt; maar ze was een uur geleden opgestaan en was al aangekleed, in een nette lange broek en een trui. 'Ik hield het niet uit om nog langer te wachten. Hier, kijk.'

Ze zette het blad op Helens schoot. Er was een boeketje papieren bloemen in een vaas, porseleinen potten en kopjes, een omgekeerde schaal op een bord; en de roze doos met de zijden strik, waar de satijnen pyjama in zat.

Helen ging van het ene ding naar het andere, beleefd, een tikje geforceerd. 'Wat een prachtige bloemen. Wat een mooie doos!' Ze zag eruit alsof ze haar best deed om wakker te worden, verrukt en opgewonden te zijn. Ik had haar moeten laten slapen, dacht Kay.

Maar toen tilde ze de deksels van de porseleinen potten. 'Jam,' zei ze, 'en kóffie!' Dat was beter. 'O, Kay!'

'Het is echte koffie,' zei Kay. 'En kijk hier eens.'

Ze gaf een duwtje tegen de omgekeerde schaal, en Helen tilde hem op. Eronder, op een papieren kleedje, lag een sinaasappel. Kay was een halfuur bezig geweest om met de punt van een groentemes GEFELICITEERD in de schil te kerven.

Helen glimlachte zoals het hoorde, haar droge lippen gingen een eindje open boven haar kleine witte tanden. 'Wat prachtig.'

'De R is een beetje klungelig.'

'Helemaal niet.' Ze pakte de sinaasappel op en hield hem bij haar neus. 'Waar heb je die vandaan?'

'O,' zei Kay vaag. 'Ik heb een klein kind neergeslagen tijdens de verduistering.' Ze schonk koffie in. 'Maak je cadeau maar open.'

'Zo meteen,' zei Helen. 'Ik moet eerst plassen. Hou jij het blad even vast?'

Ze schopte de dekens van zich af en holde naar de badkamer. Kay trok het beddengoed weer omhoog zodat de matras warm zou blijven. De hitte steeg op van het bed toen ze dat deed – voelbaar, in haar gezicht, als damp of rook. Ze ging zitten met het blad op haar schoot, herschikte de bloemen, bewonderde de sinaasappel, ergerde zich een beetje aan die scheve R.

'Wat zag ik er vreselijk uit!' zei Helen lachend, toen ze terugkwam. 'Net Piet de Smeerpoets.' Ze had haar gezicht gewassen en haar tanden gepoetst en geprobeerd haar wilde bos haar te fatsoeneren.

'Doe niet zo mal,' zei Kay. 'Kom hier.' Ze stak haar hand uit; Helen pakte hem en liet zich meetrekken voor een kus. Haar mond was koel, van het koude water.

Ze stapte weer in bed en Kay ging naast haar zitten. Ze dronken de koffie, aten toast met jam.

'Eet je sinaasappel maar op,' zei Kay.

Helen draaide hem rond in haar handen. 'Ja? Is dat niet zonde? Ik zou hem moeten bewaren.'

'Waarom? Ga je gang.'

Helen brak de schil open, en pelde de sinaasappel, en verdeelde hem in partjes. Kay nam er een, maar zei dat ze de rest zelf moest opeten. Hij was een beetje zuur, en droog – de partjes kwamen te gemakkelijk los. Maar het moment waarop ze hun sap afstonden aan de tong was een verrukkelijke sensatie.

'Nu moet je je cadeau uitpakken,' zei Kay ongeduldig, toen de sinaasappel op was.

Helen beet op haar lip. 'Ik durf het bijna niet. Zo'n prachtige doos!' Ze pakte hem op, weer een beetje geforceerd. Ze hield hem naast haar oor en schudde hem speels heen en weer. Toen ze heel voorzichtig de deksel eraf begon te peuteren, lachte Kay haar uit.

'Trek hem er toch gewoon af!'

'Ik wil hem niet beschadigen.'

'Dat geeft niet.'

'Jawel,' zei Helen. 'Daar is hij te mooi voor. O!' Ze keek beduusd. Ze had eindelijk de deksel verwijderd, en omdat de doos schuin tegen haar knieën lag was de pyjama uit het papier gegleden en vloeiend als kwikzilver naar buiten komen tuimelen. Ze staarde er even naar zonder zich te verroeren; toen pakte ze bijna beschroomd het jasje beet en tilde het op. 'O, Kay.'

'Vind je hem mooi?'

'Prachtig. Veel te mooi! Hij moet een vermogen hebben gekost! Waar heb je die in vredesnaam vandaan?'

Kay glimlachte en gaf geen antwoord. Ze pakte het jasje bij een mouw en hield het omhoog. 'Zie je de knopen?'

'Ja.'

'Die zijn van been. Hier op de mouw ook.'

Helen hield het satijn tegen haar gezicht en sloot haar ogen.

'De kleur staat je goed,' zei Kay. En, toen Helen niet reageerde: 'Vind je hem echt mooi?'

'Natuurlijk, schat. Maar ik... ik verdien hem niet.'

'Je verdient hem niet? Waar heb je het over?'

Helen schudde haar hoofd en opende lachend haar ogen. 'Laat maar. Ik stel me gewoon aan.'

Kay haalde het blad weg, en de kopjes en borden en het papier. 'Pas hem eens,' zei ze.

'Dat kan ik beter niet doen. Ik moet eerst in bad.'

'O, onzin. Trek hem aan. Ik wil zien hoe hij je staat!'

En dus stapte Helen langzaam uit bed, trok haar versleten nachtpon uit, stapte in de pyjamabroek en knoopte het jasje dicht. De broek sloot met een linnen koord. Het jasje werd vastgestrikt om het middel: het viel ruim, als een blouse, maar door de zwaarte van het satijn liet het heel duidelijk de welving van haar borsten en de punten van haar tepels zien. De mouwen waren te lang: ze knoopte de manchetten dicht en sloeg ze om, maar ze gleden onmiddellijk weer los en vielen bijna tot aan haar vingertoppen. Bijna verlegen ging ze voor Kay staan om zich te laten bekijken.

Kay floot. 'Wat zie je er sexy uit! Net Greta Garbo in *Grand Hotel.*'

Maar eigenlijk zag ze er niet sexy uit; ze zag er jong uit, en klein, en nogal ernstig. De kamer was koud en het satijn koel; ze rilde en blies op haar handen. Ze probeerde de mouwen weer om te slaan, bijna kribbig – al doende keek ze één keer in de spiegel, en wendde toen vlug haar hoofd af.

Kay sloeg haar gade met een soort pijn in het hart. Op zulke momenten ervoer ze haar liefde als iets wonderbaarlijks – het was voor haar een soort wonder dat Helen, die zo mooi, zo gaaf en ongeschonden was, hier bij haar was, en kon worden bekeken en aangeraakt... Aan de andere kant kon ze zich haar onmogelijk ergens anders voorstellen, met een andere geliefde. Geen enkele andere geliefde, wist Kay, zou precies hetzelfde voor haar voelen als zij. Helen was als het ware geboren en opgegroeid – had alle dingen gedaan die ze had gedaan, zowel de serieuze als de onbelangrijke – met als enig doel dat ze op dit punt zou uitkomen; dat ze hier nu blootsvoets zou staan, in een satijnen pyjama, om zich door Kay te laten bekijken.

Maar toen liep ze bij de spiegel vandaan.

'Niet weggaan,' zei Kay.

'Alleen het bad even aanzetten.'

'Nee,' zei Kay. 'Nog niet.'

Ze kwam van het bed af en liep door de kamer en nam Helen in haar armen. Ze streek met haar vingers over haar gezicht en kuste haar op de lippen. Ze stak haar handen onder het satijnen jasje om de gladde, warme huid van haar rug en middel aan te raken. Toen ging ze achter haar staan, nam haar borsten in haar handen en liet het gewicht op haar palmen rusten. Ze voelde de welving van Helens billen, het glijden van haar mollige dijen langs het satijn. Ze legde haar wang tegen Helens oor.

'Je bent mooi.'

'Nee,' zei Helen.

Kay draaide haar gezicht naar de spiegel. 'Zie je jezelf dan niet? Je bent prachtig. Ik wist het meteen, de eerste keer dat ik je zag. Ik hield je gezicht in mijn hand. Je was glad, als een parel.'

Helen sloot haar ogen. 'Ik weet het,' zei ze.

Ze kusten elkaar weer. De kus duurde lang. Maar toen maakte Helen zich los. 'Ik moet weer plassen,' zei ze. 'Het spijt me, Kay. En ik moet echt in bad.'

Het satijn maakte haar glibberig: ze gleed uit Kays armen terwijl ze haar hoofd omdraaide en lachte, speels maar vastberaden, als een nimf die een sater ontwijkt. Ze ging terug naar de badkamer en sloot de deur. Kay hoorde het lopen van de kranen, het suizen van de vlammen in de geiser en, even later, het wrijven van haar hielen langs het email van de badkuip.

Kay nam de koffiepot mee naar de zitkamer en zette hem dicht bij de haard. Ze ging terug naar de slaapkamer, bracht het blad weg, maakte het bed op, vouwde het gescheurde vloeipapier op. De vaas met bloemen zette ze op de zitkamertafel, naast de kaarten die Helen gisteren al via de post had ontvangen van haar familie in Worthing. Ze verschoof een stoel. Waar de stoel had gestaan zag ze kruimels liggen. Ze haalde een stoffer en blik uit de keuken en veegde ze op.

Kay woonde hier nu bijna zeven jaar. Ze had de woning gekregen van een vrouw die ooit haar geliefde was geweest, een vrouw die hier min of meer als prostituee had gewerkt – al had Kay dat nooit aan Helen verteld. Kays leven was nogal chaotisch geweest in die dagen. Ze had te veel geld; ze dronk te veel; ze was van de ene ongelukkige liefdesrelatie in de andere verzeild geraakt... Deze vrouw had uiteindelijk een zakenman aan de haak geslagen en was naar Mayfair verhuisd, maar ze had Kay de woning gegeven als afscheidscadeau.

Kay had nog nooit ergens zo prettig gewoond. De kamers waren L-vormig; daar hield ze van. Ze was ook gehecht aan het grappige erfje waar de woning op uitkeek. Het belendende meubelpakhuis leverde aan verschillende meubelzaken in de Tottenham Court Road; voor de oorlog had Kay vanuit haar raam naar de jonge mannen en vrouwen in de werkplaatsen kunnen kijken, die guirlandes en cupido's schilderden op mooie oude tafels en stoelen. Nu waren de werkplaatsen gesloten. Het pakhuis werd gebruikt voor de opslag van materiaal van het ministerie van Handel. Het feit dat daar zo veel hout lag, en zo veel verf en vernis, maakte het erfje vreselijk onveilig. Maar als Kay aan verhuizen dacht, zonk de moed haar in de schoenen. Ze dacht over de woning ongeveer hetzelfde als over Helen: dat het iets geheims was, iets bijzonders, iets van haar alleen.

Ze controleerde of de koffie in de pot nog warm was. Op de schoorsteenmantel stond een kistje sigaretten; dat deed haar denken aan de koker in haar zak. Ze haalde hem tevoorschijn en begon hem te vullen. Even later hoorde ze Helen uit de badkamer komen en zich gaan aankleden. Ze riep haar door de gang toe: 'Wat zullen we vandaag doen, Helen? Waar heb je zin in?'

'Ik weet het niet,' antwoordde Helen.

'Ik kan met je gaan lunchen in een chic restaurant. Vind je dat wat?'

'Je hebt al te veel geld aan me uitgegeven!'

'O, gelul! zoals Binkie zou zeggen. Heb je geen zin in een luxueuze lunch?'

Er kwam geen antwoord. Kay sloot de sigarettenkoker en stopte hem weer in haar zak. Ze schonk koffie in Helens kopje en bracht het naar de slaapkamer. Helen had haar beha, onderjurk en kousen aan. Ze stond haar haar te kammen – ze deed het zorgvuldig en probeerde de krullen in golven te veranderen. De pyjama lag op het bed, keurig opgevouwen.

Kay zette het kopje op de toilettafel neer. 'Helen,' zei ze.

'Ja, schat?'

'Je maakt een vreselijk verstrooide indruk. Wil je niet ergens heen? Naar Windsor Castle of zoiets? De dierentuin?'

'De dierentuin?' zei Helen, lachend maar met gefronste wenkbrauwen. 'Hemel, ik voel me net een kind dat door haar tante op een uitstapje wordt getrakteerd.'

'Nou, zo hoor je je ook te voelen op je verjaardag. En je noemde Windsor Castle, weet je – en de dierentuin – toen we het er vorige week over hadden.'

'Dat weet ik,' zei Helen. 'Het spijt me, Kay. Maar Windsor – o, het duurt vast een eeuwigheid voor we daar zijn. En die ellendige treinen.' Ze was naar de garderobekast gelopen en zocht tussen haar jurken. 'Jij moet om zeven uur weer thuis zijn voor je werk.'

'We hebben nog zeeën van tijd,' zei Kay. Toen zag ze de jurk die Helen van het hangertje wilde pakken. 'Die?' zei ze.

'Vind je die niet mooi?'

'Je bent jarig. Trek die van Cedric Allen aan. Die vind ik mooier.'

Helen keek weifelend. 'Die is wel erg chic.' Maar ze hing de eerste jurk toch terug en pakte een andere, een donkerblauwe jurk met crèmekleurige revers. Hij had twee jaar geleden twee pond gekost; Kay had hem gekocht, natuurlijk. Kay had de meeste van Helens spullen gekocht, zeker in die tijd. Een deel van de zoom was een beetje gerimpeld, omdat de stof daar was versleten en versteld had moeten worden; maar afgezien daarvan zag de jurk er nog bijna als nieuw uit. Helen schudde hem open en stapte erin.

Kay stak haar handen uit. 'Kom hier,' zei ze, 'dan maak ik de haakjes vast.'

Helen kwam naar haar toe en draaide zich om, en tilde haar haar op. Kay schikte de stof wat gladder over haar schouders, trok de rugpanden dicht en begon de haakjes van onderaf vast te maken. Ze deed het langzaam. Ze had een vrouwenrug altijd mooi gevonden, om te zien en om aan te raken. Een avondjurk op naakte schouders, bijvoorbeeld – de strakke stof, de manier waarop hij openviel als de schouderbladen werden samengetrokken, zodat je een glimp opving van de onderkleding of het roze, samengeperste vlees erachter... Helens rug was stevig – niet gespierd, maar mollig, veerkrachtig. Haar nek was mooi en bedekt met donzige blonde haartjes. Toen Kay het laatste haakje had gesloten, boog ze haar hoofd en gaf er een kus op. Daarna sloeg ze haar armen om Helens middel, legde haar handen op haar buik en trok haar tegen zich aan.

Helen wreef haar wang langs Kays kaak. 'Ik dacht dat je de deur uit wilde.'

'Maar je ziet er zo mooi uit in je jurk.'

'Misschien kan ik hem beter uitdoen, als je er zo over denkt.'

'Misschien moet ik hem voor je uitdoen.'

Helen maakte zich los. 'Toe nou, Kay.'

Kay lachte en liet haar gaan. 'Vooruit dan maar... Nou, wat dacht je van de dierentuin?'

Helen was teruggelopen naar de toilettafel en deed oorbellen in. 'De dierentuin,' zei ze, weer met gefronste wenkbrauwen. 'Nou, misschien. Maar ziet dat er niet gek uit? Twee vrouwen, van onze leeftijd?'

'Maakt dat wat uit?'

'Nee,' zei Helen na een korte stilte. 'Waarschijnlijk niet.'

Ze ging zitten en trok haar schoenen aan; daarbij boog ze haar hoofd, zodat haar haren voor haar gezicht vielen. 'Wou je,' vervolgde ze op luchtige toon, terwijl Kay de kamer uit wilde lopen, 'geen andere mensen vragen?'

‘Andere mensen?’ vroeg Kay verbaasd, zich weer omdraaiend. ‘Je bedoelt Mickey of zo?’

‘Ja,’ zei Helen na een tel. En toen: ‘Nee, het was gewoon maar een idee.’

‘Wil je onderweg even bij Mickey langs?’

‘Nee. Het is goed, heus.’ Ze kwam lachend overeind, haar gezicht helemaal roze door de inspanning van het bukken om haar veters vast te maken.

Ze gingen uiteindelijk toch niet naar de dierentuin. Helen zei dat ze eigenlijk geen zin had om naar al die zielige beesten in kooien en hokken te kijken. Ze begonnen aan een wandeling, zagen een bus die naar Hampstead ging en namen die toen maar. Ze stapten uit in de High Street en lunchten in een eethuisje, sardines met patat; ze keken rond in een paar tweedehandsboekwinkels en gingen toen op weg naar de Heath, door de mooie, rommelige straten met de roodstenen huizen. Ze liepen arm in arm – Helen vond het nu geen probleem dat ze twee vrouwen waren, want je verwachtte niet anders dan vrouwen op een zatermiddag op Hampstead Heath, zei ze; het was een plek voor gewone, flinke vrouwen, oude vrijsters en honden.

Toch waren er een heleboel jonge stellen. Een paar meisjes droegen een broek, net als Kay; de meesten waren in uniform of liepen in de saaie, degelijke spullen die tegenwoordig voor weekendkleding doorgingen. De jongens waren in battledress: kaki, marineblauw en alle schakeringen daartussen – de uniformen van Polen, Noorwegen, Canada, Australië, Frankrijk.

Het was een koude dag. De lucht was zo wit dat het pijn deed aan je ogen. Kay en Helen waren hier niet meer geweest sinds vorig jaar zomer, toen ze waren gaan baden in de damesvijver; ze herinnerden zich de Heath als weelderig groen en mooi. Maar nu waren de bomen helemaal kaal, en hier en daar zag je de vervaarlijke, met prikkeldraad omwikkelde flanken van batterijen luchtdoelgeschut en militair materieel. De bladeren die maanden tevoren waren gevallen, waren vergaan en bedekt met een laagje rijp: het zag er ongezond uit, als rottend fruit. De grond was op veel plaatsen getroffen door granaatinslagen of opengereten door de banden van vrachtwagens, en aan de westkant waren enorme ravijnen en kuilen waar de aarde was uitgegraven om er zandzakken mee te vullen.

Ze probeerden uit de buurt te blijven van de ergste vernielingen en liepen min of meer doelloos rond, al namen ze wel de rustigste routes. Bij een kruising van twee brede paden sloegen ze af naar het noorden; het pad voerde hen omhoog, toen omlaag door een bos, en na een paar minuten kwamen ze uit bij een meer. Het water was van oever tot oever bevroren. Op een eiland van twijgen zaten een stuk of tien eenden dicht bij elkaar gekropen, als vluchtelingen.

'Arme stakkers,' zei Helen, terwijl ze Kays arm drukte. 'Ik wou dat we brood meegenomen hadden.'

Ze liepen dichter naar het water toe. Het ijs was dun, maar blijkbaar wel sterk, want het lag bezaaid met stokken en stenen, die mensen hadden gegooid in een poging het te breken. Kay ontblootte haar handen – want ze was op de kou gekleed, met handschoenen en een dichtgesnoerde jas, een sjaal en een baret – raapte ook een steen op en gooide die weg, gewoon omdat ze het leuk vond hem over het ijs te zien scheren. Daarna liep ze helemaal naar de rand van het meer en drukte met de punt van haar schoen op het ijs. Een paar kinderen kwamen kijken: ze liet ze de zilverachtige luchtbellen zien die opbolden onder het oppervlak, ging op haar hurken zitten, wrikte met haar handen aan het ijs en trok grote kartelige stukken los, die ze voor de kinderen in kleinere stukken brak, om vast te houden en weg te gooien, of er met hun hielen op te stampen. Als het ijs verpulverde, veranderde het in wit poeder – precies het poeder van vergruizeld glas na een bombardement.

Helen stond nog op de plaats waar Kay haar had achtergelaten, en keek toe. Ze hield haar handen in haar zakken, ook al had ze handschoenen aan; de kraag van haar mantel was opgeslagen, en ze droeg een soort Schotse baret van wol, die ze ver over haar voorhoofd had getrokken. Er lag een vreemde uitdrukking op haar gezicht – een zachte, maar tegelijk zorgelijke glimlach. Kay viste nog een laatste stuk ijs op voor de kinderen en ging terug naar Helen.

'Wat is er?' vroeg ze.

Helen schudde haar hoofd en glimlachte zoals het hoorde. 'Niets. Ik vond het leuk om naar je te kijken. Je was net een jongetje.'

Kay sloeg haar handen tegen elkaar om de kou te verdrijven en het vuil eraf te kloppen. Ze zei: 'Als er ijs ligt wordt toch iedereen een jongetje? Het meer bij ons thuis bevroor soms toen ik een kind was. Het was veel groter dan dit. Of misschien leek het toen alleen maar groot. Tommy, Gerald en ik gingen altijd het ijs op. Mijn arme moeder! Ze vond het vreselijk, ze dacht dat we allemaal zouden verdrinken. Ik begreep het niet. Alle jongens die ze kende sneuvelden intussen in de loopgraven, de een na de ander... Heb je het koud?'

Helen had staan rillen. Ze knikte. 'Een beetje.'

Kay keek rond. 'Er is hier ergens een melksalon. We kunnen een kop thee gaan drinken. Heb je daar zin in?'

'Ja, misschien wel.'

'Je zou ook een taartje of een koffiebroodje moeten eten op je verjaardag. Vind je niet?'

Helen trok haar neus op. 'Ik weet niet of ik dat wel wil. Het smaakt vast afschuwelijk, wat we ook krijgen.'

'O,' zei Kay, 'maar het moet echt.'

Ze meende te weten waar de melksalon was. Ze gaf Helen een arm, trok haar tegen zich aan en sloeg een nieuw pad in; na twintig minuten lopen hadden ze echter nog niets gevonden. Ze gingen dus maar terug naar het bevroren meer en probeerden een ander pad. 'Ja, daar is het!' zei Kay.

Maar toen ze dichterbij kwamen, zagen ze dat het gebouw half uitgebrand was; er zaten geen ruiten in de sponningen, de gordijnen waren aan flarden, het metselwerk was zwartgeblakerd. Er hing een briefje op de deur: 'Afgelopen zaterdag gebombardeerd'. Daaronder had iemand een zielig papieren vlaggetje opgehangen, zo'n vlaggetje dat vroeger, voor de oorlog, in zandkastelen werd gestoken.

'Verdorie,' zei Kay.

Helen zei: 'Het geeft niet. Ik wilde eigenlijk toch niets.'

'We vinden vast nog wel wat anders.'

'Als ik thee neem, moet ik weer naar de wc.'

Kay lachte. 'Schat, naar de wc moet je toch, wat je ook doet. En je bent jarig. Je moet een taart hebben.'

'Ik ben te oud voor taart!' zei Helen, met een zweem van ongeduld. Ze pakte haar zakdoek en snoot haar neus. 'God, wat is het koud! Laten we in beweging blijven.'

Ze glimlachte weer, maar maakte op Kay een afstandelijke, verstrooide indruk. Misschien lag het gewoon aan het weer. Het viel natuurlijk niet mee om opgewekt te zijn, als het zo koud was.

Kay stak voor hen allebei een sigaret aan. Ze gingen nogmaals terug naar het meer, en omhoog door het bos – vlugger lopend dan eerst, om warm te worden.

Vanaf deze kant begon het pad Kay bekender voor te komen. Ze herinnerde zich plotseling een middag die ze hier in het verleden had doorgebracht... Ze zei, zonder erbij te denken: 'Weet je, ik geloof dat ik hier wel eens geweest ben, met Julia.'

'Met Julia?' vroeg Helen. 'Wanneer dan?'

Ze probeerde het luchtig te zeggen, maar het klonk geforceerd. Kay dacht: Verdomme. Ze zei: 'O, jaren geleden, ik weet het niet meer. Ik herinner me een brug of zoiets.'

'Wat voor brug?'

'Gewoon een brug. Een grappig bruggetje, typisch rococo, over een vijver.'

'Waar was dat?'

'Ik dacht dat het deze kant op was, maar nu begin ik te twijfelen. Het is net als in een sprookje, vermoed ik, je kunt het alleen vinden door er niet echt naar te zoeken.'

Ze wou dat ze niets gezegd had. Helen deed maar of ze belangstelling had voor de brug, dacht ze, en overdreef het een beetje om de pijnlijke situatie te verhelpen die was ontstaan door het noemen van Julia's naam. Ze liepen verder. Kay probeerde zonder veel animo eerst de ene richting en daarna de andere; ze wilde het al opgeven toen het pad waarop ze liepen plotseling eindigde en ze zich precies op de plek bevonden die ze zochten.

De brug was lang niet zo charmant als ze zich herinnerde; hij was veel gewoner, helemaal geen rococo. Maar Helen liep er meteen naartoe en stond als betoverd naar de vijver te staren.

'Ik kan Julia hier zien,' zei ze glimlachend, toen Kay bij haar kwam staan.

'Ja?' zei Kay.

Ze wilde niet per se aan Julia denken. Ze stond nog even naar de nieuwe vijver te kijken; ook deze was bevroren en bezaaid met takken en stenen, en had zijn eigen haveloze troepje eendvluchtelingen. Toen draaide ze zich om naar Helen en keek naar haar profiel, naar haar wang en hals – die eindelijk roze waren geworden, van echte opwinding en belangstelling, leek het; en achter de opgeslagen kraag van Helens mantel ving ze een glimp op van de crèmekleurige revers en de gladde, gave huid daaronder. In gedachten stond ze weer in de slaapkamer en sloot ze de haakjes van de mooie jurk; ze herinnerde zich het glijden van de zijden pyjama, voelde het gewicht van Helens warme, hangende borsten.

Ze werd weer helemaal warm van begeerte. Ze pakte Helens arm en trok haar dichter naar zich toe. Helen draaide zich om, zag haar gezicht en keek verschrikt om zich heen.

'Straks komt er iemand,' zei ze. 'Niet doen, Kay!'

'Wat niet? Ik kijk alleen maar naar je.'

'Het is de manier waarop je kijkt.'

Kay haalde haar schouders op. 'Ik zou... Hier.' Ze nam een oorbel van Helen in haar handen en begon hem los te draaien. Ze ging zachter praten. 'Ik zou met je oorbel bezig kunnen zijn. Stel dat je oorbel blijft haken. Dan moet ik hem zo losmaken, ja toch? Dat zou iedereen doen. Ik moet je haar naar achteren doen, dat is niet meer dan normaal. Ik moet dichter bij je gaan staan...'

Al pratend trok ze het sieraad van Helens oor en streelde met haar vingers over de koude, naakte oorlel.

Helen schrok. 'Straks komt er iemand,' zei ze weer.

'Niet als we vlug zijn.'

'Doe niet zo mal, Kay.'

Maar Kay kuste haar toch, en Helen rukte zich bijna van haar los. Want er was inderdaad iemand gekomen, een aardige vrouw die een hond uitliet. Ze was aan de andere kant van de brug verschenen, geluidloos, vanuit het niets.

Kay hield de oorbel omhoog en zei, op een normale toon: 'Nee, het lukt niet. Je zult het zelf moeten doen.' Helen keerde haar de rug toe en bleef stokstijf staan, alsof ze volkomen in beslag werd genomen door iets wat daar beneden te zien was.

Toen de vrouw voorbijliep, keek Kay haar aan en glimlachte. De vrouw lachte terug – maar het was een onzeker lachje, vond Kay. Ze moest toch een glimp van hun omhelzing hebben opgevangen, maar twijfelde, begreep het niet, geneerde zich. De hond kwam aangetrippeld en snuffelde aan Helens hielen. Het duurde een eeuwigheid voor hij doorliep.

'Vlekkie!' riep de vrouw, die steeds roder werd in haar gezicht. 'Vlekkie! Stoute hond!'

'God!' zei Helen toen ze weg waren. Ze hield haar hoofd schuin om de oorbel weer in te doen, haar handen bij haar kaak, haar vingers driftig draaiend aan het schroefje.

Kay moest lachen. 'O, wat maakt het uit? We leven niet meer in de negentiende eeuw.'

Maar bij Helen kon er geen lachje af. Met een strakke, bijna barse trek om haar mond prutste ze aan de oorbel. En toen Kay haar wilde helpen, deed ze vinnig een stap opzij. Kay gaf het op. Wat een drukte, dacht ze, om niets... Ze pakte haar sigaretten weer en hield Helen de koker voor. Helen schudde haar hoofd. Ze liepen zwijgend verder, niet langer gearmd.

Ze sloegen het pad weer in waarover ze gekomen waren en namen daarna, zonder te overleggen, een ander pad, dat naar het zuiden ging. Dit leidde, zagen ze even later, naar de top van Parliament Hill. De helling was eerst nog glooiend, maar werd algauw steil, en Kay keek vanuit haar ooghoeken naar Helen en zag haar bruusk bewegen en hijgen; het leek wel of ze steeds bozer werd en een reden zocht om te klagen, om Kay op de een of andere manier de schuld te geven... Maar toen kwamen ze bij de top en zagen het uitzicht. Haar gezicht klaarde op, werd weer rustig en tevreden.

Want je kon vanaf hier over de hele stad kijken, naar alle oriëntatiepunten van Londen; en door de afstand – en door de rook uit al die schoorstenen, die in de kille, windstille lucht hing als een net in het water – hadden zelfs de bergen puin en de uitgebrande gebouwen zonder daken een zekere smoezelige charme. Er waren een stuk of vijf versperringsballonnen opgelaten, die al draaiend en zwevend leken uit te dijen en weer in te krimpen. Het leken wel varkens op een boerenerf, dacht Kay. Ze gaven de stad een vrolijk, knus aanzien.

Een paar mensen maakten foto's. 'Daar is St. Paul's Cathedral,' zei een meisje tegen haar vriend, een Amerikaanse soldaat. 'Daar zijn de parlementsgebouwen. Daar is...'

'Wees toch stil,' zei een man luidkeels tegen haar. 'Er kunnen wel spionnen in de buurt zijn.'

Het meisje hield haar mond.

Helen en Kay stonden net als alle anderen naar het uitzicht te kijken, terwijl ze hun ogen afschermden tegen het felle licht van de witgebleekte hemel. Toen kwam er iets verderop langs het pad een bank vrij, en

Kay rende erheen om hem in beslag te nemen. Helen volgde langzamer. Ze ging zitten, leunde voorover en fronste haar voorhoofd, terwijl ze ingespannen naar de stad bleef staren.

Kay zei: 'Is het niet prachtig?'

Helen knikte. 'Ja hè? Ik wou alleen dat het helderder was.'

'Maar dan zou het niet zo mooi zijn. Dit is romantischer.'

Helen zat nog steeds te turen. Ze wees. 'Dat is St. Pancras Station, hè?' Ze sprak zachtjes, met een blik in de richting van de bemoeizuchtige man.

Kay keek. 'Ja, dat moet wel.'

'En daar is het universiteitsgebouw.'

'Ja. Wat zoek je? Rathbone Place? Ik betwijfel of we dat hier vandaan kunnen zien.'

'Daar is de Foundling Estate,' zei Helen, alsof ze het niet had gehoord.

'Het is westelijker dan de Coram's Fields, en verder naar het zuiden.' Kay keek weer en wees. 'Dat is Portland Place, denk ik. Daar is het dichterbij.'

'Ja,' zei Helen vaag.

'Kun je het zien? Je kijkt de verkeerde kant op.'

'Ja.'

Kay legde haar hand op Helens pols. 'Schat, je bent niet...'

'God!' zei Helen, terwijl ze haar arm losrukte. 'Moet je me nou zo noemen?'

Ze zei het bijna sissend, terwijl ze net als eerder een blik in het rond wierp. Haar gezicht was bleek, van de kou en van ergernis. Haar lippenstift stak er fel bij af.

Kay wendde haar hoofd af. In plaats van boos te worden voelde ze zich plotseling diep teleurgesteld: in het weer, in Helen, in deze dag – in de hele zooi. 'Jezus nog aan toe,' zei ze. Ze stak nog een sigaret op, zonder Helen er een aan te bieden. De rook had een bittere smaak, net als haar eigen bedorven stemming.

Na een poosje zei Helen zacht: 'Het spijt me, Kay.' Ze staarde naar haar handen, die gevouwen in haar schoot lagen.

'Wat heb je toch?'

'Ik ben een beetje triest, dat is alles.'

'Nou, trek in godsnaam niet zo'n gezicht, anders' – Kay wierp de sigaret weg en liet haar stem dalen – 'zal ik mijn arm om je heen moeten slaan, en je weet hoe vreselijk je dat vindt.'

Haar stemming was weer omgeslagen. Het verbitterde gevoel was verdwenen, was net zo snel weggezakt als het was opgekomen; de teleurstelling was uiteindelijk te groot geweest om te dragen. In plaats daarvan was ze vervuld met tederheid. Haar hart deed zelfs pijn. 'Het spijt mij ook,' zei ze op milde toon. 'Ik denk dat een verjaardag nooit zo leuk is voor de jarige zelf als voor degene die hem organiseert.'

Helen keek op en glimlachte een beetje triest. 'Ik vind het blijkbaar niet leuk om negenentwintig te worden. Dat is toch een rare leeftijd? Ik was liever meteen dertig geworden, dan was ik er vanaf geweest.'

'Het is een perfecte leeftijd,' zei Kay, met iets van haar eerdere hoffelijkheid, 'voor jou. Dat zou elke leeftijd zijn...'

Maar Helen schrok. 'Niet doen, Kay,' zei ze. 'Niet... niet zo aardig tegen me doen.'

'Niet aardig tegen je doen!'

'Nee...' Helen schudde haar hoofd. 'Ik verdien het niet.'

'Dat zei je vanochtend ook al.'

'Omdat het zo is. Ik...'

Ze keek weer uit over Londen, in dezelfde richting als eerst, en wilde niet verdergaan. Kay sloeg haar verbluft gade en wreef toen zachtjes over haar arm, met haar knokkels.

'Hé,' zei ze zacht. 'Het geeft niet. Ik wilde er een bijzondere dag van maken, dat is alles. Maar misschien is dat te veel gevraagd in oorlogstijd. Volgend jaar... Wie weet? Misschien is de oorlog dan voorbij. Dan gaan we het echt vieren. Ik neem je mee op reis! Ik neem je mee naar Frankrijk! Zou je dat leuk vinden?'

Helen antwoordde niet. Ze had zich naar Kay omgedraaid en keek haar met een ernstig gezicht aan. Na een moment mompelde ze: 'Ben je me nog niet beu, Kay, nu ik zo'n afschuwelijk humeurige oude vrijster ben?'

Even kon Kay geen antwoord geven. Toen zei ze op dezelfde zachte toon: 'Je bent toch mijn meisje? Ik word jou nooit beu, dat weet je.'

'Het zou kunnen.'

'Nee, nooit. Je bent voorgoed van mij.'

'Ik wou dat het zo was,' zei Helen. 'Ik wou... ik wou dat de wereld anders was. Waarom kan dat niet? Ik haat het, dat stiekeme...' Ze wachtte, terwijl een man en een vrouw zwijgend voorbij liepen, arm in arm. Ze liet haar stem nog verder dalen. 'Ik haat het, dat stiekeme en achterbakse gedoe altijd. Konden we maar trouwen of zoiets.'

Kay knipperde met haar ogen en keek de andere kant op. Het was een van de tragische dingen in haar leven dat ze geen man kon zijn voor Helen – niet met haar kon trouwen, haar geen kinderen kon geven... Ze bleven een moment zwijgend zitten, starend naar het uitzicht maar zonder het echt te zien. Kay zei zacht: 'Laten we maar naar huis gaan.'

Helen zat aan een knoop van haar jas te trekken. 'We hebben nog maar een uur of twee voordat je weer weg moet.'

Kay dwong zichzelf tot een glimlach. 'Nou, ik weet wel een manier om een uur of twee te vullen.'

'Je weet best wat ik bedoel,' zei Helen. Ze keek weer op, en Kay zag dat ze bijna huilde. 'Kun je vanavond niet bij me blijven, Kay?'

'Helen,' zei Kay ontzet. 'Wat heb je toch?'

'Ik... ik weet het niet. Ik wou alleen dat je bij me kon blijven.'

'Dat kan niet. Dat kan echt niet. Ik moet naar mijn werk. Dat weet je.'

'Je bent daar altijd.'

'Het kan niet, Helen... God, kijk me niet zo aan! Als ik weet dat jij thuis ongelukkig zit te zijn, moet ik...'

Ze waren dichter bij elkaar gaan zitten. Maar ook nu kwamen er weer een man en een meisje aanlopen over het pad, langs hun bankje, en Helen schoof weg. Ze pakte een zakdoek en veegde haar tranen weg. Kay keek naar het stel – dat even was blijven staan om van het uitzicht te genieten, net als iedereen – en kon hen wel vermoorden. De drang om Helen in haar armen te nemen – en de wetenschap dat dat niet mocht – deed haar huiveren, maakte haar ziek.

Toen het stel doorliep, keek ze weer naar Helen en zei: 'Zeg dat je vanavond niet ongelukkig zult zijn.'

'Ik zal vanavond dolgelukkig zijn,' zei Helen verdrietig.

'Zeg dat je niet eenzaam zult zijn. Beloof me... Beloof me dat je naar de kroeg gaat en zat wordt, en een jongen oppikt, een soldaat of zo...'

'Zou je dat leuk vinden?'

'Geweldig,' zei Kay. 'Nee, ik zou het verschrikkelijk vinden, dat weet je best. Ik zou in de rivier springen. Jij bent het enige wat deze rotoorloog draaglijk maakt.'

'Kay...'

'Zeg dat je van me houdt,' zei Kay fluisterend.

'Ik hou van je,' zei Helen. Ze sloot haar ogen, alsof ze het dan beter kon voelen of tonen, en haar stem werd weer ernstig. 'Ik hou echt van je, Kay.'

'Zo, jongen,' zei Duncans vader, toen hij en Viv gingen zitten, 'hoe gaat het met je? Hebben ze je goed behandeld?'

'Ja,' antwoordde Duncan, 'dat zal wel.'

'Huh?'

Duncan schraapte zijn keel. 'Ik zei: Ja, best wel.'

Zijn vader knikte en maakte rare grimassen terwijl hij de woorden probeerde te volgen. Dit was de slechtst denkbare omgeving voor hem, wist Duncan. In het zaaltje stonden zes tafels, en die van hen was de laatste; aan de ene kant van elke tafel zaten twee gedetineerden, en aan de andere kant de bezoekers van de gedetineerden, en iedereen schreeuwde door elkaar. Duncans buurman was een zekere Leddy, een postbeambte die was veroordeeld voor het vervalsen van postwissels. Naast Viv zat Leddy's vrouw. Duncan had haar al eerder gezien. Ze gaf Leddy elke keer als ze kwam op zijn donder. 'Als je denkt dat ik het leuk vind,' zei ze nu, 'dat er zo'n vrouw in mijn huis komt...' Aan de tafel naast haar zat een meisje met een baby. Ze liet de baby op en neer wippen, in de hoop dat hij tegen zijn vader zou lachen. Maar de baby krijste als een sirene, met wijdopen mond, hapte even met grote, sidderende teugen naar adem en krijste weer door. Het was een gewoon gevangeniszaaltje, met gewone dichte ramen. Er hingen de gewone gevangenisluchtjes: van ongewassen voeten, vieze dweilen, slecht eten, slechte adem. Maar naast de gebruikelijke luchtjes waren er andere, veel verwarrender geuren: van parfum, make-up, gepermanent haar; de luchtjes van kinderen, van verkeer, honden, trottoirs, de open lucht.

Viv was bezig haar mantel uit te trekken. Ze droeg een lavendelkleurige blouse met parelknoopjes, en de knoopjes trokken Duncans aandacht. Hij was vergeten dat er zulke knopen bestonden. Hij was vergeten hoe ze aanvoelden. Hij had graag zijn arm willen uitsteken om er een tussen duim en wijsvinger te pakken, even maar.

Ze zag hem kijken en ging verzitten, alsof ze zich niet op haar gemak voelde. Ze vouwde haar mantel over haar schoot. 'Hoe gaat het nou echt met je?' vroeg ze daarna. 'Gaat het goed?'

'Ja, het gaat best.'
'Je ziet ontzettend bleek.'
'O ja? Dat zei je de vorige keer ook al.'
'Ik vergeet het altijd.'
'Hoe vond je dat nou jongen, de afgelopen maand?' vroeg zijn vader luidkeels. 'Dat was schrikken, hè? Ik zei tegen mevrouw Christie, de moffen nemen ons mooi te grazen, daar waren we niet op bedacht. Wat was dat trouwens een kabaal, een paar nachten geleden! Zulke harde knallen dat ik er wakker van werd! Dan weet je wel hoe erg het was.'
'Ja,' zei Duncan, en hij probeerde te glimlachen.
'Bij meneer Wilson is het dak van het huis geblazen.'
'Meneer Wilson?'
'Je weet wel.'
'Waar we altijd heen gingen,' zei Viv, die Duncan zag worstelen, 'toen we klein waren. Die man en zijn zus die ons altijd snoepjes gaven. Weet je dat niet meer? Ze hadden een vogeltje in een kooi. Jij vroeg altijd of je het mocht voeren.'
'...een grote dikke meid,' zei Leddy's vrouw nu, 'met dat soort hebbelijkheden! Ik werd er misselijk van...'
'Ik weet het niet meer,' zei Duncan.
Zijn vader zat met zijn hoofd te schudden, hij liep een paar tellen achter, door zijn slechte gehoor. 'Nee,' zei hij, 'je gelooft het amper als het weer bedaart. Met die herrie zou je denken dat alles in puin lag. Je schrikt als je ziet dat er nog zo veel huizen overeind staan. Net of we weer midden in de Blitz zitten. Nou ja, ze noemen dit toch ook de kleine Blitz?' Hij zei dit laatste tegen Viv; daarna richtte hij zich weer tot Duncan. 'Je merkt het hier zeker niet zo erg, hè?' zei hij.
Duncan dacht aan het donker, het geschreeuw van Giggs, de bewaarders die naar de schuilkelder gingen. Hij ging verzitten. 'Het ligt eraan wat u met "merken" bedoelt,' zei hij.
Maar hij moest het mompelend hebben gezegd. Zijn vader hield zijn hoofd scheef, maakte weer een grimas. 'Wat zeg je?'
'Het ligt eraan wat u... God! Nee, wij merken het niet zo erg.'
'Nee,' antwoordde zijn vader mild. 'Nee, dat dacht ik al.'
Meneer Daniels liep achter de gedetineerden heen en weer te sloffen. De baby huilde nog steeds: Duncans vader probeerde de aandacht van het kind af te leiden en trok gekke gezichten. Een paar tafels ver-

derop zat Fraser; zijn ouders waren op bezoek. Duncan kon hen net zien. Zijn moeder was in het zwart en droeg een hoed met een voile, alsof ze naar een begrafenis ging. Het gezicht van zijn vader was steenrood. Duncan kon niet horen wat ze zeiden. Maar hij kon Frasers handen op tafel zien liggen; de met blaren overdekte vingers bewogen rusteloos.

Viv zei: 'Pa is naar een andere afdeling overgeplaatst bij Warner's, Duncan.'

Hij knipperde met zijn ogen en richtte zijn blik weer op haar, en zij raakte de arm van hun vader aan en zei in zijn oor: 'Ik vertelde Duncan net, pa, dat u naar een andere afdeling bent overgeplaatst.'

Duncans vader knikte. 'Dat klopt.'

'O ja?' zei Duncan. 'Bevalt het?'

'Het gaat wel. Ik werk nu samen met Bernie Lawson.'

'Bernie Lawson?'

'En met June, de dochter van mevrouw Gifford.' Duncans vader glimlachte. Hij begon Duncan een of ander verhaal te vertellen... Duncan raakte bijna onmiddellijk de draad kwijt. Zijn vader merkte het niet. Hij sprak over alle grapjes en al het gekonkel in de fabriek alsof Duncan nog thuis woonde. 'Stanley Hibbert,' zei hij, en: 'Muriel en Phil. Je had hun gezichten moeten zien! Ik zei tegen juffrouw Ogilvy...' Duncan herkende sommige namen, maar de mensen zelf waren slechts schimmen voor hem. Hij keek naar de woorden die zich op zijn vaders lippen vormden, en knikte en glimlachte al naar gelang de gelaatsuitdrukking van zijn vader, alsof hij zelf doof was.

'Ik moest je trouwens de groeten van ze doen,' besloot zijn vader. 'Ze vragen altijd naar je. En veel liefs van Pamela, natuurlijk. Ze zei dat ik tegen je moest zeggen dat het haar spijt dat ze je niet vaker kan komen opzoeken.'

Duncan knikte weer – hij was even vergeten wie Pamela was. Toen herinnerde hij zich met een schokje dat het zijn andere zus was... Ze was hem een keer of drie komen opzoeken, in de drie jaar dat hij hier zat. Hij vond het niet zo erg, maar Viv en zijn vader leken het zich altijd aan te trekken.

Viv zei: 'Het valt niet mee als je kleine kinderen hebt.'

'O nee,' zei zijn vader, die dit dankbaar aangreep, 'dat valt zeker niet mee. Je wilt geen kinderen meezeulen als je hier komt. Tenzij ze op bezoek gaan bij hun vader, dat is natuurlijk wat anders. Let wel' – hij keek even naar het meisje met de huilende baby en probeerde zachter te praten, zonder succes – 'als het om mij ging, had ik liever niet gewild dat mijn kinderen me hier zagen. Want leuk is het niet. Het zijn geen leuke dingen om aan terug te denken. Ik vond het ook eigenlijk maar niks dat jullie naar je moeder gingen toen ze in het ziekenhuis lag.'

'Maar het is fijn voor de vaders,' zei Viv. 'Moeder vond het ook fijn, denk ik.'

'O ja, dat wel.'

Duncan wierp weer een blik in de richting van Frasers ouders. Ditmaal zag hij Fraser zelf ook: die zat de tafels langs te kijken, net als hij. Hun blikken ontmoetten elkaar en Fraser trok zijn mondhoeken een beetje omlaag. Vervolgens keek hij belangstellend naar Duncans vader en naar Viv... Duncan dacht aan de jas van zijn vader, die tot op de draad versleten was. Hij boog zijn hoofd en begon stukjes vernis van het tafelblad te pulken.

Zijn handen waren schoon, want hij had de moeite genomen ze die ochtend te wassen en zijn nagels te knippen. Er zat een scherpe vouw in zijn broekspijpen; hij had de afgelopen nacht met de broek onder zijn matras geslapen. Zijn haar was plat gekamd en vet gemaakt met een mengsel van was en margarine. Hij zag elke keer voor zich hoe het zou zijn als hij hier binnen werd gebracht: hij wilde dat zijn vader en Viv op de een of andere manier onder de indruk van hem waren als ze naar hem keken; hij wilde dat ze dachten: op hem kunnen we trots zijn! Maar rond dit moment begon zijn stemming altijd in te zakken. Hij herinnerde zich dat hij en zijn vader elkaar nooit iets te zeggen hadden gehad, jaren geleden al niet. En dan was hij zo teleurgesteld – in zijn vader, in zichzelf, zelfs in Viv – dat hij er bijna in stikte. Hij wenste uit baldorigheid dat hij met vuile nagels en ongekamd haar was gekomen. Hij besefte dat hij eigenlijk wilde dat Viv en zijn vader zouden zien dat hij in een zwijnenstal leefde: hij wilde hen horen zeggen dat hij een soort held was omdat hij het onderging zonder te klagen, zonder in een beest te veranderen. Het feit dat ze elke keer met hem over gewone dingen praatten – alsof ze hem kwamen opzoeken in het ziekenhuis of op kostschool in plaats van in een gevangenis – deed zijn teleurstelling omslaan in woede. Soms kon hij amper naar zijn vaders gezicht kijken zonder dat hij zich op hem wilde storten en hem wilde slaan.

Hij voelde dat hij begon te trillen. Zijn handen lagen nog voor hem op tafel, en hij zag ze schokken. Daarom haalde hij ze weg en vouwde ze in zijn schoot. Hij wierp een blik op de klok die in de bezoekersruimte hing. Nog elf minuten...

Duncans vader had weer gezichten zitten trekken naar de baby, en de baby was stil geworden. Nu keken hij en Viv doelloos het zaaltje rond. Ze vervelen zich met me, dacht Duncan. Hij zag hen als mensen in een restaurant die uitgepraat waren, die op een saaie avond het punt hadden bereikt waarop je de andere gasten mocht gaan bestuderen, oog mocht krijgen voor kleine hebbelijkheden en eigenaardigheden. Hij keek weer op de klok. Nu nog tien minuten. Maar zijn handen trilden nog steeds. Hij voelde ook dat hij begon te zweten. Plotseling voelde hij de aandrang om alles te verknoeien, om het ergste te doen wat hij kon doen, zodat Viv en zijn vader een hekel aan hem zouden krijgen. Zijn vader keerde zich weer naar hem om en vroeg vriendelijk: 'Wie is die man, jongen, daar helemaal aan het eind?' en hij antwoordde uiterst schamper, alsof het een ongelooflijk stomme vraag was: 'Dat is Patrick Grayson.'

'Hij ziet er aardig uit, hè? Is hij nieuw hier?'

'Nee, helemaal niet. U heeft hem de vorige keer ook gezien. Toen zei u ook dat hij er aardig uitzag. Hij komt binnenkort vrij.'

'O ja? Hij zal wel blij zijn. En zijn vrouw ook.'

Duncan trok zijn lip op. 'Denkt u? Hij gaat in dienst zodra hij vrijkomt. Hij kan net zo goed hier blijven. Hier ziet hij haar tenminste eens per maand, en hij loopt natuurlijk niet het risico dat zijn kop eraf geschoten wordt.'

Zijn vader probeerde de woorden te volgen. 'Nou ja,' zei hij een beetje afwezig, 'hij zal graag zijn steentje willen bijdragen, denk ik.' Hij draaide zijn hoofd weer om. 'Ja, hij ziet er echt aardig uit.'

Duncan ontplofte. 'Waarom gaat u niet bij hem zitten in plaats van bij mij, als u hem zo leuk vindt?'

'Wat zeg je?' vroeg zijn vader, die hem nu weer aankeek.

'Duncan,' zei Viv.

Maar Duncan ging door. 'U wilt zeker dat ik net zo ben als hij. U wilt zeker dat ik ook in dienst ga om mijn kop eraf te laten schieten. U wilt zeker dat het leger een moordenaar van me maakt...'

'Duncan,' zei Viv weer, met een verschrikt, maar ook vermoeid gezicht. 'Stel je niet aan.'

Zijn vader begon boos te worden. 'Kraam toch geen onzin uit,' zei hij. 'In dienst gaan om je kop eraf te laten schieten? Wat weet jij daarvan? Als jij in dienst was gegaan toen je werd opgeroepen...'

'Pa,' zei Viv.

Hij negeerde haar, of hoorde haar niet. 'Een poosje in dienst,' zei hij, heen en weer schuivend op zijn stoel, 'dat zal hem goed doen. Goddorie! Om zo te praten. Of ik me schaam! Natuurlijk schaam ik me!'

Ze raakte zijn arm aan. 'Duncan bedoelde er niets mee, pa. Nee toch, Duncan?'

Duncan gaf geen antwoord. Zijn vader keek hem een moment lang boos aan en zei: 'Jij weet niet hoe het voelt om je te schamen! Nou, dat leer je wel als je vrijkomt. Dat leer je wel als je die vrouw en haar man een keer tegenkomt op straat...'

Hij bedoelde Alecs ouders. Maar hij kon Alecs naam gewoon niet uit zijn mond krijgen. Hij brak zijn zin af en slikte de woorden met moeite in. Het bloed was naar zijn gezicht gestegen. 'Of ik me schaam!' zei hij nogmaals. Hij keek Duncan aan. 'Wat wil je dat ik tegen je zeg, jongen?'

Duncan haalde zijn schouders op. Hij schaamde zich nu zelf, maar het gaf hem vreemd genoeg toch een goed gevoel dat hij dit had laten gebeuren. Hij begon weer aan het tafelblad te pulken en zei luchtig, maar duidelijk verstaanbaar: 'Kom dan niet, als u er zo over denkt.'

Dat was olie op het vuur. 'Kom dan niet?' zei zijn vader. 'Hoe bedoel je, kom dan niet? Je bent mijn eigen zoon, of niet soms?'

'Nou en?'

Meneer Pearce wendde vol afkeer zijn hoofd af.

'Duncan,' zei Viv.

'Wat? Hij hoeft niet te komen.'

'Duncan, in godsnaam!'

Maar nu was er een glimlach op zijn gezicht verschenen. Niet omdat hij het plezierig vond wat er gebeurde. Zijn gevoelens schoten als een bezetene heen en weer. Ze waren als een vlieger in een storm: hij had de grootste moeite om zijn evenwicht te bewaren, trekkend aan het touw... Hij hield zijn hand voor zijn mond en zei: 'Het spijt me.'

Zijn vader keek op, en zijn gezicht werd nog roder. 'Wat zit hij nou te lachen?'

'Hij lacht niet echt,' zei Viv.

'Als zijn moeder hier was...! Geen wonder dat je niet lekker bent.'

'Laat nou maar, pa.'

'Vivien voelt zich niet goed,' zei meneer Pearce agressief tegen Duncan. 'Ze moest op weg hierheen even rusten. Het laatste waar ze behoefte aan heeft is die onzin van jou. Je zou dankbaar moeten zijn dat ze je komt opzoeken! Een hoop zussen zouden de moeite niet nemen, dat kan ik je wel vertellen.'

'Ze hebben geen notie,' viel Leddy's vrouw hem bij. Zij had het natuurlijk allemaal gehoord. 'Ze zitten hier binnen. Ze krijgen hun natje en hun droogje. Ze vragen zich niet af hoe het voor ons is, buiten de poort.'

Viv maakte een of ander gebaar, maar zei niets terug. Haar gezicht stond grimmig. Duncan keek haar aan en zag, wat hem eerder niet was opgevallen, dat ze bleek was onder haar make-up, en dat haar ogen rood omrand waren, met donkere kringen eronder... Hij voelde plotseling dat zijn vader gelijk had. Hij walgde van zichzelf, omdat hij alles had bedorven. Ze is de leukste, mooiste zus die je je zou kunnen wensen! dacht hij bijna uitzinnig, terwijl hij naar Viv bleef kijken. Hij wilde de aandacht van de andere mannen op haar vestigen. Kijk eens, had hij willen roepen, naar mijn leuke zus!

Hij had al zijn energie en wilskracht nodig om zwijgend te blijven zitten, diep ongelukkig. Hij keek naar meneer Daniels en hoopte dat die zou roepen dat het bezoekuur voorbij was; en tot zijn grote opluchting zag hij hem ten slotte zijn horloge controleren aan de hand van de klok, en daarna een kast openmaken om een handbel te pakken. Hij rinkelde een paar keer halfslachtig met de bel, en het geroezemoes van stemmen werd meteen luider. Stoelen werden naar achteren geschoven. Mensen stonden vlug op – alsof ze, net als Duncan, opgelucht waren. De baby maakte een verschrikte beweging in zijn moeders armen en begon weer te huilen.

Duncans vader kwam nors overeind en zette zijn hoed op. Viv keek Duncan aan alsof ze wilde zeggen: knap werk.

Hij zei: 'Het spijt me.'

'En terecht.' Ze spraken nu zo zacht dat hun vader het niet kon horen. 'Jij bent niet de enige die het moeilijk heeft, hoor. Probeer daar maar eens aan te denken.'

'Dat weet ik wel. Alleen...' Hij kon het niet uitleggen. In plaats daarvan vroeg hij: 'Voel je je echt niet goed?'

Ze wendde haar blik af. 'Dat valt wel mee. Ik ben gewoon moe, dat is alles.'

'Komt het door de luchtaanvallen?'

'Ja, dat zal wel.'

Hij zag haar opstaan en haar mantel aantrekken. De lavendelkleurige blouse met de parelknoopjes verdween onder de jas. Haar haar viel naar voren toen ze haar hoofd boog, en ze stopte het weer achter haar oor. Hij zag opnieuw hoe bleek ze was onder de poeder op haar gezicht.

Ze mochten elkaar niet kussen of omhelzen, maar voor ze wegliep reikte ze over de tafel en raakte met haar hand zijn hand even aan.

'Pas goed op jezelf, hè?' zei ze ernstig, toen ze haar hand terugtrok.

'Ja. Jij ook.'

'Ik doe mijn best,' zei ze.

Hij knikte zijn vader toe en hoopte zijn blik te vangen, maar was er tegelijkertijd bang voor. Hij zei: 'Tot ziens, pa. Sorry voor alle stomme dingen die ik heb gezegd.'

Maar misschien zei hij het niet duidelijk genoeg. Zijn vader wendde zich af voor hij uitgesproken was en boog zijn hoofd, zoekend naar Vivs arm zodat hij de zijne erdoor kon steken.

Tien minuten eerder had Duncan hem bijna in zijn gezicht willen slaan; nu stond hij met zijn dijen stijf tegen de tafel gedrukt te kijken hoe Viv en zijn vader opgingen in de menigte bezoekers; hij wilde het zaaltje niet verlaten voor zijn vader weg was, voor het geval dat zijn vader nog zou omkijken.

Maar alleen Viv keek om – één keer, en heel kort. En een tel later kwam meneer Daniels naar Duncan en gaf hem een zet.

'In de rij, Pearce. En jij ook, Leddy. Oké, zakkenwassers, lopen.' Hij leidde hen de bezoekersruimte uit, terug naar het kruispunt van gangen die naar de werkplaatsen liepen, en droeg hen over aan meneer Chase. Meneer Chase keek vermoeid op zijn horloge. Het was bijna kwart voor vijf. De mannen van de Mandenwerkplaats, zei hij, mochten daar op eigen houtje naartoe gaan; een van hen droeg een rode band. Wat de anderen betreft: hij verdomde het om ze voor dat ene kwartiertje helemaal naar Postzakken Een en Twee te begeleiden; in plaats daarvan bracht hij hen terug naar de afdeling. Ze liepen zonder te praten, terneergeslagen, gelaten; allemaal, net als Duncan, met net gekamde haren en ongekreukte broeken en schone handen. De lege zaal leek reusachtig groot. Ze waren met zo weinig – acht man maar – dat toen ze de trappen opsjokten de galerijen dat kille, sidderende geluid maakten waar Duncan 's nachts naar luisterde.

Ze gingen allemaal meteen hun eigen cel in, alsof ze blij waren om terug te zijn. Duncan liet zich op zijn brits zakken en nam zijn hoofd in zijn handen.

Zo bleef hij een paar minuten zitten. Toen hoorde hij vastberaden, zachte voetstappen op de galerij voor zijn deur, en hij probeerde vlug zijn tranen te drogen. Maar hij was niet snel genoeg.

'Nou, nou,' zei meneer Mundy vriendelijk. 'Wat is dat allemaal?'

Toen begon Duncan pas echt te huilen. Hij sloeg zijn handen voor zijn gezicht en snikte met schokkende schouders, zodat het frame van de brits trilde. Meneer Mundy liet hem begaan; hij kwam niet naar hem toe en legde geen arm om zijn schouder of zoiets. Hij bleef gewoon staan wachten tot het ergste voorbij was, en toen zei hij: 'Zo. Je hebt bezoek gehad van je pa, hè? Dat klopt, ik zag het pasje. En nu ben je zeker een beetje van de kaart?'

Duncan knikte, terwijl hij zijn gezicht afveegde met zijn ruwe gevangeniszakdoek. 'Een beetje.'

'Het valt nooit mee om gezichten van thuis te zien. Of laat ik het zo zeggen, het is moeilijk om je natuurlijk te gedragen. Huil maar rustig door als je daar zin in hebt. Ik heb er geen last van. Ik heb wel stoerdere kerels zien huilen, geloof me.'

Duncan schudde zijn hoofd. Zijn gezicht gloeide en voelde alsof het gekneusd en vertrokken was door het krampachtige gesnik. 'Het gaat wel weer,' zei hij met onvaste stem.

'Natuurlijk.'

'Ik... ik maak er alleen zo'n puinhoop van, meneer Mundy. Ik maak er elke keer zo'n puinhoop van.'

Zijn stem werd schriller. Hij beet op zijn lippen, drukte zijn armen tegen zijn lijf en balde zijn vuisten, om te voorkomen dat hij weer ging huilen. Toen de aanval voorbij was en hij zich weer ontspande, voelde hij zich uitgeput. Hij kreunde en wreef over zijn gezicht.

Meneer Mundy bleef nog even staan kijken; toen pakte hij Duncans stoel, draaide die om en ging een beetje moeizaam zitten, met een kleine zucht van onbehagen. 'Weet je wat?' zei hij. 'Neem een sigaret. Kijk eens wat ik hier heb.'

Hij haalde een pakje Player's voor de dag. Hij maakte het open en hield het Duncan voor. 'Ga je gang,' zei hij, terwijl hij tegen het pakje tikte.

Duncan trok er een sigaret uit. Die leek wel zo dik als een kleine sigaar vergeleken met de sjekkies die ze zelf altijd draaiden. De tabak zat stijf in de gladde, koele papieren huls, en de sigaret lag zo prettig in de hand dat hij hem tussen zijn vingers ronddraaide en zich beter begon te voelen.

'Niet slecht, hè?' zei meneer Mundy, die hem gadesloeg.

'Geweldig,' zei Duncan.

'Rook je hem niet op?'

'Ik weet het niet. Ik moet hem eigenlijk bewaren en de tabak eruit halen. Ik kan hier wel vier of vijf keer van roken.'

Meneer Mundy glimlachte. Hij begon te zingen, met een melodieuze oudemannenstem. '*Five little fags in a dainty little packet...*' Hij trok rimpels in zijn neus. 'Rook hem nu maar op.'

'Ja?'

'Vooruit. Ik zal je gezelschap houden. We gaan gewoon als twee kerels samen zitten roken.'

Duncan lachte. Maar de lach kwam te snel na zijn tranen en bleef in zijn borst steken, en hij begon te beven. Meneer Mundy deed alsof hij het niet merkte. Hij pakte een sigaret voor zichzelf en een doosje lucifers. Eerst gaf hij Duncan een vuurtje, daarna stak hij zelf op. Een halve minuut lang rookten ze in stilte. Toen hield Duncan de sigaret van zich af en zei: 'Mijn ogen gaan ervan prikken. Ik word er duizelig van! Ik ga flauwvallen!'

'Maak het nou!' zei meneer Mundy gniffelend.

'Echt waar!' zei Duncan. Hij leunde achterover en deed alsof hij in zwijm viel. Hij was soms net een jongen, bij meneer Mundy... Maar toen werd hij weer ernstig. 'God,' zei hij, 'ik ben er slecht aan toe! Gevloerd door één sigaretje!'

Hij hield zijn voeten op de vloer maar liet zich verder helemaal achterover vallen, steunend op een elleboog. Hij vroeg zich af waar Viv en zijn vader nu waren. Hij probeerde zich zijn vaders terugreis naar Streatham voor te stellen, maar dat lukte niet. Toen probeerde hij zich de verschillende kamers in het huis van zijn vader voor de geest te halen. Hij kreeg in plaats daarvan plotseling een heftig, levendig beeld van de keuken van zijn vader op de dag dat hij die voor het laatst had gezien, met de rode smeerboel die zich over de muren en vloer verspreidde...

Hij ging vlug weer rechtop zitten. Er viel as van zijn sigaret. Hij veegde de as weg en wreef over zijn gezicht, dat nog steeds pijn deed, en na een tijdje zei hij zacht, zonder op te kijken: 'Denkt u dat het wel goed met me komt, meneer Mundy, als ik weer vrij ben?'

Meneer Mundy nam nog een trekje van zijn sigaret. 'Natuurlijk wel,' zei hij bemoedigend. 'Je hebt alleen tijd nodig om... tja, om op eigen benen te leren staan.'

'Op eigen benen?' Duncan fronste zijn wenkbrauwen. 'Als een kind dat moet leren lopen, bedoelt u?' Hij zag zichzelf met een luier om rondwaggelen.

'Precies!' zei meneer Mundy lachend.

'Maar wat kan ik bijvoorbeeld voor werk gaan doen?'

'Het komt wel goed met jou.'

'Maar waarom zou dat zo zijn?'

'Er zullen altijd banen zijn voor pientere jonge kerels zoals jij. Let op mijn woorden.'

Dat soort dingen zei Duncans vader ook, en dan kon Duncan hem wel vermoorden. Maar nu beet hij op een nagel en keek over zijn knokkels naar meneer Mundy en zei: 'Denkt u?'

Meneer Mundy knikte. 'Ik heb hier allerlei kerels voorbij zien komen. Die voelden zich op een bepaald moment allemaal net als jij. Toch zijn ze goed terechtgekomen.'

'Maar het soort kerels dat u heeft gezien,' drong Duncan aan, 'die hadden waarschijnlijk een vrouw en kinderen of zoiets om naar terug te gaan. Waren ze weleens... bang, denkt u?'

'Bang?'

'Bang voor wat er met ze zou gebeuren, hoe het met ze zou gaan...?'

'Kom, kom,' zei meneer Mundy weer, maar strenger. 'Wat is dat voor praat? Dat weet je wel, hè?'

Duncan wendde zijn blik af. 'Ja,' zei hij na een moment. 'Daarmee haal je de Dwaling binnen.'

'Precies. Dat is het slechtste wat een jongen in jouw situatie kan doen, op die manier gaan denken.'

'Ja, ik weet het,' zei Duncan. 'Alleen... Nou ja, je kijkt hier steeds tegen muren aan. Ik probeer in de toekomst te kijken, maar dat is ook net een muur; ik zie mezelf er niet overheen komen. Ik probeer te bedenken wat ik zal gaan doen, waar ik zal gaan wonen. Het huis van mijn vader' – hij zag die rode keuken weer – 'het huis van mijn vader is maar twee straten' – hij liet zijn stem dalen – 'van Alecs huis vandaan. Alec, u weet wel, die jongen, mijn vriend... ? Mijn vader liep altijd door die straat naar zijn werk. Nu loopt hij elke dag een kilometer om, vertelde mijn zus. Hoe zal het zijn als ik daar weer ga wonen? Ik denk er steeds aan, meneer Mundy. Ik denk steeds: stel dat ik iemand zie die Alec heeft gekend...'

'Die Alec,' zei meneer Mundy resoluut, 'was een jongen met problemen, afgaande op alles wat je me hebt verteld. Het hele leven van die jongen was een Dwaling. Daar is hij nu van bevrijd.'

Duncan schoof ongemakkelijk heen en weer. 'Dat heeft u al eerder gezegd. Maar zo voelt het nooit. Als u erbij was geweest...'

'Niemand is erbij geweest,' zei meneer Mundy, 'behalve jij. En dat kun je de Last noemen die jij meedraagt. Maar ik durf te wedden dat Alec nu naar je kijkt en niets liever wil dan die last van je afnemen, dat hij zegt: "Leg maar neer, makker!" en hoopt dat je hem kunt horen. Ik wed dat hij lacht, maar ook huilt: hij lacht omdat hij is waar hij is, in het licht, en hij huilt omdat jij nog in duisternis leeft.'

Duncan knikte; hij vond de troostende klank van meneer Mundy's stem prettig, en hij hield van de ouderwetse woorden: Dwaling, Last, makker, duisternis – maar in zijn hart geloofde hij er niets van. Hij wilde graag denken dat Alec op de plek was die meneer Mundy beschreef: hij probeerde zich hem voor te stellen, omringd door zonlicht en bloemen, glimlachend... Maar zo was Alec nooit geweest, hij had het ordinair gevonden om in parken en tuinen te zitten of te gaan zwemmen, en echt glimlachen deed hij bijna nooit, omdat hij zich schaamde voor zijn lelijke gebit.

Duncan sloeg zijn ogen op en keek meneer Mundy aan. 'Het valt niet mee, meneer Mundy,' zei hij simpelweg.

Meneer Mundy deed er even het zwijgen toe. Hij stond langzaam op, liep naar Duncans brits en ging naast hem zitten; en hij legde zijn hand – zijn linkerhand, met de sigaret erin – op Duncans schouder. Hij zei op zachte, vertrouwelijke toon: 'Denk maar aan mij als je het moeilijk hebt, dan zal ik aan jou denken. Vind je dat wat? We zitten tenslotte in hetzelfde schuitje, jij en ik, want volgend jaar ga ik hier weg, net als jij. Mijn pensioen zit eraan te komen, snap je; en voor mij is het net zo'n vreemd idee als voor jou – misschien nog wel vreemder, want je weet wat ze zeggen: als een gedetineerde twee jaar moet zitten, dan moet zijn bewaarder één jaar zitten... Dus denk maar aan mij als je het moeilijk hebt. En ik zal aan jou denken – tja, ik zal niet zeggen zoals een vader aan zijn zoon denkt, want ik weet dat je daar je eigen pa voor hebt; maar laten we zeggen zoals een oom aan zijn neef zou kunnen denken. Wat vind je daarvan?'

Hij bleef Duncan aankijken en gaf een klopje op zijn schouder. Toen er een beetje as van de punt van zijn sigaret op Duncans knie viel, veegde hij het met zijn andere hand zorgvuldig weg; daarna liet hij de hand daar liggen.

'Afgesproken?' vroeg hij.

Duncan sloeg zijn ogen neer. 'Ja,' antwoordde hij zacht.

Meneer Mundy gaf hem nog een klopje. 'Goed zo. Want je bent een bijzondere jongen, dat weet je toch wel? Je bent een heel bijzondere jongen. En het loopt meestal goed af met zulke bijzondere jongens als jij. Let maar eens op.'

Hij liet zijn hand nog even op Duncans knie liggen, gaf er een kneepje in en stond op. De hekken aan het eind van de afdeling waren opengegooid: de mannen kwamen terug van de werkplaatsen. Er klonken een heleboel voetstappen, en het gerammel van de ijzeren trappen en galerijen. Ze hoorden meneer Chase roepen: 'Doorlopen. Doorlopen! Iedereen naar zijn eigen cel. Giggs en Hammond, hou op met dat gerotzooi!'

Meneer Mundy drukte zijn sigaret tussen zijn vingers uit en stopte hem terug in het pakje; toen haalde hij, terwijl Duncan toekeek, twee verse sigaretten tevoorschijn, tilde de punt van Duncans kussen op en schoof ze eronder. Hij gaf Duncan een knipoogje en streek het kussen glad; hij richtte zich net weer op toen de eerste mannen langs Duncans deur kwamen marcheren. Crawley, Waterman, Giggs, Quigley... Toen verscheen Fraser. Hij had zijn handen in zijn zakken en schopte onder het lopen tegen zijn schoenen. Zijn gezicht klaarde echter op toen hij meneer Mundy zag.

'Hallo,' zei hij. 'Dat is een hele eer, meneer Mundy! En ruik ik daar echte tabak? Hallo, Pearce. Hoe was je bezoek? Bijna net zo leuk als het mijne, zo te zien. Dat was trouwens een mooie stunt van meneer Chase, om ons terug te sturen naar de Mandenwerkplaats, terwijl jullie van Postzakken vroeg weg mochten.'

Duncan gaf geen antwoord. Fraser luisterde trouwens niet. Hij keek naar meneer Mundy, die langs hem heen naar de deur liep. 'U gaat ons toch niet verlaten?'

'Ik moet aan het werk,' zei meneer Mundy stijfjes. 'Mijn dag eindigt niet om vijf uur, zoals die van jullie.'

'O, maar geef ons geschikte bezigheden,' zei Fraser op zijn gebruikelijke overdreven manier. 'Leer ons een vak. Betaal ons een volwaardig loon, in plaats van het schijntje dat we nu krijgen. Ik weet zeker dat we ons dan een slag in de rondte zouden werken! Hemel, u zou misschien zelfs fatsoenlijke mensen van ons kunnen maken. En dat in een gevangenis, stel je voor!'

Meneer Mundy knikte een beetje zuur. 'Je bent een slimme jongen,' zei hij, terwijl hij de cel verliet.

'Dat zegt mijn vader ook altijd, meneer Mundy,' antwoordde Fraser. 'Slimmer dan goed voor me is. Hè?'

Hij barstte in lachen uit en keek naar Duncan, alsof hij verwachtte dat die mee zou doen.

Maar Duncan wilde hem niet aankijken. Hij ging op zijn bed liggen, op zijn zij, met zijn gezicht naar de muur. En toen Fraser vroeg: 'Wat is er met jou aan de hand? Pearce? Wat is er in vredesnaam aan de hand?' zwaaide hij zijn arm naar achteren, alsof hij hem wilde wegduwen.

'Hou je kop, wil je?' zei hij. 'Hou nou godverdomme je kop.'

'Ik ga mijn boek lezen,' had Helen gezegd toen Kay wegging. 'Ik ga naar de radio luisteren. Ik trek mijn mooie nieuwe pyjama aan en kruip in bed.' En ze meende het. Na Kays vertrek had ze bijna een uur op de bank zitten lezen in *Frenchman's Creek*. Om half acht maakte ze nog wat toost; ze zette de radio aan, en daar begon net een hoorspel. Maar het hoorspel was nogal saai. Ze luisterde een minuut of tien en probeerde toen een ander programma. Ten slotte zette ze de radio uit. Het leek daarna heel stil in huis: 's avonds en in het weekend was het altijd extra stil, omdat Palmer's, het meubelpakhuis, dan helemaal dicht en donker was. De stilte werkte Helen soms op de zenuwen.

Ze ging weer zitten met haar boek, maar kon er niet inkomen. Ze pakte een tijdschrift; haar blik gleed over de woorden op de bladzijde zonder iets op te nemen. Ze begon het idee te krijgen dat ze haar tijd verdeed. Ze was jarig – jarig, in oorlogstijd. Misschien wel voor het laatst! 'Een bijzondere dag in oorlogstijd is te veel gevraagd,' had Kay vanmiddag gezegd; maar waarom eigenlijk? Hoe lang moest het nog doorgaan, dat de oorlog alles bedierf? Ze waren tot nu toe altijd geduldig geweest. Ze hadden in het donker geleefd. Ze hadden zonder zout, zonder parfum geleefd. Ze hadden zichzelf kleine pleziertjes toegestopt, alsof het kaaskorstjes waren. Nu werd ze zich bewust van de minuten die verstreken: ze besefte plotseling dat het fragmenten waren van haar leven, van haar jeugd, die wegspoelden als even zovele waterdruppels, en die nooit meer terug zouden komen.

Ik wil Julia zien, dacht ze. En toen was het net of iemand haar bij de schouders greep en dringend in haar oor fluisterde: Waar wacht je nog op! Vooruit! Ze smeet het tijdschrift neer, sprong op en holde naar de badkamer om naar de wc te gaan en haar haar te kammen en zich opnieuw op te maken; en daarna trok ze haar mantel aan, deed haar sjaal om en zette de wollen baret op die ze eerder op de dag had gedragen, en verliet het huis.

Het erfje was natuurlijk pikdonker, de kinderkopjes glad door de vorst; maar ze vond de weg zonder haar zaklantaarn te gebruiken. Uit de diverse pubs aan Rathbone Place klonk het gerinkel van glas, het geroezemoes van benevelde stemmen, het dronken melodietje van een mechanische piano. De geluiden vrolijkten haar op. Het was een gewone zaterdagavond. Mensen gingen uit en hadden het naar hun zin. Waarom zij dan niet? Ze was nog geen dertig... Ze liep door Percy Street, langs de verduisterde ramen van tearooms en restaurants. Ze stak Tottenham Court Road over en kwam in de armoedige straten van Bloomsbury.

Het was rustig op straat en ze liep snel; toen struikelde ze over een kapotte stoeprand en viel bijna, en daarna dwong ze zichzelf om in een normaal tempo te lopen, en om zorgvuldig de weg te zoeken met behulp van haar zaklantaarn.

Maar haar hart bonsde alsof ze liep te rennen. Ze zei steeds bij zichzelf: dit is waanzin, Helen! Wat zou Julia wel niet denken? Ze was waarschijnlijk niet eens thuis. Waarom zou ze? Of misschien was ze aan het schrijven. Misschien had ze bezoek. Misschien was er iemand... een vriendin...

Bij die gedachte ging ze weer langzamer lopen. Het was nog niet eerder bij haar opgekomen dat Julia wel een geliefde kon hebben. Ze had nooit iemand genoemd; maar het was echt iets voor haar, dacht Helen, om zulke dingen geheim te houden. Waarom zou ze zoiets trouwens aan Helen vertellen? Wat was er tussen hen? De eerste keer hadden ze samen thee gedronken, bij Marylebone Station. Toen hadden ze door het huis in Bryanston Square gedoold, vrijwel zonder iets te zeggen. Daarna hadden ze elkaar nogmaals ontmoet en iets gedronken in een pub; en op een zonnige middag, een paar dagen terug, waren ze in de lunchpauze naar Regent's Park gegaan en hadden daar naast het meer gezeten...

Meer hadden ze niet gedaan, en toch had Helen het gevoel dat de wereld op subtiele wijze was veranderd door die paar ontmoetingen. Ze had nu het gevoel dat ze door middel van een dunne, trillende draad met Julia verbonden was. Als ze haar ogen sloot, had ze met een vingertop precies het puntje op haar borst kunnen aanwijzen waar de draad voorzichtig naar binnen liep en aan haar hart trok.

Ze had inmiddels het metrostation Russell Square bereikt, en hier was het drukker op straat. Ze raakte even verstrikt in een kluwen van mensen die net naar boven waren gekomen vanaf de perrons, en die nu een beetje hulpeloos stonden te wachten tot hun ogen gewend waren aan het donker.

Dat gaf haar meer zelfvertrouwen, net zoals de geluiden uit de pubs aan Rathbone Place hadden gedaan. Ze liep verder, langs de tuin van het Foundling Estate; ze aarzelde maar één keer, bij de ingang van Mecklenburgh Place, en betrad toen het plein.

Het zag er sinister uit in het donker, de platte achttiende-eeuwse gevels deden denken aan beschaafde, verveelde, uitgestreken gezichten – totdat ze doorliep en de lucht achter de ramen zag, en zich realiseerde dat veel huizen waren uitgebrand. Ze dacht dat ze nog wist in welk huis Julia woonde, al was ze hier maar één keer eerder geweest. Ze was er zeker van dat Julia's huis het laatste in een rij was. Ze herinnerde zich een kapotte traptree, die onder haar voeten had bewogen.

Ze beklom de trap van het huis dat ze zich meende te herinneren. De treden waren gebarsten, maar bleven liggen. Misschien waren ze gerepareerd, dacht ze.

Ze wist ineens niet meer zeker of dit wel het goede huis was. Ze zocht naar de bel van Julia's etage: er waren vier bellen, zonder nummers, zonder namen. Welke was het? Ze had geen idee, dus koos ze er op goed geluk een uit. Ze hoorde hem ergens diep in het gebouw rinkelen, in een lege kamer, leek het; daardoor wist ze dat het niet de goede was, en zonder te wachten drukte ze op een andere. Het gerinkel van deze bel klonk minder duidelijk; ze kon het geluid niet lokaliseren. Ze dacht dat ze iets hoorde bewegen op de eerste of tweede etage, maar desondanks zei ze bij zichzelf: Deze is het niet, het zal de volgende wel zijn. Want het was nooit het tweede, in sprookjes of in toverspreuken, het was altijd het derde... Maar het geluid herhaalde zich. Ze hoorde trage, zachte voetstappen op de trap. Toen ging de deur open, en daar stond Julia.

Het duurde even voor ze Helen herkende in het donker, slechts verlicht door het schijnsel van een afgeschermde zaklantaarn. Maar toen ze zag wie het was, greep ze de rand van de deur vast en zei: 'Wat is er? Iets met Kay?'

Heeft Kay het ontdekt? dacht Helen dat ze bedoelde, en haar hart trok samen. Toen realiseerde ze zich geschrokken dat Julia dacht dat ze slecht nieuws kwam brengen. Ze zei vlug, ademloos: 'Nee. Ik wilde... ik wilde je zien, Julia. Ik wilde je gewoon zien, dat is alles.'

Julia zei niets. De zaklantaarn verlichtte ook haar gezicht, en maakte er een soort masker van. Haar blik was ondoorgrondelijk. Maar na een moment trok ze de deur verder open en deed een stap achteruit.

'Kom binnen,' zei ze.

Julia ging voorop en ze beklommen een donkere trap naar de eerste verdieping. Ze kwamen in een piepklein halletje en vandaar, door een deuropening met een gordijn ervoor, in een zitkamer. Het was er schemerig, maar het leek heel licht na de verduisterde straat, en Helen voelde zich te kijk staan.

Julia bukte zich om een paar uitgeschopte schoenen, een gevallen theedoek en een jasje op te rapen. Ze zag er verstrooid uit, afwezig: helemaal niet blij, zoals mensen normaal blij zijn, dat Helen was gekomen. Haar haar was heel donker en lag merkwaardig plat tegen haar hoofd; toen ze verder in het licht kwam zag Helen tot haar schrik dat het vochtig was, dat ze het blijkbaar net had gewassen. Haar gezicht was bleek, zonder een spoortje make-up. Ze droeg een ongestreken donkere flanellen broek, een overhemd met een brede kraag en een mouwloze sweater. Aan haar voeten had ze gebreide wollen sokken en een paar rode Marokkaanse sloffen.

'Wacht even, dan ruim ik dit op,' zei ze, terwijl ze weer door het gordijn naar buiten ging met het jasje en de schoenen.

Helen stond nerveus en hulpeloos om zich heen te kijken.

De kamer was groot, warm en rommelig, heel anders dan Kays nette vrijgezellenwoning, maar toch ook niet helemaal wat Helen had verwacht. De muren waren kaal, en beschilderd met vlekkerige rode muurverf; de vloerbedekking bestond uit een verzameling Turkse kelims en imitatietapijten die elkaar overlapten. Het meubilair was erg gewoontjes. Er stond een grote divan met een allegaartje van kussens, en een vuile roze fluwelen stoel, waar springveren en repen gescheurde jute onderuit staken. De schoorsteenmantel was van geverfd marmer. Er stond een asbak op, boordevol peuken. Een van de peuken smeulde nog: Julia kwam terug, pakte hem op en drukte hem uit.

Helen zei: 'Je vindt het toch niet erg dat ik gekomen ben?'

'Natuurlijk niet.'

'Ik ging wandelen. Toen zag ik waar ik was. Ik herinnerde me jouw huis.'

'O ja?'

'Ja. Ik ben hier ooit geweest, tijden geleden. Met Kay. Weet je dat nog? Kay kwam iets bij je afgeven – een kaartje, of een boek, iets dergelijks. We zijn niet boven geweest, want daar was het een bende, zei je. We hebben beneden in de hal gestaan... Weet je het nog?'

Julia fronste haar wenkbrauwen. 'Ja,' zei ze langzaam. 'Ik geloof het wel.'

Ze keken elkaar aan en keken bijna meteen weer weg, alsof ze verlegen of beduusd waren – want het was onmogelijk, merkte Helen, om je voor te stellen dat er een tijd was geweest waarin het heel normaal was om met Kay bij Julia langs te gaan; onmogelijk om te bedenken dat ze naast Kay op de drempel had gestaan en beleefd had staan babbelen, en alleen had gedacht dat het contact tussen Julia en Kay een beetje stroef verliep. En weer vroeg ze zich af wat er sindsdien was gebeurd. Eigenlijk was er niets gebeurd.

Maar als er niets is gebeurd, dacht ze, waarom heb ik dat niets dan voor Kay verzwegen? Wat kom ik hier in vredesnaam doen?

Ze wist wat ze kwam doen. Ze werd bang.

'Misschien kan ik toch maar beter weggaan,' zei ze.

'Je bent er net!'

'Je hebt je haar gewassen.'

Julia fronste haar wenkbrauwen, alsof ze geïrriteerd was. 'Je hebt toch wel eens eerder nat haar gezien? Doe niet zo idioot. Ga zitten, dan krijg je wat te drinken. Ik heb wijn! Ik heb de fles al weken in huis, en ik heb nog geen gelegenheid gehad om hem open te maken. Het is maar Algerijnse, maar toch.'

Ze bukte zich om een kast open te doen en begon binnenin dingen te verschuiven. Helen sloeg haar even gade, deed toen een stap opzij en keek weer nerveus om zich heen. Ze liep naar een plank met boeken en liet haar ogen langs de titels glijden. Het waren voornamelijk detectives, met kleurige banden. De twee gepubliceerde romans van Julia stonden ertussen: *Dood in gradaties* en *Twintig fatale moorden*.

Ze keek van de boeken naar de prenten aan de muren, de siervoorwerpen op de geverfde schoorsteen. Hoe opgelaten en onzeker ze zich ook voelde, ze wilde alles goed in zich opnemen, want ieder klein detail kon haar iets over Julia vertellen.

'Je woont hier leuk,' zei ze uit beleefdheid.

'Vind je?' Julia sloot de kastdeur en kwam overeind. Ze had een fles, een kurkentrekker, glazen. 'De meeste spullen zijn van mijn nicht Olga, niet van mij.'

'Je nicht Olga?'

'Dit is de woning van mijn tante. Ik woon hier om te voorkomen dat hij wordt gevorderd. Het beschaafde gesjoemel waar de betere standen zo goed in zijn. Behalve deze kamer is er alleen een keuken, die ook dienstdoet als badkamer. De plee is op de gang. Het is echt een vreselijke puinhoop. In geen enkel raam zit glas; het ging zo vaak aan diggelen dat Olga het maar heeft opgegeven. Vorig jaar zomer heb ik gaas laten aanbrengen: dat was prachtig, net of je in een tent woonde. Nu het te koud is voor gaas, heb ik in plaats daarvan mica genomen. 's Avonds, als de gordijnen dicht zijn, is dat geen probleem. Maar overdag word ik er niet vrolijk van. Ik voel me net een hoer of zoiets.'

Al pratend draaide ze de kurkentrekker in de fles, en met een kleine krachtsinspanning trok ze de kurk eruit. Ze keek even naar Helen terwijl ze de wijn inschonk, en glimlachte. 'Doe je je spullen niet uit?'

Helen trok met enige tegenzin de sjaal van haar hals, zette haar baret af en begon haar mantel los te knopen. Ze droeg de jurk die ze 's ochtends had aangetrokken, de Cedric Allen met de crèmekleurige revers, die Kay zo mooi vond. Ze had hem aangehouden, besefte ze nu, in de hoop indruk te maken op Julia; maar ze werd van haar stuk gebracht door de manier waarop Julia er zelf uitzag, met haar pas gewassen haar en gekreukte broek, haar sokken en sloffen en kleurloze mond – en, erger nog, de glamour die ze daarbij moeiteloos uitstraalde. Ze trok haar armen onhandig uit haar mouwen, alsof ze nooit eerder in haar leven een jas had uitgetrokken. Julia keek weer even haar kant op en zei: 'Goh, wat ben jij opgedoft! Ter ere waarvan is dat?'

Helen aarzelde. 'Ik ben jarig,' zei ze.

Julia dacht dat ze een grapje maakte en lachte. Toen ze zag dat Helen het meende, werd haar blik zachter. 'Helen! Waarom heb je dat niet gezegd? Als ik het geweten had...'

'Het geeft niet,' zei Helen. 'Echt niet. Je voelt je net een kind door al dat gedoe, raar is dat. Iedereen werkt eraan mee. Ik kreeg van Kay een sinaasappel,' vervolgde ze triest. 'Ze had "Gefeliciteerd" in de schil gekerfd.'

Julia overhandigde haar een glas rode wijn. 'Ik ben blij dat ze dat gedaan heeft,' zei ze. 'Ik ben blij dat je je net een kind voelt.'

'Ik wou dat ze het niet gedaan had,' zei Helen. 'Ik was vandaag niet te genieten. Ik was erger dan een kind. Ik was...' Meer kon ze niet uitbrengen. Ze maakte een gebaar alsof ze de herinnering aan haar eigen gedrag wilde wegvegen.

'Trek het je niet aan,' zei Julia mild. Ze hief haar glas. 'Proost. Cheers. Op je gezondheid. En al die andere idiote dingen die mensen zeggen, waardoor ik altijd het gevoel krijg dat ik mijn laatste missie ga maken. Boven en beneden aanstoten, dat brengt geluk.' Ze klonken twee keer en namen een slok. De wijn was wrang, hun gezicht vertrok ervan.

Ze gingen zitten. Helen maakte ruimte voor zichzelf tussen de kussens op de divan. Julia streek op de armleuning van de roze fluwelen stoel neer en strekte haar benen uit. Haar benen leken onmogelijk lang en slank in de flanellen broek; haar heupen zagen er fragiel, kwetsbaar uit – alsof je ze, dacht Helen, zou kunnen breken als je er met twee handen op drukte. Ze had de asbak meegenomen en reikte nu naar de schoorsteen om sigaretten en lucifers te pakken. Haar trui kroop op toen ze dat deed, en haar overhemd was onderaan niet dichtgeknoopt; de panden werden uit elkaar getrokken en je zag haar strakke, vale buik, haar mooie navel. Helen keek, en wendde onmiddellijk haar ogen af.

Een van de divankussens viel op de grond. Helen bukte en raapte het weer op, en realiseerde zich toen dat het een hoofdkussen was, dat de divan in deze eenkamerwoning blijkbaar dienstdeed als Julia's bed; dat Julia hier elke avond lakens en dekens stond neer te leggen, zich stond uit te kleden... Het was geen bijzonder erotisch beeld, want bedden, kussens en nachtkleding zag je overal; de associatie met intimiteit, met seks, was allang verdwenen. Ze vond het eerder ontroerend, lichtelijk verontrustend. Ze keek weer naar Julia's mooie, fragiele figuur en dacht: wat is er toch met Julia? Waarom is ze altijd zo alleen?

Ze zaten stil bij elkaar. Helen merkte dat ze niets te zeggen had. Ze nam nog een paar slokken wijn, en werd zich toen bewust van geluiden op de verdieping boven hen: onregelmatige voetstappen en krakende planken. Ze hield haar hoofd achterover en keek omhoog.

Julia keek ook omhoog. 'Mijn buurman is een Pool,' mompelde ze. 'Hij is puur bij toeval in Londen beland. Hij loopt uren zo rond. Elk bericht dat hij uit Warschau krijgt, zegt hij, is erger dan het vorige.'

'God,' zei Helen. 'Die ellendige oorlog. Denk je echt dat het waar is, wat iedereen zegt? Dat het nu gauw voorbij zal zijn?'

'Wie weet? Als het wat wordt met het Tweede Front misschien wel. Maar volgens mij duurt het nog minstens een jaar.'

'Nog een jaar. Dan ben ik dertig.'

'En ik tweeëndertig.'

'De ergste leeftijden, vind je niet? Als we twintig waren, kwamen we er wel overheen, dan waren we nog bijna jong. En als we veertig waren, zouden we oud genoeg zijn om het niet erg te vinden om nog ouder te worden. Maar dertig... dan is mijn jeugd voorbij. Wat heb ik nog om naar uit te kijken? De overgang, neem ik aan. Ze zeggen dat het voor kinderloze vrouwen erger is. Niet lachen! Jij hebt tenminste iets gepresteerd, Julia. Je boeken, bedoel ik.'

Julia trok haar kin in, nog steeds glimlachend. 'O, die! Dat zijn net kruiswoordpuzzels. Ik heb de eerste alleen voor de grap geschreven, weet je. Toen ontdekte ik dat ik er best goed in was. Wat dat over mij zegt, zou ik niet weten. Kay heeft het altijd vreemd gevonden – over moord schrijven, uitgerekend in deze tijd, nu er overal om ons heen zo veel mensen worden vermoord.'

Het was de tweede of derde keer dat Kays naam werd genoemd, maar pas nu leek het hen allebei op te vallen. Ze deden er weer het zwijgen toe. Julia draaide haar glas rond terwijl ze er gefixeerd in zat te staren alsof ze een waarzegster was. Zonder op te kijken, en op een andere toon, zei ze: 'Wat vond Kay er eigenlijk van dat wij elkaar die dag tegen het lijf zijn gelopen? Dat heb ik je nooit gevraagd.'

'Ze vond het leuk,' zei Helen na een korte stilte.

'En vond ze het niet erg dat we elkaar weer zouden ontmoeten? Vindt ze het niet erg dat jij hier vanavond bent?'

Helen nam een slokje wijn en gaf geen antwoord. Toen Julia haar aankeek, kleurde ze blijkbaar of trok ze een schuldbewust gezicht. Julia fronste haar wenkbrauwen. Ze zei: 'Heb je het haar niet verteld?'

Helen schudde haar hoofd.

'Waarom niet?'

'Dat weet ik niet.'

'Vond je het niet de moeite waard om het te zeggen? Dat kan ik me best voorstellen.'

'Nee, Julia, dat was het niet. Doe niet zo raar.'

Julia lachte. 'Waarom dan? Vind je het vervelend dat ik het vraag? Ik ben nieuwsgierig. Maar ik zal erover ophouden als je dat liever hebt. Als het iets is, weet je, tussen jou en Kay...'

'Zoiets is het helemaal niet,' zei Helen vlug. 'Ik zei al, Kay vond het leuk te horen dat we elkaar hadden ontmoet. Ze zou het ook leuk vinden als we elkaar blijven ontmoeten.'

'Weet je dat zeker?'

'Natuurlijk weet ik dat zeker! Ze is heel erg op je gesteld, en daarom wil ze dat ik jou ook aardig vind. Dat is altijd zo geweest.'

'Wat nobel van haar. Vínd je me aardig, Helen?'

'Ja, natuurlijk.'

'Zo natuurlijk is dat niet.'

'Onnatuurlijk dan,' zei Helen, terwijl ze een grimas maakte.

'En toch ga je het Kay niet vertellen?'

Helen schoof ongemakkelijk heen en weer. Ze zei: 'Ik had het wel moeten doen, dat weet ik. Ik wou dat ik het gedaan had. Alleen is het soms zo, met Kay...' Ze zweeg. 'Het klinkt kinderachtig, onaardig. Maar zoals Kay tegen me doet, zoals ze voor me zorgt... Daardoor heb ik er af en toe behoefte aan om dingen voor haar te verzwijgen, zelfs doodgewone, onbenullige dingen. Omdat die dingen dan helemaal van mij zijn.'

Haar hart sloeg over terwijl ze sprak: ze was bang dat Julia het aan haar stem zou horen. Want ook al meende ze wat ze zei, ze wist op hetzelfde moment dat het niet helemaal waar was. Ze probeerde een andere draai te geven aan de zaak. Ze bagatelliseerde de dingen, door woorden als 'doodgewoon' en 'kinderachtig' te gebruiken. Ze probeerde net te doen alsof hij niet bestond, die dunne, onzichtbare, trillende draad die haar liet weten wanneer Julia bewoog, wanneer Julia ademde...

Misschien werkte het. Julia rookte met een bedachtzaam gezicht haar sigaret, zonder iets te zeggen; toen tikte ze as in de asbak en stond op. 'Kay wil een vrouwtje,' zei ze. Ze glimlachte. 'Dat klinkt als een spelletje, hè? Kay wil een vrouwtje. Dat is altijd zo geweest. Je moet bij Kay het vrouwtje spelen, anders wordt het niets.'

Ze geeuwde, alsof het onderwerp haar verveelde, liep naar het raam en trok het gordijn opzij. Er zaten kleine spleten, zag Helen, in de grijze mica platen, en Julia hield haar oog bij zo'n spleet en tuurde naar buiten. 'Heb jij ook zo'n hekel aan zulke avonden?' vroeg ze. 'Dat je niet weet of de sirene zal gaan en zo? Het is net of je op een executie wacht die misschien niet doorgaat.'

'Heb je liever dat ik wegga?' vroeg Helen.

'God, nee! Ik ben blij dat je er bent. Het is veel erger als je alleen bent, vind je niet?'

'Ja, veel erger. Maar in de schuilkelders is het ook erg. Kay wil altijd dat ik naar die in Rathbone Place ga, maar ik kan er niet tegen, ik voel me zo opgesloten. Ik zit liever in mijn eentje te bibberen van angst dan dat vreemden zien hoe bang ik ben.'

'Ik ook,' zei Julia. 'Soms ga ik de deur uit, weet je. Ik voel me buiten prettiger.'

'Ga je gewoon wandelen,' vroeg Helen, 'terwijl alles verduisterd is? Is dat niet gevaarlijk?'

Julia haalde haar schouders op. 'Waarschijnlijk wel. Maar ach, alles is tegenwoordig gevaarlijk.' Ze liet het gordijn vallen, kwam teruglopen en pakte haar glas.

Helen voelde dat haar hart weer sneller begon te kloppen. Ze bedacht dat ze veel liever buiten zou zijn met Julia, in het donker, dan hier binnen, in het zachte, onthullende, intieme licht. Ze zei: 'Waarom gaan we nu niet naar buiten, Julia?'

Julia keek haar aan. 'Nu? Een wandeling maken, bedoel je? Heb je daar zin in?'

'Ja,' zei Helen. Ze voelde plotseling het effect van de wijn, en barstte in lachen uit.

Julia lachte ook. Haar donkere ogen straalden ondeugend, van opwinding. Haar bewegingen werden sneller, ze hield haar hoofd achterover om haar wijn op te drinken en zette het glas daarna nonchalant op de schoorsteen, zodat het galmde op het geverfde marmer. Ze keek naar het vuur, liet zich op haar hurken zakken en begon as op de kolen te scheppen. Daarbij hield ze de sigaret in haar mondhoek geklemd, en op haar gezicht lag een uitdrukking van intense concentratie en afkeer: haar ogen waren half dicht geknepen, haar sierlijke hoofd was onhandig verdraaid om de opstijgende grijze wolk te ontwijken – ze was net een society-meisje, vond Helen, op de vrije avond van het personeel. Toen stond ze op, veegde haar knieën af en ging door het gordijn naar het halletje om haar mantel en schoenen te pakken. Even later verscheen ze weer in een zwart jasje met een dubbele rij glimmende koperen knopen, net een matrozenjas. Ze ging voor de spiegel staan, deed lippenstift op, poederde haar gezicht, zette haar kraag op. Ze liet haar handen kritisch over haar vochtige haar glijden, trok uit een berg handschoenen en sjaals een zachte zwarte corduroy pet tevoorschijn, zette de pet op en stopte haar haar eronder.

'Hier krijg ik later spijt van,' zei ze, 'als mijn haar in een rare vorm is opgedroogd.' Ze keek Helen aan. 'Ik lijk toch niet op Mickey, hè?'

Helen lachte schuldbewust. 'Helemaal niet.'

'Lijk ik niet op een vrouw die op het toneel een man nadoet?'

'Je lijkt meer op een actrice in een spionagefilm.'

Julia verschoof de pet. 'Nou ja, zolang we maar niet gearresteerd worden wegens spionage. Weet je wat, laten we de rest van de wijn meenemen.' Er was nog een halve fles over. 'Morgen hoef ik hem niet meer, en we hebben nog bijna niets gedronken.'

'Dan kunnen we echt gearresteerd worden.'

'Maak je geen zorgen, daar weet ik wel iets op.'

Ze liep weer naar de kast, rommelde erin en haalde de nachtwakersfles tevoorschijn waaruit ze thee hadden gedronken in Bryanston Square. Ze trok de kurk eruit en rook eraan; daarna vulde ze de fles zorgvuldig met wijn. Het kon er allemaal net in. Ze duwde de kurk terug en deed de fles in haar jaszak. In haar andere zak stopte ze een zaklantaarn.

'Nu zie je eruit als een inbreker,' zei Helen, terwijl ze haar mantel dichtknoopte.

'Maar je vergeet,' zei Julia, 'dat ik ook een inbreker bén, overdag. Nu nog één ding.' Ze trok een la open en haalde er een stapel papieren uit. Het waren dunne velletjes, zoals het doorslagpapier dat Helen op haar werk kreeg. Ze waren dicht beschreven met zwarte inkt.

'Dat is toch niet je manuscript?' vroeg Helen geïmponeerd.

Julia knikte. 'Het is een hoop gedoe, maar ik ben bang voor de bommen.' Ze glimlachte. 'Waarschijnlijk betekent dat stomme ding dan toch meer voor me dan een soort kruiswoordpuzzel. Ik neem het overal mee naartoe.' Ze rolde de papieren op en propte ze in de binnenzak van haar jas. Ze klopte op de bobbel die erdoor ontstond. 'Nu voel ik me veilig.'

'Maar als je geraakt wordt?'

'Dan maakt het toch niet meer uit.' Ze trok handschoenen aan. 'Ben je zover?'

Ze liep voor Helen de trap af. Toen ze de deur opendeed, zei ze: 'Hier heb ik zo'n hekel aan. Laten we onze ogen dichtdoen en tellen, zoals het hoort.' En dus stonden ze met dichtgeknepen ogen op de stoep en telden hardop: 'Een, twee, drie...'

'Wanneer houden we op?' vroeg Helen.

'... twaalf, dertien, veertien, vijftien – nu!'

Ze openden hun ogen en knipperden.

'Maakt dat wat uit?'

'Ik denk het niet. Het is nog steeds stikdonker.'

Ze knipten hun zaklampen aan en daalden de treden af. Julia's gezicht deed bleek en vreemd aan, omlijst door haar opgeslagen kraag en haar pet. Ze vroeg: 'Welke kant zullen we opgaan?'

'Geen idee. Jij hebt dit soort dingen vaker gedaan. Kies jij maar.'

'Goed,' zei Julia, die ineens een besluit nam. Ze pakte Helens arm. 'Deze kant op.'

Ze gingen linksaf Doughty Street in; toen weer linksaf, de Gray's Inn

Road in; en toen rechtsaf, richting Holborn. Hoewel Helen maar kort bij Julia op bezoek was geweest, waren de straten inmiddels bijna leeg. Er kwam alleen af en toe een taxi of vrachtauto voorbij – de wagens leken op kruipende zwarte insecten in het donker, met glanzende, bros uitziende lijven en afgeschermde, duivelse ogen. Ook de trottoirs waren zo goed als verlaten, en Julia stapte vlug door vanwege de kou. Helen voelde – alsof ze in het donker verwarrende nieuwe zintuigen had gekregen – het gewicht en de druk van haar arm en hand, de nabijheid van haar gezicht, haar schouder, haar heup, haar dijbeen, de deining en het ritme van haar stappen.

Op wat de kruising met Clerkenwell Road moest zijn geweest gingen ze linksaf. Na een poosje sloeg Julia weer af, ditmaal naar rechts. Helen keek om zich heen; ze was het spoor ineens bijster.

'Waar zijn we?'

'Hatton Garden,' denk ik. 'Ja, dat moet wel.'

Ze spraken zachtjes, want de straat leek uitgestorven.

'Weet je het zeker? We verdwalen toch niet?'

'Hoe kunnen we nou verdwalen?' vroeg Julia. 'We weten niet waar we heen gaan. Trouwens, je kunt niet verdwalen in Londen, ook al is alles verduisterd en zijn alle straatnaambordjes weggehaald. Als je wel verdwaalt, verdien je het niet om hier te wonen. Ze zouden er een soort examen van moeten maken.'

'Als je zakt, word je eruit getrapt?'

'Precies. En dan,' lachte Julia, 'moet je in Brighton gaan wonen.' Ze sloegen af naar links en daalden een korte heuvel af. 'Kijk, dit moet de Farringdon Road zijn.'

Hier waren weer taxi's, andere voetgangers, een gevoel van ruimte – maar het had ook iets sombers, want de helft van de gebouwen aan weerszijden van de straat was beschadigd en dichtgetimmerd. Julia ging naar het zuiden, de kant van de rivier op. Bij een bewakingspost onder een boog van het Holborn Viaduct hoorde een man hun stemmen en blies op een fluitje.

'Die twee dames daar! Die moeten een witte sjaal of een stuk papier gaan halen!'

'Komt in orde,' riep Helen gedwee terug.

Maar Julia mompelde: 'Stel dat we onzichtbaar willen zijn?'

Ze staken Ludgate Circus over en liepen door naar het begin van de brug. Ze zagen mensen de ondergrondse ingaan met tassen en dekens en kussens, en bleven even staan kijken.

'Het is wel shockerend, hè,' zei Helen zacht, 'om mensen dit te zien doen, na al die tijd nog. Ik hoor dat ze bij sommige stations al om vier en vijf uur in de rij gaan staan. Ik zou het echt niet kunnen, jij wel?'

'Nee, ik ook niet,' zei Julia.

'Maar ja, waar moeten ze anders heen? En kijk, het zijn allemaal oude vrouwtjes en mannen, en kinderen.'

'Het is afschuwelijk dat mensen als mollen onder de grond moeten leven. Het lijken de middeleeuwen wel. Erger nog. Het is prehistorisch.'

Het had inderdaad iets primitiefs, de zwaar beladen gestalten die aarzelend hun weg zochten naar de slecht verlichte ingang van de ondergrondse. Ze hadden wel bedelmonniken of marskramers kunnen zijn; vluchtelingen uit een andere, middeleeuwse oorlog – of anders uit een toekomstige oorlog, zoals die bedacht was door H.G. Wells of een soortgelijke fantasievolle schrijver. Toen ving Helen flarden van hun gesprekken op: 'Languit op de grond! Wat hebben we gelachen!'; 'Een pond uien en een stuk varkenslende'; 'Toen zegt-ie: "Hij heeft mooie tanden." En ik zeg: "Hij mag wel een beter gebit hebben dan ik, voor die prijs..."'

Ze trok aan Julia's arm. 'Kom mee.'

'Waarheen?'

'De rivier.'

Ze liepen naar het midden van de brug, knipten hun zaklantaarns uit en keken uit over het water, in westelijke richting. De rivier stroomde glansloos onder een sterreloze hemel, zo zwart dat het wel stroop of teer had kunnen zijn, of helemaal geen rivier, maar een geul, een kloof in de aarde, onpeilbaar diep... De gewaarwording om daar hoog boven te staan, gedragen door een bijna onzichtbare brug, was erg griezelig. Helen en Julia hadden elkaars arm losgelaten om over de rand te leunen en omlaag te turen; nu schoven ze weer dicht naar elkaar toe.

Toen Helen de druk van Julia's schouder tegen de hare voelde, kwam er een akelig helder beeld in haar op van het schilderachtige bruggetje op Hampstead Heath waar ze enkele uren eerder met Kay had gestaan. 'Verdomme,' zei ze zacht.

'Wat is er?' vroeg Julia. Maar ook zij sprak zacht, alsof ze wist wat er aan de hand was. En toen Helen geen antwoord gaf, vroeg ze: 'Wil je liever terug?'

'Nee,' zei Helen, na een korte aarzeling. 'Jij wel?'

'Nee.'

Ze bleven dus nog even staan, en gingen toen weer terug zoals ze gekomen waren, naar de voet van Ludgate Hill. Daar sloegen ze zonder te overleggen af, en liepen in de richting van de St. Paul.

De straten werden weer stiller, en toen ze eenmaal onder de spoorbrug door waren, leek het of de stemming in de stad was omgeslagen. Je voelde als het ware – want het was niet zozeer te zien als wel te voelen – de kale grond, de onnatuurlijke ruimte. De trottoirs waren afgezet met hekken en schuttingen, maar Helen merkte dat haar gedachten over de dunne houten platen heen glipten, naar het puin, de verbrande en vernielde dingen, de blootgelegde steunbalken en gapende kelders en verpulverde bakstenen. Zij en Julia liepen zonder iets te zeggen, getroffen door de vreemde sfeer die hier hing. Ze hielden halt aan de voet van de kathedraaltrappen, en Helen keek omhoog en probeerde de omtrekken te volgen van het reusachtige, onregelmatige silhouet dat zich aftekende tegen de donkere hemel.

'Ik heb hier vanmiddag naar gekeken,' zei ze, 'vanaf Parliament Hill.' Ze zei niet dat ze ook gretig had gezocht naar een glimp van Mecklenburgh Square; op dit moment was ze dat zelf vergeten. 'Zo dreigend als de kathedraal zich over Londen heen leek te buigen! Net een grote dikke pad.'

'Ja,' zei Julia. Het leek of ze huiverde. 'Ik weet nooit of ik me hier wel prettig voel. Iedereen is zo dankbaar dat de St. Paul gespaard is gebleven, maar... ik weet niet, ik vind het een bizar ding.'

Helen keek haar aan. 'Je zou toch niet willen dat hij gebombardeerd was?'

'Liever de kathedraal, natuurlijk, dan een gezin in Croydon of Bethnal Green. Intussen staat dat ding hier, als... niet als een pad, maar als een reusachtige Britse vlag, of als Churchill die zegt: "Engeland krijgen ze er niet onder," dat soort dingen – en het rechtvaardigt op de een of andere manier dat de oorlog nog steeds doorgaat.'

'Maar dat is toch ook zo?' zei Helen zacht. 'In die zin, bedoel ik, dat zolang we de St. Paul nog hebben – ik heb het niet over Churchill, of over vlaggen. Maar zolang we dit nog hebben, en alles waar het voor staat: verfijning, bedoel ik, en verstand, en grote schoonheid – zolang is de oorlog toch nog ergens goed voor?'

'Gaat het daarom in deze oorlog?' vroeg Julia.

'Waar gaat het volgens jou dan om?'

'Volgens mij heeft het meer te maken met onze liefde voor wreedheid dan onze liefde voor schoonheid. Volgens mij is intussen wel gebleken dat de mentaliteit waaruit de St. Paul is voortgekomen niet zo diep gaat: het is net bladgoud, en nu raakt het los en bladdert het af. Als onze hoogstaande principes ons niet konden weerhouden van de vorige oorlog, en ook niet van deze oorlog – van Hitler en het nazisme, van de jodenhaat, van het bombarderen van vrouwen en kinderen in steden en dorpen – wat hebben ze dan voor nut? Als we zo hard moeten vechten om ze te behouden – als we bejaarde mannen op de daken van kerken moeten laten patrouilleren om brandbommen weg te vegen met een bezempje – hoe waardevol zijn ze dan? Hoe na liggen ze ons aan het hart?'

Helen rilde; ze was plotseling onder de indruk van de ongelooflijke triestheid van Julia's woorden, en ze ving een glimp op van iets duisters in Julia – iets dat haar bang maakte en in verwarring bracht. Ze legde een hand op haar arm.

'Als ik er zo over dacht, Julia,' zei ze zacht, 'zou ik liever dood zijn.'

Julia bleef even roerloos staan; toen kwam ze in beweging – ze deed een stap, zwaaide met haar voet, schopte tegen het grint. 'Ik neem aan,' zei ze, op luchtiger toon, 'dat ik er niet echt zo over denk, anders zou ik ook liever dood zijn. Je kúnt zoiets niet denken, hè? In plaats daarvan richt je je aandacht' – ze moest blijkbaar aan de mannen en vrouwen denken die ze met kussens de ondergrondse in hadden zien gaan – 'op de prijs van een kam, op varkensvlees en uien. Op sigaretten. Wil je er trouwens een?'

Ze lachten, en de sombere stemming was voorbij. Helen trok haar hand terug. Julia haalde een pakje uit haar zak; het ging een beetje klunzig vanwege haar handschoenen. Ze streek een lucifer af en haar gezicht sprong plotseling tevoorschijn, geel en zwart. Helen boog zich naar het vlammetje toe, richtte zich op en wilde doorlopen. Door het licht had ze weer het gevoel gekregen dat ze blind was. Toen Julia aan haar arm trok, liet ze zich leiden.

Toen zag ze waar Julia heen ging: oostwaarts, naar het gebied achter de St. Paul. 'Die kant op?' vroeg ze verrast.

‘Waarom niet?’ antwoordde Julia. ‘Ik wil je iets laten zien. Als we op de weg blijven, denk ik dat het wel lukt.’

Ze lieten de kathedraal dus achter zich en betraden de smalle strook steen en kapot asfalt die eens Cannon Street was geweest, maar die nu meer het idee of de illusie van een weg was, in een landschap dat deed denken aan vlak, open terrein. Binnen een paar minuten leek het of de hemel boven hun hoofden was uitgedijd, wat de suggestie wekte van licht; net als eerst konden ze de verwoestingen echter niet zozeer zien als wel voelen: ze probeerden voor zich uit te turen in het pikkedonker, en hun blik gleed alle kanten op. Een paar keer bracht Helen haar hand naar haar ogen, alsof ze een waas of spinrag wilde wegvegen. Ze hadden net zo goed door troebel water kunnen lopen, zo volslagen vreemd en dicht was de duisternis hier, en zo doortrokken van geweld en verlies.

Ze hielden de straal van hun zaklantaarn heel laag en volgden de witte streep op de stoeprand. Elke keer als er een auto of vrachtwagen voorbijkwam, vertraagden ze hun pas en drukten ze zich tegen de wrakke schuttingen die daar waren neergezet om het trottoir te scheiden van het puin, en dan voelden ze aarde en braamstruiken en brokken steen onder hun schoenen. Als ze spraken, spraken ze mompelend.

Julia zei: ‘Ik weet nog dat ik deze wandeling maakte op nieuwjaarsdag, in 1941. De weg was praktisch onbegaanbaar, zelfs te voet. Ik kwam naar de beschadigde kerken kijken. Ik denk dat er sindsdien nog meer zijn verdwenen. Daarginds’ – ze knikte over haar linkerschouder – ‘moeten de resten van de St. Augustine liggen. Het was al erg genoeg toen ik hem destijds zag; daarna is hij nog eens gebombardeerd, hè, helemaal aan het eind van de vorige Blitz?’

‘Ik zou het niet weten,’ zei Helen.

‘Ik denk het wel. En vóór ons, daar – zie je?’ Ze gebaarde.’Je kunt het net zien – dat is blijkbaar alles wat er over is van de St. Mildred, in Bread Street. Dat was ongelooflijk triest...’

Ze noemde nog meer kerken terwijl ze liepen: St. Mary-le-Bow, St. Mary Aldermary, St. James, St. Michael; ze scheen ze heel goed te kunnen identificeren aan de vorm van hun beschadigde torens en gehavende spitsen, terwijl Helen al moeite had om ze überhaupt te zien. Zo nu en dan liet Julia de straal van haar zaklantaarn over de woestenij glijden, om Helens blik een bepaalde kant op te sturen; het licht kaatste af op glasscherven en bevroren plassen, en vond kleur: het groen en bruin en zilver van brandnetels, varens, distels. Eén keer zagen ze de ogen van een of ander dier oplichten.

'Kijk, daar!'

'Is het een kat?'

'Het is een vos! Kijk maar naar zijn rode staart!'

Ze zagen hem wegschieten, even snel en soepel als stromend water; ze probeerden hem te volgen met de straal van hun zaklantaarns terwijl hij rende. Toen deden ze het licht uit en luisterden, en ze hoorden het ritselen van bladeren en het schuiven van aarde. Maar dat werd algauw griezelig. Ze dachten aan ratten, adders, zwervers. Ze liepen door, vlugger nu, weg van het open terrein, naar de veilige beschutting van de straten achter Cannon Street Station.

Hier stonden vooral kantoren en bankgebouwen: sommige waren in 1940 uitgebrand en niet hersteld, andere waren nog in gebruik, maar op dit tijdstip, op een zaterdagavond, was de exacte staat waarin elk gebouw verkeerde onmogelijk vast te stellen; ze zagen er allemaal even spookachtig uit – onnatuurlijker, in zekere zin, dan het platgebombardeerde deel waar de gebouwen volledig verwoest waren en je je op de hei waande.

Waren de straten rond Ludgate Circus al stil geweest, hier leken ze volkomen uitgestorven. Alleen zo nu en dan klonk, diep onder de beschadigde trottoirs, het gedaver van de ondergrondse, alsof kuddes grote, klagende wezens zich door de riolen van de stad spoedden – wat ze in zekere zin ook deden, dacht Helen.

Ze greep Julia's arm steviger vast. Het was altijd eng om tijdens de verduistering de plekken te verlaten die je het beste kende. Dan werd je door een bepaald gevoel bekropen, een mengeling van paniek en vrees: alsof je over een schietbaan liep met een doelwit op je rug… 'We lijken wel gek, Julia,' fluisterde ze, 'om hier te komen!'

'Het was jouw idee.'

'Dat weet ik, maar…'

'Ben je bang?'

'Ja! Iedereen kan ons aanvallen vanuit het donker.'

'Maar als wij hen niet kunnen zien, kunnen zij ons ook niet zien. Trouwens, ze zouden ons waarschijnlijk voor een jongen met zijn meisje aanzien. Vorige week ging ik met deze jas en pet naar buiten, en toen dacht een hoertje in een portiek dat ik een man was en liet me haar borst zien – ze richtte haar zaklantaarn erop. Dat was in Piccadilly.'

'Goeie God,' zei Helen.

'Ja,' zei Julia. 'En je kunt je niet voorstellen hoe raar één borst eruitziet, als hij zo oplicht in het donker.'

Ze vertraagde haar pas en zwaaide met haar zaklantaarn. 'Hier is de St. Clemens,' zei ze, 'de kerk uit het kinderrijmpje. Ik neem aan dat ze daar vroeger sinaasappels en citroenen naar de oever van de Theems brachten.'

Helen dacht aan de sinaasappel die Kay haar 's ochtends had gegeven. Maar Kay en de ochtend leken ver weg op een plek als deze. Ze waren aan de andere kant van dat krankzinnige, onmogelijke landschap.

Ze staken een weg over. 'Waar zijn we nu?'

'Dit moet Eastcheap zijn. We zijn er bijna.'

'Waar?'

'Bij de zoveelste kerk, vrees ik. Je bent toch niet teleurgesteld?'

'Ik denk aan het hele eind dat we nog moeten lopen voor we thuis zijn. Als ze ons maar niet kelen.'

'Wat maak je je toch een hoop zorgen!' zei Julia. Ze dwong Helen nog wat verder door te lopen en trok haar toen mee naar een vrij smalle opening tussen twee gebouwen. 'Dit is Idol Lane,' mompelde ze – of ze kon ook, dacht Helen, 'Idle Lane' hebben gezegd. 'Hier moeten we in.'

Helen talmde. 'Het is zo donker!'

'Maar het is vlakbij,' zei Julia.

Haar greep verplaatste zich van Helens elleboog naar haar hand. Ze kneep even in haar vingers, loodste haar een hellend pad af en bleef toen staan. Ze zwaaide de lichtbundel van haar zaklantaarn omhoog en in het schijnsel kon Helen net de omtrekken van een toren onderscheiden: een hoge, sierlijke toren met een scherpe, slanke spits gesteund door bogen of steunberen – of misschien gewoon doorboord door een bomexplosie, want het schip van de kerk waaruit de toren oprees had zo te zien geen dak meer en was uitgebrand, totaal verwoest.

'St. Dunstan-in-the-East,' zei Julia zacht, terwijl ze opkeek. 'Hij was herbouwd door Wren, zoals de meeste van deze kerken, na de Grote Brand van 1666. Maar ze zeggen dat zijn dochter Jane hem heeft geholpen met het ontwerp. Ze schijnt helemaal naar boven te zijn geklommen om de laatste stenen te leggen, toen de metselaar niet meer durfde. En toen de steigers werden weggehaald is zij hier op de grond gaan liggen, om te bewijzen dat ze geloofde dat de toren niet zou omvallen.... Ik kom hier graag. Ik stel me graag voor hoe ze over de torentrap naar boven ging, met bakstenen en een troffel. Ze kan echt geen teer poppetje zijn geweest, en toch wordt ze op al haar portretten bleek en tenger afgebeeld. Zullen we hier even blijven? Of heb je het te koud?'

'Nee, dat gaat best. Maar niet in de kerk.'

'Nee, gewoon hier. Als we in de schaduw blijven merkt niemand dat we er zijn, al komen er nog zoveel struikrovers of moordenaars voorbij.'

Ze liepen behoedzaam om de toren heen, nog steeds hand in hand, hun weg zoekend langs een reeks vernielde hekken en bedacht op oneffenheden in het terrein. Een trap met drie of vier lage stenen treden voerde naar elke deur in de toren; ze beklommen er een en gingen zitten. De steen was ijskoud. De deuren, en de muren eromheen, waren zwart en weerkaatsten geen licht: Helen zocht naar Julia met haar pet en donkere jas en kon haar amper zien.

Maar ze voelde de beweging van haar arm, toen ze haar vingers in haar zak liet glijden en de nachtwakersfles tevoorschijn haalde. En ze hoorde het vochtige plopje toen de kurk uit de glazen hals kwam. Julia reikte haar de fles aan, en Helen zette hem aan haar mond. De wrange rode vloeistof raakte haar lippen en leek als een vlam over haar tong te flakkeren. Ze slikte, en voelde zich bijna onmiddellijk meer op haar gemak.

'Het lijkt wel,' fluisterde ze, terwijl ze de fles teruggaf, 'of wij de enigen in de stad zijn die nog leven. Denk je dat hier spoken zijn, Julia?'

Julia dronk. Ze veegde haar mond af. 'Misschien de geest van Samuel Pepys. Hij kwam vaak in deze kerk. Hij is hier een keer overvallen door een stel rovers.'

'Dat zou ik liever niet willen weten,' zei Helen, 'als ik niet aangeschoten was.'

'Jij bent ook gauw aangeschoten.'

'Ik was het al, dat wilde ik alleen niet zeggen. Trouwens, ik ben vandaag jarig en ik mag aangeschoten zijn.'

'Dan moet ik het ook worden. Er is geen lol aan om in je eentje aangeschoten te zijn.'

Ze dronken nog wat en bleven toen zwijgend zitten. Ten slotte begon Helen heel zachtjes te zingen:

*Oranges and lemons, say the bells of St Clement's.*
*Pancake and fritters, say the bells of St Peter's.*

'Wat een idiote tekst, hè?' zei ze, zichzelf onderbrekend. 'Ik wist niet eens dat ik hem onthouden had.'

*Bull's eyes and targets, say the bells of St Margaret's.*
*Pokers and tongs, say the bells of St John's.*

Julia zei: 'Je zingt mooi. Ik neem aan dat er geen St Helen in voorkomt?'

'Ik denk het niet. Wat zouden die klokken zeggen?'

'Geen idee. Toeters en bellen?'

'Sletten en dellen... En is er een St Julia?'

'Ik denk niet dat die ooit heeft bestaan. Trouwens, er rijmt niets op Julia. Mijn naam is te excentriek.'

'Jij bent ongeveer de minst excentrieke persoon die ik ooit heb ontmoet, Julia.'

Ze leunden met hun hoofd tegen de zwarte torendeur en draaiden hun gezicht naar elkaar toe om zachtjes te kunnen praten. Toen Julia lachte, voelde Helen de ademtocht tegen haar eigen mond: warm, geurend naar wijn, een beetje zurig van de tabak.

'Vind je het niet excentriek,' vroeg Julia, 'dat ik je tijdens een verduistering heb meegenomen naar de ruïnes van een kerk?'

'Ik vind het fantastisch,' antwoordde Helen simpelweg.

Julia zei, nog steeds lachend: 'Neem nog wat wijn.'

Helen schudde haar hoofd. Haar hart was in haar keel geschoten. Het zat te hoog en was te vol om het weer in te slikken. 'Ik wil niet meer,' zei ze zacht. 'Het punt is, Julia, dat ik niet dronken durf te worden als ik bij jou ben.'

Ze dacht dat er geen misverstand kon bestaan over de betekenis van haar woorden: dat die door een dun maar veerkrachtig membraam waren gedrongen, een scheur hadden gemaakt waar nu een vloed van ontembare hartstochten uit zou komen tuimelen... Maar Julia lachte weer en had blijkbaar haar hoofd omgedraaid, want haar adem kwam niet meer tegen Helens lippen aan; en toen ze sprak, was het peinzend en afstandelijk. Ze zei: 'Is het niet vreemd dat we elkaar nog maar nauwelijks kennen? Drie weken geleden, toen we die kop thee dronken bij

Marylebone Station – weet je nog? Ik had toen nooit kunnen denken dat we hier nu zo zouden zitten...'

'Waarom sprak je me die dag aan, Julia?' vroeg Helen na een ogenblik. 'Waarom vroeg je of ik thee met je ging drinken?'

'Waarom?' zei Julia. 'Zal ik het je vertellen? Ik durf het bijna niet. Misschien krijg je wel een hekel aan me. Ik deed het – nou ja, uit nieuwsgierigheid, moet je het denk ik noemen.'

'Nieuwsgierigheid?'

'Ik wilde weten wat voor iemand je was, zoiets.' Ze liet een verlegen lachje horen. 'Ik dacht dat je het misschien wel doorhad.'

Helen gaf geen antwoord. Ze herinnerde zich de vreemde, steelse manier waarop Julia naar haar had gekeken toen ze over Kay praatten; ze wist nog dat ze het gevoel had gekregen dat ze door Julia werd gekeurd, getaxeerd. Ten slotte zei ze langzaam: 'Ik denk dat ik het inderdaad vermoedde. Je wilde weten of je in mij kon vinden wat Kay in me vindt, is dat het?'

Julia ging verzitten. 'Het was een rotstreek. Ik heb er nu spijt van.'

'Het geeft niet,' zei Helen. 'Echt niet. Tenslotte...' Haar stemming was een beetje in mineur geraakt, maar verbeterde nu weer, dankzij de wijn en het donker. 'Tenslotte zitten we in een gekke situatie, jij en ik.'

'Is dat zo?'

'Ik bedoel, vanwege wat er tussen Kay en jou is gebeurd...'

Zelfs in het donker begreep ze onmiddellijk dat ze een fout had gemaakt. Julia verstijfde. Ze zei op scherpe toon: 'Heeft Kay je dat verteld?'

'Ja,' zei Helen langzaam, op haar hoede. 'Tenminste, ik vermoedde het.'

'En heb je er met Kay over gepraat?'

'Ja.'

'Wat zei ze?'

'Alleen dat er sprake was van een...'

'Een wat?'

Helen aarzelde. 'Een emotioneel misverstand, noemde ze het,' zei ze.

'Een emotioneel misverstand?' Julia lachte. 'Christus!' Ze wendde haar hoofd weer af.

Helen reikte naar haar arm, maar kreeg in plaats daarvan haar mouw te pakken. 'Wat is er met je?' vroeg ze. 'Wat is er? Het maakt toch niet uit? Het heeft mij nooit iets kunnen schelen. Denk je dat? Of vind je dat ik er niets mee te maken heb? Maar ik heb er in zekere zin wel mee te maken gehad. En omdat Kay er tegen mij zo open en eerlijk over was…' In haar bezorgdheid vergat ze dat Kay er eigenlijk helemaal niet open over was geweest. 'Omdat Kay er zo open en eerlijk over was, lijkt het me beter dat wij er ook open en eerlijk over zijn, vind je niet? Als het mij nooit iets heeft kunnen schelen, waarom zouden wij er dan wel mee zitten?'

'Wat klink je hoffelijk,' zei Julia.

Ze zei het zo koeltjes dat Helen ervan schrok. 'Is het een kwestie van hoffelijkheid? Dat hoop ik niet. Ik wil alleen maar zeggen dat ik het heel akelig zou vinden als dit zou leiden tot een… een soort verkoeling tussen ons. Kay heeft dat nooit gewild…'

'O, Kay,' zei Julia. 'Kay is vreselijk sentimenteel. Vind je niet? Ze doet alsof ze zo hard is, maar… ik weet nog dat ik haar een keer meenam naar een film met Astaire en Rogers. Ze zat aan één stuk door te huilen. "Waar huilde je nou om?" vroeg ik na afloop. "Om het dansen," zei ze.'

Haar manier van doen was volkomen veranderd. Ze klonk nu bijna verbitterd. 'Het verbaasde me helemaal niet,' vervolgde ze, 'toen Kay jou ontmoette. De manier waaróp ze je ontmoette verbaasde me niet, bedoel ik. Dat was ook net iets uit een film, vind je niet?'

'Ik weet het niet,' zei Helen verward. 'Het zal wel. Zo leek het destijds niet.'

'Nee? Kay heeft het me uitgebreid verteld – over hoe ze je had gevonden en zo. Op die manier bracht ze het, weet je: dat ze je had gevonden. Ze vertelde hoe angstig het haar maakte als ze bedacht dat je er bijna niet meer was geweest. Ze beschreef hoe ze je gezicht aanraakte…'

'Ik herinner me er haast niets meer van,' zei Helen mismoedig. 'Dat is het stomme.'

'Kay herinnert het zich nog heel goed. Maar ja, zoals ik al zei, Kay is sentimenteel. Ze herinnert het zich alsof het lot een handje meehielp, alsof het op de een of andere manier was voorbestemd.'

'Dat was ook zo!' zei Helen. 'Maar zie je niet hoe vreselijk ingewikkeld het in elkaar zit? Als ik Kay nooit had ontmoet, had ik jou ook nooit ontmoet, Julia. Maar Kay zou nooit verliefd op mij zijn geworden als jij haar liefde had beantwoord…'

'Wat?' zei Julia.

'Ik was je vroeger dankbaar,' vervolgde Helen, terwijl haar stem schriller werd en af en toe stokte. 'Ik dacht dat je, door Kay af te wijzen, haar op de een of andere manier aan mij had gegeven. Nu heb ik hetzelfde gedaan als zij.'

'Wát?' zei Julia weer.

'Heb je het nog niet geraden?' vroeg Helen. 'Ik ben zelf verliefd op je geworden, Julia!'

Ze had tot op dat moment niet geweten dat ze het ging zeggen; maar zodra ze de woorden had uitgesproken, werden ze waar.

Julia gaf geen antwoord. Ze had haar gezicht weer naar Helen toegewend en de luchtstroom van haar adem kwam, net als eerst, warm en bitter tegen Helens vochtige, koude lippen aan. Ze bleef even doodstil zitten, stak toen haar hand uit naar Helens vingers en omklemde ze, hard, bijna wild – zoals iemand een hand of een leren riem zou vastgrijpen, blindelings, van pijn of verdriet. Ze zei: 'Kay...'

'Ik weet het!' zei Helen. 'Maar ik kan het gewoon niet helpen, Julia! Ik haat mezelf erom, maar ik kan het niet helpen! Je had me vandaag moeten zien. Ze was zo lief. En ik kon alleen maar aan jou denken. Ik wilde dat jij het was! Ik wilde...' Ze zweeg. 'O, Gód!'

Want ze had heel duidelijk die eigenaardige kleine trilling of vibratie gevoeld die altijd voorafging aan het luchtalarm; en nog voor haar stem was weggestorven, begonnen de sirenes te loeien. Het ging maar door, steeds weer die hectische toonladder omhoog na elke val in de stilte; en zelfs na al die jaren was het onmogelijk om rustig te blijven zitten en je er niet aan te storen, niet te voelen hoe ze aan je trokken, hoe de paniek vanuit je borst naar buiten klauwde.

Het effect werd nog versterkt nu het overal om hen heen donker was. Helen drukte haar handen tegen haar oren en zei: 'O, het is niet eerlijk! Ik kan er niet tegen! Het is net of ze kermen van verdriet! Het zijn net... net de klokken van Londen! Ze hebben stemmen! Zoek dekking! zeggen ze. Verstop je! Hier komt de beul om je hoofd af te hakken!'

'Niet doen,' zei Julia, die haar arm even aanraakte, en kort daarna hield het alarm op. Toen was de stilte bijna nog griezeliger. Verkrampt zaten ze met gespitste oren te luisteren of ze de bommenwerpers hoorden; ten slotte konden ze het vage geronk van motoren onderscheiden. Het was een idiote gedachte dat de jongens in die gekke metalen buizen je kwaad wilden doen; dat ze twee uur daarvoor nog hadden rondgelopen – brood hadden gegeten, koffie gedronken, een sigaret gerookt, hun jack aangetrokken, met hun voeten op de grond gestampt tegen de kou... Toen klonk het eerste gedreun van het luchtdoelgeschut, misschien een kilometer of vier, vijf van hen vandaan.

Helen hield haar hoofd achterover en keek omhoog. De zoeklichten waren aangegaan, het donker was van karakter veranderd; in plaats van de lucht zag ze de hoog oprijzende muur van de toren waar ze tegenaan zat. Ze voelde de harde deur tegen haar schedel, door haar haar heen; ze stelde zich voor dat de stenen boven de deur naar beneden zouden komen, grote, genadeloze blokken metselwerk en specie. Het was of ze de toren voelde deinen en slingeren terwijl ze ernaar tuurde.

Ze dacht plotseling: Wat doe ik hier? En daarna dacht ze: Waar is Kay?

Ze krabbelde overeind.

'Wat is er?' vroeg Julia.

'Ik ben bang. Ik wil hier niet blijven. Het spijt me, Julia...'

Julia trok haar benen op. 'Het geeft niet. Ik ben ook bang. Help me eens opstaan.'

Ze greep Helens hand, zette zich af en kwam overeind. Ze knipten hun zaklantaarns aan en gingen op weg. Door Idol Lane – of Idle Lane, wat het ook was – liepen ze snel terug naar Eastcheap. Daar bleven ze staan, want ze wisten niet wat de veiligste route was. Toen Julia naar rechts ging, hield Helen haar tegen.

'Wacht,' zei ze buiten adem. De lucht was aan die kant doorsneden door zoeklichten. 'Dat is toch het oosten? Dat is de kant van de haven op. Ja toch? Laten we daar niet heen gaan. Laten we teruggaan zoals we gekomen zijn.'

'Door het centrum? We zouden Monument Station in kunnen gaan.'

'Ja. Het maakt me niet uit. Ik kan er alleen niet tegen om stil te zitten en me voor te stellen dat er dingen omlaagkomen...'

'Geef me maar weer een hand,' zei Julia. 'Zo ja.' Haar stem was kalm. Haar greep was stevig – niet wild, zoals eerst. Ze zei: 'Het was stom van me om je mee te nemen, Helen. Ik had moeten bedenken...'

'Het gaat best,' zei Helen. 'Het gaat best.'

Ze gingen snel weer op weg. 'We moeten nu langs de St Clement komen,' zei Julia onder het lopen. 'De St Clement moet hier ergens zijn.' Ze scheen met haar zaklamp in het rond en aarzelde, hield Helen tegen en trok haar weer mee. Ze liepen door, soms struikelend over kapotte stoeptegels, soms met hun voeten tastend naar stoepranden die er niet waren, want de heen en weer schietende zoeklichten, het plotselinge verschijnen en verdwijnen van schaduwen, was verwarrend. Ten slotte zagen ze de witgekalkte trappen van een kerk.

Het was echter niet de St Clement, maar een andere kerk. *St Edmund, koning en martelaar,* vermeldde het bordje.

Julia stond er perplex naar te staren. 'We zijn op de een of andere manier in Lombard Street terechtgekomen.' Ze zette haar pet af, deed haar haar naar achteren. 'Hoe kan dat nou in vredesnaam?'

'Welke kant is de ondergrondse op?' vroeg Helen.

'Dat weet ik niet precies.'

Toen schrokken ze allebei. Er was een auto aangekomen, die te snel door de bocht ging en begon te slingeren; hij raasde langs hen heen en verdween in het donker. Ze gingen verder, en even later hoorden ze stemmen: mannenstemmen die rondzweefden en spookachtig weergalmden, als de stemmen van geesten uit de Blitz. Het waren twee brandwachten die aan weerskanten van de straat op een dak zaten en naar elkaar riepen; de een bracht verslag uit van wat hij zag – brandbommen, dacht hij, op Woolwich en Bow. 'Daar komt weer een lading!' hoorden ze hem zeggen.

Ze stonden hand in hand te luisteren toen een blokhoofd vanuit het donker kwam aanrennen en hen bijna omverliep.

'Allejezus,' zei hij hijgend, 'waar komen jullie nou vandaan? Doe die zaklampen uit en ga ergens dekking zoeken, wil je?'

Julia had Helens vingers losgelaten zodra de man verschenen was, en een stap opzij gedaan. Ze zei, bijna geërgerd: 'Wat denkt u dat we aan het doen zijn? Waar is de dichtstbijzijnde schuilkelder?'

Bij het horen van haar toon – of, wat waarschijnlijker was, dacht Helen, haar accent – veranderde het gedrag van de man enigszins. 'Bank Station, juffrouw,' zei hij. 'Vijftig meter terug.' Hij wees met zijn duim over zijn schouder en rende verder.

Misschien kwam het doordat het een betrekkelijk gewoon gesprek was geweest, misschien doordat de man nog jachtiger had gedaan dan zijzelf, maar Helens angst leek plotseling, als bij toverslag, te verdwijnen, alsof het met een naald was afgetapt. Ze gaf Julia een arm en samen liepen ze in een heel rustig tempo naar de metalen boog van golfplaten met de stapels zandzakken eromheen, die ze nu moeiteloos konden zien: de ingang van het metrostation. Een man en een meisje haastten zich naar binnen toen ze dichterbij kwamen; een dikke vrouw met zere of stijve benen strompelde zo vlug als ze kon de trap af. Een schooljongen stond te springen van opwinding en naar de lucht te kijken.

Julia vertraagde haar pas. 'Hier is het dan,' zei ze, zonder enthousiasme.

Hier is de bewoonde wereld weer, dacht Helen dat ze bedoelde, hier is gekeuvel en gedrang en licht... Ze trok aan Julia's arm. 'Wacht,' zei ze. Wat gingen ze doen? Ik ben verliefd op je! had ze een kwartier geleden in het donker geroepen. Ze herinnerde zich de luchtstroom van Julia's adem tegen haar mond. Ze herinnerde zich Julia's hand, die de hare heftig vastgreep. 'Ik wil niet naar beneden,' zei ze zacht. 'Ik... ik wil je niet met andere mensen delen, Julia. Ik wil je niet verliezen.'

Misschien deed Julia haar mond open om antwoord te geven, dat wist Helen niet. Want het volgende moment werden ze verlicht door een flits, een soort bliksemflits, kort maar onnatuurlijk fel, zodat ontelbare kleine details – het stiksel van Julia's kraag, de ankers op haar jasknopen – vanaf haar lichaam de lucht in leken te springen, recht in Helens ogen, en haar verblindden. Twee seconden later kwam de explosie: onwaarschijnlijk hard, niet vreselijk dichtbij, misschien wel helemaal in Liverpool Street of Moorgate, maar wel zo dichtbij dat ze de schok voelden, en een bedompte, grillige windvlaag die tegen hen aan sloeg. De schooljongen die ronddartelde op de trappen van het station juichte van pure vreugde; een volwassene schoot naar buiten, tilde hem op en droeg hem naar binnen. Helen stak haar hand uit, en Julia greep hem vast. Ze begonnen te rennen – niet het station in, maar de andere kant op, terug door Lombard Street. Ze lachten als idioten. Toen de volgende explosie kwam – verder weg ditmaal – lachten ze nog uitbundiger en gingen ze harder lopen.

Toen zei Julia: 'Hierin!', en ze gaf een rukje aan Helens hand. In het licht van de tweede flits had ze een soort keerwand gezien die was gebouwd voor de ingang van een kantoor of bank. Daarachter was een diepe, naar jute geurende, onwaarschijnlijk donkere ruimte: ze stapte naar binnen alsof ze door een gordijn van inkt liep en trok Helen achter zich aan.

Ze bleven zwijgend staan, met ingehouden adem; hun ademhaling klonk in die besloten ruimte harder dan alle geluiden van de chaos op straat. Pas toen ze voetstappen hoorden, keken ze naar buiten: ze zagen het blokhoofd met wie ze hadden gesproken, en hij rende nog steeds, maar nu de andere kant op. Hij passeerde hen rakelings en zag hen niet.

'Nu zijn we weer onzichtbaar,' fluisterde Julia.

Ze waren dicht bij elkaar gaan staan om naar buiten te kijken. Helen was zich weer bewust, net als eerst, van Julia's adem die tegen haar oor en wang kwam; ze wist dat ze alleen haar hoofd maar hoefde te bewegen – een beetje draaien, een beetje scheef houden, dat was alles – om Julia's lippen te vinden in het donker... Maar ze bleef doodstil staan, niet in staat ook maar iets te doen; en uiteindelijk was het Julia die begon. Ze tilde haar hand op en raakte Helens gezicht aan, en bracht hun twee blinde monden samen; en toen de kus als een vuur oplaaide en vat op hen kreeg, liet ze haar hand naar Helens achterhoofd glijden en drukte haar nog dichter tegen zich aan.

Maar na een moment deed ze een stap achteruit. Ze maakte Helens sjaal los en begon langzaam haar mantel open te knopen. Toen dat gebeurd was, begon ze aan haar eigen jas: de panden gingen van elkaar, ze kwam weer naar voren en de twee openstaande jassen vormden samen een soort tweede keerwand, zo stelde Helen het zich voor, nog donkerder dan de eerste. Binnen die ruimte leek haar eigen lichaam en dat van Julia soepel, hard en verbijsterend warm. Ze hervatten hun kus en drukten zich tegen elkaar aan; Julia's dij kwam knus tussen Helens benen in, Helen klemde haar dij tussen Julia's benen. Bijna zonder te bewegen bleven ze staan, alleen duwend, duwend met hun heupen.

Ten slotte draaide Helen haar hoofd opzij. Ze zei fluisterend: 'Dit is wat Kay wilde, hè? Ik weet waarom, Julia! God! Ik heb het gevoel... ik heb het gevoel of ik haar ben! Ik wil je aanraken, Julia. Ik wil je aanraken zoals zij wilde...'

Julia week achteruit. Ze pakte Helens hand, trok de handschoen uit en liet hem vallen. Ze leidde de hand naar de knopen van haar broek, maakte ze open en schoof de hand bijna ruw naar binnen.

'Doe het dan,' zei ze.

Als in het John Allen House het alarm ging, liep een meisje de trappen op en af en de gangen door, om op alle deuren te kloppen. 'Luchtalarm!

Luchtalarm, meisjes!' Daarna diende elke bewoonster zich op kalme, ordelijke wijze naar het souterrain te begeven. Maar het souterrain was, zoals alle schuilkelders, te koud, te bedompt en te donker, en soms probeerden de sportiefste meisjes in huis – de meisjes met wie Viv het minst gemeen had, de meisjes voor wie dit leven gewoon een voortzetting was van hun kostschooljaren – spelletjes te organiseren of gezellig samen liedjes te zingen. Sinds kort was Viv ook bang dat ze zou moeten overgeven door alle luchtjes die er hingen.

Daarom was ze de afgelopen weken steeds op haar kamer gebleven als de sirenes gingen, samen met Betty en haar andere kamergenote, Anne. Betty en Anne konden overal doorheen slapen – Anne nam een dosis veramon, Betty deed een masker over haar ogen en stopte dopjes van roze was in haar oren. Alleen Viv lag te piekeren; ze kromp ineen bij de explosies en de salvo's van het afweergeschut, dacht aan Reggie, Duncan, haar vader, haar zus, drukte met haar handen op haar buik en vroeg zich af wat ze in vredesnaam moest doen aan het ding dat daar groeide en dat eruit moest.

Ze had de tabletten geprobeerd die Felicity Withers had geprobeerd: ze hadden haar bijna een week lang buikkrampen en vreselijke diarree bezorgd, maar verder hadden ze geen enkel effect gehad. Sindsdien bracht ze haar dagen door in een soort verdoving van angst; ze maakte de ene fout na de andere op haar werk, kon niet roken, niet eten, zich nergens op concentreren behalve op de noodzaak de misselijkheid weg te slikken, die als een bittere zwarte vloed kon komen opzetten en soms uren aanhield. En toen ze vanochtend haar rok aantrok, had ze tot haar afgrijzen ontdekt dat de tailleband niet meer sloot; ze had hem met een veiligheidsspeld dicht moeten maken.

'Wat moet ik doen?' had ze aan Betty gevraagd, en Betty had gezegd wat ze altijd al had gezegd: 'Schrijf het aan Reggie. In godsnaam, Viv, als jij het niet doet, schrijf ik hem zelf een brief!'

Maar Viv wilde niet schrijven, vanwege de censuur. En het duurde nog twee weken voor hij weer verlof had. Zo lang kon ze niet wachten, want ze werd steeds dikker en misselijker en banger. Ze wist dat ze het hem moest vertellen. Ze wist dat er niets anders opzat dan hem te bellen. Nu lag ze stijf als een plank in bed, terwijl ze moed probeerde te verzamelen om naar beneden te gaan en de telefoon te pakken.

Ze hoopte dat de luchtaanval zou ophouden, maar het werd alleen maar erger. Toen ze, weer een paar minuten later, Anne hoorde mompelen in haar slaap, sloeg ze de dekens terug. Als de bommen dichterbij kwamen werd Anne misschien wakker. Dat zou alles nog moeilijker maken. Het was nu of nooit...

Ze stond op, trok haar peignoir en pantoffels aan en pakte haar zaklamp.

Ze liep de gang in en een trap af, voorzichtig, op de tast haar weg zoekend, want het trappenhuis was erg slecht verlicht met slechts één blauwe gloeilamp. Blijkbaar maakte ze ook bijna geen geluid: een meisje dat met een bord in haar hand naar boven kwam, maakte bijna een luchtsprong van schrik toen ze haar op de overloop tegenkwam. 'Viv!' siste ze. 'Goeie God! Ik dacht dat je de geest van een gestorven typiste was.'

'Sorry, Millie.'

'Waar ga je heen? Het souterrain? Jij liever dan ik. Je bent waarschijnlijk net op tijd voor de tweede ronde van "Noem tien jongensnamen met een A" ... Of had je die creamcrackers op het oog die in de zitkamer rondslingerden? Pech gehad. Ik heb ze allemaal ingepikt, kijk, voor Jacqueline Knight en Caroline Graham en mezelf.'

Viv schudde haar hoofd. 'Je mag ze hebben. Ik ga alleen een glas water halen.'

'Kijk uit voor muizen dan,' zei Millie, die de trap begon te beklimmen. 'En denk eraan: als iemand je vraagt wie die creamcrackers heeft meegenomen, weet je van niets. Ik zou hetzelfde voor jou doen.'

Haar stem vervaagde. Viv wachtte tot ze de overloop over was en ging toen verder naar beneden. De trap werd breder naarmate ze lager kwam; het huis was oud en nogal monumentaal. Er zaten grote gipsen rozen in alle plafonds, en haken waaraan vroeger kroonluchters hadden gehangen. De trapleuning had elegante welvingen en sierlijke eindornamenten. Maar hoewel er mooie karmozijnrode tapijten in de gangen lagen, waren die allemaal afgedekt met canvas, en het canvas was erg beschadigd door hoge hakken. De wanden waren in moedeloos makende glanzende tinten geverfd, groen en roomwit en grijs: ze zagen er lelijker uit dan ooit in het zwakke blauwe licht.

De hal was een chaos van mantels, hoeden en paraplu's. Op een tafel lagen stapels papieren en post die niet was opgehaald. Het waaiervenster boven de voordeur was natuurlijk dichtgespijkerd, maar het bomvrije glas in de deur naar het souterrain blonk bombastisch. Daarachter klonk een meisjesstem, gevolgd door andere stemmen: 'Primula... Petunia... Paardenbloem...'

Viv knipte haar zaklamp aan. De telefoon was verderop, in een nis naast de zitkamer – je had er geen enkele privacy, maar in de loop der jaren hadden meisjes de krammetjes losgetrokken waarmee het telefoonsnoer aan de muur was bevestigd, en als je een persoonlijk gesprek wilde voeren kon je de telefoon meenemen naar een bezemkast aan de overkant van de gang en in het donker op een gasmeter gaan zitten, tussen bezems en emmers en dweilen. Viv deed dat nu ook; ze trok de kastdeur dicht, legde haar zaklantaarn op een plank en keek een beetje bevreesd in alle hoeken en kieren, beducht voor spinnen en muizen. Op de telefoon zat een strookje met de tekst: *Eerst denken, dan praten.*

Ze had het nummer van Reggies eenheid op een vodje papier in de zak van haar peignoir zitten; hij had het haar tijden geleden gegeven, voor noodgevallen, en ze had het nooit gebruikt. Maar was dit soms geen noodgeval? Ze haalde het nummer tevoorschijn. Ze nam de hoorn van de haak en draaide een 0 voor de Centrale; ze liet de schijf langzaam draaien en smoorde de klikjes zo goed als ze kon met een zakdoek.

De stem van de telefoniste was helder als glas. Het zou enkele minuten duren, zei ze, om haar door te verbinden. 'Dank u,' zei Viv. Ze zat met de telefoon op schoot en sprak zichzelf moed in voor het moment waarop hij zou rinkelen. Toen begon de straal van haar zaklamp te flakkeren: ze dacht aan de batterij en knipte hem uit. Ze had de deur een klein eindje opengelaten, en het zwakke blauwe ganglicht drong door de kier naar binnen. Afgezien daarvan was het volslagen donker in de kast. Ze kon de meisjes in het souterrain af en toe horen schateren of kreunen. Alles daverde en trilde, en in de muren stroomden riviertjes van stof omlaag terwijl de bommen bleven vallen.

Toen eindelijk de telefoon ging, schrok ze vreselijk van het gerinkel en de beweging die hij op haar schoot maakte. Ze pakte met bevende handen de hoorn op en liet hem bijna vallen. Het meisje met de glasheldere stem zei: 'Een ogenblikje alstublieft,' en ze moest weer wachten en hoorde een reeks klikjes terwijl de verbinding tot stand werd gebracht.

Er kwam een man aan de lijn: de telefonist in Reggies kamp. Viv gaf hem Reggies naam.

'Weet u niet in welke barak hij zit?' vroeg de man. Nee, dat wist ze niet. Hij draaide een centraal nummer. De telefoon ging eindeloos over... 'Geen gehoor,' zei hij.

'Alstublieft,' zei Viv, 'probeert u het nog even. Het is heel dringend.'

'Hallo?' zei een andere stem eindelijk. 'Is dat mijn gesprek met Southampton? Hallo?'

'Het spijt me, dit is een inkomend gesprek,' zei de telefonist laconiek.

'Verdomme.'

'Graag gedaan.'

Daarna werd de telefoon door iemand anders opgenomen; hij gaf hun in elk geval het nummer van Reggies barak. De telefoon ging ditmaal maar twee keer over, en toen klonk er een oorverdovend lawaai: geschreeuw en gelach en muziek van een radio of grammofoon.

Een man brulde in de hoorn: 'Hallo?'

'Hallo?' zei Viv zacht.

'Hallo? Met wie spreek ik?'

Ze vertelde hem dat ze Reggie wilde spreken.

'Reggie? Wat?' schreeuwde hij.

'Wie is daar?' vroeg een andere mannenstem.

'Een meisje dat zichzelf Reggie noemt.'

'Ze noemt zichzelf geen Reggie, sukkel. Ze wil Reggie spreken.' De hoorn werd overgenomen door iemand anders. 'Juffrouw, ik moet me echt verontschuldigen... Of is het mevrouw?'

'Alstublieft,' zei Viv. Ze keek nerveus de gang in, door het kiertje in de deur. Ze legde haar hand om haar mond, om haar stem te dempen. 'Is Reggie daar?'

'Is hij hier? Dat ligt er waarschijnlijk aan, Reggie kennende, wie hem wil spreken. Krijgt u nog geld van hem?'

'Weet ze zeker dat ze Reggie moet hebben?' zei de eerste stem.

'Mijn vriend,' zei nummer twee, 'vraagt of u zeker weet dat u Reggie moet hebben en niet hem. Hij maakt gebaren met zijn handen om een beeld te geven van de prachtige kleur die uw ogen volgens hem hebben, de mooie krul in uw haar, de magnifieke welving van... uw stem.'

'Alstublieft,' zei Viv weer, 'ik heb niet veel tijd.'

'Dat vindt mijn vriend geen bezwaar, als ik hem goed begrijp.'

‘Is Reggie er of niet?’

‘Mag ik zeggen wie er belt?’

‘Zeg maar... Zeg maar dat het zijn vrouw is.’

‘Zijn wettige echtgenote? In dat geval zou ik beslist niet...’

De stem ging over in gemompel en daarna in een gedempte schreeuw. Die werd gevolgd door gejoel en een soort geschuifel, terwijl de telefoon van hand tot hand ging. Eindelijk kwam Reggie aan de lijn. Hij klonk buiten adem.

‘Marilyn?’ zei hij.

‘Zij is het niet, ik ben het,’ zei Viv heel vlug. ‘Niet mijn naam noemen, want misschien luistert de telefoniste mee.’

Maar hij zei toch haar naam. ‘Viv?’ Hij klonk verbaasd. ‘De jongens zeiden...’

‘Weet ik. Ze zaten te klieren, en ik wist niet wat ik anders moest zeggen.’

‘Christus.’ Ze hoorde hem met zijn hand over zijn stoppelige kin en wangen wrijven. ‘Waar ben je? Hoe heb je me te pakken gekregen?’ Hij draaide zijn hoofd om. ‘Woods, ik zweer het je, nog één zo’n geintje en...’

‘Ik heb gewoon de Centrale gebeld,’ zei ze.

‘Wat?’

‘Ik heb de Centrale gebeld.’

‘Is het goed met je?’

‘Ja. Nee.’

‘Ik kan je niet verstaan. Wacht even...’ Hij legde de hoorn neer en liep weg; er klonk nog meer gejoel en gelach. Toen hij terugkwam, was hij weer buiten adem. ‘Die rotzakken,’ zei hij. Hij was naar een andere kamer gegaan of had een deur dichtgedaan. ‘Waar ben je? Je klinkt alsof je in een emmer op de bodem van een put zit.’

‘Ik zit in een kast,’ fluisterde ze, ‘thuis. In het John Allen House, bedoel ik.’

‘Een kast?’

‘Waar de meisjes telefoneren. Het doet er niet toe. Het punt is alleen... Er is iets gebeurd, Reggie.’

‘Wat? Toch niet met die stomme broer van je?’

‘Dat moet je niet zeggen. Nee, dat is het niet. Iets heel anders.’

‘Wat dan?’

‘Ik... Het is...’ Ze probeerde de gang weer in te kijken, draaide toen haar hoofd om en sprak zachter dan ooit. 'Opoe is niet op bezoek gekomen,' zei ze.

'Wat? Opoe?' Hij begreep het niet. 'Wie is opoe?'

'Ópoe.'

Er viel een stilte. 'Christus,' zei hij toen zacht. 'Christus, Viv.'

'Niet mijn naam zeggen!'

'Nee. Nee. Hoeveel? Ik bedoel, hoe lang?'

'Ongeveer acht weken, denk ik.'

'Acht weken?' Hij dacht na. 'Dus je bedoelt, je moet het al geweest zijn toen ik je de laatste keer zag...'

'Ja, dat moet wel. Maar ik wist het niet.'

'En weet je het absoluut zeker? Heb je niet gewoon een... een keer overgeslagen?'

'Ik denk het niet. Dat is nooit eerder gebeurd.'

'Maar we zijn toch voorzichtig geweest? Ik ben verdomme elke keer voorzichtig geweest. Wat heeft het dan voor zin om voorzichtig te zijn?'

'Ik weet het niet. Het is gewoon pech.'

'Pech? Jezus.'

Er klonk afkeer in zijn stem. Hij verplaatste de hoorn weer; ze stelde zich voor dat hij aan zijn haar zat te trekken. Ze zei: 'Doe niet zo onaardig. Ik heb een ellendige tijd achter de rug. Ik zit vreselijk in de zorgen. Ik heb van alles geproberd. Ik... ik heb iets ingenomen.'

Hij kon haar niet verstaan. 'Wat?'

Ze legde haar hand weer om haar mond, maar probeerde duidelijker te spreken. 'Ik heb iets ingenomen. Je weet wel... Maar het werkte niet, ik werd er alleen ziek van.'

'Had je wel het goede middel?'

'Ik weet het niet. Zijn er verschillende soorten? Ik heb het bij een drogist gehaald. Die man zei dat het zou werken, maar het werkte niet. Het was afschuwelijk.'

'Kun je het niet nog eens proberen?'

'Dat wil ik niet, Reggie.'

'Maar misschien heeft het zin om het gewoon nog eens te proberen.'

'Ik werd er zó beroerd van.'

'Maar denk je niet dat...'

'Dan word ik weer ziek. O, Reggie, ik denk niet dat ik het kan! Ik weet niet wat ik moet doen!'

Haar stem trilde al de hele tijd; nu stokte hij plotseling en werd schriller. Ze was in paniek geraakt en huilde bijna.

Reggie zei: 'Oké. Goed. Luister naar me. Maak je geen zorgen, schatje. Luister naar me. Ik schrok me een ongeluk, dat is alles. Ik moet er gewoon over nadenken. Er is hier een vent, en ik denk dat zijn vriendin... Ik heb gewoon even tijd nodig.'

Ze haalde de hoorn weg en snoot haar neus. 'Ik wilde het je niet vertellen,' zei ze mistroostig. 'Ik wilde het zelf oplossen. Maar ik voelde me zo ellendig. Als mijn pa het zou weten...'

'Maak je geen zorgen, schatje.'

'Zijn hart zou breken. Hij zou...'

*Piep, piep, piep*, deed de lijn, en de telefoniste zei: 'Nog één minuut.'

Het was het meisje dat Viv helemaal in het begin had doorverbonden, of een ander meisje met dezelfde glasheldere stem. Viv en Reggie zwegen.

'Denk je dat ze het gehoord heeft?' fluisterde Reggie ten slotte.

'Ik weet het niet.'

'Ze luisteren toch niet echt mee?'

'Ik weet het niet.'

'Hoe kan dat, met zo veel gesprekken?'

'Nee. Ik denk niet dat ze luisteren.'

Weer een stilte... 'Barst,' zei Reggie toen; hij klonk vermoeid. 'Wat een pech. Wat een verdomde, rottige pech. En ik ben elke keer zo voorzichtig geweest!'

'Ik weet het,' zei Viv.

'Ik zal aan die vent vragen wat zijn vriendin heeft gedaan. Oké?'

Viv knikte.

'Oké?'

'Ja.'

'Je moet je geen zorgen meer maken.'

'Nee. Goed.'

'Beloof je dat?'

'Ja.'

'Het komt allemaal in orde. Oké? Goed zo.'

Ze bleven aan de lijn, zonder te praten, totdat de telefoniste kwam vragen of ze het gesprek wilden verlengen. Viv zei nee, en de verbinding werd verbroken.

'Hallo,' zei Kay heel zacht, een uur of twee later. Ze streelde Helens haar.

'Hallo,' zei Helen, terwijl ze haar ogen opende.

'Heb ik je wakker gemaakt?'

'Dat weet ik eigenlijk niet... Hoe laat is het?'

Kay kroop naast haar. 'Je verjaardag is al voorbij, vrees ik. Het is net twee uur geweest.'

'Alles het goed met je?'

'Geen schrammetje. We zijn niet weg geweest. Alles is op Bethnal Green en Shoreditch terechtgekomen.'

Helen pakte haar hand en kneep in haar vingers. 'Gelukkig maar,' zei ze.

Kay geeuwde. 'Ik was liever wel gegaan. Ik heb de hele nacht puzzels zitten oplossen met Mickey en Hughes.' Ze kuste Helen op de wang en nestelde zich tegen haar aan. 'Je ruikt naar zeep.'

Helen verstrakte. 'Ja?'

'Ja. Als een kind. Ben je nog een keer in bad gegaan? Wat zul jij schoon zijn... Voelde je je eenzaam?'

'Nee, niet echt.'

'Ik dacht erover om stiekem terug te komen.'

'Ja?'

Kay glimlachte. 'Nou ja, niet echt. Ik vond het alleen zo zonde van de tijd om daar te zitten niksen terwijl jij hier was.'

'Ja,' zei Helen. Ze hield Kays hand nog vast; nu trok ze Kays arm stevig om zich heen, alsof ze behoefte had aan troost of warmte. Haar blote benen lagen tegen die van Kay aan; haar katoenen nachthemd was bijna tot aan haar zitvlak opgeschoven. Haar borsten voelden los en warm onder Kays arm.

Kay kuste haar hoofd, streelde haar haren naar achteren. Ze prevelde: 'Je bent zeker vreselijk slaperig, schat?'

'Ja, nogal.'

'Te slaperig voor een kus?'

Helen gaf geen antwoord. Kay haalde haar arm weg. Ze pakte de kraag van Helens nachtjapon en trok hem heel voorzichtig omlaag. Ze legde haar lippen op de welving van Helens hals, bewoog haar mond over de warme, gladde huid. Maar al doende werd ze zich bewust van de dunne, versleten stof die ze in haar hand hield. Ze lichtte haar hoofd op

van het kussen en zei verbaasd: 'Je hebt je nieuwe pyjama niet aan.'
'Hmm?' zei Helen, alsof ze al bijna sliep.
'Je pyjama,' zei Kay zacht.
'O,' zei Helen, en ze reikte weer naar Kays hand, trok Kays arm om zich heen en kroop tegen haar aan. 'Vergeten,' zei ze.

# 5

De maan was die avond zo vol en zo helder dat ze hun zaklantaarns niet nodig hadden. Muren lichtten wit op tegen het zwart. Alles leek vlak, de gevels van huizen plat als toneeldecors, de bomen net bomen van papiermaché, versierd met glitter en zilververf. Niemand vond het prettig. Je voelde je kwetsbaar, onbeschermd. De mensen stapten uit de trein, sloegen de kraag van hun jas op, bogen hun hoofd en zochten snel het donker op. Honderd meter van Cricklewood Station was het stil op straat. Alleen Reggie en Viv, die de weg niet kenden, liepen langzaam. Toen Reggie een stuk papier tevoorschijn haalde om de aanwijzingen te controleren, keek Viv angstig omhoog naar de lucht: het papier glansde in zijn hand alsof het licht gaf.

Het bleek een gewoon huis te zijn, toen ze het eindelijk vonden; maar op de deurpost, onder de bel, was een naambordje geschroefd. Het zag er degelijk en professioneel uit – geruststellend, maar ook beangstigend. Viv had haar arm door die van Reggie gestoken en trok hem nu een eindje naar achteren. Hij pakte haar hand en kneep zachtjes in haar vingers. Haar vingers voelden vreemd aan, want hij had een goudkleurige ring voor haar gekocht, die een beetje te groot was en telkens verschoof.

'Gaat het?' vroeg hij. Zijn stem klonk iel. Hij had een hekel aan artsen, ziekenhuizen, dat soort dingen. Ze wist dat hij liever had gewild dat ze met Betty was gegaan, of met haar zus – als hij het maar niet was.

Dus was zij het die op de bel drukte. De man, meneer Imrie, deed bijna meteen open.

'O ja,' zei hij, vrij luid, terwijl hij langs hen heen de straat in keek. 'Kom binnen, kom binnen.' Ze stonden dicht bij elkaar in het donker, niet wetend hoe groot de hal was, terwijl hij de deur sloot en het verduisteringsgordijn weer over de matglazen panelen trok; daarna bracht hij hen naar zijn wachtkamer, die goed verlicht was, zodat ze met hun ogen knipperden. De kamer rook zoet: naar boenwas, naar rubber, naar gas. Er hingen plaatjes aan de muren, van gebitten en roze tandvlees; in een vitrine lag een gipsmodel van een enorme kies, waar een plakje van afgesneden was om het glazuur, het merg en de rode zenuw te tonen. De kleuren zagen er grauw uit in het felle licht. Viv keek van het een naar het ander en begon kiespijn te krijgen.

Meneer Imrie was tandarts, en deed dat andere ernaast.

'Gaat u zitten,' zei hij.

Hij pakte een vel papier en bevestigde het op een klembord. Hij droeg een bril met een zwaar montuur en schoof die omhoog om de bladzijde te kunnen zien, zodat het ding als een stofbril om zijn voorhoofd klemde. Hij vroeg naar Vivs naam. Ze had haar handschoenen uitgedaan om de ring te tonen, en met een lichte blos van verlegenheid gaf ze de naam op die zij en Reggie hadden afgesproken: mevrouw Margaret Harrison. Hij sprak de naam hardop uit terwijl hij schreef, en daarna begon hij elke vraag met: 'En nu, mevrouw Harrison', 'Zo, mevrouw Harrison' – totdat de naam, dacht Viv, zo vals en verzonnen klonk dat het wel de naam van een actrice had kunnen zijn, of van een personage in een film.

De vragen waren in het begin heel simpel. Toen ze persoonlijker werden, opperde meneer Imrie dat Reggie misschien even in de hal wilde wachten. Viv vond dat hij de kamer nogal snel verliet, alsof hij opgelucht was. Ze hoorde zijn schoenen over het linoleum schuifelen terwijl hij heen en weer liep.

Misschien hoorde meneer Imrie het ook. Hij liet zijn stem dalen. 'De datum van uw laatste menstruatie?'

Viv noemde de datum. Hij maakte er een aantekening van, en leek even zijn voorhoofd te fronsen.

'Kinderen?' vroeg hij daarna. 'Miskramen? Weet u wat een miskraam is? Natuurlijk... En bent u ooit eerder genoodzaakt geweest om de, eh, behandeling te ondergaan waarvoor u nu bij mij bent gekomen?'

Ze zei op alle vragen nee, maar vertelde hem, na een korte aarzeling, over de pillen, want misschien maakte dat nog wat uit.

Hij schudde afwijzend zijn hoofd toen ze de tabletten beschreef. 'Aan dat soort dingen kunt u beter niet beginnen,' zei hij, 'als ik u een raad mag geven. Waarschijnlijk raakte uw maag erdoor van streek? Ja, dat dacht ik al.' Hij trok zijn bril omlaag en hield een fantoombril over, die met rode strepen in het vlees van zijn voorhoofd was gegrift.

Hij haalde een koffertje met instrumenten tevoorschijn, en Viv schrok en werd bang. Hij wilde echter alleen haar bloeddruk controleren en haar longen beluisteren; hij vroeg haar op te staan en haar rok los te maken, en betastte haar buik aan alle kanten, hard drukkend met zijn vingers en handpalmen.

Toen richtte hij zich op en veegde zijn handen af. 'Tja,' zei hij ernstig, 'u bent al wat verder dan ik graag had gezien.' Hij rekende natuurlijk terug vanaf haar laatste menstruatie. 'Ik raad deze behandeling meestal aan voor zwangerschappen tot tien weken, en die van u is daar al ruim voorbij.'

De extra weken maakten blijkbaar verschil. Hij ging naar de deur en riep Reggie, en legde hun allebei uit dat hij, vanwege het verhoogde risico, meer zou moeten rekenen dan het standaardtarief. 'Nog eens tien pond, tot mijn spijt.'

'Tien pond?' zei Reggie ontzet.

Meneer Imrie spreidde zijn handen. 'De wet, begrijpt u wel. Het risico dat ik loop is zeer groot.'

'Mijn vriend zei vijfenzeventig. Vijfenzeventig is alles wat ik bij me heb.'

'Vijfenzeventig zou een maand geleden voldoende zijn geweest. Ik denk dat het zelfs nu nog voldoende zou zijn, als u naar een ander ging. Zo ben ik echter niet. Ik denk aan de gezondheid van uw vrouw. Ik denk aan mijn eigen vrouw... het spijt me.'

Reggie schudde zijn hoofd. 'Dat is een rare manier van zakendoen,' zei hij bitter, 'als ik zo vrij mag zijn. De ene maand deze prijs, de volgende maand een andere. Wat maakt het voor u voor verschil of het daar' – hij knikte in de richting van Vivs buik – 'twee of drie weken langer zit?'

Meneer Imrie glimlachte alsof zijn geduld in hoge mate op de proef werd gesteld. 'Dat maakt heel veel verschil, vrees ik.'

'Ja, dat zegt u. Dat zou u zeker ook zeggen tegen een vent die bij u kwam met een... een ingegroeide kies?'

'Dat zou heel goed kunnen.'

'Ja, dat zal best...'

Het meningsverschil duurde voort. Viv stond er zwijgend bij; ze haatte de hele situatie, ze haatte Reggie en staarde naar de grond. Ten slotte was meneer Imrie bereid de extra tien pond aan te nemen in de vorm van kledingbonnen: Reggie draaide hem de rug toe, haalde een stapeltje bonnen tevoorschijn, propte ze in de envelop waarin hij het geld al had gedaan en gaf de envelop aan meneer Imrie. Daarbij maakte hij een snuivend geluid.

'Dank u,' zei meneer Imrie, overdreven beleefd. Hij stopte de envelop in zijn eigen zak. 'Goed, als u hier even wilt gaan zitten, een minuutje of twintig, dan neem ik uw vrouw mee naar hiernaast.'

'Hou mijn jas en hoed bij je, wil je?' zei Viv koeltjes tegen Reggie. Hij nam ze aan en wilde haar vingers vastpakken.

'Het komt wel goed,' zei hij, terwijl hij haar blik probeerde te vangen. 'Maak je geen zorgen.'

Ze trok haar vingers weg. Op de klok aan de muur was het vijf over acht. Meneer Imrie ging haar voor naar zijn spreekkamer, aan de andere kant van de hal.

Ze dacht eerst dat hij haar via deze kamer naar een ander vertrek wilde brengen. Ze dacht dat hij wel een aparte ruimte zou hebben ingericht. Maar hij deed de deur achter haar dicht en liep bedrijvig naar een balie, en even vreesde ze dat hij van plan was de operatie te verrichten terwijl zij in de tandartsstoel zat. Toen zag ze achter de stoel een tafel op schragen, bedekt met een vel waspapier en met een zinken emmertje ernaast. Het geheel zag er akelig uit, met de grote stalen lamp die op de tafel scheen en rondom de bladen met instrumenten, de apparaten, de boren, de flessen met gas. Ze voelde verstikte tranen opwellen in haar borst en keel, en dacht voor het eerst: ik kan dit niet!

'Goed dan, mevrouw Harrison,' zei meneer Imrie, misschien omdat hij haar zag aarzelen. 'Trek alleen uw rok, uw schoenen en ondergoed uit en klim maar op de tafel, dan gaan we beginnen. Goed? U hoeft zich geen zorgen te maken. De ingreep is echt heel eenvoudig.'

Hij liep weg, trok zijn jasje uit en waste zijn handen, en begon zijn mouwen op te rollen. Er brandde een elektrische kachel, en ze ging ervoor staan om zich uit te kleden; ze legde haar kleren op een stoel en klom vlug op het krakende waspapier voor hij zich zou omdraaien – want ze voelde zich met haar half ontblote zitvlak op de een of andere manier naakter dan ze zich zou hebben gevoeld als ze zich helemaal had uitgekleed. Het had iets hoerigs. Maar toen ze op de harde vlakke tafel lag, voelde ze zich op een andere manier belachelijk – net een vis, met een gapende bek en kieuwen, op de tafel van een vishandelaar.

'Ik zal u een kussen geven,' zei meneer Imrie, die kwam aanlopen en zorgvuldig niet naar haar naakte heupen keek. 'En als u nu iets omhoog wilt komen?' Hij schoof een opgevouwen handdoek onder haar zitvlak en schoof tegelijk haar blouse van achteren wat verder omhoog, terwijl hij zei: 'Die moet niet vuil worden, hè?'

Ze besefte dat hij de blouse optrok om te verhinderen dat er bloed op kwam, en ze werd weer bang. Ze had geen idee hoeveel bloed er zou vloeien – ze wist zelfs nauwelijks wat hij met haar ging doen. Hij had het niet uitgelegd, en het leek nu te laat om het te vragen. Ze wilde trouwens niet praten terwijl ze zo voor hem te kijk lag, met ontbloot onderlijf; ze schaamde zich te erg. Ze sloot haar ogen.

Toen ze voelde dat hij haar knieën optilde en uit elkaar probeerde te duwen, werd haar gêne nog groter. 'Probeer u wat meer te ontspannen, mevrouw Harrison,' zei hij. 'En nog eens: 'Mevrouw Harrison? Een beetje meer ontspannen?' Ze opende haar benen, en na een seconde voelde ze iets warms en droogs dat tussen haar benen begon te tasten. Het was zijn vinger. Hij duwde hem stevig naar binnen en drukte met zijn andere hand weer op haar buik, harder dan eerst. Ze snakte even naar adem. Hij bleef duwen en drukken, totdat ze onwillekeurig haar heupen wegtrok. Hij stapte achteruit en veegde zijn handen af aan een handdoek.

'U moet natuurlijk,' zei hij, op een milde en nuchtere manier, 'bedacht zijn op een zekere mate van ongemak. Dat kan helaas niet anders.'

Hij liep weg en kwam terug met een spons of een lapje met een sterk ruikende vloeistof erop, waarmee hij haar begon te betten. Ze tilde haar hoofd op en probeerde te kijken. Ze kon alleen zijn gezicht zien: hij had zijn bril weer omhooggeduwd, en die zag er weer uit als een stofbril, of als een lasbril. Op een plank naast zijn hoofd zat een speelgoedbeest: een beer of konijn met een gebloemde jurk aan en een hoed op. Ze stelde zich voor dat hij die onder de neus van angstige jongens en meisjes duwde. Een briefje dat achter hem aan de muur was geprikt bevatte *Informatie voor patiënten betreffende het vullen en trekken van tanden en kiezen.*

Toen hij het masker over haar mond plaatste, leek het zo op een gewoon gasmasker – het was zelfs veel minder onaangenaam – dat ze het bijna niet erg vond. Daarna kreeg ze het gevoel dat ze weggleed, en ze klemde zich aan de rand van de tafel vast om er niet af te tuimelen... Ze had de indruk dat ze toch was gevallen, maar op onverklaarbare wijze op haar voeten was beland, want ze stond plotseling in het donker in een mensenmassa die van alle kanten opdrong. Ze wist niet of ze op straat was, in een of andere openbare ruimte, of waar dan ook. Er ging een sirene, maar het geluid zei haar niets. Ze kende degene met wie ze was niet, maar ze trok aan de arm van die persoon. 'Wat is dat?' vroeg ze. 'Dat lawaai? Wat is het?' 'Weet je dat niet?' antwoordde de onbekende. 'Dat is het waarschuwingssignaal voor de Stier.' 'De Stier?' vroeg ze. 'De Duitse Stier,' zei de stem. Toen begreep ze onmiddellijk dat de Stier een nieuw en zeer angstaanjagend soort wapen was. Ze draaide zich verschrikt om, maar in de verkeerde richting, of niet op de goede manier. 'Daar komt hij!' riep de stem in doodsangst – en ze probeerde zich weer om te draaien, maar werd in haar buik geraakt en wist dat ze in het donker was gestoken door de hoorn van de verschrikkelijke Duitse Stier. Ze stak haar handen uit en voelde de schacht, glad en hard en koud; ze voelde zelfs de plek waar hij in haar buik was gedrongen; en ze wist ook dat als ze haar handen op haar rug zou leggen, ze de punt naar buiten zou kunnen voelen steken, omdat de hoorn dwars door haar heen was gegaan...

Toen kwam ze weer bij kennis, en terug bij meneer Imrie; maar ze voelde de hoorn nog steeds. Ze dacht dat ze aan de tafel was vastgepind. Ze hoorde haar eigen stem wartaal uitslaan en meneer Imrie grinniken.

'Stieren? O, nee. Niet in Cricklewood, mevrouwtje.'

Hij hield een bakje bij haar gezicht en ze gaf over.

Hij overhandigde haar een zakdoek om haar mond af te vegen, en hielp haar overeind. De handdoek lag niet meer onder haar heupen. Zijn mouwen waren weer afgerold, zijn manchetten netjes vastgemaakt met manchetknopen; op zijn voorhoofd lag een blos, en daaroverheen een waas van transpiratie. Alles – de luchtjes in de kamer, de rangschikking van de voorwerpen – leek op subtiele wijze veranderd; ze had het gevoel dat de tijd een soort sprong had gemaakt toen zij even niet keek. Op de vloer zat een rode vlek ter grootte van een shilling, maar verder was er niets akeligs te zien. De zinken emmer was wat verderop gezet en afgedekt.

Ze zwaaide haar benen over de rand van de tafel, en de pijn in haar buik en rug werd een zeurende inwendige pijn; ze werd zich ook bewust van andere, kleinere ongemakken: het deed zeer tussen haar benen, en de buitenkant van haar buik was gevoelig, alsof ze een trap had gekregen. Meneer Imrie zei dat hij een prop gaas bij haar had ingebracht om het bloed op te vangen, en naast haar op de tafel had hij een gewoon maandverband en een gordeltje neergelegd. Toen ze dat zag werd ze weer overmand door gêne, en ze probeerde in allerijl het gordeltje om te doen en de haakjes vast te maken. Hij zag haar frunniken en dacht dat ze nog versuft was door het gas, en kwam haar helpen.

Toen ze zich ging aankleden, merkte ze hoe slap ze was; ze meende ook te voelen dat zich tussen haar billen bloed had opgehoopt, dat nu kleverig begon te worden. Ze werd er nerveus van. Ze vroeg of ze naar de wc mocht, en hij liep met haar mee naar de gang en wees haar waar het was. Ze ging zitten, en tastte naar de uiteinden van de prop gaas; ze was bang dat het gaas in haar zou verdwijnen. Bij het plassen kreeg ze een branderig gevoel. De pijn in haar baarmoeder en spieren was afschuwelijk. Toch was er maar weinig bloed te zien op het toiletpapier, en ze besefte dat de vochtigheid tussen haar billen gewoon water moest zijn geweest: meneer Imrie had haar blijkbaar gewassen, met een lapje of een spons. Ze vond het geen prettig idee. Ze had nog steeds het enigszins angstige gevoel dat ze uit de tijd was gevallen of getrokken; dat de dingen een sprong hadden gemaakt waardoor zij achterop was geraakt.

'Zo,' zei meneer Imrie, toen ze terugkwam in de spreekkamer, 'u moet rekenen op een beetje bloedverlies, gedurende een dag of twee. Daar moet u zich geen zorgen over maken, dat is volstrekt normaal. Als ik u was, zou ik in bed blijven. Laat u maar een beetje verwennen door uw man...' Hij raadde haar aan donker bier te drinken, en gaf haar nog een paar maandverbanden en een buisje aspirine tegen de pijn. Toen bracht hij haar terug naar Reggie.

'Christus,' zei Reggie, die verschrikt opstond en zijn sigaret uitmaakte. 'Je ziet er vreselijk uit!'

Ze begon te huilen.

'Kom, kom,' zei meneer Imrie, die achter haar binnenkwam. 'Ik heb mevrouw Harrison uitgelegd dat ze zich de eerstkomende vierentwintig uur nog wat slap zal voelen. U mag me bellen als u ergens ongerust over bent. Ik wil u echter vragen om geen berichten achter te laten... Bij flauwvallen, ernstig bloedverlies, braken, stuipen, dat soort dingen, moet u natuurlijk uw huisarts waarschuwen. Maar dat is erg onwaarschijnlijk. Hoogst onwaarschijnlijk. En mocht er een arts aan te pas komen, dan zult u het vanzelfsprekend niet nodig achten om te vermelden...' Weer spreidde hij zijn handen. 'Goed, u begrijpt me wel.'

Reggie keek hem een beetje verwilderd aan en gaf geen antwoord. 'Is het goed met je?' vroeg hij aan Viv.

'Ik denk het wel,' zei ze, nog steeds huilend.

'Christus,' zei hij weer. En toen, tegen meneer Imrie: 'Is het normaal dat ze er zo uitziet?'

'Ze is nog wat slap, zoals ik al zei. Het enigszins gevorderde stadium van de zwangerschap maakte de zaak een tikkeltje gecompliceerder, dat is het enige. Maar vergeet niet wat ik zei over het braken en de stuipen...'

Reggie slikte. Hij trok zijn jas aan en hielp Viv in haar mantel. Ze leunde op zijn arm. Het was tien voor negen. Ze gingen gedrieën de hal in, en meneer Imrie sloot de deur van de wachtkamer en liep vlug naar de overkant om ook de deur van de spreekkamer te sluiten. Hij deed het licht uit, schoof de grendel van de voordeur en trok de deur een klein eindje open – net genoeg om de straat in te turen.

'Ach,' zei hij. 'De maan is nog vrij helder. Ik vraag me af...' Hij draaide zich om naar Viv. 'Zoudt u het erg bezwaarlijk vinden, mevrouw Harrison, om uw zakdoek voor uw gezicht te houden, zo?' Hij bracht zijn hand naar zijn mond. 'Zo ja. Dat wekt de indruk, begrijpt u, dat u voor een gewone tandartsbehandeling bent gekomen, wat tenslotte wel vaker gebeurt... Ik moet aan mijn buren denken. De oorlog maakt mensen zo wantrouwig. Dank u zeer.'

HIj trok de deur wijd open en liet hen uit. Viv hield de zakdoek nog een paar minuten voor haar gezicht en liet toen haar hand zakken. De stof leek bijna lichtgevend in het maanlicht, net als het papiertje dat Reggie op de heenweg uit zijn zak had gehaald; ze keek naar de wolkeloze lucht en voelde zich nu te slap en ellendig om bang te zijn. In plaats daarvan kreeg ze het vreselijk koud. Ze dacht dat ze de prop gaas van zijn plaats voelde glijden. De randen van het maandverband schuurden langs haar dijen. Ze leunde nog zwaarder op Reggies arm. Maar ze wilde niet tegen hem praten. 'Alles in orde?' vroeg hij telkens. 'Oké? Goed zo.' Nadat ze een meter of honderd hadden gelopen, barstte hij los. 'Die oplichter! Christus, om ons daar zo mee te overvallen! Al dat gelul over die extra tien pond. Hij wist dat hij ons in de tang had. Christus, wat een vuile afzetter! Ik had voet bij stuk moeten houden. Voor hetzelfde geld...'

'Hou je mond!' zei ze ten slotte, toen ze het niet meer kon verdragen.

'Nee, maar zeg nou zelf, Viv. Wat een oplichterij.'

Hij mopperde door. Op Cricklewood Broadway moesten ze ruim tien minuten wachten voor er een taxi kwam. Ze gingen naar een flat die Reggie mocht gebruiken van een kennis, ergens midden in de stad. Hij had het adres op een ander papiertje staan. De taxichauffeur kende de straat, maar zei dat sommige wegen opgebroken waren; hij moest omrijden. Reggie snoof toen hij het hoorde. Viv voelde wat hij dacht: die flikt ons ook weer een kunstje. De taxi reed langzaam, en ze zat de hele weg stijf rechtop, nerveus en gespannen. Toen ze dacht dat de chauffeur niet keek, maakte ze het buisje aspirine open en nam er drie, kauwend en hevig slikkend om ze weg te krijgen. Af en toe liet ze een hand onder haar zitvlak glijden – bang dat het gaas en het maandverband toch niet zouden helpen.

Ze keek niet naar het huis toen ze er aankwamen; ze wist niet precies waar het was – al herinnerde ze zich later dat ze door Hyde Park waren gekomen, en dacht ze dat het ergens in Belgravia geweest moest zijn. Het had een portiek met zuilen, dat wist ze nog, want Reggie moest de sleutel van de flat ophalen bij een oude dame die in het souterrain woonde, en terwijl hij de trap afrende en aanklopte, sloot zij haar ogen en leunde tegen een van de pilaren, met haar handen plat op haar buik om een beetje warmer te worden. Haar wensen en behoeften waren gekrompen, ingedikt: het enige wat ze wilde was een plek waar ze alleen kon zijn en rustig kon zitten, en waar het warm was. Ze hoorde Reggies stem. Hij stond te babbelen met de vrouw, op een geforceerde manier: 'Inderdaad... Dat zou ik ook zeggen... Ja hè?' Schiet op, dacht ze. Hij verscheen weer, hijgend en vloekend, en ze gingen naar binnen.

De flat was op de bovenste verdieping. De ramen van het trappenhuis waren niet afgedekt, zodat ze alleen het licht van de zaklantaarn hadden bij het klimmen. Ze voelde iets vochtigs aan de bovenkant van haar dijen en begon het idee te krijgen dat ze bloedde: bij elke stap leek het of ze een beetje bloed zacht en warm naar buiten voelde glijden. Op het laatst was ze ervan overtuigd dat het langs haar benen stroomde, dat haar kousen doorweekt raakten, dat haar schoenen volliepen... Ze stond doodstil terwijl Reggie met de sleutels aan de onbekende sloten morrelde, en ook weer toen hij van het ene raam naar het andere liep, waarbij hij in het donker tegen meubels schopte, zijn schenen stootte, porselein liet rinkelen.

'In godsnaam,' zei ze zwakjes, toen er iets was gevallen en hij vloekend bukte om het op te rapen. 'Laat deze kamer maar zitten. Doe eerst de badkamer.'

'Dat zou ik wel willen,' zei hij kribbig, 'als ik wist waar die was.'

'Kun je dat niet zien?'

'Nee. Jij wel?'

'Doe dan een licht aan; heel even maar.'

'Dan komt dat oude mens haar souterrain uit. Dan krijgen we het blokhoofd aan de deur. Dat moeten we net hebben.'

Hij had twee jaar tevoren een boete van een pond gekregen omdat er bij hem licht te zien was geweest, en dat was hij nooit vergeten. De straal van de zaklamp zwaaide wild in het rond. Ze zag hem lopen en hard met zijn hoofd tegen de rand van een deur stoten.

'Christus!'

'Gaat het?'

'Wat denk je? Jezus! Dat doet gemeen pijn!'

Hij wreef over zijn voorhoofd en liep behoedzamer verder. Toen ze zijn stem weer hoorde, klonk die gedempt. 'Hier is de slaapkamer. De wc moet ernaast zijn, denk ik. Wacht even...' Ze hoorde een bons toen hij nogmaals zijn hoofd stootte. Er klonk gerammel van gordijnhaken, en toen een klikje, en nog een. 'O, krijg de tering!' riep hij. De stroom was uitgeschakeld. Ze hadden shillings nodig: hij kwam op de tast weer terug en zocht tussen zijn kleingeld, keek in haar portemonnee; toen strompelde hij een tweede keer de flat rond, op zoek naar de meter.

Eindelijk gingen de munten erin en sprong het licht aan. Krimpend van de pijn begaf ze zich naar de badkamer. Toen hij zag hoe voorzichtig ze liep, schoot hij toe om haar te helpen, maar ze duwde hem opzij.

'Ga weg,' zei ze. 'Ga weg!'

Ze had niet zo erg gebloed als ze had gevreesd; er zaten maar een paar vlekken op het maandverband; maar de punt van het gaas, die eerst wit was geweest, had nu de kleur van roest. Ze voelde eraan met haar vingers: het leek losser te zitten dan eerst, en weer was ze bang dat het zou gaan verschuiven en in haar zou verdwijnen. Ze kreeg een veeg bloed op haar hand en stond op om hem te wassen. Ze keek naar het bad en stelde zich voor dat ze het liet vollopen met heet water, om de pijn uit haar heupen te weken. Maar het was een merkwaardig luxueuze badkamer, met dik, melkwit tapijt op de grond en tegels die op parelmoer moesten lijken. Daardoor voelde ze zich extra vies; ze dacht aan de toeren die ze zou moeten uithalen om geen sporen of vlekken achter te laten. Ze rilde, was plotseling uitgeput; ze deed de deksel van de wc omlaag en ging erop zitten, met haar ellebogen op haar knieën en haar gezicht in haar handen. Ze had haar mantel nog aan en haar hoed nog op.

Ze bleef zo lang zitten dat Reggie op de deur klopte om te vragen of alles in orde was. Toen ze hem binnenliet keek hij nerveus rond, met trillende oogleden.

Hij hielp haar bij het lopen. Ze was al door de slaapkamer gekomen, maar had er nauwelijks naar gekeken; nu zag ze dat hij al even buitenissig was ingericht als de badkamer. Er lag een tijgervel op het tapijt, en satijnen kussens op het bed. Het leek op de voorstelling die iemand zich had gemaakt van de slaapkamer van een filmster, of op de woning van een prostituee of playboy. De hele flat zag er hetzelfde uit. De zitkamer had een ingebouwde elektrische haard met rondom chromen panelen. De telefoon was parelwit. Er was een bar, compleet met flessen en glazen, en aan de muur hingen foto's van Parijs: de Arc de Triomphe, de Eiffeltoren, vrolijke mannen en vrouwen die met een fles wijn op een terrasje zaten.

Maar alles wat ze aanraakte was kil en stoffig, en hier en daar lagen hoopjes poeder: verf en pleisterkalk, waarschijnlijk omlaaggekomen tijdens luchtaanvallen. De kamers roken vochtig, onbewoond. Viv ging, nog steeds rillend, in de fauteuil zitten die het dichtst bij de haard stond.

'Van wie is deze flat?' vroeg ze.

'Van niemand,' zei Reggie, die naast haar neerhurkte en aan de knoppen van de haard morrelde. 'Het is een modelflat... Ik denk dat een van deze elementen stuk is.'

'Wat?'

'Gewoon voor de show,' zei hij. 'Gewoon om te laten zien waar je terechtkomt als je zo'n flat zou kopen. Ze hebben de hele zaak ingericht voor de oorlog begon. Nu is niemand er meer in geïnteresseerd.'

'Woont hier niemand?'

'Er komen alleen mensen logeren.'

'Wat voor mensen?'

Hij haalde een schakelaar heen en weer. 'Vrienden van Mike, zoals ik al zei. Hij was een van de makelaars en hij heeft nog steeds de sleutel. Die geeft hij af bij dat oude mens beneden. Als je verlof hebt, en je kunt nergens heen...'

Ze begreep het. 'Jullie nemen hier meisjes mee naartoe.'

Hij keek lachend op. 'Kijk niet zo naar me! Ik weet van niks. Maar het is beter dan een hotel, hè?'

'Vind je?' Ze glimlachte niet. 'Jij kunt het weten. Jij neemt hier natuurlijk altijd meisjes mee naar toe.'

Hij lachte weer. 'Was het maar waar! Ik ben hier nog nooit van mijn leven geweest.'

'Dat zeg jij.'

'Doe niet zo maf. Je zag toch dat ik overal tegenaan botste?' Hij wreef over zijn hoofd.

Ze had verschrikkelijk met zichzelf te doen en keek de andere kant op. 'Het is altijd hetzelfde liedje,' zei ze somber. 'Het loopt altijd slecht af. Zelfs nu.'

Hij was nog steeds met de schakelaar in de weer. 'Hoezo? Wat bedoel je?'

'Dit.' Haar stem brak. De bitterheid, het zelfmedelijden, hadden haar uitgeput. Ze begon weer te huilen. Hij liet de haard voor wat het was en stond op, kwam naar haar toe en ging onhandig naast haar zitten. Hij nam de hoed van haar hoofd, streek haar haren glad en kuste haar.

'Niet doen, Viv.'

'Ik voel me zo afschuwelijk.'

'Dat weet ik.'

'Nee, dat weet je niet. Ik wou dat ik dood was.'

'Dat moet je niet zeggen. Denk je eens in hoe ik me zou voelen als je dood was. Doet het pijn?'

'Ja.'

Hij liet zijn stem dalen. 'Was het erg akelig?'

Ze knikte. Hij legde zijn hand op haar buik. Eerst kromp ze ineen, maar de warmte en het gewicht van zijn handpalm en vingers waren troostrijk; ze legde haar eigen handen stevig op de zijne. Ze herinnerde zich haar droom over de stier, en vertelde het hem.

'Een stier?' zei hij.

'Een Duitse stier. Hij stak zijn hoorn in me. Terwijl het natuurlijk gewoon meneer Imrie was...'

Reggie lachte. 'Ik zag meteen toen we binnenkwamen dat het een vieze oude man was. Wat een hufter trouwens, om mijn meisje pijn te doen!'

'Zijn schuld is het niet.' Ze haalde haar zakdoek voor de dag en snoot haar neus. 'Het is jouw schuld.'

'Mijn schuld! Nou nog mooier!' Hij kuste haar weer. 'Jij maakt een man gek, daar komt het door...' Hij wreef met zijn wang langs haar hoofd. Het gewicht van zijn hand op haar onderbuik voelde nu anders. Hij had zijn vingers bewogen. 'O, Viv,' zei hij.

Nu duwde ze hem weg. 'Hou op!' Ze lachte, ondanks zichzelf. 'Voor jou is het gemakkelijk...'

'Voor mij is het een hel.'

'Als ik denk aan... O!' Ze huiverde.

Hij lachte ook. 'Dat zeg je nu. We zullen eens zien hoe je er over een week of twee over denkt.'

'Een week of twee! Je bent geschift. Eerder een jaar of twee.'

'Twee jaar! Dan word ik inderdaad geschift. Geef me tenminste hoop. Twee jaar is meer dan een deserteur krijgt.'

Ze lachte weer; toen stokte haar adem en ze schudde haar hoofd, plotseling niet meer in staat nog een woord uit te brengen. Ze bleven een paar minuten zwijgend zitten. Hij bewoog zijn kin en wang over haar haren en drukte zo nu en dan zijn mond op haar voorhoofd. Het werd geleidelijk warmer in de kamer. De pijn in haar buik en rug verminderde tot de hevige maar gewone pijn die je elke maand had als je ongesteld was. Maar ze voelde zich volkomen krachteloos.

Na een tijd stond Reggie op en rekte zich uit. Hij keek naar de bar en zei dat hij zin had in een borrel. Hij ging een fles uitzoeken; toen hij hem echter openmaakte en eraan rook, trok hij een lelijk gezicht: 'Gekleurd water!' Hij probeerde een andere fles. 'Ze zijn allemaal hetzelfde. En kijk!' Er stond een kistje met sigaretten, maar die waren van karton. 'Wat een vuile streek. Dan moeten we het hier maar mee doen.'

Hij had een klein flesje cognac meegebracht. Hij trok de kurk eruit en bood haar de fles aan.

Ze schudde haar hoofd. 'Meneer Imrie zei dat ik donker bier moest drinken.'

'Ik haal straks wel een flesje bier voor je, als je wilt. Neem eerst hier maar een slok van.'

Ze had de hele dag niet gegeten, vanwege de verdoving: ze nam een slokje en voelde de vloeistof door haar keel naar haar lege maag glijden, warm als een tong van vuur. Reggie dronk ook wat en stak een sigaret op. Dat was voor haar nog te veel van het goede, maar ze werd tenminste niet misselijk van de geur. Het gaat zeker beter met me, dacht ze – ze besefte het toen pas, op dat moment. Het gaat goed met me. De gedachte trok door haar heen zoals de cognac. Ze sloot haar ogen. Er was nu alleen nog de pijn, en vergeleken met al het andere was die gemakkelijk te dragen.

Reggie maakte zijn sigaret uit en stond op; ze hoorde hem naar de wc gaan, en daarna liep hij in de slaapkamer rond, trok het gordijn opzij, keek naar buiten. Het was stil op straat. Het was stil in het hele huis. Blijkbaar waren er aan alle kanten lege flats, zoals deze.

Toen hij terugkwam, sliep ze bijna. Hij hurkte naast haar en raakte haar gezicht aan.

'Heb je het warm genoeg, Viv? Je voelt zo koud aan.'

'Ja? Ik voel me best.'

'Wil je niet liever op bed gaan liggen? Zal ik je naar bed brengen?'

Ze schudde haar hoofd, niet in staat iets te zeggen. Ze deed haar ogen open, maar sloot ze bijna onmiddellijk weer, alsof haar oogleden verzwaard waren. Reggie legde zijn hand op haar voorhoofd en trok de kraag van haar mantel dichter om haar hals. Hij schopte zijn schoenen uit, ging op de grond zitten en legde zijn hoofd tegen haar knieën. 'Je moet het zeggen als je iets nodig hebt,' zei hij.

Ze bleven meer dan een uur zo zitten. Ze hadden wel een oud echtpaar kunnen zijn. Ze waren nooit eerder zo lang bij elkaar geweest zonder te vrijen.

En toen, om een uur of half elf, ging er een schok door Viv heen. Reggie schrok op.

'Wat is er ?' vroeg hij, opkijkend.

'Wat?' zei ze verward.

'Doet het pijn?'

'Wat?'

Hij kwam overeind. 'Je bent spierwit. Je gaat toch niet overgeven?'

Ze voelde zich heel vreemd. 'Ik weet het niet. Ik moet weer naar het toilet, denk ik.' Ze probeerde op te staan.

'Ik zal je helpen.'

Hij ging met haar naar de badkamer. Ze liep nog langzamer dan eerst. Haar hoofd leek gescheiden van haar romp – alsof ze een compact, gedrongen, plomp lichaam had, waar haar hoofd met een dun draadje aan was bevestigd. Maar hoe verder ze liep, hoe erger de buikpijn werd en daardoor kwam ze weer tot zichzelf. Op de wc zat ze bijna dubbelgevouwen van de pijn. Het was een vreemde, stekende pijn: een soort combinatie van menstruatiepijn en darmkrampen. Ze dacht dat ze misschien diarree had. Ze perste met haar spieren alsof ze wilde plassen; toen voelde ze iets tussen haar benen door glibberen, dat met een plons het water raakte. Ze keek in de pot. Daar lag de pluk gaas, helemaal doorweekt en misvormd van het bloed; en er liep nog steeds bloed naar buiten, dik en donker en draderig als een stuk geteerd touw.

Ze schreeuwde om Reggie. Hij schrok van de klank van haar stem en kwam meteen.

'Jezus!' zei hij, toen hij de troep in de toiletpot zag. Hij deed een stap achteruit, net zo bleek als zij. 'Was het eerder ook zo?'

'Nee.' Ze probeerde het te stelpen met velletjes wc-papier. Het bloed gleed eromheen en kwam op haar handen terecht. Ze trilde nu over haar hele lichaam. Haar hart klopte als een bezetene. 'Het houdt niet op,' zei ze.

'Duw dat ding ertegenaan.' Hij bedoelde het maandverband.

'Het loopt er gewoon uit, ik kan het niet tegenhouden. O, Reggie, ik kan het gewoon niet tegenhouden!'

Hoe banger ze werd, hoe sneller het bloed naar buiten leek te komen. Eerst was het dik, met stukjes en klontjes; daarna werd het gewoon bloed, verbazingwekkend rood. Het raakte het wc-papier in de pot met het geluid van water in een gootsteen. Het kwam op de bril, haar benen, haar vingers, overal op.

'Dat hoort toch niet zo?' zei Reggie, met ingehouden adem.

'Ik weet het niet.'

'Wat zei meneer Imrie? Zei hij dat het zo zou zijn?'

'Hij zei dat het een beetje kon gaan bloeden.'

'Een beetje? Wat is een beetje? Is dit een beetje? Dit kan geen beetje zijn, dit is een enorme hoeveelheid.'

'Ja?'

'Ja toch?'

'Ik weet het niet.'

'Waarom weet je het niet? Hoe is het als het er normaal uitkomt?'

'Niet zoals dit. Alles zit onder het bloed!'

Hij sloeg zijn hand voor zijn mond. 'Je moet toch iets kunnen doen om het te laten ophouden. Je kunt nog een paar aspirientjes nemen.'

'Dat zal heus niet helpen.'

'Het is beter dan niets.'

Het was alles wat ze hadden. Hij voelde in haar mantelzak en pakte het buisje. Zij kon niets aanraken met het bloed aan haar handen. Ze nam nog drie tabletjes, die ze net als eerder fijn kauwde; hij gaf haar nog een slokje cognac en dronk de rest van de fles zelf leeg. Ze trokken de wc door en keken hoe het water in de pot gutste. Bovenaan was het helder en roze, onderaan donkerrood en stroperig – net een knap gemaakte cocktail. Er begon onmiddellijk nog meer bloed uit haar te stromen, dat rondwervelde en zich verspreidde.

'En denk je niet,' zei Reggie, weer met een knikje naar het maandverband, 'dat als je dat ding er gewoon tegenaan houdt...'

Ze schudde haar hoofd, te paniekerig om iets te zeggen. Ze scheurde een heleboel velletjes wc-papier af en probeerde zichzelf daarmee dicht te stoppen. Ze bleven een paar minuten zitten, en ze werd wat kalmer; maar toen vielen ze eruit, net als het gaas. Reggie probeerde het opnieuw, met nog meer wc-papier. Hij legde zijn hand over de hare, om het op zijn plaats te houden. Maar ook dat papier viel eruit, en het bloed kwam sneller dan ooit.

Uiteindelijk, bijna radeloos, besloten ze dat Reggie meneer Imrie zou bellen en hem om raad zou vragen. Hij rende de zitkamer in; ze hoorde het tinkelen van het belletje in de parelwitte telefoon; maar toen slaakte Reggie een kreet, een soort gil van frustratie en wanhoop. Toen hij terugkwam strompelde hij, want hij was bezig zijn schoenen aan te trekken. De telefoon deed het niet. De draad hield al na een meter op. Het toestel was gewoon voor de show bedoeld, net als de flessen gekleurd water en de kartonnen sigaretten.

'Ik moet een telefooncel zien te vinden,' zei hij. 'Heb jij er onderweg een gezien?'

De gedachte dat hij haar alleen zou laten was beangstigend. 'Niet weggaan!'

'Bloedt het nog?' Hij keek tussen haar benen en vloekte. Hij legde zijn hand op haar schouder. 'Luister,' zei hij, 'ik ga naar dat oude mens beneden. Zij zal wel weten waar een telefoon is.'

'Wat ga je tegen haar zeggen?'

'Ik zeg gewoon dat ik moet bellen.'

'Zeg maar...' Viv greep hem vast. 'Zeg maar dat ik een miskraam heb, Reggie.'

Hij bleef staan. 'Ja? Dan wil ze vast naar boven komen. Dan wil ze vast een dokter halen.'

'Misschien moeten we ook een dokter halen, denk je niet? Meneer Imrie zei...'

'Een dokter? Christus, Viv, op zoiets had ik niet gerekend.' Hij haalde zijn hand weg en begon aan zijn haar te trekken. Ze kon aan zijn gezicht zien dat hij aan het geld dacht, of aan het gedoe. Ze begon weer te huilen. 'Niet huilen!' zei hij, toen hij dat zag; en even leek het of hij zelf ook zou gaan huilen. Hij zei: 'Een dokter zal het kunnen zien, hè? Zal een dokter het niet merken als hij kijkt?'

'Dat kan me niet schelen.'

'Hij kan de politie er wel bij halen, Viv. Hij zal onze namen willen weten. Hij zal alles over ons willen weten.' Zijn stem klonk gespannen. Hij bleef besluiteloos staan, probeerde een andere oplossing te bedenken. Toen voelde ze een nieuwe golf van pijn opkomen, en ze snakte naar adem en greep haar buik vast. 'Oké,' zei hij vlug. 'Oké.'

Hij draaide zich om en vertrok. De voordeur sloeg dicht, en daarna hoorde ze niets meer. Haar voorhoofd en bovenlip waren nat van het zweet; ze veegde ze af aan haar mouw. Ze trok de wc nog een keer door, draaide zich toen om en waste haar handen in de wastafel; de goudkleurige ring deed ze af, omdat hij zo los zat. De wastafel zag eruit alsof er rode verf in was gegooid: ze pakte nog meer wc-papier en probeerde hem schoon te maken, en ook de bril waar ze op zat, en de rand van de toiletpot. Toen zag ze een beetje bloed op het tapijt: ze bukte zich en werd duizelig; de vloer van de badkamer leek te kantelen. Ze greep zich aan de muur vast, liet een roze veeg achter op een van de parelmoertegels, kwam voorzichtig overeind en bleef doodstil zitten, met haar hoofd in haar handen. Als ze stil zat, stroomde het bloed minder snel... Ze was het liefst gaan liggen; ze herinnerde zich dat meneer Imrie had gezegd dat ze in bed moest blijven. Maar ze wilde niet opstaan, uit angst dat ze een smeerboel zou maken op het melkwitte tapijt. Ze sloot haar ogen en begon binnensmonds te tellen. Een, twee, drie, vier. Ze herhaalde de cijfers keer op keer. Een, twee, drie, vier. Een, twee, drie, vier...

Ik ga dood, dacht ze. Plotseling verlangde ze naar haar vader. Was haar pa er maar! Toen stelde ze zich voor dat hij binnenkwam en al dat bloed zag... Ze begon weer te huilen. Ze ging rechtop zitten en leunde met haar hoofd tegen de muur, snikkend, maar zo krachteloos dat het klonk alsof ze snoof van pijn.

Ze zat nog steeds zo te huilen toen Reggie terugkwam. Hij had de oude dame bij zich. Ze droeg een nachtjapon en een peignoir, met een jas eroverheen, een hoed op en rubber overschoenen aan. Het was waarschijnlijk de kleding die ze klaar had liggen voor als het luchtalarm ging. Ze hijgde van het trappen klimmen en had geen gebit in. Ze had een zakdoekje gepakt om haar gezicht af te vegen. Maar toen ze zag hoe Viv eraan toe was, liet ze het zakdoekje vallen. Ze liep meteen op haar af en voelde aan haar voorhoofd, trok toen haar dijen uit elkaar en tuurde naar het bloed.

Toen draaide ze zich weer naar Reggie om. 'Goeie hemel, jongen!' zei ze, slordig sprekend met haar tandeloze mond. 'Een dokter bellen, hoe verzin je het? Ze heeft een ambulance nodig, en gauw ook!'

'Een ambulance?' zei Reggie ontzet. 'Weet u het zeker?' Hij hield zich meer afzijdig nu zij er was.

'Je bent toch niet doof?' zei de vrouw. 'Kijk dan, ze is lijkbleek! Ze is half leeggebloed. Een dokter kan al dat bloed niet terugstoppen, of wel soms?' Ze voelde weer aan Vivs voorhoofd. 'Here God... Vooruit! Waar wacht je op? Nu krijg je er wel een te pakken, als je belt voor de sirenes gaan. Zeg dat ze haast moeten maken. Zeg dat het een zaak van leven en dood is!'

Reggie draaide zich om en rende weg.

'Zo,' zei de vrouw, terwijl ze haar mantel uittrok. 'Vind je dat je daar moet blijven zitten, lieve kind, zodat het er als een waterval uit loopt?' Ze legde haar hand op Vivs schouder. De hand beefde. 'Denk je niet dat je beter kunt gaan liggen?'

Viv schudde haar hoofd. 'Ik wil hier blijven.'

'Goed dan. Maar laten we je een klein beetje optillen en... Zo ja, dat is het idee.'

In de badkamer hing één handdoek, melkwit, net als het tapijt. Viv had hem niet willen gebruiken. Maar de vrouw had hem meteen van de stang getrokken en opgevouwen; ze hielp Viv opstaan, liet de deksel van de wc zakken en legde de handdoek erop. 'Ga daar maar op zitten, lieve kind,' zei ze, terwijl ze Viv weer omlaag hielp. 'Goed zo. En laten we die onderbroek maar uittrekken, hè?' Ze bukte zich, en frunnikte aan Vivs knieën, tilde haar voeten op. 'Dat is beter. Niet leuk, hè, als je man je ziet met je onderbroek op je enkels? Me dunkt van niet. Ach, toen ik zo oud was als jij droegen we bijna nooit onderbroeken. Wij hadden onze rokken, zie je, voor het fatsoen. Lange wijde rokken, je zou het niet geloven. Zo. Maak je maar niet druk. Het komt allemaal goed en straks zie je er weer uit als een prinses. Nee maar, wat een mooi haar heb jij, hè...?'

Ze babbelde maar door met haar tandeloze mond, allerlei onzin; ze liet Viv tegen zich aan leunen en aaide en streelde met harde, stompe vingers over haar hoofd. Maar Viv kon ook merken dat ze bang was.

'Bloedt het nog steeds?' vroeg ze om de zoveel tijd, en dan bekeek ze de handdoek tussen Vivs benen. 'Nou ja, jonge dingen zoals jij, die kunnen wel wat missen. Dat zeggen ze toch?'

Viv had haar ogen gesloten. Ze was zich bewust van het gemompel van de oude dame, maar zat krampachtig stil: ze concentreerde zich op het bloed dat uit haar wegliep – ze probeerde het te vertragen, vast te houden, terug te sturen. Haar angst rees en daalde in grote, donkere, onstuimige golven. Soms leek het bloeden minuten achtereen te stoppen, en dan werd ze bijna kalm; maar dan liep er weer een straaltje tussen haar benen door, wat haar opnieuw in paniek bracht. Ze was ook bang geworden voor haar eigen hart, dat blijkbaar op hol was geslagen, waardoor het bloed nog sneller stroomde, wist ze.

Ze hoorde Reggie terugkomen.

'Heb je ze gebeld?' riep de oude dame.

'Ja,' zei Reggie buiten adem. 'Ja, ze komen.'

Hij stond met een asgrauw gezicht op de drempel van de badkamer en beet op zijn nagels: zijn ontzag voor de oude dame was zo groot dat hij niet binnen durfde te komen. Kwam hij mijn hand maar vasthouden, dacht Viv. Sloeg hij zijn arm maar om me heen... Maar het enige wat hij deed was haar aankijken en een hulpeloos gebaar maken: hij spreidde zijn handen, schudde zijn hoofd. Met zijn lippen vormde hij geluidloos de woorden: 'Het spijt me. Het spijt me.' Toen liep hij weg. Ze hoorde hem een sigaret opsteken. Er klonk geratel van gordijnhaken, en ze wist dat hij bij het slaapkamerraam naar buiten stond te kijken.

Toen sijpelde het bloed weer omlaag, en de pijn sloot zich stijf om haar heen, als een vuist om een mes; ze deed haar ogen dicht en werd opnieuw overmand door paniek. De pijn en de paniek waren pikzwart en tijdloos: het was alsof ze weer onder verdoving werd gebracht door meneer Imrie, ze gleed uit de wereld terwijl de wereld naar voren stormde... Ze voelde de harde handen van de oude dame over haar schouders en lendenen wrijven, in kleine cirkeltjes. Ze hoorde Reggie roepen: 'Daar zijn ze!' Maar ze had op dat moment geen idee wat hij bedoelde. Ze dacht dat het iets te maken had met het feit dat hij het gordijn opzij had getrokken. Toen ze, weer een paar minuten later, haar ogen opende en de mensen van de ambulance zag, in broeken en jasjes en met helmen op, dacht ze dat het een man en een jongen van de luchtbescherming waren die kwamen klagen over de verduistering.

Maar de jongen lachte. Het was een hese lach, maar licht als van een meisje. Hij zei: 'Mooi hoor, dat tijgervel. Maar schrikt u daar 's nachts nooit van? Ik zou bang zijn dat hij in mijn enkels beet als ik langsliep.' Hij bekeek de handdoek waar Viv op zat, en hield op met lachen, maar zijn gezicht bleef vriendelijk. De handdoek was helemaal rood en doorweekt. Hij legde zijn hand op haar voorhoofd. Hij zei zachtjes tegen de man: 'De huid is vrij klam.'

'Ik kon het niet tegenhouden,' mompelde Viv.

De man was op zijn hurken voor haar gaan zitten. Hij had haar arm ontbloot en bond er een riem omheen; nu pompte hij vlug een rubberen bal op en tuurde naar een wijzer. Hij raakte haar dijbeen aan en keek net als de jongen naar de handdoek onder haar zitvlak. Ze was de schaamte voorbij. 'Hoe lang,' vroeg hij, 'bloedt het al zo?'

'Ik weet het niet,' antwoordde ze met zwakke stem. Ze dacht: waar is Reggie? Reggie zou het wel weten. 'Ongeveer een uur, denk ik.'

De man knikte. 'U hebt zo te zien ontzettend veel bloed verloren. We moeten u zo vlug mogelijk naar een ziekenhuis brengen. Goed?' Hij sprak rustig, bemoedigend. Ze wilde zich in zijn armen nestelen. Hij bleef op zijn hurken voor haar zitten terwijl hij de riem en de bal in zijn tas stopte. Hij werkte heel snel. Maar hij keek haar weer aan voor hij opstond en vroeg vriendelijk: 'Hoe heet u?'

'Pearce,' antwoordde ze, zonder erbij te denken. 'Vivien Pearce.'

'En hoe lang was u al in verwachting, mevrouw Pearce?'

Nu besefte ze wat ze gedaan had. Ze had Vivien Pearce gezegd, terwijl ze Margaret Harrison had moeten zeggen. Ze keek weer om zich heen, zoekend naar Reggie. De man raakte haar knie aan.

'Ik vind het heel erg,' zei hij. 'Het is vreselijke pech. Maar eerst moeten we u beter maken. Juffrouw Carmichael en ik gaan u naar beneden dragen.'

Ze zocht nog steeds naar Reggie en kon zich niet op zijn woorden concentreren. Toen hij 'juffrouw Carmichael' zei, dacht ze dat hij de oude dame bedoelde. Daarna zeiden hij en de jongen nog meer dingen – ze praatten met elkaar en noemden elkaar 'Kay' en 'Mickey' – en ze begreep tot haar grote schrik dat het helemaal geen mannen waren, maar gewoon kortharige vrouwen... Al het vertrouwen dat ze in hen had gehad, het gevoel van bescherming en veiligheid, verdween. Ze begon te trillen. Blijkbaar dachten ze dat het van de kou was, want ze wikkelden een deken om haar heen. Ze hadden een canvas vouwstoeltje meegebracht, waar ze haar op vastbonden, en toen loodsten ze haar de badkamer uit, over het tijgervel, door de zitkamer, langs de bar en de foto's van Parijs, en de onverlichte trappen af. Ze dacht bij elke bocht dat ze zou vallen. 'Het spijt me,' zei ze telkens met zwakke stem. 'Het spijt me.'

Ze gaven haar speels een standje omdat ze zich zorgen maakte.

'U zou eens moeten zien wat een grote, zware kerels we moeten rondzeulen!' zei de jongensachtige van de twee, Mickey, lachend. 'We gaan hierna een zaak beginnen als pianoverhuizers.'

De oude dame ging hen voor, om te waarschuwen voor lastige afstapjes. Ze hield de voordeur voor hen open, en draafde het pad af om hetzelfde te doen met het tuinhek. De ambulance stond er vlak achter geparkeerd; de witte plekken op de matgrijze lak werden beschenen door de maan, zodat het leek of de wagen boven het inktzwarte wegdek zweefde. Kay en Mickey zetten Viv neer en maakten de deuren open.

'We gaan u plat neerleggen,' zei Mickey. 'We denken dat dat helpt tegen het bloeden. Daar gaan we.'

Ze tilden haar naar binnen, haalden haar uit de stoel en legden haar op de brits neer. Ze rilde nog alsof ze het koud had, en het bloed sijpelde nog steeds naar buiten; ze begon nu ook naar lucht te happen, alsof ze een wedstrijd had gelopen of zoiets. Ze hoorde Kay tegen Mickey zeggen dat zij mocht rijden, en dat ze zelf achterin bleef; daarna helde de brits een beetje over toen Kay naar binnen klom. Viv keek op – ze zocht Reggie, ze wilde dat hij naast haar kwam zitten en haar hand vasthield. Een van de ambulancedeuren was al dicht, en de oude dame stond bij de deur die nog open was: ze riep, met haar tandeloze mond, dat Viv niet bang meer hoefde te zijn, dat de dokters haar in een mum van tijd beter zouden maken... Toen stapte ze achteruit. Mickey was bezig de deur te sluiten.

Viv ging met veel moeite rechtop zitten. Ze zei: 'Wacht. Waar is Reggie?'

'Reggie?' zei Kay.

'Haar man!' zei de oude dame. 'Hemel, ik ben hem compleet vergeten. Ik zag hem wegglippen en...'

'Reggie!' riep Viv, helemaal over haar toeren. Haar heupen zaten vast met een riem. Ze begon eraan te rukken. 'Reggie!'

'Is hij er?' vroeg Kay.

'Ik denk het niet,' antwoordde Mickey. 'Wil je dat ik ga kijken?'

Viv worstelde nog steeds met de riem.

'Goed,' zei Kay. 'Maar doe het vlug!'

Mickey vertrok. Toen ze een paar minuten later terugkwam, hijgde ze. Ze schoof de rand van haar helm omhoog en leunde naar binnen.

'Er is niemand,' zei ze. 'Ik heb overal gekeken.'

Kay knikte. 'Goed, dan gaan we. Hij vindt haar wel in het ziekenhuis.'

'Maar hij was er,' zei Viv buiten adem. 'U moet zich vergist hebben... In het donker...'

'Er is niemand,' zei Mickey weer. 'Het spijt me.'

'Wat is dat nou jammer,' zei de oude dame meelevend.

Viv liet zich achterover zakken, zwakker dan ooit, niet in staat te protesteren. Ze dacht aan Reggie, die bijna in tranen had gezegd: 'Een dokter zal het merken, hè? Een dokter zal onze namen willen weten, hij zal alles over ons willen weten.' Ze zag hem weer op de drempel van de badkamer staan en zijn hoofd schudden, terwijl hij zei: 'Het spijt me...'

Ze sloot haar ogen. De deur werd dichtgeslagen en een moment later startte de ambulance en reed weg. De motor maakte zo veel lawaai dat het voelde alsof ze er met haar hoofd tegenaan lag. Het was of ze in het ruim van een schip was opgesloten. Vlak boven haar hoofd klonk Kays stem. 'Goed, mevrouw Pearce.' Ze deed iets – ze vulde een label in, dat ze aan Vivs kraag vastmaakte. 'Hou vol, mevrouw Pearce...'

Viv zei mistroostig: 'U moet me geen mevrouw noemen. Hij is niet mijn man, zoals die dame zei. We deden maar alsof, voor meneer Imrie...'

'Dat geeft niet,' zei Kay.

'We zeiden Harrison, want dat was de meisjesnaam van Reggies moeder. U moet Harrison zeggen in het ziekenhuis. Doet u dat? U moet zeggen dat ik mevrouw Harrison ben. Want zelfs al merken ze het, het is niet zo erg als een getrouwde vrouw het doet, hè?'

'Maak u geen zorgen.' Kay voelde haar pols.

'Ze waarschuwen de politie toch niet, hè, bij getrouwde vrouwen?'

'U bent een beetje in de war. De politie waarschuwen? Waarom zouden ze dat doen?'

'Het is toch verboden?' zei Viv.

Ze zag Kay glimlachen. 'Ziek zijn? Nee, dat is nog niet verboden.'

'Een baby weghalen, bedoel ik.'

Het busje begon te hobbelen toen het over het kapotte wegdek reed. Kay zei: 'Wat?'

Viv gaf geen antwoord. Ze voelde bij elke schok een beetje bloed naar buiten komen. Ze sloot haar ogen weer.

'Vivien,' zei Kay. 'Wat heb je gedaan?'

'We zijn bij een man geweest,' zei Viv ten slotte. Haar adem stokte. 'Een tandarts.'

'Wat heeft hij met je gedaan?'

'Hij maakte me in slaap. Eerst ging alles goed. Maar hij had verband in me gedaan, en dat kwam eruit, en toen begon ik te bloeden. Daarvoor ging het goed.'

Kay liep weg en bonsde op de wand van de cabine. 'Mickey!' Het busje minderde vaart en stopte; de rem maakte een ratelend geluid. Mickeys gezicht verscheen bij het glazen schuifraampje boven Vivs hoofd.

'Alles oké?'

'Het is niet wat we dachten,' zei Kay. 'Ze is bij iemand geweest, een tandarts, godbetert – hij heeft gerotzooid met de zwangerschap.'

'O, nee,' zei Mickey.

'Ze bloedt nog steeds. Misschien heeft hij... ik weet het niet. Misschien heeft hij door de baarmoederwand heen gestoken.'

'Goed.' Mickey draaide zich om. 'Ik zal zo hard rijden als ik kan.'

'Wacht. Wacht!' Mickey keek weer achterom. 'Ze is bang voor de politie.'

Viv lette op hun gezichten. Ze was weer overeind gekomen. 'Er mag geen politie bij!' zei ze. 'Er mag geen politie bij, of mensen van de krant. Ze mogen het niet aan mijn vader vertellen!'

'Je vader zal het niet erg vinden,' zei Mickey, 'als hij weet hoe ziek je bent...'

'Ze is niet getrouwd,' zei Kay.

Viv begon weer te huilen. 'Niemand mag het weten,' zei ze. 'O, vertel het alsjeblieft niet!'

Ze zag Mickey naar Kay kijken. 'Als de baarmoederwand doorboord is, kan ze... Jezus. Ze kan wel bloedvergiftiging hebben, hè?'

'Ik weet het niet. Ik denk het wel.'

'Alsjeblieft,' zei Viv. 'Zeg maar dat ik een miskraam heb gehad.'

Mickey schudde haar hoofd. 'Dat is te gevaarlijk.'

'Alsjeblieft. Ze mogen niets weten. Zeg maar dat jullie me op straat gevonden hebben.'

'Ze merken het toch wel,' zei Mickey.

Maar Viv zag Kay denken. 'Dat hoeft niet.'

'Nee,' zei Mickey. 'We kunnen het risico niet nemen. In godsnaam, Kay! Ze kan wel...' Ze keek Viv aan. 'Je kan wel doodgaan!' zei ze.

'Dat kan me niet schelen!'

'Kay,' zei Mickey; en toen Kay niet reageerde, draaide ze zich om. Het busje kwam met een schok weer op gang en reed weg, sneller dan eerst.

Viv zakte achterover. Ze voelde het gehobbel niet meer zo erg. Ze had het gevoel dat ze in de lucht hing. Ze dacht dat ze misschien begon te zweven doordat ze zo veel bloed had verloren. Ze merkte half dat Kay nog iets op het label aan haar kraag schreef en daarna aan haar mantelzak frunnikte; toen voelde ze dat iemand haar vingers vasthield en erin kneep. Kay had haar hand gepakt. Haar greep was kleverig; Viv kneep harder, om niet weg te zweven. Ze opende haar ogen en staarde naar Kays gezicht. Ze staarde zoals ze nog nooit naar een gezicht had gestaard; alsof ook het staren kon verhinderen dat ze wegzweefde.

'Nog een klein eindje, Vivien,' zei Kay telkens, en: 'Hou vol. Goed zo. We zijn er bijna.'

Even later maakte het busje een bocht en kwam tot stilstand. De deuren werden ontgrendeld en opengegooid. Mickey klom naar binnen, en achter haar verscheen iemand anders: een verpleegster met een wit kapje, stralend en misvormd in het licht van de maan.

'Jij weer, Langrish!' zei de verpleegster. 'Zo, en wat heb je vanavond voor ons meegebracht?'

Kay keek naar Mickey, maar bleef Vivs hand stevig vasthouden. En toen Mickey haar mond opendeed om iets te zeggen, was zij haar voor.

'Miskraam,' zei ze kordaat. 'Miskraam, met complicaties. We denken dat mevrouw Harrison een lelijke val heeft gemaakt. Ze heeft ontzettend veel bloed verloren, en is nogal in de war.'

De verpleegster knikte. 'Goed,' zei ze. Ze liep weg en riep een drager. 'Jij daar! Ja, jij! Ga een brancard halen, en gauw een beetje!'

Mickey boog haar hoofd en zei niets. Ze begon nogal bars de riem los te maken waarmee Viv aan de brits vastzat. 'Kom, Vivien,' zei Kay, toen dat gebeurd was. 'Alles is in orde.'

Viv klemde nog steeds haar hand vast. 'In orde? Weet je het zeker?'

'Ja,' zei Kay. 'We moeten je alleen verplaatsen. Maar luister even naar me.' Ze sprak nu op een gejaagde fluistertoon. Ze wierp een blik over haar schouder en raakte toen Vivs gezicht aan. 'Luister je? Kijk me aan... Je kaart en je bonboekje, Vivien. Ik heb een scheur in de voering van je jas gemaakt. Je kunt zeggen dat je ze verloren bent toen je viel. Goed? Begrijp je het, Vivien?'

Viv begreep het, maar haar gedachten waren afgedwaald naar iets anders dat belangrijker leek. Ze had gevoeld hoe haar hand loskwam uit die van Kay, en haar vingers tintelden. De buitenkant was kleverig, maar koud en naakt...

'De ring,' zei ze. Nu leek het of haar lippen tintelden. 'Ik ben de ring verloren. Ik ben...' Maar ze was hem niet verloren, herinnerde ze zich nu. Ze had hem afgedaan, om het bloed van haar vingers te wassen, en ze had hem in de chique badkamer laten liggen, op de wastafel, naast de kraan.

Ze keek Kay verwilderd aan. Kay zei: 'Dat maakt niet uit, Vivien. Dat is niet zo belangrijk als die andere dingen.'

'Daar komt de brancard aan,' zei Mickey op scherpe toon.

Viv probeerde overeind te komen. 'De ring,' zei ze, en ze raakte weer buiten adem. 'Reggie had een ring voor me gekocht. Die was bedoeld om meneer Imrie te laten denken...'

'Sst, Vivien!' zei Kay dringend. 'Vivien, sst! De ring doet er niet toe.'

'Ik moet terug.'

'Dat kan niet,' zei Mickey. 'Godsamme, Kay!'

'Wat is het probeem?' riep de zuster.

'Ik moet terug!' zei Viv, die begon te worstelen. 'Laat me teruggaan om mijn ring te halen! Het lukt niet zonder ring...'

'Hier is je ring!' zei Kay plotseling. 'Hier is je ring. Kijk.'

Ze had Viv losgelaten en haar eigen handen op elkaar gelegd; ze maakte even een beweging alsof ze haar handen wrong en kwam toen met een gouden rondje voor de dag. Ze deed het zo vlug en zo subtiel dat het wel tovenarij leek.

'Dus je had hem toch?' vroeg Viv, verbaasd en opgelucht, en Kay knikte. 'Ja.' Ze tilde Vivs hand op en liet de ring aan haar vinger glijden.

'Hij voelt anders.'

'Dat komt doordat je ziek bent.'

'Ja?'

'Natuurlijk. Nou, vergeet niet wat ik over die andere dingen zei. Leg je arm om mijn schouders. Stevig vasthouden. Goed zo.'

Viv voelde dat ze werd opgetild. Daarna bewoog ze door de koude lucht... Toen Kay voor de laatste keer haar hand pakte, merkte ze dat ze het kneepje nauwelijks kon beantwoorden. Ze kon niet praten, zelfs niet om te bedanken of afscheid te nemen. Ze sloot haar ogen. Ze reden haar net de hal van het ziekenhuis in toen het luchtalarm ging.

Helen hoorde de sirenes vanuit Julia's flat in Mecklenburgh Square. Bijna onmiddellijk klonk er geknetter en een reeks doffe klappen. Ze dacht aan Kay en tilde haar hoofd op.

'Waar is dat, denk je?'

Julia haalde haar schouders op. Ze was opgestaan om een sigaret te halen en probeerde er een uit een pakje te vissen. Ze zei: 'Misschien Kilburn? Het valt niet te zeggen. Ik hoorde vorige week een flinke joekel neerkomen en had durven zweren dat het in de Euston Road was. Het bleek Kentish Town te zijn.' Ze liep naar het raam, trok het gordijn opzij en hield haar oog bij een van de spleetjes in de grijze mica platen. 'Je moet eens naar de maan kijken,' zei ze. 'Die is vannacht heel bijzonder.'

Maar Helen lag nog naar de bommen te luisteren. 'Daar is er weer een,' zei ze verschrikt. 'Kom bij dat raam vandaan, wil je?'

'Er zit geen glas in.'

'Weet ik, maar...' Ze strekte haar arm uit. 'Kom toch maar.'

Julia liet het gordijn vallen. 'Even wachten.' Ze liep naar de open haard en hield een opgevouwen stukje papier bij de gloeiende kolen om haar sigaret aan te steken. Toen richtte ze zich op en inhaleerde, met haar hoofd een eindje achterover, genietend van de smaak van de tabak. Ze was spiernaakt en stond ontspannen en zonder gêne in het licht van het vuur, met haar ene heup omhoog, alsof ze aan de rand van een waterplas stond op een wulps victoriaans schilderij van het oude Griekenland.

Helen lag roerloos naar haar te kijken. 'Je lijkt op je naam,' zei ze zacht.

'Mijn naam?'

'Julia, Standing. Ik wil er altijd een komma tussen zetten. Heeft niemand dat ooit eerder tegen je gezegd? Je lijkt op je eigen portret... Kom terug in bed. Je krijgt het nog koud.'

De kamer was echter te goed geïsoleerd om echt kil te zijn. Julia bracht een hand naar haar voorhoofd om een paar plukken haar weg te strijken, kwam toen langzaam naar de divan en schoof weer onder de dekens. Ze lag bloot tot aan haar middel, met haar handen achter haar hoofd, en deelde de sigaret met Helen: ze liet hem door Helen tussen haar lippen houden, en weghalen als ze een trekje had genomen. Toen de sigaret op was, sloot ze haar ogen. Helen bestudeerde het rijzen en dalen van haar borst en buik wanneer ze ademde, het kloppen van een ader onder in haar hals.

Ze hoorde de doffe dreun van nog een verre explosie, een salvo van het luchtafweergeschut, misschien het geluid van vliegtuigen. In de flat boven die van Julia liep de Pool rusteloos te ijsberen: door het gekraak van de planken kon Helen zijn route over de vloer volgen, heen en weer. In de kamer beneden stond de radio aan; ze hoorde het galmende, ratelende geluid van iemand die een kolenvuur oppookt. De geluiden waren Helen nu vertrouwd, zoals ze ook vertrouwd was geraakt met Julia's dekens en kussens en het allegaartje van meubelen. Ze had hier misschien zes of zeven keer zo gelegen in de afgelopen drie weken. En ze zei bij zichzelf, zoals ze al eerder had gedaan: die mensen weten niet dat Julia en ik hier samen zijn en naakt in elkaars armen liggen... Het leek ongelooflijk. Ze voelde zich bloot, verrukkelijk bloot, alsof de huid boven haar sluimerende zenuwen was afgeworpen, losgepeld.

Ze zou nooit meer, dacht ze, over een vloer lopen, een radio aanzetten, een pook in het vuur steken – nooit meer wat dan ook doen – zonder te denken aan de geliefden die elkaar wellicht omhelsden in naburige kamers.

Ze verplaatste haar hand naar Julia's sleutelbeen, maar legde hem niet neer – ze hield hem in de lucht, een paar centimeter boven de huid.

'Wat doe je?' vroeg Julia, zonder haar ogen te openen.

'Ik gebruik mijn hand als wichelroede,' zei Helen. 'Ik voel je warmte opstijgen. Ik voel het leven in je. Ik kan zeggen waar je huid bleek is en waar donkerder. Ik kan zeggen waar sproeten zitten en waar niet.'

Julia pakte haar vingers beet. 'Je bent gestoord,' zei ze.

'Gestoord,' zei Helen, 'van liefde.'

'Dat klinkt als de titel van een boek. Een boek van Elinor Glyn of Ethel M. Dell.'

'Voel jij je niet een beetje gek, Julia?'

Julia dacht na. 'Ik heb het gevoel of ik door een pijl ben geraakt,' zei ze.

'Alleen maar door een pijl? Ik door een harpoen. Of... Nee, een harpoen is te bruut. Ik heb het gevoel dat er een soort haakje in mijn borst is geslagen...'

'Een soort haakje?'

'Een haaknaald, of iets nog dunners.'

'Een knopenhaak?'

'Een knopenhaak, precies.' Helen lachte, want bij Julia's woorden was er een heel duidelijk beeld in haar opgekomen – iets uit haar jeugd, waarschijnlijk – van een dof geworden zilveren knopenhaak met een licht beschadigd parelmoeren handvat. Ze legde haar hand op de plaats waar ze dacht dat haar hart zat. 'Ik voel me net,' zei ze 'alsof er een knopenhaak in mijn borst is geslagen en alsof mijn hart vezeltje voor vezeltje naar buiten wordt getrokken.'

'Dat klinkt griezelig,' zei Julia. 'Wat een morbide meisje ben jij.' Ze bracht Helens vingers naar haar mond en kuste ze, en bekeek toen haar vingertoppen. 'En wat een kleine nageltjes heb je,' zei ze afwezig. 'Kleine nageltjes en kleine tandjes.'

Helen werd verlegen, al was de kamer nog zo schemerig. 'Niet naar me kijken,' zei ze, haar hand wegtrekkend.

'Waarom niet?'

'Ik... ik ben het niet waard.'

Julia lachte. 'Halvegare,' zei ze.

Daarna sloten ze hun ogen, en Helen moest na verloop van tijd zijn ingedommeld. Ze was zich er vaag van bewust dat Julia weer opstond, een peignoir aantrok en de gang inliep om naar de wc te gaan; maar ze zat midden in een absurde droom en werd pas echt wakker toen Julia terugkwam en de deur dichttrok.

'Hoe laat is het?' vroeg ze. Ze pakte Julia's wekker. 'God, het is kwart voor een! Ik moet weg.' Ze wreef over haar gezicht en ging weer liggen.

'Blijf tot één uur,' zei Julia.

'Nog een kwartier. Wat heeft dat voor zin?'

'Laat me dan met je meegaan. Ik breng je naar huis.'

Helen schudde haar hoofd.

'Waarom niet?' zei Julia. 'Ik loop liever dan dat ik hier blijf, dat weet je.'

Ze begon zich aan te kleden. Haar kleren lagen op een hoop op de grond: ze bukte en raapte een beha en een onderbroek op, stapte in een lange broek en trok een blouse aan, die ze met ingetrokken kin en een frons op haar voorhoofd dichtknoopte. Ze ging voor de spiegel staan en streek over haar gezicht.

Helen lag weer naar haar te kijken. Het leek ongehoord dat dat kon, ongelooflijk dat Julia haar schoonheid zomaar aan Helens blik prijsgaf. Het was wonderbaarlijk en bijna beangstigend dat Julia een uur geleden in haar armen had gelegen, haar mond had geopend en haar benen had gespreid voor Helens lippen, tong en vingers. Het leek onmogelijk dat ze zich, als Helen nu opstond en naar haar toe ging, zou laten kussen...

Julia ving haar blik en glimlachte quasi-geërgerd.

'Word je het niet zat om naar me te kijken?'

Helen sloeg haar ogen neer. 'Ik keek niet echt.'

'Als je een man was, zou ik zeggen dat je de kamer uit moest terwijl ik me aankleedde. Ik zou een mysterie voor je willen blijven.'

'Ik wil niet dat je een mysterie bent,' zei Helen. 'Ik wil elk stukje van je kennen.' Toen kreeg ze een akelig gevoel. 'Waarom zei je dat, Julia? Je wilt toch niet liever een man, hè?'

Julia schudde haar hoofd. Ze boog zich dichter naar de spiegel toe, duwde haar mond naar voren, deed lippenstift op. 'Het lukt niet met mannen,' zei ze afwezig. Ze wreef haar lippen langs elkaar. 'Het gaat niet met mannen.'

'Alleen met vrouwen?' vroeg Helen.

Alleen met jou, wilde ze dat Julia zei. Maar Julia zei niets: ze haalde een kam door haar haar en keek kritisch naar haar eigen gezicht. Helen wendde zich af. Ze dacht: Wat mankeert me in jezusnaam? Want ze merkte dat ze jaloers was op Julia's spiegelbeeld. Ze was jaloers op Julia's kleren. Ze was jaloers op de poeder op Julia's gezicht!

Toen dacht ze aan iets anders. Heeft Kay dat ook bij mij?

De gedachte stond blijkbaar op haar gezicht te lezen. Toen ze zich weer naar Julia omdraaide, zag ze dat Julia haar via de spiegel gadesloeg. Ze was opgehouden met kammen, maar hield haar handen nog omhoog. Ze zei: 'Oké?'

Helen knikte, en schudde toen haar hoofd. Julia legde de kam neer, kwam naar haar toe en sloeg een arm om haar schouders.

Helen sloot haar ogen. Ze zei zacht: 'Dit is vreselijk fout, hè?'

'Alles is tegenwoordig vreselijk fout,' antwoordde Julia na een ogenblik.

'Maar dit is erger, want wij kunnen het weer goedmaken.'

'Ja?'

'We kunnen... ophouden. We kunnen... de zaak terugdraaien.'

'Kun jij ophouden?'

'Misschien,' zei Helen met moeite. 'Omwille van Kay.'

'Maar dan,' zei Julia, 'zou het kwaad toch al geschied zijn. Dat was hiervoor al gebeurd. Dat was al bijna gebeurd voor we iets deden. Het gebeurde... Wanneer gebeurde het?'

Helen keek op. 'Het gebeurde op de dag dat jij me meenam naar dat huis in Bryanston Square,' zei ze. 'Of de keer daarvoor al, toen je thee voor me kocht. We stonden in de zon, en jij deed je ogen dicht en ik keek naar je gezicht... Ik denk dat het toen gebeurd is, Julia.'

Ze keken elkaar zwijgend aan; toen kusten ze elkaar. Helen was nog steeds niet helemaal gewend aan het verschil tussen Julia's manier van kussen en die van Kay – aan Julia's mond, die nog betrekkelijk vreemd was en heel zacht, aan het droge gevoel van haar lippenstift, aan het voorzichtige drukken van haar tong. Maar het vreemde was opwindend. De kus zat er een beetje naast en werd al snel nat. Ze kwamen dichter bij elkaar. Julia legde haar vingers op Helens blote borst – streelde, trok haar vingers terug; streelde weer, trok ze weer terug, en nog eens – totdat Helen haar huid bijna omhoog voelde komen, hunkerend naar Julia's hand.

Ze lieten zich onhandig achterover zakken op de slordige hoop dekens. Julia stak haar hand tussen Helens benen en zei zachtjes: 'Christus! Je bent zo nat. Ik kan je niet voelen.'

'Stop je vingers in me!' fluisterde Helen. 'Duw ze naar binnen, Julia!'

Julia duwde. Helen tilde haar heupen op, om aan de beweging tegemoet te komen met een beweging van haar eigen lichaam. Haar adem stokte. 'Voel je me nu?'

'Ja, nu voel ik je,' zei Julia. 'Ik voel je knijpen. Het is wonderlijk...'

Ze had allevier haar vingers in Helen zitten, tot aan de knokkels, en haar duim, aan de buitenkant, wreef over Helens gezwollen vlees. Helen bewoog haar heupen op en neer en bleef tegen haar aan duwen. De dekens prikten in haar blote rug, en behalve de druk tussen haar benen voelde ze Julia's broekspijp hard op haar eigen naakte, vochtige dij drukken; ze kon verschillende punten van irritatie onderscheiden: het schuren van de gesp van Julia's riem, de knoopjes op haar blouse, het bandje van haar polshorloge... Ze strekte haar handen achter haar hoofd uit en wenste met een deel van haar wezen dat Julia haar had vastgebonden: ze wilde zich aan Julia overgeven, ze wilde dat Julia haar overdekte met blauwe plekken en schrammen. Julia begon haar vingers bijna pijnlijk naar binnen te duwen, en ze genoot ervan. Ze merkte dat ze haar lichaam stijf hield, alsof het echt werd tegengehouden door strakke touwen.

Ze hief haar hoofd op en kuste Julia weer, en toen ze begon te schreeuwen, schreeuwde ze in Julia's mond en tegen haar lippen en wang.

'Sst!' zei Julia, terwijl ze tegelijk verwoed bleef duwen. Ze dacht aan de buren. 'Sst, Helen! Sst!'

'Sorry,' zei Helen buiten adem, en schreeuwde weer.

Het leek niet op de ontspannen manier waarop ze eerder hadden gevrijd. Na afloop voelde Helen zich ontdaan, ontredderd, alsof er ruzie was geweest. Toen ze opstond, merkte ze dat ze trilde. Ze ging naar de spiegel: Julia's lipstick zat om haar hele mond, en haar lippen waren gezwollen alsof ze was geslagen. Toen zag ze, in het licht van het haardvuur, dat haar dijen en borsten vol rode vlekken zaten, door het schuren van Julia's kleren. Het was wat ze had gewild toen Julia tegen haar aan duwde, maar nu maakte het haar op een absurde manier van streek. Ze liep in het wilde weg door de kamer, raapte dingen op en legde ze weer neer, terwijl ze een soort hysterische aanval voelde opkomen.

Julia was naar de keuken gelopen om haar handen en mond te wassen. Toen ze terugkwam, ging Helen voor haar staan en zei met trillende stem: 'Kijk eens hoe ik eruitzie, Julia! Hoe moet ik dit in jezusnaam voor Kay verbergen?'

Julia fronste haar voorhoofd. 'Wat heb jij ineens? Praat niet zo hard, wil je?'

Het was of ze een klap in haar gezicht kreeg. Ze ging zitten en legde haar hoofd op haar handen.

'Wat heb je met me gedaan, Julia?' zei ze ten slotte, nog steeds beverig. 'Wat heb je gedaan? Ik herken mezelf niet. Ik walgde vroeger van mensen die deden wat wij nu doen. Ik dacht dat ze wreed waren, of onverschillig, of laf. Maar ik wil niet wreed zijn tegen Kay. Ik heb het gevoel dat ik dit doe omdat ik te veel om jullie geef! Om jullie allebei. Kan dat waar zijn, Julia?'

Julia antwoordde niet. Helen keek even op en liet haar hoofd toen weer zakken. Ze drukte met de muis van haar handen tegen haar ogen, want ze mocht niet huilen: dat zou ook weer sporen nalaten. 'En het ergste is,' vervolgde ze. 'Weet je wat het allerergste is? Dat ik me ongelukkig voel als ik bij Kay ben, omdat ik jou mis; en dat zij ziet dat ik ongelukkig ben, en niet weet waarom; en dat ze me troost! Ze troost me, en ik laat haar begaan! Ik laat me door haar troosten voor het feit dat ik naar jou verlang!'

Ze lachte. De lach klonk afschuwelijk. Ze haalde haar handen weg. 'Ik kan er niet mee doorgaan,' zei ze, op kalmere toon. 'Ik moet het haar vertellen, Julia. Maar ik durf het niet. Ik ben bang voor haar reactie. Dat jij het moest zijn, Julia! Uitgerekend jij! Dat ze vroeger van jou hield, en nu...' Ze schudde haar hoofd, niet in staat verder te gaan.

Ze pakte een zakdoek uit de zak van haar rok en snoot haar neus. Ze voelde zich uitgeput, slap als een lappenpop. Julia was naar de andere kant van de kamer gelopen om as op de kolen in de haard te scheppen; daarna was ze overeind gekomen en bij de schoorsteen blijven staan, zonder zich om te draaien. Ze ging niet naar Helen toe, zoals eerder. Ze stond er alsof ze peinzend naar de smeulende kolen staarde. En toen ze ten slotte iets zei, leek haar stem van ver te komen.

'Zo was het niet, hoor.'

Helen snoot haar neus weer en hoorde het nauwelijks. 'Hoe niet?' vroeg ze, want ze begreep het niet.

'Met Kay en mij,' zei Julia, nog steeds zonder zich om te draaien. 'Het was niet zoals jij denkt. Kay heeft je dat idee gegeven, vermoed ik. Typisch iets voor haar.'

'Wat bedoel je?'

Julia aarzelde. Toen zei ze: 'Zij is nooit verliefd op me geweest.' Ze zei het bijna terloops, terwijl ze met haar hand een beetje as van haar broekspijp veegde. 'Ik was het. Ik ben jaren verliefd geweest op Kay. Ze probeerde mijn gevoelens te beantwoorden, maar... het is nooit wat geworden. Ik ben gewoon haar type niet, vermoed ik. We lijken te veel op elkaar, dat is het.' Ze richtte zich op en begon aan de verf van de schoorsteen te pulken. 'Kay wil een vrouwtje, zie je. Dat heb ik al eens eerder gezegd, hè? Ze wil een vrouwtje – iemand die lief is, bedoel ik, en aardig, en fatsoenlijk. Iemand die haar zaken op orde houdt, die zorgt dat alles goed loopt. Ik zou dat nooit kunnen. Ik zei altijd tegen haar dat ze pas gelukkig zou zijn als ze een aardig meisje met blauwe ogen vond – een meisje dat gered moest worden, of bemoederd, of iets dergelijks....' Ze draaide haar hoofd om en keek Helen eindelijk aan. Ze zei, oneindig triest: 'Een grapje ten koste van mezelf.'

Helen staarde haar aan tot Julia met haar ogen knipperde en haar blik afwendde. Ze begon weer aan de schoorsteen te pulken. 'Doet het er trouwens iets toe?' vroeg ze zacht, net zo zacht en terloops als eerst.

Het deed er ontzettend veel toe, wist Helen. Toen Julia dat zei was er in haar borstkas iets ingezakt of verschrompeld. Ze had het gevoel dat ze was beetgenomen, voor de gek gehouden...

Dat was onzin, want Julia had haar niet beetgenomen. Julia had niet gelogen of zoiets. Maar toch voelde Helen zich bedrogen. Ze werd zich plotseling bewust van haar eigen naaktheid. Ze wilde niet meer naakt zijn in aanwezigheid van Julia! Ze trok vlug haar rok en blouse aan. Terwijl ze dat deed, vroeg ze: 'Waarom heb je het me niet verteld?'

'Dat weet ik niet.'

'Je wist wat ik dacht.'

'Ja.'

'Dat wist je drie weken geleden ook!'

'Ik was zo verrast toen ik het je hoorde zeggen,' zei Julia. 'En ik dacht aan Kay... Je weet hoe ze is, een echte heer. Ik ken geen enkele man die zo'n heer is als zij. Ik had haar namelijk gevraagd om het niet te vertellen. Ik had nooit gedacht...' Ze hief een hand op en wreef in haar ogen. Ze ging vermoeid verder: 'En ik was trots. Meer zat er niet achter. Ik was trots, en ik was eenzaam. Ik was godvergeten eenzaam, als je het weten wilt.'

Ze slaakte een soort onbehouwen zucht, en keek weer over haar schouder. 'Maakt het iets uit, wat ik je verteld heb? Voor mij maakt het niks uit. Maar als jij, eh, er een punt achter wilt zetten...'

'Nee,' zei Helen. Dat wilde ze niet. En ze schrok dat Julia de mogelijkheid dat ze uit elkaar zouden gaan zo nonchalant ter sprake bracht. Eén afschuwelijk moment lang zag ze zichzelf moederziel alleen – zowel door Julia als door Kay in de steek gelaten.

Ze trok zonder iets te zeggen de rest van haar kleren aan. Julia bleef in dezelfde houding bij de haard staan. Toen Helen ten slotte naar haar toe ging en haar armen om haar heen sloeg, liet ze zich met een zekere opluchting omhelzen. Maar ze hielden elkaar een beetje onhandig vast. Julia zei: 'Wat is er eigenlijk veranderd? Er is toch niets veranderd?' en Helen schudde haar hoofd en zei dat er inderdaad niets veranderd was... 'Ik hou van je, Julia,' zei ze.

Maar dat ingezakte, verschrompelde gevoel was er nog – alsof haar hart, dat eerst zo naar Julia hunkerde dat het leek op te zwellen en uit te dijen, nu zijn spieren introk, zijn kleppen sloot.

Ze had zich intussen aangekleed. Julia liep heen en weer om dingen op te ruimen. Af en toe vingen ze elkaars blik en glimlachten; als ze dicht bij elkaar kwamen, staken ze automatisch hun handen uit om elkaar even aan te raken, of vluchtig te kussen.

Buiten, boven Londen, vielen nog steeds bommen. Helen was ze helemaal vergeten. Maar toen Julia weer in het halletje achter het gordijn verdween en haar even alleen liet, liep ze zachtjes naar het raam om door een van de spleten in het mica naar buiten te kijken, naar het plein. Ze zag huizen, nog verzilverd met maanlicht, en terwijl ze keek werd de hemel verlicht door een reeks verblindende schitteringen en lichtflitsen. Het gedreun dat door de explosies werd veroorzaakt begon een seconde later: ze voelde de lichte trilling in het mica tegen haar voorhoofd.

Bij elke dreun schrok ze. Al haar zelfvertrouwen scheen haar in de steek te hebben gelaten. Ze begon te beven – alsof ze het leven in oorlogstijd was verleerd, alsof ze plotseling alleen nog dreiging kende, de zekerheid van gevaar, van letsel.

'God!' zei Fraser. 'Dat was vlakbij, hè?'

Door de bommen en het luchtdoelgeschut waren ze allemaal wakker geworden. Een paar mannen stonden bij hun raam en riepen aanmoedigingen naar de Britse piloten en de kanonnen; Giggs schreeuwde zoals gewoonlijk tegen de Duitsers. 'Hé, moffen, deze kant op!' Het was werkelijk een soort pandemonium. Fraser had een kwartier lang stokstijf in bed gelegen, vloekend op het lawaai; toen hield hij het niet meer uit en was hij opgestaan. Hij had de tafel naar het raam getrokken, was er in zijn sokken op geklommen en probeerde naar buiten te kijken. Elke keer als er weer een explosie kwam dook hij weg bij de glazen ruiten, en soms bedekte hij zijn hoofd, maar hij kwam altijd terug bij het raam. Het was beter, zei hij, dan nietsdoen.

Duncan was in bed gebleven. Hij lag min of meer behaaglijk op zijn rug, met zijn handen achter zijn hoofd. Hij zei: 'Het lijkt dichterbij dan het is.'

'Heb jij er geen last van?' vroeg Fraser ongelovig.

'Je went eraan.'

'Zit jij er niet mee dat een levensgrote bom recht op je af zou kunnen komen en dat jij niet eens je hoofd kunt intrekken?'

Door de maan was het onnatuurlijk licht in de cel. Frasers gezicht was duidelijk te zien, maar zijn jongensachtige blauwe ogen, zijn blonde haar en de bruine deken om zijn schouders hadden hun kleur verloren; alles was een versie van zilvergrijs, zoals op een foto.

'Als je naam erop staat,' zei Duncan, 'raakt-ie je toch wel, waar je ook bent. Dat zeggen ze tenminste.'

Fraser snoof. 'Dat soort opmerkingen zou ik eerder verwachten van iemand als Giggs. Alleen denk ik bij hem dat hij echt gelooft dat er ergens in de buitenwijken van Berlijn een fabriek staat waar ze *Giggs, R., Wormwood Scrubs, Engeland* in het metaal stansen.'

'Ik bedoel alleen,' zei Duncan, 'dat áls we geraakt worden, we net zo goed hier geraakt kunnen worden,'

Fraser draaide zijn gezicht weer naar het raam. 'Ik vind het gewoon een prettig idee dat ik mijn best heb gedaan om mijn kansen te verbeteren. Hé, sodeju!' Hij sprong op toen er weer een explosie klonk, waarbij de ruiten rinkelden en er stenen of stukken cement losraakten in het kanaal achter het verwarmingsrooster in de muur. Uit andere cellen kwam geschreeuw – gejuich en hoera-geroep – maar er was ook iemand die met schrille, overslaande stem riep: 'Kop dicht, klootzakken!' En daarna werd het even stil.

Toen begon het luchtdoelgeschut weer en er vielen nog meer bommen.

Duncan keek op. 'Straks spat die ruit in je gezicht uit elkaar,' zei hij. 'Kun je trouwens wat zien?'

'Ik zie de zoeklichten,' zei Fraser. 'Ze maken er weer een zootje van, zoals gewoonlijk. Ik zie de gloed van branden. God mag weten waar. De hele stad kan wel tot de grond toe afbranden, weten wij veel.' Hij begon op zijn nagels te bijten. 'Mijn oudste broer is blokhoofd,' zei hij, 'in Islington.'

'Ga terug naar bed,' zei Duncan na een korte stilte. 'Je kunt toch niets doen.'

'Dat is juist de ellende! En het idee dat die verdomde bewaarders veilig in de schuilkelder zitten... Wat denk je dat ze nu aan het doen zijn? Kaarten en whisky drinken, wed ik, en vol leedvermaak in hun handen wrijven, de rotzakken.'

'Meneer Mundy niet,' zei Duncan loyaal.

Fraser lachte. 'Daar heb je gelijk in. Die zit met een traktaatje van de Christian Scientists in de hoek en denkt de bommen weg. Misschien kan hij me een tip geven. Wat denk je? Hij heeft jou overtuigd van al die onzin, hè? Ben je daarom zo onbekommerd?' Hij haalde diep adem en sloot zijn ogen. Toen hij weer sprak, was zijn stem onnatuurlijk kalm. 'Er zijn geen bommen. De bommen zijn niet echt. Er is geen oorlog. De bombardementen op Portsmouth, Pisa, Keulen – dat was niets anders dan een massa-hallucinatie. Die mensen zijn niet omgekomen, dat dachten ze alleen maar; een kleine vergissing, dat kan iedereen overkomen. Er is geen oorlog...'

Hij opende zijn ogen. De nacht was plotseling weer stil. Hij fluisterde: 'Heeft het gewerkt?' Toen kwam de volgende explosie, en hij sprong bijna een halve meter de lucht in.'Shit! Niet echt. Beter je best doen, Fraser. Je doet niet genoeg je best, klootzak!' Hij drukte zijn handen tegen zijn slapen en begon weer te reciteren, zachter ditmaal. 'Er zijn geen bommen. Er zijn geen branden. Er zijn geen bommen. Er zijn geen branden...'

Ten slotte trok hij zijn deken strakker om zijn schouders, stapte van de tafel en begon, nog steeds mompelend, door de cel te ijsberen. Bij elke nieuwe explosie vloekte hij en ging hij vlugger lopen. Ten slotte tilde Duncan zijn hoofd van het kussen en zei geprikkeld: 'Ga toch eens zitten, wil je?'

'Neem me niet kwalijk,' zei Fraser overdreven beleefd, 'houd ik je uit de slaap?' Hij klom weer op de tafel. 'Die verrekte maan lokt ze hierheen,' zei hij, alsof hij in zichzelf sprak. 'Waarom zijn er geen wolken?' Hij wreef over de ruit, die beslagen was door zijn adem. Even zweeg hij. Toen begon hij weer: 'Er zijn geen bommen. Er zijn geen branden. Er is geen armoede en geen onrecht. Er is geen pispot in mijn cel...'

'Hou je mond,' zei Duncan. 'Je moet er niet mee spotten. Het is... nou ja, het is niet eerlijk tegenover meneer Mundy.'

Daar moest Fraser hartelijk om lachen. 'Meneer Mundy,' herhaalde hij. 'Niet eerlijk tegenover meneer Mundy. Wat kan het jou schelen of ik die ouwe Mundy op de hak neem?' Hij zei het alsof hij nog in zichzelf sprak, maar blijkbaar was hij toch aan het denken gezet, want hij draaide zijn hoofd om en vroeg Duncan op de man af: 'Wat is er eigenlijk gaande tussen jou en meneer Mundy?'

Duncan gaf geen antwoord. Fraser wachtte even en vervolgde toen: 'Je weet best wat ik bedoel. Dacht je dat ik het niet gemerkt had? Hij geeft je sigaretten, hè? Hij geeft je suiker voor in je chocolademelk, dat soort dingen.'

'Meneer Mundy is aardig,' zei Duncan. 'Hij is de enige aardige bewaarder hier, dat weet iedereen.'

'Maar ik vraag het aan jou.' Fraser liet zich niet afschepen. 'Mij geeft hij tenslotte geen sigaretten en suiker.'

'Hij heeft met jou geen medelijden, denk ik.'

'Heeft hij dan wel medelijden met jou? Is dat het?'

Duncan tilde zijn hoofd op. Hij plukte aan een loszittende wollen draad in de rand van zijn deken. 'Ik denk het wel,' zei hij. 'Veel mensen hebben dat. Ik ben het gewend. Het was vroeger ook al zo. Voor ik hier zat, bedoel ik.'

'Je hebt nu eenmaal zo'n gezicht,' zei Fraser.

'Dat zal wel.'

'Mensen raken gefascineerd door je wimpers, zoiets.'

Duncan liet de deken vallen. 'Ik kan het niet helpen dat ik zulke wimpers heb,' zei hij onnozel.

Fraser lachte, en zijn manier van doen veranderde weer. 'Dat kun je inderdaad niet, Pearce.' Hij kwam weer van de tafel af, zette de stoel vlak bij de muur en ging zitten, met gespreide benen en zijn hoofd achterover. 'Ik heb ooit een meisje gekend,' begon hij, 'met net zulke wimpers als jij...'

'Jij hebt een hoop meisjes gekend, hè?'

'Ach, ik wil niet opscheppen.'

'Doe het dan niet.'

'Zeg, hoor eens, jij bracht het onderwerp ter sprake! Ik informeerde naar jou en meneer Mundy... Ik vroeg me af of het echt alleen vanwege je mooie wimpers is dat hij je zo in de watten legt.'

Duncan ging rechtop zitten. Hij herinnerde zich meneer Mundy's hand op zijn knie, en begon te blozen. Hij zei fel: 'Ik geef hem er niets voor terug, als je dat soms bedoelt!'

'Ja, ik denk dat ik dat bedoelde.'

'Werkt het zo, bij jou en je meisjes?'

'Die zit. Oké. Ik was alleen...'

'Wat?'

Fraser aarzelde weer. 'Niets,' zei hij toen. 'Ik was gewoon benieuwd hoe zulke dingen gaan.'

'Hoe wat voor dingen gaan?'

'Bij iemand zoals jij.'

'Zoals ik?' vroeg Duncan. 'Wat bedoel je?'

Fraser ging verzitten, wendde zich af. 'Je weet heel goed wat ik bedoel.'

'Nee.'

'Je zult in elk geval wel weten wat er hier over jou wordt gezegd.'

Duncan voelde dat hij nog erger ging blozen. 'Dat wordt hier over iedereen gezegd. Iedereen met een... een beetje beschaving, die van boeken houdt, en van muziek. Die geen beest is, met andere woorden.

Maar het punt is, de beesten zijn juist het allerergst in dat soort dingen...'

'Dat weet ik wel,' zei Fraser zacht. 'Dat is het niet alleen.'

'Wat is het dan?'

'Niets. Iets wat ik gehoord heb, over de reden waarom je hier zit.'

'Wat heb je gehoord?'

'Dat je hier zit omdat... Luister, vergeet het maar, het gaat mij niet aan.'

'Nee,' zei Duncan. 'Ik wil weten wat je gehoord hebt.'

Fraser streek zijn haar naar achteren. 'Dat je hier zit,' zei hij ten slotte zonder omwegen, 'omdat je vriend dood is gegaan en jij je daarom van kant hebt proberen te maken.'

Duncan bleef roerloos liggen en kon niets terugzeggen.

'Het spijt me,' zei Fraser. 'Zoals ik al zei, het gaat mij geen moer aan. Het zal mij een zorg zijn waarom je hier zit, of met wie je vroeger omging. Ik vind de wetgeving met betrekking tot zelfmoord schandalig, als je het weten wilt.'

'Wie heeft je dat verteld?' vroeg Duncan hees.

'Dat doet er niet toe. Vergeet het maar.'

'Was het Wainwright? Of Binns?'

'Nee.'

'Wie was het dan?'

Fraser keek de andere kant op. 'Die nicht natuurlijk, Stella.'

'Die!' zei Duncan. 'Ik walg van haar. Van die hele kliek. Ze willen niet naar bed met meisjes, maar ze gedragen zich zelf als meisjes. Ze gedragen zich erger dan meisjes! Ze moeten naar de dokter! Ik kan ze niet uitstaan.'

'Oké,' zei Fraser mild. 'Ik ook niet.'

'Jij denkt dat ik net zo ben als zij!'

'Dat zei ik niet.'

'Je denkt dat ik net zo was als zij, of dat Alec zo was...'

Hij zweeg. Hij had Alecs naam hier nooit hardop genoemd, behalve tegen meneer Mundy, en nu had hij het eruit gegooid alsof het een scheldwoord was.

Fraser sloeg hem gade in het schemerdonker. 'Alec,' zei hij omzichtig. 'Was dat... Was dat je vriendje?'

'Hij was mijn vriendje niet!' zei Duncan. Waarom dacht iedereen dat toch? 'Hij was gewoon een vriend. Heb jij geen vrienden? Heeft niet iedereen vrienden?'

'Natuurlijk. Sorry.'

'Hij was gewoon een vriend. Als jij was opgegroeid waar ik ben opgegroeid en je net zo had gevoeld als ik, zou je weten wat dat betekent.'

'Ja. Dat zal best.'

De ergste bombardementen leken even voorbij te zijn. Fraser blies op zijn handen en bewoog zijn vingers, om de kou te verdrijven. Toen stond hij op, voelde onder zijn kussen en haalde sigaretten tevoorschijn. Bijna verlegen bood hij er Duncan een aan. Duncan schudde zijn hoofd.

Maar Fraser bleef hem de sigaretten voorhouden. 'Ik wil graag dat je er een neemt,' zei hij zacht. 'Vooruit. Alsjeblieft.'

'Dat is er weer een minder voor jou.'

'Dat kan me niet schelen. Maar laat mij hem maar aansteken.'

Hij stak twee sigaretten in zijn mond, pakte de pot waar hij en Duncan hun tafelzout in bewaarden, en een naald. Je kon een vonk maken door het metaal langs de steen te schrapen: het duurde even, maar ten slotte vatte het papier vlam en begon de tabak te gloeien. De sigaret die hij Duncan overhandigde was vochtig van zijn lippen, en ingedeukt als een gebruikt rietje. Een paar draadjes tabak bleven aan Duncans tong plakken.

Ze rookten zonder te praten. De sigaretten waren binnen een minuut op. En toen Fraser de zijne op had, maakte hij de peuk open om het laatste restje te bewaren voor de volgende sigaret.

Terwijl hij daarmee bezig was, zei hij zacht: 'Ik benijd je om zo'n vriend, Pearce. Dat meen ik echt. Ik denk niet dat ik ooit zo om een man heb gegeven – om een vrouw ook niet, trouwens – als jij om hem moet hebben gegeven. Ja, ik benijd je.'

'Dan ben je wel de enige,' zei Duncan knorrig. 'Mijn eigen vader schaamt zich voor me.'

'Nou, de mijne schaamt zich ook voor mij. Hij vindt dat mensen zoals ik moeten worden uitgeleverd aan Duitsland, omdat we de nazi's zo graag willen helpen. Een vader hoort zich te schamen voor zijn zoon, vind je niet? Als ik ooit een zoon krijg, hoop ik dat hij me het leven goed zuur maakt. Hoe kan er anders ooit vooruitgang zijn?'

Maar Duncan lachte niet. 'Jij spot overal mee,' zei hij. 'Het is anders voor mensen zoals jij, voor mensen in jouw wereld.'

'Heb jij echt zo'n moeilijk leven gehad?'

'Ik denk niet dat het zo erg zou lijken voor een buitenstaander. Mijn vader heeft me nooit... Hij heeft me nooit geslagen of zo. Alleen...' Hij zocht moeizaam naar woorden. 'Ik weet het niet. Ik hield van dingen waar je niet van hoorde te houden; ik voelde dingen die je niet hoorde te voelen. Ik kon nooit de dingen zeggen die mensen van me verwachtten. En Alec was hetzelfde als ik. Hij haatte de oorlog. Zijn broer was gesneuveld, meteen in het begin al, en zijn vader bleef maar aan zijn kop zeuren dat hij ook moest gaan vechten. En het was tijdens de Blitz. De Blitz was bijna afgelopen, al wisten we dat toen niet. Het leek wel of... of de hele wereld verging! Het was een vreselijke tijd. Alec en ik wilden niet vechten. Hij wilde mensen op andere gedachten brengen. In plaats daarvan... Nou ja...'

'Arme jongen,' zei Fraser meelevend, toen Duncan niet verder wilde gaan. 'Het lijkt me een prima kerel. Ik zou hem graag gekend hebben.'

'Het wás een prima kerel,' zei Duncan. 'Hij was slim. Niet zoals ik. Mensen zeggen altijd dat ik slim ben, maar dat komt alleen omdat ik mezelf dwing om op een bepaalde manier te praten. Maar hij was geestig. Hij kon nooit stilzitten. Hij was altijd met iets nieuws bezig. Hij leek een beetje op jou, denk ik; of jij lijkt op hoe hij geweest zou zijn als hij naar een goede school was gegaan, rijke ouders had gehad. Hij maakte het leven spannend. Hij stelde de dingen – ik weet niet – hij stelde de dingen mooier voor dan ze eigenlijk waren. Ook al besefte je naderhand, als je erover nadacht, dat het voor een deel onzin was wat hij gezegd had, op het moment zelf, als je bij hem was, wilde je erin meegaan. Je liet je door hem meeslepen.'

'Ik vind het erg voor je,' zei Fraser zacht. 'Ik begrijp waarom je... Nou ja, waarom je hem zo graag mocht. Hoe oud was hij?'

'Hij was net negentien,' zei Duncan zacht. 'Hij was ouder dan ik. Daarom werd hij het eerst opgeroepen.'

'Net negentien. Dat deugt niet, Pearce! Eerst zijn broer, en toen hij.' Hij aarzelde en liet zijn stem dalen. 'En toen?'

'En toen?' herhaalde Duncan.

'Na zijn dood. Heb jij toen...?'

Duncan ving plotseling weer een glimp op van de scharlakenrode keuken in het huis van zijn vader. Hij keek naar Fraser in het maanlicht en voelde dat zijn hart begon te bonzen; hij wilde hem vertellen wat er gebeurd was, hij wilde het dolgraag vertellen – maar hij kreeg het uiteindelijk toch niet over zijn lippen. Hij sloeg zijn ogen neer en zei in plaats daarvan met vlakke stem: 'Na zijn dood bleef ik leven. Ik wilde ook dood, maar ik bleef leven. Dat is het hele verhaal. Oké?'

Fraser had de verandering in zijn stem blijkbaar niet opgemerkt. Hij ging verder: 'Dus toen hebben ze je opgesloten! Leve de Britse justitie! Twee levens verwoest in plaats van één. Terwijl het enige waar je behoefte aan had, vermoed ik...'

'Laten we er maar niet meer over praten,' zei Duncan.

'Goed, als je dat niet wilt. Natuurlijk niet. Ik word er alleen beroerd van. Had iemand maar, misschien je vader, of... Shit!' Hij sprong van zijn stoel. 'Wat was dat in jezusnaam?'

Er was een bom gevallen, dichterbij dan ooit; de explosie had zo'n kracht dat de ruiten in het raam tegen de sponningen waren geblazen of gezogen en dat er een was gebarsten, met een knal die klonk als een pistoolschot. Duncan keek op. Fraser was naar de deur gerend en had geprobeerd hem open te duwen. De deken was van zijn schouders gevallen. 'Shit! Shit!' zei hij weer. 'Dat was een benzinebom, hè? Die maken toch dat jankende geluid?'

'Ik weet het niet,' zei Duncan.

Fraser knikte. 'Ik heb ze al eerder horen neerkomen. Dat was wel degelijk een benzinebom. God!' Nu was er een tweede gevallen. Hij duwde weer tegen de deur, keek rond en zei met schrille stem: 'Stel dat er een benzinebom op deze afdeling valt, hoe loopt het dan met ons af, denk je? We worden levend geroosterd! Hebben ze eigenlijk wel brandwachten op het dak? Ik heb nooit iemand over brandwachten horen praten, jij wel? Stel dat er een paar van die bommen neerkomen? Hoe snel denk je dat een bewaarder op alle galerijen kan zijn om de deuren open te maken? Zouden ze überhaupt de moeite nemen om uit hun schuilkelder te komen? Christus! Ze zouden ons op z'n minst naar beneden kunnen brengen als het luchtalarm gaat. Ze zouden ons op onze matrassen in de recreatiezaal kunnen laten slapen!'

Hij sprak met schrille, overslaande stem, als een jongen, en Duncan begreep ineens dat hij echt helemaal over zijn toeren was en tot dusver zijn uiterste best had gedaan om zijn angst te verbergen. Zijn gezicht was bleek en vertrokken en bezweet. Zijn korte haar stond recht overeind: hij streek het met twee handen naar achteren, steeds opnieuw.

Toen zag hij Duncan kijken, en hij kalmeerde toen Duncan beschaamd zijn hoofd afwendde. 'Je vindt me een schijterd,' zei hij.

'Nee,' zei Duncan. 'Dat vind ik niet.'

'Nou, misschien ben ik het wel.' Hij liet zijn hand zien. Die trilde. 'Kijk eens!'

'Wat maakt het uit?'

'Wat maakt het uit? Christus! Je hebt geen idee... Barst!'

Nu begonnen er mannen te roepen. Hun stemmen klonken bang, net als die van Fraser. Eén man schreeuwde om meneer Garnish. Een ander bonkte met iets op zijn celdeur. De ruiten dansten weer in de sponningen toen er opnieuw een bom viel, nog dichterbij... Daarna regende het bommen, althans, zo leek het. Het was of je in een vuilnisbak zat opgesloten terwijl iemand er met een knuppel op sloeg.

'Giggs, vuile klootzak!' schreeuwde iemand, 'dit is godverdomme jouw schuld! Ik krijg je nog wel, Giggs! Ik maak je af!'

Maar Giggs hield zijn mond, en even later hield het schreeuwen ook op. Het was afschuwelijk om door het geluid van de explosies heen te roepen: Duncan had het idee dat de meeste mannen op hun brits lagen, zwijgend, tot het uiterste gespannen, de seconden tellend, wachtend op de explosies.

Fraser stond nog steeds angstig bij de deur. Duncan zei tegen hem: 'Ga terug naar bed totdat het ophoudt.'

'Stel dat het niet ophoudt? Of dat het ophoudt en dat wij ook ophouden?'

'Het is hier nog kilometers vandaan,' zei Duncan. 'De binnenplaatsen' – hij verzon maar wat – 'de binnenplaatsen versterken het geluid. Daardoor lijken de klappen erger dan ze in werkelijkheid zijn.'

'Denk je?'

'Ja. Heb je nooit gemerkt wat voor echo het geeft als iemand uit zijn raam roept?'

Fraser klampte zich vast aan dat idee en knikte. 'Dat is waar,' zei hij. 'Dat heb ik gemerkt. Dat is waar, je hebt gelijk.' Maar hij trilde nog steeds, en hij begon over zijn armen te wrijven. Hij had alleen zijn pyjama aan en het was ijskoud in de cel.

'Ga terug naar bed,' zei Duncan weer. En toen Fraser zich niet verroerde, stond hij zelf op en klom op de stoel om het gordijn dicht te doen. Hij keek uit het raam en zag de binnenplaats en het gevangenisgebouw aan de overkant, verlicht door de maan. Een zoeklicht bewoog rusteloos langs de hemel, en ergens in het oosten – het had in Maida Vale kunnen zijn, maar ook helemaal in Euston – zag hij de vage, onregelmatige gloed van een beginnende brand. Hij verplaatste zijn blik naar de barst in de ruit. Het was knap gedaan, een volmaakte boog; het zag er helemaal niet uit als iets waar kracht of geweld aan te pas was gekomen. Maar toen hij zijn vingers erop legde, voelde hij de barst meegeven, en hij wist dat de ruit zou breken als hij harder drukte.

Hij greep het verduisteringsgordijn, trok het dicht en maakte het vast aan de vensterbank; het uitzicht zou nu ook heel anders kunnen zijn, en de bijna pikdonkere cel had een heel andere ruimte kunnen zijn, had overal en nergens kunnen zijn. Waar het maanlicht het gordijn raakte, werd het tegengehouden; maar hier en daar lekte het naar binnen door dunne plekken in het weefsel en vormde daar stralende sterretjes en spikkels en halve maantjes, als pailletten op de cape van een goochelaar.

Hij kroop weer in bed. Hij hoorde hoe Fraser een paar stappen deed en bukte om zijn deken op te rapen. Maar toen bleef hij staan, alsof hij aarzelde en nog steeds bang was... Ten slotte vroeg hij iets, heel zachtjes.

'Mag ik bij jou komen liggen, Pearce? Wil je je brits met me delen, bedoel ik?' En toen Duncan geen antwoord gaf, voegde hij er simpelweg aan toe: 'Het komt door die vervloekte oorlog. Ik kan er niet tegen om alleen te liggen.'

Duncan sloeg de dekens terug en schoof op naar de muur, en Fraser kroop naast hem en bleef stil liggen. Ze zeiden niets. Maar elke keer als er weer een bom viel, of als het luchtdoelgeschut een salvo afvuurde, kromp Fraser ineen en verstijfde hij – alsof hij pijn leed en hardhandig door elkaar werd geschud. Duncan begon al snel mee te doen, niet uit angst, maar uit solidariteit.

Daar moest Fraser om lachen. 'God!' zei hij. Zijn tanden klapperden. 'Het spijt me, Pearce.'

'Dat is nergens voor nodig,' zei Duncan.

'Nu ik eenmaal begonnen ben, kan ik niet meer ophouden met trillen.'

'Ja, zo gaat dat.'

'Ik steek jou ook aan.'

'Dat maakt niet uit. Je krijgt het gauw genoeg warm, dan houdt het wel op.'

Fraser schudde zijn hoofd. 'Het is niet alleen van de kou, Pearce.'

'Dat maakt niet uit.'

'Dat zeg je steeds. Het maakt wél uit. Snap je dat niet?'

'Wat moet ik snappen?' vroeg Duncan.

'Dacht je dat ik nooit nadenk over... over angst? Het is het ergste wat er is, het allerergste. Het maakt me niet uit om voor een tribunaal te moeten verschijnen, het maakt me niet uit dat vrouwen me op straat een lafbek noemen! Maar om stilletjes bij jezelf te denken dat ze misschien wel gelijk hebben; om steeds de gedachte te voelen knagen: geloof ik hier echt in, of ben ik gewoon een... een vuile lafaard?' Hij veegde zijn gezicht weer af, en Duncan besefte dat het zweet op zijn wangen vermengd was met tranen. 'Je zult het mannen als ik niet horen toegeven,' ging hij verder, minder onverstoorbaar. 'Maar we voelen het, Pearce, ik weet dat we het voelen... En intussen zie je de gewoonste mannen – mannen als Grayson, als Wright – opgewekt naar het front vertrekken. Zijn ze minder moedig, omdat ze dom zijn? Denk je dat ik me niet afvraag hoe ik me zal voelen als de oorlog voorbij is, terwijl ik weet dat ik waarschijnlijk alleen nog leef dankzij dat soort kerels? Intussen zit ik hier, en Watling zit hier, en Willis, en Spinks, en al die andere dienstweigeraars in alle andere gevangenissen in Engeland. En als...' Een vliegtuig vloog luid ronkend over. Hij verstijfde weer, totdat het voorbij was. 'En als we allemaal levend verbranden door een benzinebom, zijn we dan ineens moedige kerels?'

'Ik vind het moedig,' zei Duncan, 'om te doen wat jij gedaan hebt. Dat zou iedereen vinden.'

Fraser veegde zijn neus af. 'Een gemakkelijk soort moed, helemaal niets doen! Jij bent moediger dan ik, Pearce!'

'Ik!'

'Jij hebt toch iets gedaan?'

'Wat bedoel je?'

'Jij hebt iets gedaan – waar je het net over had, waarvoor je hier zit.'

Duncan huiverde en draaide zich om.

'Daar was toch ook moed voor nodig?' drong Fraser aan. 'Christus, daar was meer moed voor nodig dan ik heb.'

Duncan bewoog weer. Hij stak zijn hand uit – alsof hij, ondanks het donker, Frasers blik wilde wegduwen. 'Je weet er niets van,' zei hij ruw. 'Je denkt... O!' Hij walgde van zichzelf. Zelfs nu Fraser trillend naast hem lag, kon hij er niet toe komen hem de simpele waarheid te vertellen. 'Niet over praten,' zei hij in plaats daarvan. 'Hou je mond.'

'Oké. Sorry.'

Daarna zwegen ze. Het geronk van vliegtuigen boven hun hoofd ging nog steeds door, het luchtdoelgeschut daverde onophoudelijk. Maar de volgende explosie was al verder weg, en de volgende nog verder, terwijl de toestellen zich verwijderden...

Fraser werd rustiger. Even later klonk het signaal 'alles veilig', en hij rilde nog een laatste keer, haalde zijn mouw over zijn gezicht en bleef toen stil liggen. Het was rustig op de afdeling. Niemand stond bij zijn raam te fluiten of te juichen. Mannen die net als hij verstijfd of helemaal in elkaar gerold in bed moesten hebben gelegen, lichtten nu hun hoofd op, strekten hun ledematen uit, om de stilte van de nacht te testen, en lieten zich uitgeput weer achterover vallen.

Alleen de bewaarders roerden zich: ze kwamen naar buiten, als torren die onder een steen vandaan komen. Duncan hoorde hun voetstappen op de sintels van de binnenplaats – langzaam, aarzelend, alsof ze verbaasd waren dat de gevangenis er nog stond.

Toen wist hij welk geluid daarna zou komen: het gesidder van de metalen galerijen als meneer Mundy zijn ronde maakte. Even later begon het, en hij lichtte zijn hoofd op om het beter te kunnen horen. De streep licht onder de deur leek nu extra wit, omdat de cel zo donker was. Hij zag meneer Mundy komen en het luik voor het kijkgaatje wegschuiven. Hij wist dat Fraser het ook zag. Maar toen Fraser zijn mond opendeed, legde Duncan zijn vingers op zijn lippen, om te verhinderen dat hij iets zei; en toen meneer Mundy op zijn nachtelijke fluistertoon riep: 'Alles in orde?', gaf Duncan geen antwoord. Meneer Mundy riep nog een tweede en een derde keer voordat hij het opgaf en schoorvoetend wegliep.

Duncans hand lag nog op Frasers lippen. Hij voelde Frasers adem tegen zijn vingers, en trok de hand langzaam weg. Ze spraken niet. Maar Duncan was zich nu bewust van Frasers lichaam, zoals hij dat eerder niet was geweest: van de warmte die het uitstraalde, en van de plaatsen – voeten, dijen, armen en schouders – waar het Duncans lichaam raakte. De brits was smal. Duncan had er elke nacht alleen in gelegen, bijna drie jaar lang. Hij had af en toe een por of een mep gekregen als hij in de gevangenis rondliep, zoals alle mannen; hij had over de tafel heen Vivs vingers aangeraakt in de bezoekruimte; hij had de aalmoezenier een keer een hand gegeven. Het had vreemd moeten zijn om nu zo dicht tegen een ander mens aan te liggen, maar het was niet vreemd. Hij draaide zijn hoofd opzij. Hij vroeg fluisterend: 'Gaat het goed met je?' en Fraser antwoordde: 'Ja.' 'Wil je niet terug naar boven?' Fraser schudde zijn hoofd: 'Nog niet...' Het was helemaal niet vreemd. Ze schoven dichter naar elkaar toe, niet verder uit elkaar. Duncan deed zijn arm omhoog en Fraser richtte zich op, zodat de arm onder zijn hoofd kon worden gelegd. Ze nestelden zich in elkaars armen – alsof het niets was, alsof het vanzelf ging; alsof ze niet twee jongens in een gevangenis waren, in een stad die aan puin werd geschoten en gebombardeerd; alsof het de gewoonste zaak van de wereld was.

'Waarom,' vroeg Mickey aan Kay, 'heb je dat meisje je ring gegeven?'

Kay schakelde soepel naar een hogere versnelling. Ze zei: 'Ik weet het niet. Ik had medelijden met haar. Het is tenslotte maar een ring. Wat is een ring, in tijden als deze?'

Ze probeerde een luchtige toon aan te slaan, maar eigenlijk had ze er al een beetje spijt van dat ze de ring had afgestaan. Haar hand, die het stuur omklemde, voelde naakt, onaf.

'Misschien ga ik morgen terug naar het ziekenhuis,' zei ze, 'om te kijken hoe ze het maakt.'

'Nou, ik hoop dat ze er dan nog is,' zei Mickey veelbetekenend.

Kay keek haar niet aan. Ze zei: 'Ze wilde het risico nemen. Het was aan haar, niet aan ons.'

'Ze wist niet wat ze zei.'

'Dat wist ze heel goed. Maar die vuile smeerlap die haar zo heeft toegetakeld zou ik graag eens onder handen nemen. En haar vriendje ook.' Ze kwam bij een splitsing. 'Welke afslag moeten we hebben?'

'Niet deze,' zei Mickey, de straat in turend, 'ik denk dat deze afgesloten is. Rij maar door naar de volgende.'

Het was hun zwaarste nacht sinds weken, vanwege de volle maan. Nadat ze Viv bij het ziekenhuis hadden afgezet, waren ze teruggegaan naar Dolphin Square en meteen weer op pad gestuurd. Een deel van de spoorlijn in hun district was geraakt; drie mannen die bezig waren de schade van de vorige luchtaanval te herstellen waren om het leven gekomen, en zes anderen waren gewond geraakt. Ze namen vier van deze slachtoffers in één keer mee, en werden vervolgens naar een adres gestuurd waar een gezin was bedolven onder een ingestorte gevel. Twee vrouwen en een meisje werden levend onder het puin vandaan gehaald; een ander meisje en een jongen werden dood aangetroffen. Kay en Mickey hadden de lijken meegenomen.

Nu waren ze weer op pad: ze moesten naar een straat iets ten oosten van Sloane Square. Kay sloeg een hoek om en voelde de banden van het busje schuren. Er lag gruis en aarde en gebroken glas op de weg. Ze ging stapvoets rijden, stopte en draaide haar raampje omlaag toen er een blokhoofd naar hen toe kwam.

Ze zag dat hij op zijn gemak aan kwam lopen. 'Te laat?' vroeg ze.

De man knikte. Hij nam hen mee en liet hun de lichamen zien.

'Jezus,' zei Mickey.

Het waren er twee: een man en een vrouw, omgekomen op de terugweg van een feestje. Hun huis, zei het blokhoofd, was maar vijftig meter verderop. De straat had de vorm van een halve maan en werd onderbroken door een parkje, en het parkje had de ergste klap van de explosie opgevangen. Een tien meter hoge plataan was min of meer versplinterd; huizen misten ramen en voordeuren en dakpannen, maar waren verder onbeschadigd. De man en de vrouw waren echter de lucht in geslingerd. De man was op een betegeld plaatsje voor het kelderraam van een huis neergekomen. De vrouw was op het hek langs het trottoir gevallen, en met haar borst vast komen te zitten in de stompe punt van een ijzeren staak. Daar hing ze nog steeds. Het blokhoofd had alleen een stuk gordijn kunnen vinden en dat over haar heen gelegd. Nu trok hij het gordijn weg, zodat Kay en Mickey het lichaam beter konden zien. Kay wierp er één blik op en wendde zich toen af.

De vrouw was haar mantel en hoed kwijt, en haar haar hing los om haar gezicht; de avondhandschoenen zaten nog glad en onbeschadigd om haar bungelende armen. Haar zijden jurk, zilverwit in het maanlicht, lag in plooien om haar heen op het trottoir, alsof ze een buiging maakte, maar het vlees van haar blote rug puilde uit waar de ijzeren punt er vanbinnen tegenaan drukte.

'Het laatste hek in de straat,' zei het blokhoofd, terwijl hij met Kay en Mickey de trap afdaalde naar het plaatsje. 'Wat een pech, hè? Ze hebben het laten staan, denk ik, omdat het roestig was. Ik zal het jullie maar eerlijk zeggen, ik wilde haar niet verplaatsen. Ik kon wel zien dat ze dood was. Op slag, hoop ik. Haar man, geloof het of niet, zat twintig minuten geleden nog rechtop en praatte tegen me. Daarom heb ik jullie gebeld. Maar kijk eens hoe hij eraan toe is.'

Hij schoof een stuk puin opzij en ze zagen het lichaam van de man: hij zat met zijn benen opgetrokken en zijn rug tegen de muur van het plaatsje. Net als de vrouw droeg hij avondkleding; het strikje zat nog netjes om zijn boord, maar het boord zelf en het voorpand van zijn overhemd waren afzichtelijk rood. Het stof was als een muts op de brillantine in zijn haar neergedaald, maar waar het licht van de zaklamp de zijkant van zijn hoofd bescheen kon Kay zijn opengereten schedel zien, en nog meer bloed, dik en glanzend als jam.

'Lekker gezicht,' zei het blokhoofd, klakkend met zijn tong, 'voor de bewoners van het huis, hè, als die naar buiten komen?' Hij bekeek Kay en Mickey. 'Niet echt een klus voor vrouwen, dit. Hebben jullie iets om ze in te wikkelen?'

'Alleen dekens.'

'Dekens, dat wordt een vreselijke troep,' zei hij op zijn mopperige manier, terwijl ze weer naar boven klommen. Hij schuifelde de straat in en vond de een of andere lap. 'Kijk eens, wat hebben we hier? De cape van de dame, die is van haar rug geblazen. We zouden... O, jeminee!'

Hij en Kay bukten instinctief. Maar de explosie was kilometers ver weg, ergens in het noorden: het was niet zozeer een knal als wel een gesmoorde dreun. Daarna klonk dichterbij allerlei geraas: vallende balken, glijdende dakpannen, het bijna muzikale geluid van brekend glas. Een stel honden begon te blaffen.

'Wat was dat?' vroeg Mickey. Ze was naar de ambulance gelopen om draagbaren te halen. 'Ging er iets de lucht in?'

'Zo te horen wel,' zei Kay.

'Een hoofdgasleiding?'

'Een fabriek, wedden?' zei het blokhoofd, over zijn kin wrijvend.

Ze keken naar de lucht. De zoeklichten die in het rond schenen waren een beetje verbleekt door het maanlicht, maar maakten het toch moeilijk om iets te zien; toen de stralen omlaaggingen, wees het blokhoofd: 'Kijk.' Aan de onderkant van de wolken was de eerste weerkaatsing van een grote brand verschenen. De rook die in kronkels en spiralen opsteeg had een donkere, ziekelijk roze gloed.

'Dat geeft de moffen een prachtig uitzicht,' zei het blokhoofd.

'Waar denkt u dat het is?' vroeg Mickey. 'King's Cross?'

'Zou kunnen,' antwoordde hij weifelend. 'Maar het zou ook zuidelijker kunnen zijn. Ik zou zeggen Bloomsbury.'

'Bloomsbury?' zei Kay

'Ken je dat gebied?'

'Ja.' Ze kneep haar ogen tot spleetjes, speurde de hemel af, ineens bang. Ze zocht naar oriëntatiepunten: torens, schoorstenen, iets wat ze kende. Maar ze zag niets – en trouwens, ze wist op het moment niet eens naar welke kant ze keek, het noordoosten of het noordwesten; de bocht in de straat was verwarrend. Toen gingen de zoeklichten weer omhoog, en de lucht werd een chaos van schaduw en kleur. Ze draaide zich om, ging terug naar het lichaam van de vrouw. 'Kom mee,' zei ze tegen Mickey.

Haar stem klonk blijkbaar vreemd. Mickey keek haar aan. 'Wat is er?'

'Ik weet het niet. Ik heb gewoon de zenuwen. Christus, dit is gruwelijk! Help me eens een handje, wil je? Het heeft geen zin om haar gewoon op te tillen; er zitten weerhaken aan, daar zal ze wel in vastzitten.'

Door het lichaam van de vrouw heen en weer te bewegen wisten ze het los te krijgen; maar het schuren van het ijzer tegen haar ribben, en het schuiven van de ijzeren punt onder de huid van haar rug, waren afschuwelijk om te voelen en te horen. Ze was nat toen ze loskwam. Ze draaiden haar niet om, deden geen poging haar ogen te sluiten, maar legden haar vlug op een draagbaar en wikkelden haar in het gescheurde gordijn waarmee ze eerder bedekt was geweest. Haar blonde haar zat in de war alsof ze net uit bed kwam – zoals Helens haar, dacht Kay, als ze wakker werd, of als ze uit bed kwam nadat ze hadden gevrijd.

'Christus,' zei ze weer en veegde haar mond af aan de achterkant van haar manchet. 'Dit is vreselijk!' Ze liep een eindje weg en stak een sigaret op.

Maar terwijl ze stond te roken, werd ze ongerust. Ze keek naar de lucht. Het kleurenspel was nog even grillig als daarvoor, de gloed was de ene keer feller, de andere keer doffer, alsof de vlammen die het veroorzaakten bokten en steigerden in de bries. Weer werd ze bang, zonder goed te weten waarom. Ze gooide haar sigaret na een paar trekjes weg; het blokhoofd zag het en zei: 'Hé!' Hij raapte de peuk op en begon hem zelf op te roken.

Kay tilde de tweede draagbaar op, die naast het lichaam van de vrouw lag, en droeg hem de trap af naar het plaatsje. Ze nam een rol verband mee om het hoofd van de dode man te verbinden. Mickey kwam haar helpen en hield het hoofd heel voorzichtig vast terwijl zij het gaas eromheen wikkelde. Toen legden ze de draagbaar plat neer en probeerden het lichaam erop te tillen. Er was niet veel ruimte, en de grond lag bezaaid met aarde uit het parkje, met takken en gebroken dakpannen. Ze trapten eerst alle rommel opzij; ze begonnen te hijgen terwijl ze bezig waren, en te mopperen en te vloeken. Desondanks hoorde Kay het toen iemand op straat haar naam noemde – op dringende toon, maar zonder te roepen of te schreeuwen. Ze hoorde het, en wist het meteen. Ze richtte zich op, bleef een seconde lang roerloos staan, stapte toen over het lichaam van de man heen en ging vlug de trap weer op.

Iemand stond met het blokhoofd te praten. Ze herkende hem, in het donker, aan zijn magere gezicht en aan zijn bril. Het was Hughes, van de ambulancepost. Hij had hard gelopen. Hij had zijn helm afgezet om sneller vooruit te komen, en hield zijn hand in zijn zij gedrukt. Hij zag haar en zei: 'Kay' – en dat maakte het nog erger, want ze dacht niet dat hij haar ooit eerder Kay had genoemd; meestal zei hij Langrish. 'Kay...'

'Wat is er?' vroeg ze. 'Vertel op!'

Hij blies zijn adem uit. 'Ik was drie straten verderop, met Cole en O'Neil. Het blokhoofd kreeg een telefoontje, van Post 58... Ik vind het heel erg, Kay. Ze denken dat het een cluster van drie was dat voor Broadcasting House was bestemd, maar te ver naar het oosten ging. Eentje kon op tijd onschadelijk worden gemaakt. De andere twee hebben branden veroorzaakt...'

'Helen,' zei ze.

Hij pakte haar arm. 'Ik wilde het je vertellen. Maar ze wisten niet waar het precies was. Kay, het hoeft niet...'

'Helen,' zei ze weer.

Het was wat ze had gevreesd, elke dag van de oorlog, en ze had gedacht dat ze daardoor kalm zou zijn als het eindelijk gebeurde. Nu begreep ze dat de angst voor haar een soort pact was geweest: ze had zich verbeeld dat ze daarmee Helens veiligheid kon verdienen, als de angst maar hevig genoeg en constant was. Maar dat was onzin. Ze was bang geweest, en het vreselijke was toch gebeurd. Hoe kon ze dan kalm blijven? Ze trok haar arm los uit Hughes' greep en sloeg haar handen voor haar gezicht, trillend over haar hele lichaam. Ze wilde op haar knieën vallen, schreeuwen. Ze was ontzet over haar eigen zwakheid. Toen dacht ze: hier is Helen toch niet mee geholpen? Ze liet haar handen zakken, en zag dat Mickey was gekomen en ook haar arm wilde pakken, net als Hughes. Kay schudde haar af en liep weg.

'Ik moet erheen,' zei ze.

'Kay, niet doen,' zei Hughes. 'Ik ben hierheen gekomen omdat ik niet wilde dat je het van iemand anders zou horen. Maar je kunt daar niets doen. Het is het rayon van de 58. Laat het aan hun over.'

'Die durven niet,' zei Kay. 'Die verpesten het! Ik moet erheen.'

'Het is te ver! Je kunt toch niets doen.'

'Helen is daar! Begrijp je het dan niet?'

'Natuurlijk begrijp ik het. Daarom ben ik gekomen. Maar...'

'Kay,' zei Mickey, die haar arm weer vastgreep. 'Hughes heeft gelijk. Het is te ver.'

'Dat kan me niet schelen,' zei Kay, bijna buiten zinnen. 'Ik ren wel. Ik...' Toen zag ze de ambulance. Ze zei, met vastere stem: 'Ik neem het busje.'

'Kay, nee!'

'Kay...'

'Hé,' zei het blokhoofd, die al die tijd had toegekeken. 'En deze lijken dan?'

'Die kunnen naar de hel lopen,' zei Kay.

Ze was gaan rennen. Mickey en Hughes kwamen achter haar aan en probeerden haar tegen te houden.

'Langrish,' zei Hughes, die boos begon te worden. 'Doe niet zo idioot.'

'Ga weg,' zei Kay.

Ze was eerst naar de achterkant van de ambulance gelopen om de deuren te sluiten. Nu liep ze naar de cabine en klom erin. Hughes ging in de deuropening staan en probeerde haar te overreden. 'Langrish,' zei hij. 'In godsnaam, bedenk wat je doet!'

Ze tastte naar het sleuteltje; toen keek ze Mickey aan, over Hughes' schouder heen.

'Mickey,' zei ze zacht. 'Geef me het sleuteltje.'

Hughes draaide zich om. 'Carmichael, niet doen.'

'Geef me het sleuteltje, Mickey.'

'Carmichael...'

Mickey aarzelde, keek van Kay naar Hughes en weer terug. Ze haalde het sleuteltje tevoorschijn, aarzelde weer en gooide. Ze kon net zo goed mikken als een jongen. Hughes deed er een greep naar, maar het was Kay die het ving. Ze stak het in het contact en startte de motor.

'Stommeling!' zei Hughes, terwijl hij op het metalen frame van het portier sloeg. 'En jij ook, Mickey! Jullie worden allebei uit de dienst gegooid! Jullie worden...'

Kay stompte hem. Ze stompte in het wilde weg, en raakte zijn wang en de rand van zijn bril, en toen hij achterover viel deed ze de handrem omlaag en reed weg. Het portier zwaaide half dicht, ze greep de kruk en trok het helemaal dicht. Haar helm was over haar voorhoofd gezakt; ze rukte aan het riempje en trok hem van haar hoofd, en voelde zich meteen beter. Ze wierp een blik in het spiegeltje – ze zag Hughes op de weg zitten met zijn handen om zijn gezicht, terwijl Mickey er nonchalant bij stond, zonder iets te doen, en haar nakeek terwijl ze wegreed... Ze moest zichzelf dwingen om ergerlijk voorzichtig de met aarde en glas bezaaide straat uit te rijden, en gaf meteen gas toen het wegdek gladder werd.

Onder het rijden dacht ze aan Helen; ze zag haar voor zich zoals ze haar het laatst had gezien, uren geleden: ongeschonden, ongedeerd. Het beeld was zo duidelijk dat ze wist dat ze niet dood of zelfs maar gewond kon zijn. Ze dacht: het kan Rathbone Place niet zijn, het moet een andere straat zijn. Het kan niet! En als het wel zo is, dan heeft Helen het alarm gehoord en is ze naar de schuilkelder gegaan. Ze is voor deze ene keer naar de schuilkelder gegaan, om mij een plezier te doen...

Ze zat inmiddels op Buckingham Palace Road en reed nu in volle vaart langs Victoria Station. Ze sloeg af naar het park, bijna zonder vaart te minderen, zodat de banden gierden en er achter in het busje iets van zijn plaats schoof en kapot viel. Recht vooruit was die gloed, die onregelmatig uitzette en inkromp, als een hart dat het dreigde te begeven – vreselijk, vreselijk. Ze schakelde en ging harder rijden. De luchtaanval was nog bezig en de Mall was natuurlijk verlaten; alleen bij Charing Cross stuitte ze op bedrijvigheid: een blokhoofd en politieagenten die bij een ander incident hielpen, hoorden haar aankomen en gebaarden dat ze door moest rijden. Ze dachten dat ze door haar ambulancepost was gestuurd. 'Die kant op,' riepen ze, naar het oosten wijzend, via de

Strand. Ze knikte, maar het kwam geen moment in haar op om te stoppen, om hulp te bieden. Toen kort daarna een andere man, die het ambulancewapen op de voorkant van haar busje zag, het trottoir af kwam strompelen met zijn handen op zijn hoofd en zijn gezicht donker van het bloed, zwenkte ze om hem heen en reed door.

Charing Cross Road was opgebroken, omdat daar drie dagen eerder een waterleidingbuis was geraakt. Ze ging naar het westen, naar de Haymarket, reed door naar Shaftesbury Avenue, en kwam in Wardour Street uit, met de bedoeling zo naar Rathbone Place te gaan. De toegang tot Oxford Street bleek versperd door schragen en touwen, en werd bewaakt door agenten. Ze remde uit alle macht en begon te keren. Een politieman kwam naar haar toe rennen terwijl ze bezig was.

'Waar moet je heen?' vroeg hij. Ze noemde haar erfje. Hij zei meteen: 'Ik dacht dat jullie daar al waren. Je kunt er langs deze kant niet door.'

Ze vroeg: 'Is het erg?'

Hij hoorde iets in haar stem, en kneep zijn ogen half dicht. 'Twee pakhuizen geraakt, voor zover ik weet. Heb je geen bijzonderheden gekregen van de Centrale?'

'Het meubelpakhuis?' vroeg ze, zijn vraag negerend. 'Palmer's?'

'Dat weet ik niet.'

'Christus, dat moet wel! O, Christus!'

Ze had haar raampje omlaaggedraaid om met hem te praten, en rook plotseling de brandlucht. Ze schakelde, en de agent sprong achteruit. De motor schokte toen ze keerde. Ze schakelde weer en gaf tussengas zoals gewoonlijk, maar op het verkeerde moment, zodat de tandraderen kraakten; ze vloekte op het onhandige mechanisme en was bijna in tranen. Niet huilen, stommeling! zei ze tegen zichzelf. Ze sloeg hard op haar dij, met gebalde vuist. Het busje slingerde. Niet huilen, niet huilen...

Ze reed nu naar het zuiden, maar zag links een weg die niet was afgesloten en draaide er met een scherpe bocht in. Een eindje verder kon ze weer links afslaan, Dean Street in. Hier zag ze voor het eerst de toppen van de vlammen de lucht in springen. Er begonnen roetdeeltjes tegen de voorruit van het busje te komen, donkere, fragiele webben van zwevende as. Ze trapte het gaspedaal diep in en schoot naar voren; ze had echter nog maar honderd meter gereden toen de weg weer was versperd. Ze stak haar hoofd uit het raampje. 'Laat me erdoor!' riep ze tegen de agenten daar. Die gebaarden met hun handen: 'Gaat niet. Ga terug.' Ze keerde en ging ten einde raad weer naar het oosten, naar Soho Square. Opnieuw een wegversperring, maar minder goed bemand. Ze bracht het busje tot stilstand en trok de handrem aan, stapte toen uit, nam een aanloop en sprong gewoon over de schragen heen.

'Hé!' riep iemand achter haar. 'Jij daar, zonder helm! Ben je gek geworden?'

Ze stompte op de insignes op haar schouder. 'Ambulance!' schreeuwde ze hijgend. 'Ambulance!'

'Hé! Kom terug!'

Maar al snel vervaagden de stemmen. De wind was gedraaid, en ze werd plotseling omhuld door rook. Ze pakte haar zakdoek en drukte die tegen haar neus en mond, maar bleef doorrennen; de rook kwam in vlagen opzetten, zodat ze nu eens blind, dan weer in het felle licht een afstand van dertig meter of meer aflegde. Eén keer kwam ze in een regen van vonken terecht, waarbij haar haar verschroeide en haar gezicht verbrandde. Even later viel ze, en toen ze overeind krabbelde was ze haar richtingsgevoel kwijt: ze rende een paar stappen naar voren en stuitte op een muur, draaide zich om, liep verder, en leek bijna meteen weer op een andere muur te stuiten... Ten slotte kwam er iets op haar hoofd af dwarrelen – een brandend stuk papier, dacht ze, terwijl ze wegdook. Toen zag ze dat het een duif was, met laaiende vleugels. Ze stak haar handen uit en rende weg, struikelend, vol afgrijzen; ze verloor haar zakdoek, haalde adem toen er een nieuwe golf rook in haar gezicht sloeg en begon te kokhalzen. Ze strompelde verder – en werd plotseling omringd door ruimte, hitte en chaos. Ze legde haar handen op haar dijen, en hoestte, en spuwde. Toen keek ze op.

Ze was het hart van de brand dicht genaderd, maar herkende niets. De gebouwen om haar heen die ze zou moeten kennen; de rennende brandweerlieden; de plassen water op de grond; de kronkelende slangen – alles was onnatuurlijk hel verlicht, of verborgen achter dansende zwarte schaduwen. Ze riep naar een man, maar hij kon haar niet verstaan door het gebulder van het vuur en het geronk van de pompen. Ze liep op iemand anders af, greep hem bij de schouders, brulde in zijn gezicht: 'Waar ben ik? Waar ben ik in jezusnaam? Waar is Pym's Yard?'

'Pym's Yard?' antwoordde hij, terwijl hij haar afschudde en meteen doorliep. 'Daar sta je in!'

Ze keek omlaag en zag kinderkopjes onder haar laarzen; toen ze een blik in het rond wierp, begon ze kleine, vertrouwde details te onderscheiden. Het drong nu eindelijk tot haar door dat Palmer's, het pakhuis, hier moest zijn, tegenover haar, niet echt in het midden van de vuurzee, en dat ze haar eigen gebouw niet kon vinden omdat een zijmuur en een deel van het dak van Palmer's waren ingestort en het hadden verpletterd.

Ze was volkomen ontredderd. Ze stond maar in de vlammen te staren, niet in staat iets te doen. Op een gegeven moment pakte een brandweerman haar bij de arm en duwde haar opzij: 'Ga uit de weg, wil je!' Maar nadat ze drie of vier stappen had gezet, bleef ze weer hulpeloos staan. Ten slotte riep iemand haar bij haar naam. Het was Henry Varney, het blokhoofd van Goodge Street. Zijn gezicht en handen waren zwart van de rook. Zijn oogkassen waren wit, door het wrijven. Hij zag eruit als een blanke negerzanger.

Hij greep haar bij haar schouders. 'Juffrouw Langrish!' zei hij vol verbazing. 'Hoe lang bent u hier al?'

Ze kon geen antwoord geven. Hij trok haar mee, weg van de brand. Hij nam zijn helm af en probeerde die op haar hoofd te zetten, en de helm was gloeiendheet, net een ovenschotel. 'Kom bij de vlammen vandaan,' zei hij. 'U bent verbrand, u bent... Kom mee, juffrouw Langrish!'

'Ik kwam Helen halen,' zei ze tegen hem.

Hij zei weer: 'Kom mee!' Toen zag hij haar blik, en wendde zijn ogen af. 'Ik vind het heel erg,' zei hij. 'Het pakhuis... De zaak stond meteen in lichterlaaie. De schuilkelder is ook getroffen.'

'De schuilkelder ook?'

Hij knikte. 'God mag weten hoeveel mensen erin zaten.'

Hij nam haar mee naar de vensterbank van een kapot raam; daar zette hij haar neer, hurkte naast haar en hield haar hand vast. Op een gegeven moment vroeg ze: 'Weten ze het zeker, Henry, van de schuilkelder?'

'Heel zeker. Ik vind het zo erg.'

'En is er niemand gered?'

'Niemand.'

Er kwam een brandweerman naar hen toe. 'Jullie van de ambulance,' zei hij ruw tegen Kay, 'hadden hier veertig minuten geleden al weg moeten wezen! Jullie kunnen hier niets doen, had je dat niet gehoord?'

Henry stond op en zei iets tegen hem; de man trok zijn hoofd tussen zijn schouders en liep weg. 'Christus,' hoorde Kay hem zeggen...

Henry pakte haar hand weer. 'Ik moet u alleen laten, juffrouw Langrish, hoe vervelend ik het ook vind. Wilt u niet naar de eerstehulppost gaan? Of is er iemand – een vriendin – die ik kan laten komen?'

Ze knikte naar de brand. 'Mijn vriendin zat daar, Henry.'

Hij kneep in haar hand en liep weg, en begon meteen te rennen en te roepen... De brand was echter over zijn hoogtepunt heen. Er sprongen geen vlammen meer de lucht in. Het gebulder was minder geworden; de hitte was zo mogelijk nog erger dan eerst, maar de muren van het pakhuis waren bijna uitgebrand, en weldra ging er een siddering doorheen en stortten ze in, in een laatste regen van vonken. De brandweerlieden gingen van de ene plek naar de andere. Het smerige bluswater stroomde over de kinderkopjes, of verdampte tot dichte, bijtende wolken stoom. Eén keer begon de grond te dreunen en te daveren, waarschijnlijk door bommen die in de buurt neervielen; de explosie had de uitwerking van een gigantische pook die de zaak oprakelde: het vuur laaide een kwartier lang flink op, en begon toen te doven. Een van de brandspuiten werd uitgeschakeld, de slangen werden opgerold. Het felle licht vervaagde, net als het kabaal van de pompen. De maan was ondergegaan of achter een wolk geschoven. De dingen verloren hun scherpe randen, hun onwerkelijke aanblik; kleine details verdwenen in de schaduwen, als nachtvlinders die hun vleugels dichtvouwden.

Al die tijd kwam er niemand naar Kay toe. Het leek wel of zij van lieverlee ook in de duisternis was opgegaan. Ze hield haar handen op haar dijen en staarde naar de hete, stille kern van het brandende gebouw; ze zag het vuur van kleur veranderen, van peilloos wit in geel, in oranje en in rood. De tweede brandspuit werd uitgezet en weggereden. Iemand riep naar iemand anders dat het sein 'alles veilig' was gegeven, dat de wegen weer open waren.

Ze dacht aan wegen, aan beweging, en begreep niet waar het over ging. Ze bracht haar handen naar haar hoofd. Haar haar voelde vreemd aan, stug – het was verschroeid door de vonken. Haar gezicht deed zeer als ze erop drukte; ze herinnerde zich vaag dat iemand tegen haar had gezegd dat ze verbrand was.

Toen kwam Henry Varney weer naar haar toe, en raakte haar schouder aan. Ze probeerde hem aan te kijken – probeerde met haar ogen te knipperen, maar dat lukte nauwelijks, want haar ogen waren verdroogd, bijna geroosterd, door de hitte van het vuur.

'Juffrouw Langrish,' zei hij – precies wat hij eerder had gezegd, alleen klonk zijn stem nu zacht, en verstikt en vreemd. Ze keek naar zijn gezicht, en zag tranen over zijn wangen rollen en kronkelige witte beekjes maken in het roet. 'Kunt u iets zien?' vroeg hij. 'Wilt u eens kijken?' Hij had zijn hand opgestoken. Ze begreep uiteindelijk dat hij ergens naar stond te wijzen.

Ze draaide haar hoofd om en zag twee gestalten. Ze stonden een eindje bij haar vandaan, en leken net zo roerloos en sprakeloos als zij. Het uitdovende vuur verlichtte hen, haalde hen uit het donker naar voren: wat haar het eerst opviel was de onnatuurlijke bleekheid, op die smerige plek, van hun gezicht en handen. Toen deed een van de gestalten een stap naar voren, en ze zag dat het Helen was.

Ze bedekte haar ogen. Ze stond niet op. Helen kwam naar haar toe en hielp haar overeind. Zelfs toen wilde ze haar hand niet voor haar gezicht weghalen; ze liet zich door Helen onhandig omhelzen, en ze legde haar voorhoofd tegen Helens schouder en huilde als een kind in haar haren. Ze voelde geen vreugde of opluchting. Ze voelde alleen nog steeds een mengeling van pijn en angst, zo hevig dat ze dacht dat ze eraan zou sterven. Ze rilde en schokte in Helens armen, en tilde ten slotte haar hoofd op.

Door het prikkende waas van haar tranen zag ze Julia. Die was achtergebleven, alsof ze niet dichterbij durfde te komen, of ergens op wachtte. Kay keek haar aan en schudde haar hoofd, en begon weer te huilen. 'Julia,' zei ze verbijsterd – want ze begreep op dat moment nog niets, behalve dat Helen was weggehaald en nu weer teruggebracht. 'Julia. O, Julia! Goddank! Ik dacht dat ik haar kwijt was.'

# 1941

Viv zat in de trein, ergens tussen Swindon en Londen – het was onmogelijk te zeggen waar precies, want de trein stopte telkens bij wat wel of niet een station had kunnen zijn, en het had geen zin om door het raam te kijken, want de rolgordijnen waren neergelaten, en trouwens, alle stationsnamen waren overgeschilderd of weggehaald. Viv had de afgelopen vier uur met zeven andere reizigers in een tweedeklascoupé gezeten die voor zes personen was bedoeld. De sfeer was om te snijden. Een paar soldaten waren aan het dollen met brandende lucifers en probeerden elkaars haar in brand te steken; een stuurs kijkende vrouwelijke luchtmachtofficier had al verschillende keren gevraagd of ze wilden ophouden. Een andere vrouw zat te breien, en de knoppen van haar breinaalden sloegen tegen de dijen van de mensen naast haar. Een van hen – een meisje met een lange broek aan – had net gezegd: 'Kijkt u een beetje uit? Deze broek was niet goedkoop. U maakt er ophalen in met uw naalden.'

De breiende vrouw had haar kin ingetrokken. 'Ophalen?' zei ze. 'Vind je niet dat er nu belangrijker dingen zijn om je zorgen over te maken?'

'Nee, eigenlijk niet.'

'Nou, ik zou wel eens willen weten wat voor broek je nog denkt te kunnen kopen als de nazi's binnenvallen.'

'Als de nazi's binnenvallen, denk ik niet dat dat me veel zal kunnen schelen. Maar tot die tijd...'

'De nazi's zouden jullie in een mum van tijd allemaal uithuwelijken,' zei de vrouw. 'Hoe zou je het vinden om met een SS-er te trouwen?'

Het gekibbel ging maar door. Viv keek de andere kant op. Links van haar zat een jonger meisje, een welgesteld meisje van een jaar of dertien, slungelig en ernstig. Ze had een album vol foto's van paarden, dat ze telkens aan haar vader liet zien, een marineman met galon op zijn mouw die op de bank tegenover haar zat. 'Die daar lijkt precies op die van Cynthia, pappie,' zei ze dan. Of: 'Deze lijkt op die van Mabel, wat een lieverd, hè? Deze heeft precies hetzelfde hoofd als White Boy; White Boy is alleen een beetje voller in de flank...'

Haar vader wierp even een blik op de foto en bromde wat. Hij was een kruiswoordpuzzel in een krant aan het oplossen en tikte met zijn pen op het papier. Maar de afgelopen uren had hij ook geprobeerd Vivs aandacht te trekken. Elke keer als ze zijn kant opkeek, knipoogde hij. Als ze haar benen over elkaar sloeg, liet hij zijn blik langs haar kuiten glijden. Op een gegeven moment had hij zijn sigarettenkoker tevoorschijn gehaald en haar een sigaret aangeboden, maar de stuurs kijkende vrouwelijke officier had hem tegengehouden en gezegd: 'Ik lijd helaas aan astma. Als u gaat roken, zou ik het op prijs stellen als u dat op de gang deed.' Daarna was hij achterover gaan zitten en had hij vreselijk zelfgenoegzaam tegen Viv gegrijnsd, alsof de vrouw samenzweerders van hen had gemaakt.

'Moet u dit grote beest zien, pappie. Die lijkt op het paard dat we toen bij kolonel Webster gezien hebben. Pappie! U kijkt niet!'

'In hemelsnaam, Amanda,' zei hij nu geprikkeld, 'er is een grens aan het aantal pony's dat een vader kan verdragen.'

'Dan zijn vaders behoorlijk suf, vind ik. Trouwens, het zijn geen pony's, het zijn paarden.'

'Nou, wat het ook zijn, ik heb er schoon genoeg van. En kijk eens...' Viv was overeind gekomen om naar de wc te gaan. 'Die jongedame heeft er ook schoon genoeg van. Het zou me niet verbazen als ze het zo zat is dat ze een open raam gaat zoeken om naar buiten te springen. Ik zou best met haar mee willen gaan. Is er iets,' vroeg hij aan Viv, terwijl hij opstond en haar arm aanraakte, 'waarmee ik u kan helpen?'

'Nee, bedankt,' antwoordde ze, zijn hand afschuddend.

'Pappie,' riep zijn dochter, 'wat bent u gemeen!'

'Het zou kind, kerk en keuken zijn,' zei de breiende vrouw tegen het meisje met de broek, 'en rondlopen in een broek zou er niet meer bij zijn, dat kan ik je wel vertellen...'

Viv liep onvast naar de deur van het compartiment en schoof hem open. Ze keek de gang in, een beetje aarzelend, want het was er stampvol. Een groep Canadese vliegers was in Swindon ingestapt: ze leunden tegen de ramen of zaten op de grond, kaartend en rokend. Hun uniformen waren helblauw in het indigokleurige licht van de trein, en de rook van hun sigaretten wekte de indruk of ze in zwevende rollen zijde waren gehuld; even zagen ze er zelfs heel mooi en onaards uit.

Maar toen Viv zich een weg begon te banen door de nauwe gang, kwamen ze tot leven – ze krabbelden overeind, maakten omstandig ruimte zodat ze kon passeren. De rollen zijde leken op te bollen, te scheuren en te rafelen door hun hoekige bewegingen. Er werd gefloten en geroepen: 'Oeps!' 'Kijk uit!' 'Laat mevrouw erdoor, jongens!'

'Zijn die geladen, meid?' vroeg een van hen, knikkend naar Vivs boezem. Een ander stak zijn armen uit om haar vast te houden toen ze wankelde door het geschommel van de trein: 'Zullen we dansen?'

'Wilt u uw neus poederen?' vroeg een jongen, toen ze het eind van de gang had bereikt en rondkeek. 'Hier is een plekje. Mijn maat heeft het voor u warm gehouden.'

Ze schudde haar hoofd en liep door. Ze ging liever helemaal niet naar de wc dan met zo veel mannen voor de deur. Ze probeerden haar handen te grijpen en haar terug te trekken. 'Laat ons niet alleen, moppie!' 'Je breekt ons hart!' Ze boden haar bier en slokken whisky aan. Glimlachend schudde ze haar hoofd. Ze boden haar chocolade aan.

'Ik moet op mijn figuur letten,' zei ze ten slotte, terwijl ze doorliep. Ze riepen haar achterna: 'Dat doen wij wel! Het is prachtig!'

De volgende gang was rustiger, die daarna nog rustiger: sommige lichten deden het niet en ze liep vrijwel in het donker. Hier waren nog meer militairen, maar die moesten eerder aan hun reis zijn begonnen dan de andere groep: ze hadden geen zin om grappen te maken, ze zaten met opgetrokken knieën, hun overjassen dichtgesnoerd, hun hoofden gebogen, en probeerden te slapen. Viv stapte onhandig om hen heen, zich vastgrijpend aan de wanden en de ramen terwijl de trein slingerde en schommelde.

Aan het eind van deze gang waren ook twee wc's, en het slot van een ervan stond op 'Vrij', zag ze tot haar opluchting. Maar toen ze de deurknop beetpakte en duwde, ging de deur maar een klein eindje open, en daarna werd hij haastig dichtgegooid. Er stond iemand achter: een soldaat in kaki; ze ving een glimp van hem op in de spiegel boven het fonteintje toen hij zijn hoofd omdraaide. Ze zag de verschrikte blik op zijn gezicht toen de deur openging; ze dacht dat ze hem had betrapt bij het plassen, en geneerde zich. Ze liep terug naar de gangetje tussen de rijtuigen en wachtte.

De wc-deur bleef nog bijna een minuut dicht. Toen zag ze de knop langzaam ronddraaien, en de deur werd voorzichtig opengetrokken. De soldaat stak zijn hoofd naar buiten, stukje bij beetje, als een man die een geweersalvo verwacht. Toen hij haar zag kijken, rechtte hij zijn rug en kwam helemaal naar buiten.

'Neem me niet kwalijk.'

'Het geeft niet,' zei Viv, die zich nog steeds een beetje geneerde. 'Het slot is toch niet kapot?'

'Het slot?' Zijn blik was afwezig. Hij stond van de ene kant naar de andere te kijken en begon op een nagel te bijten. Zijn vingers, zag ze, waren bedekt met korte krulhaartjes, donker als die van een aap. Zijn wangen waren blauwig: hij moest zich nodig scheren. Zijn ogen waren rood bij de hoeken en randen. Toen ze langs hem heen liep, boog hij zich naar haar toe en vroeg op vertrouwelijke toon: 'Heeft u de conducteur ergens gezien?'

Ze schudde haar hoofd.

'Het zijn net haaien.'

Hij haalde zijn hand van zijn mond toen hij praatte, stak de duim omhoog om een vin na te bootsen, en bewoog hem zoals een vis zich door het water zou bewegen; daarna opende en sloot hij zijn vingers: Hap. Maar hij deed het zonder enthousiasme, terwijl hij van de ene kant naar de andere bleef kijken; ten slotte begon hij weer op zijn nagel te bijten, fronste zijn voorhoofd en liep weg. Ze ging de wc in, deed de deur op slot en dacht niet meer aan hem.

Ze plaste gebukt, want ze ging liever niet op de vlekkerige houten bril zitten; ze zwaaide heen en weer door het geschommel van de trein en voelde het trekken in de spieren van haar kuiten en dijen. Ze waste haar handen, en bekeek zichzelf in de besmeurde spiegel, liep de details van haar gezicht na – zoals altijd vond ze haar neus te smal en haar lippen te dun; ze verbeeldde zich dat ze, op haar twintigste, oud begon te worden en er vermoeid uitzag... Ze werkte haar make-up bij en kamde haar haar. De losse haren en pluisjes die tussen de tanden van de kam bleven steken, trok ze eruit; ze maakte er een bal van en stopte die netjes in de afvalbak onder het fonteintje.

Ze wilde de kam net terugstoppen in haar tas toen er iemand op de deur klopte. Ze wierp een laatste blik in de spiegel en riep: 'Jaja!'

Er werd nogmaals geklopt, harder dan eerst.

'Oké! Eén seconde!'

Toen werd er aan de knop gedraaid. Ze hoorde een stem, de stem van een man die erg zijn best deed om te fluisteren. 'Juffrouw! Doe alstublieft open!'

God! zei ze bij zichzelf. Ze kon niets anders bedenken dan dat het een van de Canadezen was die een grap wilde uithalen. Of heel misschien was het de vader van het meisje dat zo dol was op paarden. Maar toen ze de grendel wegschoof en de deur opende, kwam er een hand naar binnen om te verhinderen dat ze hem weer sloot, en ze herkende de korte zwarte haartjes op de vingers. Daarop volgden zijn kaki mouw, zijn schouder, zijn ongeschoren kin en bloeddoorlopen ogen.

'Juffrouw,' zei hij. Hij had zijn pet afgezet. 'Wilt u me een dienst bewijzen? De conducteur komt eraan. Ik ben mijn kaartje verloren en hij zal me vreselijk op mijn donder geven...'

'Ik kom er al uit,' zei ze, 'als u me tenminste de kans geeft.'

Hij schudde zijn hoofd. Nu belette hij haar niet alleen om de deur te sluiten, maar ook om hem te open te doen. Hij zei: 'Ik heb die vent gezien en het is een bruut, eerlijk waar. Ik hoorde hem eerder ook al tekeergaan tegen een arme drommel die het verkeerde pasje had. Als hij klopt en mijn stem hoort, zal hij evengoed mijn kaartje willen zien.'

'Tja, wat wilt u dat ik daaraan doe?'

'Kunt u me niet binnenlaten tot hij voorbij is?'

Ze keek hem verbaasd aan. 'Hier, bij mij?'

'Alleen tot hij voorbij is. En als hij klopt, kunt u uw kaartje onder de deur door schuiven. Alstublieft, juffrouw. Meisjes doen dit voortdurend voor militairen.'

'Dat zal best. Maar dit meisje toch niet.'

'Ach toe, ik smeek het u. Alles zit me tegen. Ik heb bijzonder verlof, achtenveertig uur maar. De helft is al om, zo lang heb ik op het station van Swindon staan blauwbekken; mijn... eh, mijn voeten vroren er bijna af. Als hij me uit de trein zet, kan ik het verder wel vergeten. Wees sportief. Het is niet mijn schuld. Ik had het kaartje in mijn hand en toen heb ik het heel even neergelegd. Ik denk dat een jongen van de marine het gezien heeft...'

'Daarnet zei u nog dat u het verloren was.'

Hij raakte vertwijfeld zijn haar aan. 'Verloren, gejat, wat maakt het uit? Ik heb als een idioot door deze trein op en neer lopen rennen, van de ene wc naar de andere. Het enige wat ik vraag is of u zo lief wilt zijn om me te helpen. Wat kan het u schelen? U kunt me vertrouwen, dat zweer ik. Ik ben niet...' Hij zweeg en trok zijn hoofd terug; toen verscheen zijn gezicht weer, hij siste: 'Daar komt-ie!' – en voor ze er iets tegen kon doen schuifelde hij vliegensvlug de wc in, zodat zij ook weer naar binnen werd geduwd. Hij schoof de grendel dicht en ging met zijn oor bij de kier naast de deurpost staan, bijtend op zijn onderlip.

Viv zei: 'Als u soms denkt...'

Hij legde zijn vinger op zijn mond. 'Sst!' Hij hield zijn oor nog steeds tegen de kier gedrukt, en begon zijn hoofd nu op en neer te bewegen langs de deurpost – als een dokter die wanhopig een hartslag tracht te vinden in de borst van een stervende.

Toen werd er vinnig en gezaghebbend op de deur geklopt, en er ging een schok door hem heen alsof hij was neergeschoten.

'Plaatsbewijzen alstublieft!'

De soldaat keek naar Viv en maakte allerlei rare grimassen. Hij voerde een dolle pantomime op: deed alsof hij een kaartje uit zijn zak haalde, bukte en het onder de deur schoof.

'Plaatsbewijzen!' riep de conducteur weer.

'Dit toilet is bezet!' riep Viv ten slotte. Haar stem klonk geagiteerd, een beetje onnozel.

'Dat weet ik,' kwam het antwoord uit de gang. 'Ik moet uw kaartje zien, juffrouw.'

'Kan dat straks niet?'

'Nee, ik moet het nu zien.'

'Eh... één momentje.'

Wat kon ze doen? Ze kon de deur niet openmaken, de conducteur zou meteen het ergste denken als hij de soldaat zag. Ze haalde dus haar kaartje tevoorschijn en siste: 'Schuif eens op,' wild wapperend met haar hand. De soldaat stapte bij de deur vandaan, zodat zij kon bukken en het kaartje er onderdoor schuiven. Ze hurkte, niet op haar gemak, want er was maar weinig ruimte en zij maakte de ruimte nog kleiner door te bukken; ze voelde haar dij zelfs langs zijn knie strijken, zodat haar wollen rok even aan zijn kaki broek bleef haken.

Haar kaartje lag een seconde plat in de schaduw van de deur, kwam toen in beweging en gleed weg, alsof het geheimzinnige krachten bezat. Gespannen wachtte ze af. Ze bleef ongemakkelijk op haar hurken zitten en keek niet op. Maar eindelijk hoorde ze: 'In orde, juffrouw!' Het kaartje kwam terug, met een mooi rond gaatje erin, en de conducteur ging verder.

Ze stond op, deed een stap achteruit, stopte het kaartje in haar tas en knipte de sluiting dicht.

'Zo goed?'

De soldaat stond met zijn mouw zijn voorhoofd af te vegen. 'Juffrouw,' zei hij, 'u bent een engel! Meisjes als u, ik zweer het, geven een man weer vertrouwen in het leven. Voor meisje als u worden liedjes geschreven.'

'Nou, u kunt er nu een gaan schrijven,' zei ze, terwijl ze naar voren kwam, 'en het voor uzelf zingen.'

'Wat?' Hij legde zijn arm over de deur. 'U mag nog niet weg. Stel dat die kaartjesknipper terugkomt? Wacht nog een minuutje, op z'n minst. Kijk...' Hij stak zijn hand in zijn borstzak en haalde een verkreukeld pakje Woodbines tevoorschijn. 'Houd me nog even gezelschap tot ik een sigaret heb gerookt, meer vraag ik niet. Geef hem de tijd om door te lopen naar de eerste klas. Ik zweer het, als u wist wat voor reis ik achter de rug heb, wat voor toeren ik allemaal heb moeten uithalen...'

'Dat is uw probleem.'

Hij begon te lachen. 'Zo helpt u mee om de oorlog te winnen. Bekijk het eens van die kant.'

'Tegen hoeveel meisjes heeft u dat verhaal al opgehangen?'

'U bent de eerste, ik zweer het!'

'De eerste vandaag, bedoelt u.'

Nu stond hij bijna te grijnzen. Zijn lippen gingen van elkaar en ze zag zijn tanden. Vrij opvallende tanden waren het: heel recht en regelmatig en spierwit, en ze leken nog witter door de stoppels op zijn kin. Ze maakten de rest van zijn gezicht ineens knap. Ze zag de hazelnootbruine ogen, de dikke zwarte wimpers. Zijn haar was nog donkerder dan haar eigen haar; hij had geprobeerd het plat te krijgen met Brylcreem, maar uit het vet kwamen lokken omhoog die weer in de krul schoten.

Zijn uniform daarentegen zag eruit alsof hij erin had geslapen. Het jasje was vuil en paste slecht. De broekspijpen waren horizontaal gekreukt, als uitgetrokken harmonica's. Maar hij stak haar met een smekend gezicht het pakje Woodbines toe, en ze dacht aan haar nauwe zitplaats in de overvolle coupé, met de marineman die avances maakte, de astmatische luchtmachtofficier, het paardenmeisje.

'Goed,' zei ze ten slotte. 'Geef me dan maar een sigaret. Maar ik lijk wel niet goed wijs!'

Zijn lach werd breder, van opluchting. Zijn tanden waren nu nog opvallender, dacht ze, als je ze allemaal tegelijk zag. Hij streek een lucifer voor haar af, uit een luciferboekje, en ze kwam naar voren voor het vuurtje, maar ging toen weer naar achteren. Ze sloeg haar ene arm beschermend om haar bovenlijf, liet de elleboog van de andere arm op haar pols rusten en drukte haar hiel stevig tegen de wand, zodat ze zich schrap kon zetten als de trein slingerde. Het was niet eenvoudig om de aanwezigheid van de porseleinen toiletpot te negeren, waar ze tenslotte nog maar pas met haar blote achterste boven had gehangen. Aan de andere kant was ze er de laatste tijd net als iedereen aan gewend geraakt om merkwaardige ruimtes met vreemden te delen. Tijdens een andere treinreis, twee maanden terug, was er een luchtaanval begonnen en hadden alle passagiers op de grond moeten gaan liggen. Ze had veertig minuten met haar gezicht min of meer in de schoot van een man gelegen; hij had zich vreselijk gegeneerd...

Deze man leek zich in elk geval volkomen op zijn gemak te voelen. Hij leunde tegen het fonteintje en begon te geeuwen. De geeuw werd een soort gedempt, jodelend gekreun, en daarna stak hij zijn sigaret tussen zijn lippen en wreef over zijn gezicht – op die energieke, ongedwongen manier waarop mannen hun gezicht altijd behandelden en meisjes nooit.

Toen begon de trein vaart te minderen. Viv keek ongerust naar het raam. 'Dat is Paddington toch niet?'

'Paddington!' zei hij. 'Christus, was het maar waar!' Hij boog zich naar het rolgordijn, trok het een eindje omhoog en probeerde naar buiten te kijken, maar het was onmogelijk om iets te zien. 'God mag weten waar we zijn,' zei hij. 'Net voorbij Didcot, denk ik. Ho, daar gaan we.' Hij wankelde bijna. 'Ze geven ons een gratis ritje in de botsautootjes.'

De trein had een moment lang snel gereden en toen abrupt vaart geminderd; nu bewoog hij zich schokkend voort. Ze werden van de ene kant naar de andere geslingerd. Viv stak haar armen uit om een houvast te zoeken. Het was onmogelijk om niet te glimlachen. Ook de soldaat schudde ongelovig zijn hoofd. 'Is het de hele weg al zo? Waar bent u ingestapt?'

Na een korte aarzeling vertelde ze het hem: Taunton. Ze was op bezoek geweest bij haar zus, die net een baby had gekregen; ze waren daar gaan wonen, zei ze, vanwege de bombardementen. Hij luisterde en knikte.

'Taunton,' zei hij, 'daar ben ik een keer geweest. Er zijn een paar leuke pubs, als ik het me goed herinner. Eentje heette The Ring – bent u daar wel eens geweest? De kastelein' – hij balde zijn handen tot vuisten – 'bokste vroeger. Een klein kereltje, maar met een grote geplette neus. Hij heeft een paar bokshandschoenen in een vitrine op de tapkast liggen. Man!' Hij zuchtte en deed zijn armen over elkaar toen de trein minder schokkerig ging rijden. 'Wat zou ik er niet voor geven om daar nu te zijn! Een glas Black and White naast me, een laaiend haardvuur... U heeft niet toevallig whisky bij u?'

'Whisky!' zei ze. 'Nee, dat heb ik niet.'

'Oké, rustig maar! Het zal u verbazen hoeveel alcohol er wordt vervoerd in damestassen, heb ik gemerkt. Meisjes drinken het, vermoed ik, tegen de bommen. U heeft dat natuurlijk niet nodig, met zulke stalen zenuwen.'

'Heb ik stalen zenuwen?'

'Ik zag uw hand toen u uw kaartje opborg. Zo vast als een huis. U zou een goede spionne zijn.' Hij kneep zijn ogen tot spleetjes en bekeek haar. 'Trouwens, misschien bent u wel een spionne. Een tweede Mata Hari.'

Ze zei:'Dan zou ik maar oppassen als ik u was.'

'Maar ik kan ook wel een spion zijn,' vervolgde hij, 'dat kunt u niet weten. Of geen spion, maar iemand die door spionnen wordt achtervolgd. Die is er toch ook altijd? Een arme stumper die een geheime boodschap bij zich heeft, omdat hij per ongeluk de laarzen van een ander heeft aangetrokken of de paraplu van een ander heeft meegenomen? En aan het eind worden hij en het meisje altijd vastgebonden op een stoel, met een soort knoop in het touw die alleen maar door een ondeugende padvinder kan zijn gemaakt.'

Hij moest er zelf om lachen, zo leuk vond hij het – hij hoort zichzelf graag praten, dacht ze kritisch, al was het een feit dat hij een leuke stem had, waar zij ook graag naar luisterde. 'Hoe zou u het vinden,' vroeg hij, 'om samen met mij te worden vastgebonden op een stoel? Ik vraag het alleen uit belangstelling, hoor. Ik bedoel er verder niets mee.'

'Nee?'

'O, nee. Ik wil een meisje graag eerst wat beter leren kennen voor ik avances ga maken.'

Ze trok aan haar sigaret. 'Stel dat ze u de kans niet geeft om haar te leren kennen?'

'O, maar er zijn duizend-en-een kleine dingen die je over een meisje aan de weet kunt komen, gewoon door naar haar te kijken. Neem u, bijvoorbeeld.' Hij knikte naar haar hand. 'U bent niet getrouwd. Dat betekent dat u slim bent. Ik houd van slimme vrouwen... Vrij lange nagels, dus u werkt niet op het land of in een fabriek.' Hij liet zijn blik dalen en langzaam weer omhoog gaan. 'Te mooie benen om weg te stoppen in een broek. Te goed figuur voor een baantje ergens achteraf. Volgens mij bent u de secretaresse van de een of andere hoge piet... De opperbevelhebber van de vloot, zoiets. Heb ik gelijk?'

Ze schudde haar hoofd. 'U zit er helemaal naast. Ik ben een doodgewone typiste, meer niet.'

'Een typiste. Aha... Ja, dat klopt wel. Waar hebben ze u gezet? Bij de een of andere dubieuze overheidsinstantie?'

'Gewoon iets in Londen.'

'Gewoon iets in Londen, juist. En hoe heet u? Of is dat ook geheim?'

Ze aarzelde, even maar; toen dacht ze: het kan toch geen kwaad? en vertelde het hem. Hij knikte nadenkend en keek haar aan. 'Vivien,' zei hij ten slotte. 'Ja, dat past bij u.'

'Ja?'

'Dat is toch een naam voor een glamourgirl? Was er niet een lady Vivien of zoiets? In de tijd van koning Arthur? Als kind kende ik al die verhalen; nu ben ik ze vergeten. Hoe dan ook' – hij boog voorover om haar een hand te geven – 'ik heet Reggie. Reggie Nigri. Ja, ik weet het, ik weet het, een rotnaam. En ik zit er al mijn hele leven mee opgescheept. De jongens op school noemden me altijd "Nikker", en nu noemen mijn maten in het kamp me "Musso". Ga er maar aan staan. Mijn opa kwam uit Napels. U zou zijn foto's moeten zien! Hij had een snor tot hier, droeg een vest en een zakdoek om zijn nek; alleen de aap ontbrak nog. Hij stond met een ijskar op straat. Ik heb achter-achter-achterneven of zoiets die nu voor de tegenpartij vechten, in Italië. Die hebben waarschijnlijk net zoveel zin in deze rotoorlog als ik... Heb jij broers, Vivien? Ik mag je toch wel Vivien noemen? Ik wil ook wel juffrouw Pearce zeggen, maar dat klinkt zo ouderwets tegenwoordig. Heb je broers?'

Viv knikte. 'Eén maar.'

'Ouder, of jonger?'

'Jonger,' zei ze. 'Zeventien.'

'Zeventien! Hij vindt dit allemaal zeker wel geweldig, hè? Kan niet wachten tot hij in dienst mag?'

Ze dacht aan Duncan. 'Nou...'

'Dat zou ik ook hebben, als ik zo oud was als hij. Maar ik ben al bijna dertig, en moet je me zien. Twee jaar geleden verkocht ik auto's in Maida Vale, en ik verdiende heel aardig. Toen begon de oorlog, en bingo, het was meteen afgelopen. Ik kon een poosje werken bij een vriend van me, in de bijouterieënhandel; dat was wel aardig. Nu zit ik godbetert bij een officiersopleiding in Wales, waar ze me leren uit welke kant van het geweer de kogels komen. Ik zit er inmiddels vier maanden en het heeft elke dag geregend, ik zweer het. Voor onze commandant is het niet erg, die logeert in een hotel. Ik woon in een barak met een zinken dak.'

In die trant ging hij door; hij vertelde haar over zijn taken in het kamp, de waardeloze maten met wie hij was ingekwartierd, de waardeloze pubs en hotelbars, het waardeloze weer... Hij maakte haar aan het lachen. Ze kende alleen jongens van haar eigen leeftijd, en die waren vol van de oorlog: ze wilden praten over vliegtuig- en scheepstypen, over weddenschappen bij de landmacht en ruzies bij de marine. Daar was hij te oud voor. Hij was te oud om op te scheppen. Hij geeuwde en wreef weer in zijn ogen, en zelfs zijn vermoeidheid leek op de een of andere manier aantrekkelijk. Ze vond de volwassen, nonchalante manier waarop hij had gezegd 'als kind kende ik al die verhalen' leuk. Ze vond de manier waarop hij haar naam had gezegd leuk: dat hij erover na had gedacht en had gezegd dat die naam bij haar paste. Ze vond het leuk dat hij wist wie koning Arthur was. Ze vond het uiteindelijk toch wel leuk dat zijn uniform hem niet paste. Ze stelde zich voor hoe hij eruitzag in een colbertje, in een overhemd met een das, in een hemd. Ze keek weer naar zijn aapachtige handen en stelde zich de rest van zijn lichaam voor: donker, stevig, met krullend haar op zijn borst, zijn schouders, zijn billen en benen...

Iemand morrelde aan de deur, en hij zweeg abrupt. Er werd geklopt en geroepen: 'Hé! Wat voer je daar al die tijd uit?'

Het was een van de Canadezen. Reggie gaf eerst geen antwoord. Toen werd er nogmaals geklopt, en hij riep: 'Deze is bezet, makker! Zoek maar een andere!'

'Je zit er al een halfuur!'

'Mag een mens niet even wat tijd voor zichzelf hebben?'

De militair schopte tegen de deur voor hij wegliep. 'Klootzak!'

Reggie bloosde. 'Rot op!'

Hij leek meer verlegen dan boos. Hij keek Viv aan, wendde toen zijn ogen af. 'Lekkere jongen,' mopperde hij.

Ze haalde haar schouders op. 'Trek het je niet aan. Ik hoor wel ergere dingen van de meisjes in de typekamer.'

Ze had haar sigaret opgerookt, liet de peuk vallen en drukte hem uit met haar schoen. Toen ze opkeek, stond hij naar haar te staren. Zijn blos was weggetrokken en de uitdrukking op zijn gezicht was een beetje veranderd. Hij glimlachte, maar had zijn wenkbrauwen samengetrokken alsof hij ergens perplex van stond.

'Weet je,' zei hij na een moment, 'je bent echt razend knap om te zien. Dat heb ik natuurlijk weer. Opgesloten zitten met een mooi meisje, bedoel ik, op een plek waar ik niet eens beleefd kan zeggen: "Ga zitten."'

Daar moest ze weer om lachen. Hij keek naar haar gezicht, en lachte ook. 'Hé, die was best leuk, hè, voor een vent die doodop is? Je zou me moeten horen als ik geslapen heb. Ik ben echt ontzettend geestig.' Hij beet op zijn lip, en weer trok die blik van lichte verbijstering over zijn gezicht. 'Je bent niet toevallig een soort hallucinatie, hè?'

Ze schudde haar hoofd. 'Voor zover ik weet niet.'

'Ja, dat zeg jij. Zo slim zijn hallucinaties wel. Wie weet zit ik nog steeds in het station van Swindon op een bank en ben ik diep in slaap. Ik heb een soort schok nodig. Iemand moet een koude sleutel in mijn nek leggen, of... ik weet het al.' Hij draaide zich om, maakte zijn sigaret uit in het fonteintje, schoof zijn mouw omhoog en stak zijn arm uit. 'Knijp me eens, wil je?'

'Knijpen?'

'Gewoon om te bewijzen dat ik wakker ben.'

Ze keek naar zijn blote pols. Op een bepaald punt maakte de gladde, bleke huid onder zijn duim plaats voor haar, en weer dacht ze, onwillekeurig maar niet onplezierig, aan zijn donkere armen en benen... Ze stak haar hand uit en kneep in zijn pols. Haar nagels drongen in zijn vlees, en hij trok de arm snel terug.

'Au! Daar heb je op geoefend! Ik denk echt dat je een spionne bent!' Hij wreef over de plek waar ze had geknepen, blies erop. 'Moet je kijken.' Hij liet haar de rode plek zien. 'Als ik thuiskom, zullen ze denken dat ik gevochten heb. Dan moet ik zeggen: "Het was geen soldaat, het was een meisje waarmee ik aan de praat ben geraakt in de wc van een trein ." Dat zal goed vallen, gezien de omstandigheden.'

'Wat voor omstandigheden?' vroeg ze lachend.

Hij blies nog steeds op zijn pols. 'Dat heb ik je toch verteld? Ik heb bijzonder verlof.' Hij bracht de pols naar zijn mond en zoog erop. 'Mijn vrouw,' zei hij, over de muis van zijn hand heen, 'heeft net een baby gekregen.'

Ze dacht dat hij een grapje maakte, en bleef glimlachen. Toen ze zag dat hij het meende verstarde haar glimlach, en ze bloosde van haar kraag tot haar haarwortels.

'O,' zei ze, terwijl ze haar armen over elkaar deed. Ze had kunnen vermoeden, gezien zijn leeftijd, gezien zijn manier van doen zelfs, dat hij getrouwd was, maar ze had er niet aan gedacht. 'O. Is het een jongen of een meisje?'

Hij liet zijn hand zakken. 'Een meisje. De jongen hebben we al, dus je zou kunnen zeggen dat het stel nu compleet is.'

Ze zei beleefd: 'Dat is leuk voor je.'

Hij maakte een schouderophalend gebaar. 'Het is leuk voor mijn vrouw. Nu is ze weer tevreden. Rijk worden we er niet van, dat weet ik wel. Maar hier, kijk. Bekijk dit eens. Hier is de eerste.'

Hij stak zijn hand weer in zijn zak en haalde een portefeuille tevoorschijn; hij viste een foto tussen allerlei papieren vandaan en gaf die aan haar. De foto was een beetje groezelig, en gescheurd in de hoeken; er stond een vrouw op die met een jongetje ergens in een tuin zat. Een stralende zomerdag. Een geruite plaid op een gemaaid gazon. De vrouw beschaduwde haar ogen met haar hand; haar gezicht was half verscholen, haar blonde haar hing los; de jongen hield zijn hoofd schuin en kneep zijn ogen dicht tegen de zon. Hij had een zelfgemaakt stuk speelgoed in zijn hand, een autootje of een treintje; een ander zelfgemaakt speeltje lag aan zijn voeten. Rechts onder op de foto was net de schaduw zichtbaar van degene – vermoedelijk Reggie zelf – die de foto had genomen.

Viv gaf hem terug. 'Een leuk jochie. Hij is donker, net als jij.'

'Het is een lief ventje. Het meisje is blonder, heb ik gehoord.' Hij staarde naar de foto en borg hem weer op. 'Maar wat een wereld om kinderen op te zetten, hè? Ik wou dat mijn vrouw deed wat jouw zus heeft gedaan, en als de bliksem uit Londen wegging. Ik moet er telkens aan denken hoe die arme stakkerdjes opgroeien, dat ze elke avond onder de keukentafel moeten slapen en dat normaal vinden.'

Hij knoopte zijn borstzak dicht, en ze bleven een tijdje staan zonder te praten – ze werden weer herinnerd aan Londen, de oorlog, al die dingen. Viv werd zich ook weer bewust van de toiletpot: het leek veel vreemder om er zwijgend naast te staan dan wanneer Reggie praatte en mopperde en haar aan het lachen maakte. Hij beet weer op het velletje bij zijn nagel; even later liet hij zijn hand zakken, sloeg zijn armen over elkaar en staarde somber naar de vloer. Net of er een licht werd gedoofd, dacht ze. Ze werd zich nu pas bewust van het gedender en geschommel van de trein, van de pijn in haar benen en voeten door het krampachtige staan.

Ze veranderde van houding, maakte een beweging, en hij keek op.

'Je gaat toch niet weg?'

'Lijkt dat je niet beter? Anders probeert er straks weer iemand binnen te komen. Denk je nog steeds aan de conducteur? Ben je je kaartje echt kwijt?'

Hij wendde zijn hoofd af. 'Ik zal niet tegen je liegen. Ik had wel een reispas, maar die heb ik verspeeld bij het kaarten... Maar nee, de conducteur kan wat mij betreft doodvallen. Het punt is... Nou ja, het punt is dat ik geen zin heb om al die verdomde luchtmachtjongens onder ogen te komen. Ze kijken naar me alsof ik een oude man ben. Ik ben ook een oude man, vergeleken met zulke knapen!'

Hij keek haar aan en blies zijn wangen op. Hij zei vermoeid, zonder eromheen te draaien: 'Ik ben het zat om een oude man te zijn, Viv. Ik ben die rotoorlog zat. Ik ben sinds woensdagochtend onderweg; ik ga nu naar huis, naar mijn vrouw; we hebben waarschijnlijk net tijd om ruzie te maken voor ik weer terug moet. Haar zus zal er ook wel zijn; die kan me niet luchten of zien. Haar moeder heeft ook geen hoge pet van me op. Mijn zoontje noemt me "oom"; hij ziet het blokhoofd vaker dan mij. Mijn vrouw waarschijnlijk ook, dat zou me niet verbazen... De hond zal in elk geval blij zijn dat ik thuis ben – als de hond er nog is. Het laatste wat ik hoorde was dat ze hem wilden laten afmaken. Ze zagen het niet meer zitten om in de rij te staan voor paardenvlees...'

Hij wreef weer in zijn roodomrande ogen en streek met zijn hand over zijn kin. 'Ik moet in bad,' zei hij. 'Ik moet me scheren. Naast die Canadese houthakkers lijk ik verdomme Charlie Chaplin wel. Maar op de een of andere manier...' Hij aarzelde, en begon toen te lachen. 'Op de een of andere manier zit ik hier opgesloten met een glamourgirl, de prachtigste glamourgirl die ik ooit in mijn leven heb gezien. Laat me er nog even van genieten. Dwing me niet die deur open te doen. Ik smeek het je. Kijk...'

Zijn stemming werd al beter. Hij kwam naar voren, pakte voorzichtig haar hand en bracht haar knokkels naar zijn lippen. Het was een afgezaagd gebaar, maar het had toch iets serieus; en toen ze lachte, lachte ze vooral uit verlegenheid, omdat ze zich zo intens bewust was van zijn hand om de hare: een mannelijke hand, een prettige hand, met een vierkante palm, plukjes haar op de vingers en korte, harde nagels. Zijn kin was ruw als schuurpapier tegen haar knokkels, maar zijn mond was zacht.

Hij keek hoe ze lachte, zoals hij eerder ook had gedaan, en glimlachte van plezier. Ze zag zijn rechte witte tanden weer. Later zou ze tegen zichzelf zeggen: ik viel het eerst op zijn tanden.

Toen ze aan zijn vrouw probeerde te denken, aan het zoontje, de baby, het huis waar hij naar op weg was, lukte dat niet. Het hadden net zo goed droombeelden kunnen zijn, of geestverschijningen; ze was nog te jong.

*Klop-klop-klop,* klonk het, buiten Duncans slaapkamerraam. *Klop-klop-klop.* En het vreemde was, hij was gewend geraakt aan sirenes, aan geschutvuur en bommen, maar dit kleine geluidje, alsof een vogel met zijn snavel op het raam tikte, maakte hem wakker en joeg hem de stuipen op het lijf. *Klop-klop-klop...* Hij stak zijn hand uit naar het nachtkastje en knipte zijn zaklamp aan; zijn hand trilde, zodat toen hij de lichtstraal op het raam richtte, de schaduwen in de plooien van de gordijnen leken op te bollen, alsof de gordijnen naar binnen werden geduwd.

*Klop-klop-klop*... Nu leek het minder op de snavel van een vogel en meer op een klauw of een nagel. *Klop-klop-klop*... Hij overwoog even om naar zijn vader te rennen.

Toen hoorde hij schor zijn naam roepen: 'Duncan! Duncan! Wakker worden!'

Hij herkende de stem, en dat veranderde alles. Hij wierp de dekens af, klauterde vlug over het bed en trok het gordijn opzij. Daar stond Alec, bij het andere raam – het raam van de zitkamer, waar Duncan in het weekend sliep. Hij klopte nog steeds op de ruit en riep dat Duncan wakker moest worden. Maar nu zag hij het licht van Duncans zaklantaarn: hij draaide zich om en het licht scheen in zijn gezicht, zodat hij terugdeinsde, zijn ogen half dichtkneep, zijn hand ophief. Zijn gezicht zag er gelig uit in het schijnsel. Zijn haar was achterover gekamd en met vet tegen zijn hoofd geplakt, en de fijne, scherpe lijnen van zijn voorhoofd en wangen vormden holle schaduwen. Hij leek wel een demon. Hij wachtte tot Duncan de zaklantaarn liet zakken, kwam naar zijn raam toe en begon driftig te gebaren: 'Doe open!'

Duncan schoof het raam omhoog. Zijn handen trilden nog en het raam bleef telkens steken, en dan rammelde het glas. Hij deed het langzaam, bang voor het lawaai.

'Wat is er?' siste hij, toen het raam open was.

Alec probeerde langs hem heen te kijken. 'Wat doe je daar? Ik stond op het andere raam te kloppen.'

'Viv is nog niet terug. Ik slaap hier. Hoe lang stond je daar al? Je hebt me wakker gemaakt. Ik schrok me dood! Wat is er aan de hand?'

'Ik heb het helemaal gehad, Duncan, dat is er aan de hand!' zei Alec met schrille stem. 'Ik heb het helemaal gehad!'

Achter hem was er een uitbarsting van lichtflitsen, en er klonken knetterende geluiden. Duncan keek omhoog en werd bang. Hij kon alleen maar bedenken dat er iets vreselijks moest zijn gebeurd met Alecs familie, of met Alecs huis. Hij vroeg: 'Wat is er? Wat is er gebeurd?'

'Ik heb het helemaal gehad!' zei Alec weer.

'Zeg dat toch niet steeds! Wat bedoel je? Wat is er toch?'

Alec maakte een krampachtige beweging, alsof hij zichzelf tot kalmte dwong. 'Mijn oproep is gekomen,' zei hij ten slotte.

Duncan schrok weer, maar op een andere manier. Hij zei: 'Dat kan niet!'

'Nou, toch is het zo! Ik ga niet, Duncan. Ze kunnen me niet dwingen. Ik meen het. Ik meen het, en niemand gelooft me...'

Zijn mond vertrok. Een volgende bom veroorzaakte een lichtflits, gevolgd door explosies. Duncan keek weer omhoog. 'Hoe lang,' vroeg hij, 'is de aanval al bezig?' Hij moest dwars door het luchtalarm heen geslapen hebben. 'Ben je tijdens de aanval de straat opgegaan?'

'Wat kan mij die stomme aanval schelen!' zei Alec. 'Ik was blij toen het begon. Ik hoopte dat ik geraakt zou worden! Ik ben heel Mitcham Lane doorgelopen, midden op straat.'

Hij leunde over de vensterbank en pakte Duncans arm vast. Zijn hand was steenkoud. 'Kom ook naar buiten.'

'Doe niet zo maf,' zei Duncan, terwijl hij zijn arm wegtrok. Hij wierp een blik op de slaapkamerdeur. Hij werd geacht zijn vader te wekken als er een luchtaanval begon. Ze werden geacht naar de schuilkelder verderop in de straat te gaan. 'Ik moet mijn vader gaan halen.'

Alec trok aan zijn arm. 'Doe dat straks maar. Kom eerst even naar buiten. Ik moet je wat vertellen.'

'Wat dan? Vertel het nu maar.'

'Kom naar buiten.'

'Het is te laat. Het is te koud.'

Alec trok zijn hand terug, bracht hem naar zijn mond en begon op zijn vingers te bijten. 'Laat me dan binnen,' zei hij toen. 'Dan kom ik wel bij jou.'

Duncan liep bij het raam vandaan en Alec hees zich op de vensterbank, werkte zijn knieën en voeten eroverheen en liet zich op de grond vallen. Hij deed het onhandig, zoals hij al dat soort dingen deed: hij kwam met een plof neer, zodat de planken dreunden en de flesjes en potjes op Vivs toilettafel rinkelend heen en weer gleden.

Duncan schoof het raam dicht en sloot de gordijnen. Toen hij het licht aandeed, knipperden hij en Alec met hun ogen. Het licht deed alles nog onwezenlijker lijken. Het leek zelfs later dan het was. Er kon wel een zieke in huis zijn... Duncan kreeg plotseling weer een helder beeld van zijn moeder, toen die ziek was: zijn vader had zijn tante laten komen, en toen de dokter – mensen liepen af en aan, fluisterend, in het holst van de nacht; de opwinding, en de rampzalige afloop...

Hij begon te rillen van de kou. Hij trok zijn pantoffels en zijn kamerjas aan. Terwijl hij het koord vastknoopte, keek hij naar Alecs kleren:

een jack met een rits, een donkere flanellen broek en vuile gymschoenen. Hij zag Alecs blote, witte, magere enkels en zei: 'Je hebt geen sokken aan!'

Alec stond nog met zijn ogen te knipperen tegen het licht. 'Ik moest me heel vlug aankleden,' zei hij, terwijl hij op de rand van het bed ging zitten. 'Ik heb me de hele dag lopen opvreten, zo graag wilde ik het je vertellen! Ik ben vanmiddag bij Franklin's geweest om je te zoeken. maar je was er niet. Waar was je?'

'Bij Franklin's?' Duncan fronste zijn wenkbrauwen. 'Hoe laat was dat?'

'Weet ik niet. Een uur of vier.'

'Ik moest een paar pakjes wegbrengen voor meneer Manning. Niemand zei dat je geweest was.'

'Ik heb niemand iets gevraagd, ik heb gewoon gekeken. Ik ben gewoon naar binnen gelopen en heb rondgekeken. Niemand hield me tegen.'

'Waarom ben je vanavond niet gekomen, na het eten?'

Alec keek gegriefd. 'Wat denk je? Ik kreeg natuurlijk ruzie met mijn vader. Ik kreeg...' Zijn stem werd weer schriller. 'Die rotzak heeft me geslagen, Duncan! Kijk! Kan je het zien?' Hij draaide zijn gezicht naar Duncan toe. Hoog op zijn jukbeen was vaag een rode plek te zien. Maar zijn ogen, zag Duncan nu, waren pas echt rood. Hij had gehuild. Hij zag Duncan kijken, en wendde zijn hoofd weer af. 'Mijn vader is een bruut,' zei hij zacht, alsof hij zich schaamde.

'Wat had je dan gedaan?'

'Ik zei dat ik niet ging, dat ze me niet konden dwingen. Ik had niet eens willen vertellen dat de papieren er waren, maar de postbode maakte er zo'n heisa van toen hij ze kwam brengen... Mijn moeder kreeg de brief het eerst te pakken. Ik zei: "Mijn naam staat erop, ik kan ermee doen wat ik wil..."'

'Wat is het voor brief? Wat staat erin?'

'Ik heb hem bij me, kijk.'

Hij ritste zijn jack open en haalde een bruine envelop tevoorschijn. Duncan ging naast hem op bed zitten, zodat hij mee kon kijken. De brief was gericht aan A.J.C. Planer; er stond in dat hij, overeenkomstig de wet op de dienstplicht, werd opgeroepen om dienst te nemen bij de landmacht en dat hij zich over veertien dagen moest melden bij een opleidingsregiment van de Koninklijke Artillerie te Shoeburyness. In de envelop zat informatie over hoe hij daar moest komen en wat hij mee moest nemen, en een postwissel van vier shilling, als voorschot op zijn wedde. De bladzijden, volgestempeld met data en getallen, waren vreselijk gekreukt, alsof Alec ze had verfrommeld en toen weer gladgestreken.

Duncan keek verschrikt naar de kreukels. 'Wat heb je ermee gedaan?'

'Dat maakt toch niet uit?'

'Ik weet het niet. Misschien... Misschien wordt het tegen je gebruikt.'

'Tegen me gebruikt? Je lijkt mijn moeder wel! Je denkt toch niet dat ik ga, hè? Ik heb je verteld...' Alec pakte de papieren terug, verfrommelde ze vol walging en smeet ze op de grond; daarna raapte hij ze snel weer op, als een veer die terugspringt, streek de kreukels glad en scheurde alles doormidden – zelfs de postwissel. 'Zo!' zei hij. Hij had een kleur gekregen en stond te trillen.

'Gompie,' zei Duncan, en zijn schrik sloeg om in bewondering. 'Nu heb je het echt gedaan!'

'Dat zei ik toch?'

'Je bent gek, man!'

'Liever gek,' zei Alec met het hoofd in de nek, 'dan doen wat zij van me willen. Zíj zijn gek. Ze maken iedereen gek, en niemand houdt ze tegen; iedereen doet alsof het normaal is. Alsof het normaal is dat ze een soldaat van je maken, je een geweer geven.' Hij stond op en streek geagiteerd zijn vastgeplakte haar naar achteren. 'Ik kan er niet meer tegen. Ik kap ermee, Duncan.'

Duncan staarde hem aan. 'Je gaat je toch niet laten inschrijven als dienstweigeraar?'

Alec snoof. 'Dat bedoel ik niet. Dat is even erg als in dienst gaan. Dan moet je voor de rechter komen en je zegje doen, waar al die vreemden bij zijn. Waarom zou ik dat doen? Wat gaat het een ander aan dat ik niet wil vechten? Trouwens,' vervolgde hij, 'mijn vader zou me afmaken.'

'Wat bedoel je dan?'

Alec bracht zijn hand naar zijn mond en begon weer op zijn vingers te bijten. Hij keek Duncan strak aan. 'Snap je dat niet?'

Hij zei het met een soort onderdrukte opwinding – alsof hij ondanks alles moest lachen. Duncan voelde zijn hart ineenkrimpen in zijn borst. 'Je wilt... Je wilt toch niet van huis weglopen?'

Alec gaf geen antwoord.

'Dat kan je niet maken! Dat is niet eerlijk! Dat lukt je niet. Je hebt niks bij je. Je hebt geld nodig, en bonnen, je moet eten kopen. Waar moet je heen? Je gaat... Je gaat toch niet naar Ierland, hè?' Daar hadden ze het eerder over gehad. Maar ze hadden het samen zullen doen. 'Ze weten je toch wel te vinden, zelfs in Ierland.'

'Rot op met je Ierland!' zei Alec, plotseling woedend. 'Het kan me niet schelen wat er met me gebeurt. Ik ga niet, punt uit. Weet je wat ze met je doen?' Hij trok zijn mondhoeken omlaag. 'Ze doen smerige dingen! Ze betasten je overal, ze bekijken je – in je reet en tussen je benen. Een rij mannen, zei Michael Warren: een hele rij oude mannen die je onderzoeken. Walgelijk. Oude mannen! Zij hebben makkelijk praten. Mijn vader heeft makkelijk praten, en jouw vader. Zij hebben hun leven gehad; ze willen ons leven van ons afpakken. Ze hebben al een oorlog gehad, en nu zijn ze er weer een begonnen. Het kan ze niet schelen dat we jong zijn. Ze willen van ons ook oude mannen maken. Het kan ze niet schelen dat het onze oorlog niet is...'

Zijn stem werd luider. 'Schreeuw niet zo!' zei Duncan.

'Ze willen ons vermoorden!'

'Wees nou toch stil!'

Duncan dacht aan de bovenburen, en aan zijn vader. Zijn vader was stokdoof, maar hij had een soort interne radar waar het Alec betrof. Alec hield zijn mond. Hij bleef op zijn vingers bijten en begon door de kamer te ijsberen. Buiten waren de geluiden van de luchtaanval erger geworden, samengevoegd tot een diep, laag geronk. De ruit in Duncans raam begon heel zachtjes te trillen.

'Ik kap ermee,' zei Alec weer, al ijsberend. 'Ik kap ermee. Ik meen het.'

'Je loopt niet weg,' zei Duncan kordaat. 'Dat is gewoon niet eerlijk.'

'Niks is meer eerlijk.'

'Dat kan je niet maken. Je kunt me niet in Streatham achterlaten, met Eddie Parry en Rodney Mills en al die andere klootzakken...'

'Ik kap ermee. Ik ben het zat.'

'Je zou... Alec!' zei Duncan, ineens opgewonden. 'Je zou hier kunnen blijven! Ik zou je hier kunnen verstoppen! Ik zou je eten en water kunnen brengen.'

'Hier?' Alec keek rond, met een frons op zijn voorhoofd. 'Waar dan?'

'Je kunt je in een kast verstoppen of zoiets, weet ik veel. Het zou alleen maar hoeven als mijn vader thuis is. En als Viv 's avonds weg was, kan je eruit komen. Je zou bij mij kunnen slapen. Dat zou zelfs kunnen als Viv er is. Zij zou het niet erg vinden. Zij helpt ons wel. Dan ben je net... net de graaf van Monte Cristo!' Duncan dacht erover na. Hij dacht aan de borden eten die hij zou maken – hij kon vlees, thee en suiker achterhouden van zijn eigen rantsoen. Hij dacht aan het bed dat hij elke nacht stiekem met Alec zou delen...

Maar Alec keek weifelend. 'Ik weet het niet. Het zou maanden gaan duren, hè? Tot de oorlog voorbij is. En volgend jaar krijg jij ook je oproep. Eerder nog, als ze de leeftijd verlagen. Misschien krijg je hem al in juli! Wat moeten we dan?'

'Het is nog lang geen juli,' antwoordde Duncan. 'Er kan nog van alles gebeuren tussen nu en juli. Tegen die tijd zijn we waarschijnlijk allang de lucht ingeblazen!'

Alec schudde zijn hoofd weer. 'Nee,' zei hij bitter. 'Dat gebeurt niet. Was het maar waar! De enigen die doodgaan zijn kinderen en oude vrouwtjes en baby's en sukkels – sukkels die geen bezwaar hebben tegen de oorlog. Jongens die het best vinden om soldaat te worden, die te stom zijn om te snappen dat het niet hun oorlog is maar die van een stel ministers. Het is ook niet onze oorlog, maar we moeten er wel onder lijden. Wij moeten doen wat zij zeggen. Ze vertellen ons niet eens de waarheid! Ze hebben ons niets over Birmingham verteld. Iedereen weet dat Birmingham praktisch tot de grond toe is afgebrand. Met hoeveel steden is dat nog meer gebeurd? Ze willen niets zeggen over de wapens die Hitler heeft, de raketten en het gas. Afschuwelijk gas, waar je niet dood van gaat maar waar je huid van loslaat; gas dat iets met je hersens doet waardoor je een soort robot wordt, zodat Hitler een slaaf van je kan maken. Hij gaat ons allemaal in kampen opsluiten, wist je dat? Hij gaat ons aan het werk zetten in mijnen en fabrieken, de mannen moeten allemaal graven en machines bedienen, de vrouwen moeten kinderen krijgen; hij zal ons dwingen om met de ene vrouw na de andere naar bed te gaan, gewoon om ze zwanger te maken. En oude mannen en vrouwen, die maakt hij gewoon af. In Polen heeft hij het al gedaan. In België en Nederland waarschijnlijk ook. Maar dat vertellen ze ons niet. Het is niet eerlijk! Wij hebben deze oorlog nooit gewild. Er zou een plek moeten zijn voor mensen zoals wij. Ze zouden de sukkels moeten laten vechten, en alle anderen – iedereen die om belangrijke dingen geeft, zoals kunst, dat soort dingen – zouden toestemming moeten krijgen om ergens op zichzelf te gaan wonen, en dan kan Hitler naar de hel lopen...'

Hij schopte tegen een schoen van Duncan; daarna begon hij weer te ijsberen en op zijn handen te bijten. Hij beet verwoed, en als het ene stukje huid of nagel was aangeknaagd verplaatste hij zijn hand en begon hij aan het volgende. Hij staarde in het niets. Zijn gezicht was weer bleek geworden, en zijn roodomrande ogen leken te fonkelen als die van een krankzinnige.

Duncan dacht weer aan zijn vader. Hij stelde zich voor wat zijn vader zou denken als hij Alec zo kon zien. Die jongen is van lotje getikt, had hij meer dan eens tegen Duncan gezegd. Die jongen moet eens volwassen worden. Je verdoet je tijd met hem. Hij brengt je alleen maar op rare ideeën, die jongen...

'Hou eens op met zo op je vingers te bijten,' zei hij ongemakkelijk. 'Je lijkt wel niet goed snik.'

'Niet goed snik?' siste Alec. 'Het zou me niet verbazen als ik stapelkrankzinnig werd! Ik was vanavond zo over mijn toeren dat ik dacht dat ik moest overgeven. Ik moest wachten tot ze allemaal sliepen. Toen dacht ik dat er iemand in huis was. Ik hoorde mannen rondlopen – voetstappen en gefluister. Ik dacht dat mijn vader de politie had gehaald.'

Duncan was ontzet. 'Dat zou hij toch niet doen?'

'Het zou best kunnen. Zo erg heeft hij de pest aan me.'

'Midden in de nacht?'

'Natuurlijk!' zei Alec ongeduldig. 'Dan komen ze juist! Weet je dat niet? Als je ze het minst verwacht...'

Ze hielden abrupt op met praten. Duncan keek naar de deur; hij moest weer aan de ziekte van zijn moeder denken, kreeg weer een onwezenlijk gevoel, verwachtte half en half mensen te horen rondsluipen op de gang... In plaats daarvan hoorde hij het gestage geronk van vliegtuigen en de eentonige doffe dreunen van bommen, gevolgd door het glijden van roet in de schoorsteen.

Hij keek weer naar Alec en werd nog nerveuzer, want Alec had zijn handen eindelijk laten zakken en leek plotseling onnatuurlijk kalm. Ze keken elkaar aan, en Alec haalde enigszins theatraal zijn smalle schouders op en draaide zijn hoofd om, zodat zijn mooie profiel zichtbaar werd.

'Dit is tijdverspilling,' zei hij, bijna terloops.

'Wat?' vroeg Duncan angstig. 'Wat bedoel je?'
'Dat heb ik je toch verteld? Ik ga liever dood dan dat ik doe wat zij van me willen. Ik sterf liever dan dat ik een geweer in mijn handen gedrukt krijg en op een Duitse jongen moet schieten die er precies zo over denkt als ik. Ik kap ermee. Ik ga het zelf doen, voordat zij het doen.'
'Wat dan?' vroeg Duncan onnozel.
Alec maakte weer dat theatrale gebaar, alsof hij wilde zeggen dat het hem om het even was. 'Ik ga me van kant maken,' zei hij.
Duncan staarde hem aan. 'Dat kan je niet doen!'
'Waarom niet?'
'Dat kan gewoon niet. Het is niet eerlijk. Wat... wat zal je moeder ervan vinden?'
Alec kleurde. 'Dat is dan jammer voor haar, hè? Had ze maar niet met zo'n imbeciel moeten trouwen. Mijn vader zal trouwens blij zijn. Die ziet me het liefst dood.'
Duncan luisterde niet. Hij dacht na en kreeg tranen in zijn ogen. Hij zei: 'Maar ik dan?' Zijn stem klonk verstikt. 'Voor mij is het het ergst, dat weet je! Je bent mijn beste vriend. Je mag je niet van kant maken en mij hier achterlaten.'
'Doe het dan ook,' zei Alec.
Hij zei het zachtjes. Duncan zat zijn neus aan zijn mouw af te vegen en wist niet of hij het wel goed had verstaan. 'Wat?' zei hij.
'Doe het ook,' zei Alec nogmaals.
Ze keken elkaar aan. Alecs gezicht was roder dan ooit; hij lachte zenuwachtig en had onbewust zijn lippen opzij getrokken, en je zag zijn scheve tanden. Hij kwam dichterbij en legde zijn handen op Duncans schouders, zodat hij pal tegenover hem stond, slechts van hem gescheiden door zijn gebogen armen. Hij greep Duncan stevig vast en schudde hem bijna door elkaar. Hij keek hem recht in de ogen en zei opgewonden. 'Dat zal ze leren, hè? Denk je eens in hoe dat overkomt! We kunnen een brief achterlaten waarin we uitleggen waarom we het gedaan hebben! Twee jonge mensen die hun leven opofferen. Dat komt in alle kranten. Dat wordt overal bekend! Misschien komt er dan wel een eind aan de oorlog!'
'Denk je?' vroeg Duncan, die ineens ook opgewonden werd. Hij was onder de indruk en voelde zich gevleid, en wilde het graag geloven, maar hij was nog steeds bang.

'Waarom niet?'

'Ik weet het niet. Er gaan de hele tijd jonge mensen dood. Dat heeft niks uitgemaakt. Waarom zou het met ons dan anders zijn?'

'Sukkel,' zei Alec, met opgetrokken lip, en hij liet Duncans schouders los en liep weg. 'Als je niet begrijpt... Als je het niet aandurft... Als je te schijterig bent...'

'Dat zei ik niet.'

'... dan doe ik het wel alleen.'

'Ik laat het je niet alleen doen!' zei Duncan. 'Je mag me niet achterlaten, dat zei ik toch?'

Alec kwam terug. 'Help me dan met het schrijven van de brief,' zei hij, opnieuw opgewonden. 'We kunnen... Kijk.' Hij bukte en raapte een van de gescheurde helften van de oproep op. 'We kunnen de achterkant hiervan gebruiken om te schrijven. Dat is symbolisch. Geef eens een pen.'

Duncans leren schrijfmap lag naast het bed op de grond. Hij deed automatisch een stap in die richting, maar bedacht zich toen. In plaats daarvan liep hij quasi-nonchalant naar de schoorsteen, pakte een potlood en stak het Alec toe. Maar Alec wilde het niet aannemen. 'Geen potlood,' zei hij. 'Ze zullen denken dat een kind het heeft geschreven als ik dat gebruik! Geef me je vulpen.'

Duncan wendde zijn blik af. 'Die is hier niet.'

'Wel waar, vuile leugenaar!'

'Ja, maar,' zei Duncan, 'als een pen goed schrijft, moet je hem niet door anderen laten gebruiken.'

'Dat zeg je altijd! Het maakt nu toch niet meer uit?'

'Ik wil het gewoon niet. Neem het potlood maar. Mijn zus heeft die pen voor me gekocht.'

'Dan zal ze trots op je zijn,' zei Alec. 'Ze gaan die pen waarschijnlijk inlijsten nadat ze ons gevonden hebben! Probeer het eens zo te bekijken. Kom op, Duncan.'

Duncan aarzelde nog even, ritste toen met tegenzin de map open en haalde zijn pen eruit. Alec zat altijd te zeuren dat hij die pen eens wilde proberen, en hij nam hem nu met zichtbaar genoegen van Duncan aan: draaide omstandig de dop eraf, bestudeerde de punt, testte het gewicht van de pen in zijn hand. Hij pakte ook de schrijfmap, ging op de rand van het bed zitten met de map op zijn knie, legde het papier neer en probeerde de kreukels eruit te krijgen. Toen hij het zo goed mogelijk had gladgestreken, begon hij te schrijven.

'Aan wie dit leest...' Hij keek naar Duncan. 'Zal ik dat opschrijven? Of zal ik schrijven: Aan de heer Winston Churchill?'

Duncan dacht na. 'Aan wie dit leest klinkt beter,' zei hij. 'Dan zou het ook aan Hitler en Göring en Mussolini gericht kunnen zijn.'

'Dat is waar,' zei Alec, ingenomen met dat idee. Hij dacht even na, zoog op zijn onderlip, tikte met de pen tegen zijn mond en schreef weer verder. Hij schreef snel en elegant – zoals Keats of Mozart, dacht Duncan; hij liet de punt met kleine zwierige halen over het papier glijden, stopte af en toe om het geschrevene kritisch te bekijken en schreef dan weer verder...

Toen hij klaar was, gaf hij de brief aan Duncan en knauwde op zijn knokkels terwijl Duncan las.

> Aan wie dit leest. Al u dit leest, betekent het dat wij, Alec J.C. Planer en Duncan W. Pearce, uit Streatham, Londen, Engeland, in onze opzet zijn geslaagd en niet meer in leven zijn. Wij gaan niet lichtvaardig tot deze daad over. We weten dat het land dat we straks zullen binnengaan het 'donkere, onbetreden gebied' is waaruit 'geen reiziger terugkeert'. Maar wat we gaan doen, doen we omwille van de Jeugd van Engeland en in naam van de Vrijheid, de Eerlijkheid en de Waarheid. We beroven ons liever vrijwillig van het leven dan dat het ons wordt ontstolen door de Oorlogshitsers. We vragen slechts om één grafschrift, en wel dit: dat we, net als de grote T.E. Lawrence, 'de getijden van de mens in onze handen namen, en onze wil in sterren aan de hemel schreven'.

Duncan staarde Alec vol verbazing aan. Hij zei: 'Dat is gewoon fantastisch!'

Alec bloosde. Hij zei quasi-verlegen: 'Vind je dat echt? Ik had een deel ervan onderweg al bedacht, weet je.'

'Je bent geniaal!'

Alec begon te lachen. Het was een meisjesachtige lach, een soort gegiechel. 'Het is écht goed, hè? Het zal ze leren, hoe dan ook!' Hij stak zijn hand uit. 'Geef hem even terug, dan kan ik hem ondertekenen. Daarna moet jij ook tekenen.'

Ze zetten hun namen eronder en de datum. Alec hield het papier omhoog en bekeek het, met zijn hoofd een beetje schuin. 'Deze datum,' zei hij, 'wordt net zo belangrijk als de jaartallen die we op school hebben geleerd. Is dat geen gek idee? Is het niet gek om te bedenken dat kinderen hem over honderd jaar uit hun hoofd moeten leren?'

'Ja,' zei Duncan afwezig. Hij dacht ergens anders aan en luisterde maar half. Toen Alec het papier weer gladstreek, vroeg hij schuchter: 'Kunnen we er niet ook iets in zetten voor onze familie, Alec?'

Alec trok zijn lip op. 'Onze familie! Natuurlijk kan dat niet, doe niet zo stom.'

'Ik moet aan Viv denken. Die zal helemaal van de kaart zijn.'

'Ze zal trots op je zijn,' zei Alec, 'dat zei ik toch? Ze zullen allemaal trots zijn. Zelfs mijn vader. Hij noemt me een lafbek. Ik zou zijn gezicht wel eens willen zien als dit in de kranten komt! We worden... we worden een soort martelaars!' Hij dacht weer na. 'Nu moeten we alleen nog beslissen hoe we het gaan doen. We kunnen onszelf vergassen, denk ik.'

'Vergassen!' zei Duncan vol afschuw. 'Dat duurt toch te lang? Dat duurt tijden. En trouwens, het gas zal naar buiten stromen; misschien vergassen we dan mijn vader wel. Het is een ouwe zak, maar het zou toch niet eerlijk zijn, vind ik.'

'Het zou niet sportief zijn,' zei Alec.

'Het zou niet fair zijn, beste kerel.'

Ze barstten in lachen uit. Ze lachten zo hard dat ze hun handen voor hun mond moesten houden. Alec viel op zijn rug op het bed en begroef zijn gezicht in Duncans kussen. Hij zei, nog steeds lachend: 'We kunnen onszelf vergiftigen. We kunnen arsenicum innemen. Net als die sloerie, madame Bovary.'

'Een bewonderenswaardig plan, mijn beste Holmes,' zei Duncan met een malle stem, 'maar er is één fundamenteel probleem. Mijn vader heeft geen arsenicum in huis.'

'Geen arsenicum? En je noemt dit een modern, goed draaiend huishouden? En rattengif dan, als ik vragen mag?'

'Ook geen rattengif. Trouwens, doet vergif niet vreselijk veel pijn?'

'Het zal hoe dan ook vreselijk veel pijn doen, imbeciel. Het zou niet echt een gebaar zijn als het geen pijn deed.'

'Ja, maar toch...'

Alec was opgehouden met lachen. Hij lag nog even te denken en ging toen rechtop zitten. 'Wat vind je ervan,' zei hij ernstig, 'als we onszelf verdrinken? Dan zien we ons hele leven voorbijflitsen. Niet dat ik het mijne wil zien, het was een rotleven...'

Duncan zei: 'Dan zou ik mijn moeder weer zien.'

'Precies. Een man moet zijn moeder zien voordat hij sterft. Dan kun je vragen waarom ze in jezusnaam met je vader is getrouwd.'

Ze lachten weer. 'Maar hoe pakken we dat aan?' vroeg Duncan ten slotte. 'Dan moeten we een kanaal zoeken of zoiets.'

'Nee, dat hoeft niet. Je kunt al in tien centimeter water verdrinken; ik dacht dat iedereen dat wist. Het is een wetenschappelijk feit. Hebben jullie de badkuip niet volzitten met water, voor als er brand uitbreekt?'

Duncan keek hem aan. 'Jezusmina, je hebt gelijk!'

'We doen het, D.P.!'

Ze stonden op. 'Neem de brief mee,' zei Duncan, 'en een punaise. Wacht! Eerst mijn haar kammen.'

'Hij wil zijn haar kammen,' zei Alec, 'op een moment als dit!'

'Hou je mond!'

'Ga je gang, Leslie Howard.'

Duncan ging voor de spiegel van de toilettafel staan en knapte zich vlug een beetje op. Daarna liepen hij en Alec op hun tenen de slaapkamer uit, de gang door en via de zitkamer naar de keuken. Alle deuren stonden open, met het oog op een explosie; Duncan deed ze heel zachtjes dicht. Hij kon zijn vader luidkeels horen snurken. Alec fluisterde: 'Je vader klinkt net als een Messerschmitt!' en dat bezorgde hun een nieuwe lachbui.

Ze deden het keukenlicht aan. Het kale peertje was vrij zwak en hulde de keuken in vale, fletse kleuren: het vuilwit van de gootsteen, het grijs met geel van de opgelapte linoleum vloer, de bruine juskleur van het houtwerk. Het bad zat naast de keukentafel, tegen de muur; Duncans vader had er jaren geleden een ombouw voor gemaakt, ook van juskleurig hout, en een afdekplaat. De afdekplaat werd als aanrecht gebruikt: er stond serviesgoed op, en een grote zinken emmer met soda waarin ondergoed van Duncan en zijn vader lag te weken. Duncan bloosde toen hij het zag en zette de emmer gauw opzij. Alec verplaatste al het serviesgoed stuk voor stuk naar de keukentafel.

Toen pakten ze elk een uiteinde van de afdekplaat en tilden hem eraf.

In de kuip zat water van een bad dat Duncans vader dagen tevoren had genomen. Het was troebel en er dreven haartjes in – stugge, krullende haartjes, nog beschamender dan het ondergoed, zodat Duncan na één blik zijn hoofd moest afwenden. Hij balde zijn handen tot vuisten. Als zijn vader nu voor hem had gestaan, zou hij hem een stomp hebben gegeven. 'Die vuilak!' zei hij.

'Het is in elk geval wel genoeg,' zei Alec weifelend. 'Maar hoe doen we het? We kunnen er niet allebei tegelijk in gaan liggen. Misschien kunnen we elkaars hoofd onder water houden?'

Duncan moest bijna overgeven bij de gedachte dat hij zijn gezicht in dat smerige water zou steken, dat rond de voeten, de geslachtsdelen en de kont van zijn vader had geklotst. 'Dat wil ik niet,' zei hij.

'Nou, ik heb er ook niet veel zin in,' zei Alec. 'Maar moet je horen, we kunnen niet kieskeurig zijn.'

'Dan liever gas; laten we het er toch maar op wagen.'

'Ja?'

'Ja.'

'Oké. Of... Jeetje, ik weet wat!' Alec knipte met zijn vingers. 'Laten we onszelf ophangen!'

Het was bijna een opluchting. Het kon Duncan niet meer schelen wat ze deden, zolang zijn vaders badwater er maar niet aan te pas kwam. Ze legden de afdekplaat terug en keken om zich heen, naar de muren en het plafond, zoekend naar haken, iets om touwen aan vast te binden. Ze bedachten ten slotte dat de katrol van het wasrek het gewicht van een van hen wel zou kunnen dragen; de ander kon zich dan ophangen aan de jassenhaak op de keukendeur.

'Heb je ergens touw?' vroeg Alec vervolgens.

'Ik heb dit,' zei Duncan, die ineens een ingeving kreeg. Hij bedoelde het koord van zijn kamerjas. Hij knoopte het los, trok het uit de lusjes en testte met zijn handen of het sterk genoeg was. 'Dat houdt me wel, denk ik.'

'Goed, dan ben jij voorzien. Nu ik nog. Je hebt er zeker niet nog een?'

'Ik heb zat riemen en dat soort dingen. En een heleboel stropdassen.'

'Een stropdas lijkt me prima.'

'Zal ik er een gaan halen? Wat wil je er voor een?'

Alec fronste zijn voorhoofd. 'Een zwarte, denk ik. Nee! Die ene met de blauwe en gouden strepen. Die lijkt op een universiteitsdas.'

‘Wat maakt dat nou uit?’

‘Misschien komen we op de foto. Zo’n das maakt meer indruk.’

‘Oké,’ zei Duncan met tegenzin – want het toeval wilde dat hij over die das net zo dacht als over zijn vulpen: het was een mooi ding, en het was van hem; en wat had het voor zin om er zo een te nemen als het met een gewone ook kon? Maar hij wilde er nu geen ruzie over maken. Hij sloop door de zitkamer en de gang terug naar de slaapkamer en haalde de das tevoorschijn. Hij kon zijn vader nog steeds horen snurken, en hij bleef even met de das in zijn hand in het donker staan; hij had bijna zin om naar binnen te gaan en zijn vader te schoppen, om tegen hem te gillen en te schreeuwen. Stomme ouwe zak! Ik ga me van kant maken! Ik ga nu naar de keuken en ik ga het echt doen! Word dan wakker!

Zijn vader snurkte door. Duncan ging zachtjes terug naar Alec. ‘Mijn ouweheer lijkt nu wel een Hurricane!’ zei hij, terwijl hij de keukendeur sloot.

Maar Alec reageerde niet. Hij had het koord van de kamerjas neergelegd en stond half afgewend bij de gootsteen. Hij iets gepakt dat naast de kranen lag.

‘Duncan,’ zei hij, met een vreemde, zachte stem. ‘Kijk eens.’

Hij hield het ouderwetse scheermes van Duncans vader in zijn hand. Hij had het mes uitgeklapt en staarde er gebiologeerd naar, alsof hij zijn ogen moest losrukken om Duncan aan te kijken. Hij zei: ‘Ik ga dit gebruiken. Ja, dat ga ik doen. Jij mag je ophangen als je wilt, maar ik ga dit gebruiken. Het is beter dan een touw. Het is vlugger en directer. Ik ga mijn strot doorsnijden.’

‘Je strot?’ zei Duncan. Hij keek naar Alecs slanke, blanke hals – naar de pezen in die hals, en naar de adamsappel, die hard leek, niet zacht als iets wat je door kon snijden...

‘Het is toch wel scherp?’ Alec legde zijn vinger op het lemmet, trok de vinger gauw weer terug en zoog erop, ‘God!’ Hij lachte. ‘Het is zo scherp als wat. Het doet vast geen pijn, als we het vlug genoeg doen.’

‘Weet je het zeker?’

‘Natuurlijk weet ik het zeker. Zo maken ze dieren toch ook dood? Ik ga het nu meteen doen. Jij zult als tweede moeten. Vind je dat erg? Het wordt wel een beetje een smeerboel, vrees ik. Je kunt maar beter niet al te goed kijken. Hadden we er maar twee! Dan konden we het tegelijk doen... Kijk.’ Hij gebaarde met het scheermes naar het papier waarop hij hun brief had geschreven. 'Doe me een plezier en hang die brief aan de muur. Ergens waar ze hem kunnen zien.'

Duncan pakte de brief en de punaise, maar keek angstig naar het scheermes. Hij zei: 'Je moet het niet doen als ik met mijn rug naar je toe sta, oké?' Hij durfde zijn blik niet af te wenden... Hij zocht vlug een geschikte plek, en prikte de brief uiteindelijk op een kastdeur. 'Is het zo goed?'

Alec knikte. 'Ja, dat is goed.'

Hij begon een beetje buiten adem te raken. Hij hield het opengeklapte scheermes nog steeds vast alsof hij het alleen maar stond te bewonderen; maar nu, terwijl Duncan toekeek, pakte hij het met twee handen stevig beet, tilde het op en zette het tegen zijn keel. Hij zette het vlak onder de ronding van zijn rechterkaak, waar de huid trilde door een kloppende ader.

Duncan deed onwillekeurig een stap naar hem toe. Hij zei nerveus: 'Je gaat het toch niet meteen doen?'

Alecs oogleden trilden. 'Ik wacht nog heel even.'

'Hoe voelt het?'

'Het voelt oké.'

'Ben je bang?'

'Een beetje,' zei Alec. 'En jij? Je ziet lijkbleek! Niet flauwvallen voor het jouw beurt is.' Hij pakte het scheermes anders vast. Hij sloot zijn ogen en bleef roerloos staan... Toen vroeg hij, met zijn ogen stijf dicht en op een iets andere toon dan eerst: 'Wat zal jij missen, Duncan?'

Duncan beet op zijn lip. 'Ik weet het niet. Niks! Nee, ik zal Viv missen... En jij?'

'Ik zal boeken missen,' zei Alec, 'en muziek en kunst, en mooie gebouwen.' Duncan wilde wel dat hij dat ook had gezegd, in plaats van zijn zus. 'Maar die dingen zijn toch al verdwenen. Over een jaar zijn de mensen vergeten dat er ooit zulke dingen bestaan hebben.'

Hij deed zijn ogen open en slikte, en hield het mes weer anders vast. Duncan kon zien dat zijn vingers zweterig waren; hij zag de afdrukken die ze achterlieten op het handvat van het scheermes. Hij wilde niet dat Alec het nu al deed. Het was allemaal veel te vlug gegaan. Weer hoopte hij bijna dat zijn vader wakker zou worden, de keuken in zou komen en hen tegen zou houden. Wat had je aan een vader als hij je zulke dingen liet doen? Om Alec aan de praat te houden, om de zaak te rekken, zei hij: 'Wat denk je dat er met ons gebeurt, Alec, als we dood zijn?'

Alec dacht na, het mes nog steeds vlak bij zijn keel. 'Niets,' zei hij toen zacht. 'We doven gewoon uit, als lichten. Er kan niets anders zijn. Er kan geen God zijn. Een God had wel een eind gemaakt aan de oorlog! Er kan geen hemel of hel of zoiets zijn. Dít is de hel, waar wij zijn. En als er toch iets is, dan gaan we er in elk geval samen heen.' Hij bleef Duncan aankijken met zijn fonkelende, roodomrande ogen. 'Dat zou het ergste zijn, toch?' zei hij nuchter. 'Om daar in je eentje te zijn?'

Duncan knikte. 'Ja,' zei hij. 'Ja, dat zou afschuwelijk zijn.'

Alec haalde diep adem. De ader in zijn hals begon sneller te kloppen, sprong bijna tegen het lemmet aan. Maar wat hij zei klonk heel terloops, en Duncan dacht dat hij een grapje maakte en schoot bijna in de lach. Hij zei: 'Tot kijk dan maar, Duncan.' En hij pakte het mes steviger vast en tilde zijn ellebogen op, alsof hij een bal ging wegslaan; en toen sneed hij.

'Deze kant op,' zei het blokhoofd. Kay en Mickey volgden hem behoedzaam over het puin.

Het puin was tot voor kort een rijtjeshuis van vier verdiepingen in Pimlico geweest. In het bijna volslagen donker zag het huis eruit alsof het netjes van zijn sokkel was gelicht. Eén vrouw was op slag gedood door de explosie; haar lichaam was al weggehaald door een andere ambulance. Maar een meisje zat nog met haar benen in het puin bekneld; de mannen van de Reddings- en Sloopdienst wilden een hijstoestel neerzetten om de balken waaronder ze vastzat op te takelen. Dat kon echter pas als ze eerst een andere vrouw en een jongen, die vermoedelijk in het souterrain zaten opgesloten, uit het puin hadden gehaald.

'We hebben om lampen gevraagd,' zei het blokhoofd, 'maar die jongens zijn al een halfuur aan het graven. Een van hen heeft het gepresteerd om zich lelijk te snijden.'

'Hoe lang,' vroeg Kay, 'hebben ze nodig om in het souterrain te komen?'

'Een uur, lijkt me. Misschien twee.'

'En het meisje dat bekneld zit?'

'Ja, ga eens naar haar kijken, wil je? Ze lijkt niets te mankeren, maar dat kan de shock zijn, ik weet het niet. Ze is daarginds. Een van de mannen is bij haar, om de moed erin te houden.'

Hij wees Kay waar ze moest lopen. Ze liet de man die zich had gesneden aan Mickeys zorgen over en baande zich een weg naar de achterkant van het terrein. Haar voeten vermorzelden glas; één keer trapte ze door een plank en zakte ze bijna tot haar dijen weg in een berg pleisterkalk en hout. De plank kraakte luid toen hij knapte, en ze hoorde een meisje een kreet slaken.

'Niks aan de hand,' zei iemand zacht. Kay zwaaide haar zaklamp omhoog en ontwaarde de gestalte van een man die gehurkt op het puin zat, een meter of zes verderop. Zijn armen lagen op zijn knieën, zijn helm was joviaal naar achteren geschoven; hij zag Kay aankomen en stak zijn hand op. 'Ambulance? Hier zijn we. Pas op voor dat ding, kijk.' Hij wees naar een obstakel op haar pad: bleek, glanzend, merkwaardig van vorm. Het duurde even voor ze besefte dat het een toiletpot was. 'Finaal uit de grond gerukt,' zei de man, terwijl hij opstond. 'Maar de bril is weg.'

Hij reikte naar voren om Kay over het laatste stuk heen te helpen, en toen ze dichterbij kwam zag ze iets bij zijn voeten. Ze dacht eerst dat het een stapel gordijnen of beddengoed was; maar terwijl ze keek, leek het beddengoed te golven of op te bollen, alsof het van onderaf werd opgepompt, en er verschenen een arm en een wit gezicht – bijna even wit als de losgerukte toiletpot. Het was het meisje dat bekneld zat. Ze was overdekt met een dun laagje kalk, en zat tot aan haar middel begraven in een warboel van balken en bakstenen. Ze duwde zich met haar armen op om naar Kay te kijken. Kay hurkte naast haar, net zoals de man had gedaan.

'Nou, jij zit lelijk in de knel.' Ze gaf de man een knikje, en hij vertrok.

Het meisje legde haar hand op Kays enkel. 'Alsjeblieft,' zei ze, 'weet jij het?' Haar stem was schor, en ijl van angst. Ze hoestte. 'Komen ze me eruit halen?'

'Ja,' zei Kay, 'zo gauw als ze kunnen. Maar nu moet ik eerst kijken of je niets mankeert. Mag ik je pols voelen?' Ze pakte de poederige arm van het meisje. De pols was snel, maar vrij krachtig. 'Zo. En vind je het goed als ik nu even met deze zaklamp in je ogen schijn? Het duurt niet lang.'

Ze legde haar vingers op de kin van het meisje, om haar hoofd stil te houden. Het meisje knipperde angstig met haar ogen. De randen en hoeken van haar ogen waren roze als van een konijn in haar wit-bestofte gezicht. Haar pupillen krompen in de priemende lichtstraal. Ze leek jong, maar niet zo jong als Kay eerst had gedacht; misschien vier- of vijfentwintig. Ze draaide haar hoofd om voordat Kay de lamp liet zakken, en tuurde over het terrein.

'Wat doen zij?' vroeg ze, doelend op de mannen.

'Ze denken dat er in het souterrain nog mensen opgesloten zitten,' legde Kay uit, 'een vrouw en een jongen.'

'Madeleine en Tony?'

'Heten ze zo? Zijn het kennissen van je?'

'Madeleine is de dochter van mevrouw Finch.'

'Mevrouw Finch?'

'Mijn hospita. Ze...'

Ze ging niet verder. Kay vermoedde dat mevrouw Finch de vrouw was die was omgekomen. Ze begon de armen en schouders van het meisje te betasten. 'Kun je me vertellen,' zei ze intussen, 'of je denkt dat je gewond bent?'

Het meisje slikte, en hoestte weer. 'Ik weet het niet.'

'Kun je je benen bewegen?'

'Zonet nog wel, geloof ik. Maar ik probeer het liever niet, anders stort de boel misschien in en word ik verpletterd.'

'Kun je je voeten voelen?'

'Ik weet het niet. Ze zijn koud. Het is toch gewoon kou, hè? Wat zou het anders kunnen zijn? Het is toch niet iets ergers?'

Ze was gaan rillen. Ze droeg zo te zien een nachthemd en een peignoir, maar het blokhoofd had een deken over haar schouders gelegd voor de warmte. Kay trok de deken dichter om haar heen en ging op zoek naar iets anders. Ze vond iets dat een badlaken had kunnen zijn, maar het was doorweekt en roetzwart. Ze gooide het weg en zag een kussen liggen, met een vulling van paardenhaar die door een scheur in de fluwelen hoes naar buiten puilde. Ze zette het kussen tegen de zij van het meisje, waar ze dacht dat de scherpe randen van het puin in haar vlees sneden of drukten.

Het meisje merkte het niet. Ze tuurde weer over het terrein. Ze vroeg ongerust: 'Wat is dat? Hebben ze lichten aangedaan? Zeg dat ze dat niet moeten doen!'

Een vrachtwagen was een lamp en een kleine generator komen brengen, en de reddingswerkers hadden ze geïnstalleerd en aangezet. Ze hadden geprobeerd de lamp af te schermen door er een stuk zeildoek overheen te spannen, maar er drong toch licht tot het terrein door, wat het aanzien en de sfeer veranderde. Kay wierp een blik in het rond en zag heel duidelijk voorwerpen die haar daarnet nog waren ontgaan: een strijkplank met gebroken poten, een emmer, een met schelpen beplakt doosje... De toiletpot verloor zijn parelmoeren glans en toonde zijn vlekken. De muren van de huizen die aan weerszijden van de berg puin oprezen bleken helemaal geen muren te zijn, maar open kamers met bedden, stoelen, tafels en haarden, allemaal nog intact.

'Zeg dat ze de lichten uitdoen!' zei het meisje weer, en zij keek nu ook rond, net als Kay – alsof ze voor het eerst begreep wat de oorzaak was van de chaos waarin ze gevangen zat, en misschien brokstukken zag van haar vroegere leven hier. Toen zei ze: 'O!' De mannen waren gaan hameren. Ze sidderde bij iedere klap. 'Wat doen ze?'

'Ze moeten snel werken,' zei Kay. 'Het souterrain kan volstromen met gas of water, snap je.'

'Gas of water?' vroeg het meisje, alsof ze het niet begreep. Toen kwam de volgende klap, en ze kromp ineen. Ze kon de slagen waarschijnlijk door het puin heen voelen. Ze begon te huilen. Ze wreef over haar gezicht, en de kalk werd kleverig van haar tranen. Kay raakte haar schouder even aan.

'Heb je pijn?'

Het meisje schudde haar hoofd. 'Dat weet ik niet. Ik denk het niet. Ik ben alleen zo bang.'

Ze hield haar beide handen voor haar ogen en zweeg ten slotte, en bewoog zich nauwelijks meer.

Toen ze haar handen weghaalde en weer iets zei, was haar stem veranderd, ze klonk rustiger en ouder. 'Wat zul je me een lafaard vinden,' zei ze.

Kay zei vriendelijk: 'Helemaal niet.'

Het meisje veegde met een punt van de deken haar ogen en neus af. Ze trok een vies gezicht toen ze het gruis op haar tong voelde en proefde. Ze zei: 'Je kunt me zeker geen sigaret geven?'

'Dat mag helaas niet, vanwege het gas.'

'Nee, natuurlijk niet. O!' De mannen waren weer gaan hameren. Ze verstijfde.

Kay zag het en verstijfde ook, uit medeleven. 'Je zult wel pijn hebben,' zei ze ten slotte. 'Er komt zo een dokter. Je moet nog even flink zijn.'

Toen draaiden ze allebei hun hoofd om. Mickey kwam naar hen toe en trapte met haar laarzen door planken heen, net zoals had Kay gedaan.

'Jemig!' zei ze, bij het zien van de toiletpot. Toen ontwaarde ze de gestalte van het meisje. 'Nogmaals jemig! Dat ziet er niet best uit.'

'Je neemt het ons toch niet kwalijk,' zei Kay tegen haar, 'dat we niet opstaan?' Ze draaide zich weer om naar het meisje. 'Dit is mijn grote vriendin Iris Carmichael. Heb je ooit van je leven iets gezien dat minder op een iris leek? Als je aardig tegen haar bent, mag je haar misschien wel Mickey noemen.'

Het meisje keek op en knipperde met haar ogen. Mickey hurkte neer, pakte haar hand en gaf een kneepje in haar vingers. 'Niet gebroken? Dat doet me deugd. Hoe maak je het?'

'Niet zo goed op het moment,' zei Kay, toen Mickey geen antwoord kreeg. 'Maar dat zal gauw beter worden. Maar wat ben ik toch een waardeloze gastvrouw!' Ze wendde zich weer tot het meisje. 'Ik heb niet eens moeite gedaan om je naam te achterhalen.'

Het meisje slikte. Ze zei verlegen: 'Ik heet Giniver.'

'Jennifer?'

Het meisje schudde haar hoofd. 'Giniver. Helen Giniver.'

'Helen Giniver,' herhaalde Kay, alsof ze de naam proefde. Toen vroeg ze: 'Mevrouw of juffrouw?'

Mickey lachte. Ze zei zacht: 'Loop niet zo hard van stapel.'

Maar Helen begreep het niet en zei: 'Juffrouw.'

Kay gaf haar net als Mickey een hand en stelde zich voor. Helen keek haar aan, en draaide zich toen om naar Mickey. 'Ik dacht dat je een jongen was,' zei ze, terwijl ze weer begon te hoesten.

'Dat denkt iedereen,' antwoordde Mickey. 'Ik ben het gewend. Hier, neem wat water.'

Ze had een veldfles meegebracht. Terwijl Helen dronk, viste Kay een medisch label uit haar jaszak en vulde allerlei details in; ze bevestigde het label aan Helens kraag. 'Zo. Je bent net een pakje, zie je wel?' Daarna stonden zij en Mickey even op om naar de mannen te kijken die met het sloopwerk bezig waren.

De mannen bewogen zich tergend langzaam, want het huis, zei Mickey, was op een rare manier ingestort en dat maakte het karwei lastiger dan ze hadden verwacht. Maar eindelijk legden ze dan toch hun hamers opzij, maakten touwen vast aan een omgevallen stuk muur en begonnen te trekken. De muur kwam omhoog en bleef even spookachtig rechtop staan; toen sjorden ze hem naar achteren, en hij tuimelde omlaag en brak in stukken, wat een nieuwe stofwolk deed opstijgen.

Op het vrijgemaakte stuk grond leek alleen nog meer puin en een verwrongen massa buizen te liggen, maar een man liep vlug op de buizen af, raapte een baksteen op en gaf een reeks tikken op het lood. Hij stak zijn hand op. Iemand anders riep op scherpe toon om stilte. De kleine generator werd uitgezet en alles werd weer donker en stil. Natuurlijk was er nog het geronk van vliegtuigen, het gedaver van het geschut in Hyde Park en elders, maar die geluiden waren het afgelopen halfjaar schijnbaar onophoudelijk aanwezig geweest: je schakelde ze uit, merkte Kay, zoals je ook het bulderen van het bloed in je eigen oren uitschakelde.

De man met de baksteen zei iets, maar zo zacht dat Kay het niet verstond. Hij tikte nogmaals op de buizen... En toen kwam er een kreetje onder het puin vandaan, heel zwak, als het miauwen van een kat.

Kay had zulke geluiden eerder gehoord: ze waren veel aangrijpender en zenuwslopender dan de aanblik van afgerukte ledematen en verminkte lichamen. Ze deden haar huiveren. Ze slaakte een zucht. Het lawaai en de bedrijvigheid waren teruggekeerd, alsof er een kleine stroomstoot door het terrein was gegaan. De generator werd gestart, het licht ging weer aan. De mannen kwamen naar voren en gingen met nieuwe moed aan het werk.

Er kwam een auto aanhobbelen over het kapotte wegdek, met een blinkend wit kruis op de motorkap. Mickey liep de wagen tegemoet. Kay aarzelde en hurkte weer naast Helen neer.

Helen zette zich onhandig schrap tegen het puin. Zij had ook met gespitste oren geluisterd. 'Die stemmen,' zei ze, 'dat waren Madeleine en Tony, hè? Maken ze het goed?'

'We hopen van wel.'

'Het komt toch wel goed? Maar hoe kan dat eigenlijk? Mevrouw Finch...' Ze schudde haar hoofd. 'Ik zag dat ze haar weghaalden, voordat jij kwam. We hadden in de keuken gezeten. Ze wilde alleen haar bril nog hebben. Ik zei dat ik wel even naar boven zou lopen om hem te halen. Hij lag op het nachtkastje, naast haar bed. Ik had hem, hier...' Ze hief haar hand op, keek naar haar palm en staarde toen in het rond, alsof ze er plotseling niets meer van begreep. 'Ze wilde niet dat ik ging,' zei ze. 'Ze wilde dat Tony het deed, ze wilde dat Tony ging...'

Haar stem was gaan trillen. Ze keek Kay met grote ogen aan. Toen zei ze plotseling: 'Hoor eens, zou je het vervelend vinden als ik je hand vasthield?'

'Vervelend?' zei Kay, geroerd door de eenvoud van het verzoek. 'Lieve hemel! Ik had het meteen al willen aanbieden, alleen wilde ik niet opdringerig lijken, snap je.'

Ze pakte Helens vingers en begon ze warm te wrijven tussen haar eigen vingers; daarna hield ze ze bij haar mond en ademde erop, langzaam, gestaag, op de knokkels en de palm.

Helen bleef intussen naar haar gezicht kijken, nog steeds met grote ogen. Ze zei: 'Jullie zijn zo moedig. Jij en je vriendin. Ik zou nooit zo moedig kunnen zijn.'

'Onzin,' zei Kay, die doorging met wrijven. 'Is het zo beter? Ik ben gewoon liever buiten in de herrie dan dat ik er thuis naar zit te luisteren.'

Helens vingers voelden koud en stoffig aan, maar de handpalm en de kussentjes van de vingertoppen waren zacht en gaven mee. Kay drukte harder en liet ze toen los. 'Daar is de dokter,' zei ze, want ze hoorde weer planken kraken. En ze voegde er zachtjes aan toe: 'Dat is trouwens een geheim, dat ik liever buiten ben.'

De dokter was een kordate, knappe vrouw van een jaar of vijfenveertig. Ze droeg een tuinbroek en een tulband. 'Hallo,' zei ze toen ze Helen zag, 'wat hebben we hier?'

Kay liep een eindje bij hen vandaan terwijl de vrouw naast Helen hurkte. Ze hoorde haar mompelen en ving Helens antwoorden op: 'Nee... Ik weet het niet... Een beetje... Dank u.'

'Het is moeilijk te zeggen hoe ernstig het is,' zei de dokter, die weer bij Kay kwam staan en het stof van haar handen veegde, 'voordat haar benen zijn bevrijd. Ik denk niet dat ze bloed heeft verloren, maar ze lijkt nogal koortsig, wat van de pijn zou kunnen komen. Ik heb haar een spuit morfine gegeven, om haar gedachten af te leiden.' Ze rekte zich uit en maakte een grimas.

Kay vroeg: 'Slechte nacht?'

'Dat kun je wel zeggen. Negen doden door een granaat in Victoria Street, vier in Chelsea. Eén hier, begrijp ik? Er was ons verteld dat die vrouw en haar zoon al onder het puin uit waren, zodat we ze konden onderzoeken; we hebben geen tijd om te blijven rondhangen. Er schijnt in Vauxhall een man te zijn wiens handen zijn afgerukt.'

Terwijl ze sprak, riep een sloper dat er geen gevaar meer was voor vrijkomend gas, en ze stak automatisch haar hand in haar zak en haalde een pakje sigaretten tevoorschijn. Ze maakte het open en hield het Kay voor.

'Mag ik er twee?' vroeg Kay.

'Jij durft.'

Kay lachte. 'De ene is voor mij, de ander is medicinaal.' Ze liet ze allebei aansteken door de vrouw en ging terug naar Helen. 'Hé,' zei ze zachtjes, 'kijk eens wat ik heb.'

Ze stak een sigaret tussen Helens lippen, pakte haar hand en hield die gewoon weer vast, net als eerst. Helens ogen waren donkerder toen ze ze een beetje dichtkneep tegen de rook, en haar stem was weer veranderd.

'Wat ben je aardig,' zei ze.

'Graag gedaan.'

'Ik voel me dronken. Hoe kan dat?'

'Dat is de morfine, denk ik.'

'Wat was die dokter aardig!'

'Ja hè?'

'Zou jij dokter willen zijn?'

'Liever niet,' zei Kay. 'Jij?'

'Ik ken een jongen die dokter wil worden.'

'Ja?'

'Een jongen op wie ik verliefd was.'

'Ach.'

'Hij heeft me laten zitten voor een ander meisje.'

'Wat een mafkees.'

'Hij zit nu in het leger. Ben jij verliefd op iemand?'

'Nee,' zei Kay. 'Maar er is wel iemand verliefd op mij. Een heel voornaam iemand nog wel... Maar dat is ook een geheim. Ik denk aan de morfine, snap je. Ik reken erop dat je dit allemaal weer vergeet.'

'Waarom is het een geheim?'

'Dat heb ik die persoon gewoon beloofd.'

'Maar jij wilt zijn liefde niet beantwoorden?'

Kay glimlachte. 'Je zou denken van wel, hè? Maar het is gek – we schijnen nooit van de mensen te houden van wie we zouden moeten houden, ik heb geen idee waarom...'

'Niet mijn hand loslaten, alsjeblieft.'
'Nooit.'
'Houd je hem vast? Ik kan het niet voelen.'
'Daar! Voel je dat?'
'Ja, dat voel ik. Kun je het zo laten? Zoals nu.'
Ze rookten in stilte, en weldra leek Helen in te dommelen: de sigaret smeulde vergeten in haar hand, zodat Kay hem voorzichtig tussen haar vingers vandaan trok en het laatste eindje zelf oprookte. Het sloopwerk ging door. Van tijd tot tijd werd het geronk van vliegtuigen en het gedreun van granaten luider; er waren spectaculaire flitsen te zien in de lucht, groene en rode, en neertuimelende lichtfakkels. Zo nu en dan kwam Mickey geeuwend naast Kay zitten. Helen bewoog een paar keer, en mompelde, of zei heel duidelijk: 'Ben je daar?' 'Ik kan je niet zien.' 'Waar ben je?'
'Ik ben hier,' antwoordde Kay elke keer, en kneep een beetje harder in haar hand.
'Die is voorgoed van jou,' zei Mickey.
En toen legden de reddingswerkers eindelijk een ingestorte trap bloot, en nadat die door een lier was opgetild werden daaronder de vrouw en haar zoon aangetroffen, vrijwel ongedeerd. De jongen kwam het eerst naar buiten – met zijn hoofd vooruit, zoals hij uit de moederschoot moest zijn gekomen, maar stijf, droog, stoffig, met wit haar als een oude man. Hij en zijn moeder stonden verdwaasd om zich heen te kijken. 'Waar is ma?' hoorde Kay de vrouw vragen. Mickey ging met dekens naar hen toe, en Kay kwam overeind.
Helen voelde haar bewegen en werd wakker, en stak haar hand naar haar uit. 'Wat is er?'
'Madeleine en Tony zijn bevrijd.'
'Maken ze het goed?'
'Het lijkt er wel op. Kun je iets zien? Nu komen de mannen jou bevrijden.'
Helen schudde haar hoofd. 'Laat me niet alleen! Alsjeblieft!'
'Ik moet weg.'
'Nee, alsjeblieft.'
'Ik moet weg, zodat de mannen je kunnen bevrijden.'
'Ik ben bang!'
'Ik moet de vrouw en haar zoon naar het ziekenhuis brengen.'

'Kan je vriendin dat niet doen?'

Kay lachte. 'Hoor eens, wil je dat ik mijn baan kwijtraak?'

Ze legde haar hand op Helens hoofd, om het stoffige haar van haar voorhoofd te strijken. Ze deed het vrij nonchalant, maar toen ze Helens angstige gezicht zag – de grote, donkere ogen boven de krijtwitte wangen – aarzelde ze.

'Wacht even,' zei ze. 'Je moet er op je best uitzien voor de reddingswerkers.'

Ze rende naar Mickey en keerde met de fles water naar Helen terug. Ze pakte haar zakdoek en maakte hem nat, en begon heel voorzichtig het stof van Helens gezicht te vegen. Ze begon bij haar voorhoofd en werkte vandaar naar beneden. 'Doe je ogen even dicht,' prevelde ze. Ze veegde over Helens wimpers, en toen over de kleine inkepingen naast haar neus, de groef boven haar lip, haar mondhoeken, haar wangen en kin.

'Kay!' riep Mickey.

'Oké! Ik kom!'

Het stof viel weg. De huid eronder was roze, mollig, verbazingwekkend glad... Kay veegde nog even door, verplaatste haar hand toen naar de ronding van Helens kaak en legde haar palm eromheen – ze wilde haar toch liever niet alleen laten en staarde haar verwonderd aan, want ze kon niet geloven dat er uit zo'n chaos zoiets fris en gaafs tevoorschijn had kunnen komen.

# Dankwoord

Dank aan Lennie Goodings en de medewerkers van Time Warner Books UK, aan Julie Grau en de medewerkers van the Penguin Group, aan Judith Murray en iedereen bij Greene & Heaton Ltd., en aan de onvolprezen Sally O-J.

Dank aan Hirani Himona, Sarah Plescia, Alison Oram, Liz Woodcraft, Amy Rubin, Fidelis Morgan, Val Bond, Betty Saunders, Robyn Vinten, Bridget Ibbs, Ron Waters, Mary Waters, Caroline Halliday, Mary Garner, Trudie Sacker, Vicky Wharton, Betty Vaughan, Jennifer Vaughan, Pamela Pearce, Roger Haworth en Lesley Hall; aan Terry Spurr van het London Ambulance Service Museum, Christine Goode en Chani Jones van Price's Candles Ltd., Jan Pimblett en de medewerkers van de London Metropolitan Archives, de medewerkers van het Imperial War Museum Archive, het City of Westminster Archives Centre, het Camden Local Studies and Archives Centre, en aan de vele mensen met wie ik de afgelopen vier jaar gesprekken heb gevoerd over de jaren veertig – in het bijzonder degenen die me adviezen en ideeën aan de hand hebben gedaan over damesondergoed, elektrische verlichting en zijden pyjama's.

Dank aan Martina Cole, die op een 'onsterfelijkheidsveiling' ten bate van de Medical Foundation for the Care of Victims of Torture een genereus bod uitbracht op het gebruik van haar naam in deze roman, en die me toestemming gaf haar naam in verkorte vorm te gebruiken.

Ideeën en inspiratie voor *De nachtwacht* heb ik aan tal van bronnen ontleend, waaronder romans en films uit de jaren veertig, foto's, plattegronden, dagboeken, brieven en hedendaagse beschrijvingen van het leven tijdens en na de Tweede Wereldoorlog. De non-fictiewerken waaraan ik het meest heb gehad waren de volgende: Verily Anderson, *Spam*

*Tomorrow* (Londen 1956); Peter Baker, *Time Out of Life* (Londen 1961); George Beardmore, *Civilians at War: Journals 1938-1946* (Londen 1984); Barbara Bell, *Just Take Your Frock Off: A Lesbian Life* (Brighton 1999); A.S.G. Butler, *Recording Ruin* (Londen 1942); Gerald Fancourt Clayton, *The Wall is Strong: The Life of a Prison Governor* (Londen 1958); Rupert Croft Cooke, *The Verdict of You All* ( Londen 1955); Diana Cooper, *Trumpets from the Steep* (Londen 1960); Michael De-la-Noy, *Denton Welch: The Making of a Writer* (Harmondsworth 1984); Mary Baker Eddy, *Science and Health: With Key to the Scriptures* (Boston 1906); Jill Gardiner, *From the Closet to the Screen: Women at the Gateways Club, 1945-85* (Londen 2003); Pete Grafton, *You, You & You!: The People Out of Step with World War* II (Londen 1981); Jenny Hartley (ed.), *Hearts Undefeated: Women's Writing of the Second World War* (Londen 1994); Jenny Heartley (ed.), *Millions Like Us: British Women's Fiction of the Second World War* I (Londen 1997); Anthony Heckstall-Smith, *Eighteen Months* (Londen 1954); Vere Hodgson, *Few Eggs and No Oranges: A Diary Showing How Unimportant People in London and Birmingham Lived Throughout the War Years 1940-1945* (Londen 1999); Elizabeth Jane Howard, *Slipstream: A Memoir* (Londen 2002); Audrey Johnson, *Do March in Step Girls: A Wren's Story* (Sandford, North Somerset 1997); Edward Ancel Kimball, *Lectures and Articles on Christian Science* (Chesterton, Indiana, 1921); Henrietta Frances Lord, *Christian Science Healing* (Londen 1888); Raynes Minns, *Bombers and Mash: The Domestic Front 1939-45* (Londen 1980); Barbara Nixon, *Raiders Overhead* (Londen 1943); Frank Norman, *Bang to Rights: An Account of Prison Life* (Londen 1958); Patrick O'Hara, *I Got No Brother* (Londen 1967); Frances Partridge, *A Pacifist's War* (Londen 1978); Phyllis Pearsall, *Women At War* (Aldershot 1990); Colin Perry, *Boy in the Blitz* (Londen 1972); Philip Priestly, *Jail Journeys: The English Prison Experience Since 1918* (Londen 1989); Barbara Pym, *A Very Private Eye: The Diaries, Letters and Notebooks of Barbara Pym*, ed. Hazel Holt en Hilary Pym (Londen 1984); Angela Raby, *The Forgotten Service: Auxiliary Ambulance Station 39, Weymouth Mews* (Londen 1999); Julian Maclaren Ross, *Memoirs of the Forties* (Londen 1965); Dorothy Sheridan (ed.), *Wartime Women: A Mass-Observation Anthology 1937-45* (Londen 2000); Nerina Shute, *We Mixed Our Drinks: The Story of a Generation* (Londen 1945); Clifford Simmons (ed.), *The Objectors* (Londen 1965); Maureen Waller, *London 1945: Life in the Debris of War*

(Londen 2004); Denton Welch, *The Journals of Denton Welch*, ed. Michael De-la-Noy (Londen 1984); Maureen Wells, *Entertaining Eric: Letters From the Home Front 1941-44* (Londen 1988); Peter Wildeblood, *Against the Law* (Londen 1955); Joan Wyndham, *Love Lessons: A Wartime Diary* (Londen 1985); Joan Wyndham, *Love is Blue: A Wartime Diary* (Londen 1986).

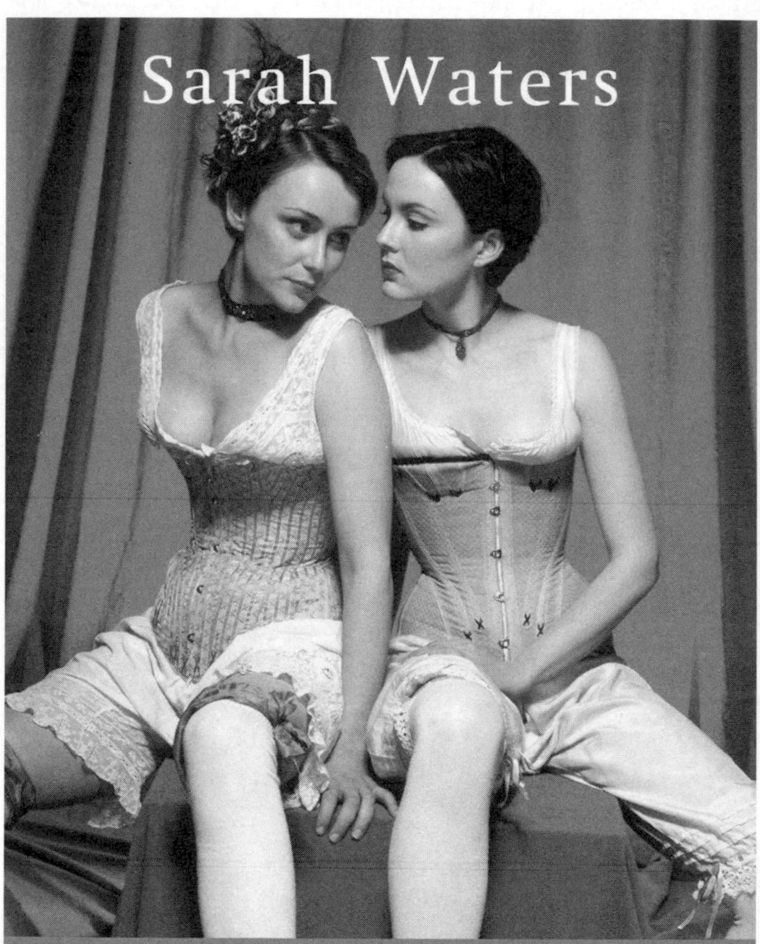
Sarah Waters
VAN DE AUTEUR VAN *VINGERVLUG*
FLUWELEN
BEGEERTE
NIJGH & VAN DITMAR

Sarah Waters
FLUWELEN BEGEERTE
ISBN 90 388 8438 9

Oesterverkoopster Nancy Astley droomt haar leven lang van de vaudeville. Ondersteboven van revuester Kitty Butler trekt ze naar het wilde en avontuurlijke Londen. Algauw worden ze geliefden en voeren ze samen hun 'mannen-act' op in theaters en music-halls. Een droom lijkt werkelijkheid geworden, maar dan leert Nancy dat liefde alleen niet genoeg is. Verlaten door Kitty zwerft ze zonder een cent op zak door de straten van Londen. Haar act wordt haar overlevingsstrategie – verkleed als man komt ze in aanraking met charlatans, schandknapen en hoeren, maar ook met de Londense aristocratie, die zo mogelijk nog gevaarlijker is...

*Fluwelen begeerte* laat op een unieke en haast tastbare manier de onderkant van de Victoriaanse tijd zien, en legt pijnlijk de hypocrisie ervan bloot. Vol kleurrijke beschrijvingen van het Londen van 1890 en zijn variétéwereld, met dickensiaanse personages en kloppend van erotische spanning is *Fluwelen begeerte* een roman die je tot de laatste bladzijde meesleept.

'Waters is een rasvertelster.' *Trouw*

'Een knap geschreven, intrigerende roman vol erotiek.' *Avantgarde*

'Leest als een trein.' *De Morgen*

'Waters is een meesterlijke verteller, die de lezer verleidt. Een rauw, liefdevol avontuur, en een uitzonderlijk, opwindend boek.' *Publishers Weekly*

Sarah Waters

AFFINITEIT

'Een psychologische thriller, *gothic* spookverhaal en liefdesgeschiedenis in één.' NRC HANDELSBLAD

Nijgh & Van Ditmar

Sarah Waters
AFFINITEIT
ISBN 90 388 8429 X

Verslagen na de dood van haar vader, vindt Margaret Prior een nieuw doel in haar leven: in de labyrintische Victoriaanse Millbank gevangenis bezoekt ze vrouwen. Te midden van moordenaars, gifmengsters en dieven lijkt het medium Selina Dawes betrekkelijk onschuldig. Margaret raakt volledig in haar ban, met haar schemerwereld van seances, schaduwen en geestverschijningen. Bevangen door een ongekend hevige passie neemt ze het besluit Selina te bevrijden.

*Affiniteit* is een historische, spirituele roman die zich afspeelt in het mistige Londen van eind negentiende eeuw; een aangrijpende liefdesgeschiedenis die even onverwacht eindigt als hij begint.

'Een psychologische thriller, *gothic* spookverhaal en liefdesgeschiedenis in één.' NRC *Handelsblad*

'Een schitterend opgebouwde thriller, die zoals dat hoort de lezer tot op de laatste bladzijde in spanning houdt.' Kristien Hemmerechts in *Standaard der Letteren*

'Erotiek, horror, mysterie, emotie en spiritualiteit: *Affiniteit* grijpt je bij de keel.' *Marie Claire*

'Een bloedstollend griezelverhaal, een psychologische thriller en een tragische liefdesgeschiedenis ineen.' *Opzij*

'Een boek om te verslinden. Lees het, huiver en geniet.' *Haarlems Dagblad*

'Een aangrijpende roman vol hartstocht, passie, list, bedrog en spanning. De roman zindert van ingehouden emoties, maar is vooral bijzonder vanwege de vorm. Waters past met een bewonderenswaardige souplesse verschillende genres toe, zonder dat dat storend werkt.' *Tubantia*

Sarah Waters

# Vingervlug

'Een zinderende liefdesthriller'

Nijgh & Van Ditmar

Sarah Waters
VINGERVLUG
ISBN 90 388 8435 4

Weeskind Sue Trinder is als baby achtergelaten bij mevrouw Sucksby, die haar met ongewoon veel tederheid opvoedt. Meneer Ibbs, Sue's stiefvader, verdient de kost met het helen van gestolen goederen. Het huis waarin Sue opgroeit is een thuishaven en toevluchtsoord voor zakkenrollers en andere kruimeldieven.

Wanneer de charmant ogende oplichter Richard Rivers, beter bekend als Gentleman, een duivels plan opstelt en Sue daarin betrekt, verandert haar leven voorgoed. Sue's aandeel in het plan bestaat eruit het dienstmeisje te worden van Maud Lilly, een naïef rijkeluismeisje dat samen met haar oom in een groot landhuis woont. Ze moet Gentleman helpen Maud te verleiden. Als dat lukt, krijgt Sue drieduizend pond van de enorme erfenis die Maud ontvangt als ze in het huwelijk treedt. Zodra de erfenis is veiliggesteld, wil Gentleman Maud laten opsluiten in een gekkenhuis.

Sue gaat akkoord met het snode plan, maar algauw krijgt ze medelijden met Maud en raakt innig bevriend met haar. Totdat het ware plan van Gentleman duidelijk wordt, dat het begin is van een duizelingwekkende reeks verwikkelingen, waarin de lezer voortdurend op het verkeerde been wordt gezet.

*Vingervlug* is een spannende thriller die de lezer meevoert naar de Londense onderwereld van de negentiende eeuw, vol verraad, bedrog en opportunisme. Het is de wereld van Oliver Twist 'met een twist'. Maar *Vingervlug* is ook een ontroerende liefdesgeschiedenis, een zoektocht naar identiteit, familie en vriendschap.

'Waters is een rasvertelster. Niets is wat het lijkt in deze roman. Waters voert haar lezers met vaste hand naar de ontknoping en laat hen ademloos achter. *Vingervlug* is een kloeke historische roman die zich kan meten met het beste uit de Engelse traditie, maar het is vooral een pleidooi voor de verbeelding.' *Trouw*

'Een huiveringwekkende, ingenieuze, erotische thriller die je in één adem uitleest.' *Sunday Express*

‘Waters houdt je vanaf de eerste pagina gevangen. Een zinderende liefdesthriller.’ *Het Parool*

‘Schitterende roman. Een zeer goed geschreven, spannend en humoristisch verhaal. Lees Vingervlug en geniet.’ GPD-*bladen*

‘Een reeks ongelofelijke verwikkelingen, die je na meer dan vijfhonderd pagina’s verbluft achterlaat. Veel meer kun je van een boek niet verwachten.’ *Marie Claire*

‘In *Affiniteit* liet Sarah Waters zich kennen als een expert in de beheerste suspense, maar met *Vingervlug* overtreft ze zichzelf.’ *Standaard der Letteren*